UM SINAL DOS CÉUS

NORA ROBERTS

Romances

A pousada do fim do rio
O testamento
Traições legítimas
Três destinos
Lua de sangue
Doce vingança
Segredos
O amuleto
Santuário
A villa
Tesouro secreto
Pecados sagrados
Virtude indecente
Bellissima
Mentiras genuínas
Riquezas ocultas
Escândalos privados
Ilusões honestas
A testemunha
A casa da praia
A mentira
O colecionador
A obsessão
Ao pôr do sol
O abrigo
Uma sombra do passado
O lado oculto
Refúgio
Legado
Um sinal dos céus
Aurora boreal
Na calada da noite

Trilogia do Sonho

Um sonho de amor
Um sonho de vida
Um sonho de esperança

Saga da Gratidão

Arrebatado pelo mar
Movido pela maré
Protegido pelo porto
Resgatado pelo amor

Trilogia do Coração

Diamantes do sol
Lágrimas da lua
Coração do mar

Trilogia da Magia

Dançando no ar
Entre o céu e a terra
Enfrentando o fogo

Trilogia da Fraternidade

Laços de fogo
Laços de gelo
Laços de pecado

Trilogia do Círculo

A cruz de morrigan
O baile dos deuses
O vale do silêncio

Trilogia das Flores

Dália azul
Rosa negra
Lírio vermelho

NORA ROBERTS

UM SINAL DOS CÉUS

4ª edição

Tradução
Carolina Simmer

BERTRAND BRASIL
Rio de Janeiro | 2024

EDITORA-EXECUTIVA
Renata Pettengill

SUBGERENTE EDITORIAL
Luiza Miranda

AUXILIARES EDITORIAIS
Beatriz Araújo
Georgia Kallenbach

REVISÃO
Eduardo Carneiro
Juliana Pitanga

IMAGENS DE CAPA
Casal: Mint Images – Emily Hancock / Getty Images
Montanhas: Getty Images

DIAGRAMAÇÃO
Mayara Kelly

TÍTULO ORIGINAL
Angels Fall

CIP-BRASIL. CATALOGAÇÃO NA PUBLICAÇÃO
SINDICATO NACIONAL DOS EDITORES DE LIVROS, RJ

R549s Roberts, Nora, 1950-
4. ed. Um sinal dos céus / Nora Roberts ; tradução Carolina Simmer. – 4. ed. – Rio de Janeiro : Bertrand Brasil, 2024.

Tradução de: Angels Fall
ISBN 978-65-5838-081-8

1. Ficção americana. I. Simmer, Carolina. II. Título.

21-75063 CDD: 813
CDU: 82-3(73)

Camila Donis Hartmann – Bibliotecária – CRB-7/6472

Texto revisado segundo o novo Acordo Ortográfico da Língua Portuguesa.

2022
Impresso no Brasil
Printed in Brazil

Direitos exclusivos de publicação em língua portuguesa somente para o Brasil adquiridos pela:
EDITORA BERTRAND BRASIL LTDA.
Rua Argentina, 171 — 3º andar — São Cristóvão
20921-380 — Rio de Janeiro — RJ
Tel.: (21) 2585-2000
que se reserva a propriedade literária desta tradução.

Seja um leitor preferencial.
Cadastre-se no site www.record.com.br e receba informações sobre nossos lançamentos e nossas promoções.

Atendimento e venda direta ao leitor:
sac@record.com.br

Para mamãe

SINAIS

Quem está em todo lugar não está em lugar nenhum.

— Sêneca

Capítulo um

⌘ ⌘ ⌘

Reece Gilmore fumegava pelas subidas e descidas que levavam a Angel's Fist com o motor superaquecido de seu Chevy Cavalier. Havia 243 dólares e uns quebrados em seu bolso, o que talvez desse para salvar o carro, abastecê-lo e comprar comida. Se a sorte estivesse do seu lado e a doença do Chevy não fosse terminal, ela teria o suficiente para passar a noite em um hotel.

No entanto, mesmo com os cálculos mais otimistas, ficaria zerada depois.

Reece interpretou as nuvens de fumaça saindo do capô como um sinal para interromper a temporada na estrada por um tempo e arranjar um emprego.

Tudo bem, está tudo bem, disse a si mesma. Aquela cidadezinha do Wyoming que cercava as frias águas azuis daquele lago era uma opção tão promissora quanto qualquer outra. Talvez até melhor. Ela teria toda a vastidão de que precisava — todo aquele céu, com os cumes da cordilheira Teton cobertos de neve erguendo-se como deuses comedidos e, de certa forma, arredios.

Fazia horas que Reece ia em direção às montanhas, serpenteando pela paisagem sinuosa de colinas e planícies que parecia até uma fotografia de Ansel Adams. Quando entrara no carro naquele dia, antes do nascer do sol, não fazia ideia de qual seria seu destino, mas passara direto por Cody, Dubois e, apesar de ter cogitado seguir para Jackson, acabara indo para o sul.

Então era provável que algo a estivesse atraindo até lá.

Nos últimos oito meses, Reece passara a confiar mais em seus instintos e nos sinais que notava. Mesmo se estes fossem placas dizendo "curva acentuada" ou "pista escorregadia" — ainda bem que alguém se dedicou para colocar esses avisos ao longo do caminho. Os sinais também podiam ser um raio de sol incidindo de uma forma na estrada que indicasse algum lugar ou um cata-vento apontando para a direção sul.

Se ela fosse com a cara do raio de sol ou do galo empoleirado no cata-vento, seguiria a direção indicada até encontrar o que parecesse ser o lugar certo na hora certa. Talvez passasse algumas semanas ali ou, como fizera na Dakota do Sul, alguns meses. Arrumaria um emprego, conheceria a cidade e então iria embora quando aqueles sinais, aqueles instintos, indicassem outro rumo.

Havia liberdade no método que criara, que, com frequência — agora com mais frequência ainda —, diminuía o incessante zumbido de ansiedade em sua mente. Aqueles últimos meses vivendo sozinha, apenas consigo mesma, a ajudaram mais do que um ano inteiro de terapia.

Sendo bem sincera, ela achava que a terapia tinha sido o ponto de partida para que ela aprendesse a tolerar a própria companhia todos os dias. Todas as noites. Todas as horas.

E ali estava mais um recomeço, mais uma folha em branco no pico das montanhas ao redor de Angel's Fist.

Na pior das hipóteses, ela desfrutaria o lago e as montanhas por alguns dias e ganharia dinheiro suficiente para voltar à estrada. Um lugar assim — uma placa anunciava que a população era de 623 pessoas —, provavelmente, sobrevivia de turismo, explorando a beleza natural e a proximidade do parque nacional.

Devia haver pelo menos um hotel, ou algumas pousadas, ou talvez um hotel-fazenda a poucos quilômetros. Até que devia ser divertido trabalhar em um hotel-fazenda. Todos esses lugares precisariam de alguém para buscar, carregar e limpar coisas, especialmente agora que o degelo da primavera amenizava o frio do inverno.

Mas, como seu carro começava a enviar sinais de fumaça cada vez mais densos e urgentes, sua prioridade agora era encontrar um mecânico.

Ela seguiu devagar pela estrada que contornava o perímetro sinuoso do lago comprido e amplo. Trechos de neve criavam poças brancas e opacas nas sombras. As árvores ainda exibiam um tom marrom-inverno, mas havia alguns barcos na água. Ela podia ver dois homens de parca e gorro em uma canoa branca, remando através do reflexo das montanhas.

Do outro lado do lago, ficava o que parecia ser o centro da cidade. Lojinhas de suvenir, uma pequena galeria. Banco, correio, notou Reece. Delegacia.

Ela virou para o outro lado a fim de guiar o carro em estado terminal até o que parecia ser um vasto terreno com um celeiro e um mercadinho. Dois homens usando uma camisa de flanela estavam sentados em frente ao comércio em cadeiras resistentes de madeira que lhes proporcionavam uma bela vista para o lago.

Eles a cumprimentaram com um aceno de cabeça quando ela desligou o motor e saltou do carro. O da direita abaixou a aba do boné azul, que exibia o nome do estabelecimento — Armazém e Conveniência do Mac — na parte da frente.

— Seu carro parece mal das pernas, moça.

— Pois é. O senhor sabe onde fica a oficina mais próxima?

O homem apoiou as mãos nas coxas e se levantou. Seu corpo era parrudo. e o rosto, avermelhado, com rugas no canto dos simpáticos olhos castanhos. Ao falar, sua voz era arrastada e vagarosa.

— Que tal a gente abrir o capô e dar uma olhada?

— Eu ficaria muito grata. — Quando Reece puxou a alavanca, ele abriu o capô e se afastou das nuvens de fumaça. Por motivos que iam além de sua compreensão, a névoa e o chiado deixaram Reece mais envergonhada do que nervosa. — Ele começou a dar problema uns quinze quilômetros atrás se não me engano. Eu não estava prestando muita atenção. Fiquei distraída com a paisagem.

— Acontece. Você estava indo para o parque?

— Sim. Mais ou menos. — Era difícil saber, sempre era difícil saber, pensou ela, e tentou se concentrar no presente, e não no passado ou no futuro. — Mas acho que o carro tinha outros planos.

O amigo se aproximou, e, juntos, observaram a situação com a cabeça sob o capô, como Reece sempre via os homens fazendo — olhares concentrados e testas franzidas sabiamente. Ela olhou junto, apesar de aceitar que também era um clichê ambulante. Para Reece, o que havia debaixo do capô de um carro ia tão além de seu conhecimento quanto a topografia de Plutão.

— A mangueira do radiador estourou — explicou o primeiro homem. — Vai ter que trocar.

Não parecia ser grave, não muito grave. Nem muito caro.

— Tem alguma oficina na cidade que faça isso?

— O pessoal da oficina do Lynt consegue dar um jeito. Posso ligar pra lá.

— Meu herói. — Ela abriu um sorriso e estendeu o braço, um gesto que se tornara muito mais fácil de realizar com desconhecidos. — Eu me chamo Reece, Reece Gilmore.

— Mac Drubber. E esse aqui é Carl Sampson.

— Você é da Costa Leste, não é? — perguntou Carl.

Ele era um cinquentão em ótima forma e parecia ter algum parentesco distante com os povos nativos.

— Sou. Vim de longe, de Boston. Obrigada mesmo pela ajuda.

— É só um telefonema — disse Mac. — Pode entrar se quiser fugir do vento, ou dar uma volta por aí. Lynt deve demorar um pouco para chegar.

— Prefiro dar uma volta se não tiver problema. Talvez você possa me indicar algum lugar para ficar na cidade. Algo simples.

— Tem o Hotel Lakeview aqui perto. E a Teton House do outro lado do lago, que é mais hospitaleira. Está mais para uma pousada. Tem também uns chalés beirando o lago e outros mais afastados da cidade, que podem ser alugados por uma semana ou por um mês.

Reece parou de pensar a longo prazo. Um dia já era desafiador o suficiente. E *hospitaleiro* parecia íntimo demais.

— Acho que vou andar um pouco e dar uma olhada no hotel.

— Andando é meio longe. Posso te dar uma carona.

— Passei o dia todo dirigindo. Vai ser bom para esticar as pernas. Mas obrigada, sr. Drubber.

— Disponha. — Ele ficou parado ali por um instante enquanto ela seguia pelo caminho de madeira. — Bonitinha — comentou.

— Muito magra. — Carl balançou a cabeça. — As mulheres hoje em dia ficam passando fome e acabam ficando retas que nem uma tábua.

Reece não ficava passando fome e inclusive estava se esforçando para recuperar o peso que perdera nos últimos dois anos. Ela fora de malhada para magricela e conseguira voltar para o que considerava ser esguia. Muitos ângulos e pontas, muitos ossos aparentes. Toda vez que ela se despia, seu corpo lhe parecia estranho.

E não teria concordado com o "bonitinha" de Mac. Não mais. No passado, se via dessa forma, como uma mulher bonita — estilosa, sexy quando queria. Mas seu rosto parecia muito sisudo agora, com as maçãs bem marcadas, as bochechas bem fundas. As noites insones aconteciam com menos frequência, mas, quando vinham, deixavam olheiras vasculares sob seus olhos pretos e traziam uma palidez, cadavérica e acinzentada, para sua pele.

Ela queria voltar a se reconhecer.

Reece continuou andando; seu Keds gasto não emitindo praticamente nenhum som ao tocar na calçada. Ela aprendera a não ter pressa — ensinara a si mesma a não forçar a barra, a não correr, a aceitar as coisas do jeito que elas eram. E a aproveitar cada momento da melhor forma possível.

A brisa refrescante batia em seu rosto e atravessava seu longo cabelo castanho, preso em um rabo de cavalo. Ela gostava da sensação, do cheiro do ar limpo e fresco, e da luz forte que se espalhava pela cordilheira Teton, fazendo a água brilhar.

Por meio dos galhos desfolhados dos salgueiros e choupos, era possível ver alguns dos chalés que Mac mencionara. Eles se escondiam atrás das árvores, feitos de madeira e vidro, com varandas grandes — e vistas maravilhosas, supôs.

Seria bom se sentar em uma daquelas varandas e contemplar o lago ou as montanhas, observar os seres que visitavam o pântano, onde taboas surgiam do brejo. Ter tanto espaço ao redor, tanto silêncio.

Um dia talvez, pensou ela. Mas não hoje.

Ao lado da porta de um restaurante, Reece viu as hastes verdes de narcisos em um barril de uísque cortado pela metade. As plantas balançavam um pouco por conta do vento frio, mas eram um lembrete da primavera que se aproximava. Na primavera, tudo se renovava. Talvez, nesta primavera, ela se renovasse também.

Então, parou para admirar os brotos delicados. Era reconfortante ver a estação voltando depois de um longo inverno. Logo haveria outros sinais.

Seu guia de viagem descrevia com orgulho os quilômetros de flores silvestres sobre as planícies cinza-esverdeadas e ao longo dos lagos e lagoas da região.

Ela estava pronta para florescer, pensou Reece. Pronta para desabrochar.

Depois, ela fitou a grande janela na fachada do restaurante. Estava mais para uma lanchonete, corrigiu-se. Atendimento no caixa, mesas para duas e quatro pessoas, mesas com sofás, tudo em um vermelho desbotado e branco. Tortas e bolos expostos em uma vitrine refrigerada, a cozinha em conceito aberto atrás do balcão. Duas garçonetes andando para lá e para cá com bandejas e bules de café.

Hora do almoço, notou Reece. Ela se esquecera do almoço. Assim que desse uma olhada no hotel, ia...

Foi então que avistou o anúncio na janela, escrito a mão.

PRECISA-SE DE COZINHEIRO

MAIS INFORMAÇÕES DENTRO DA LOJA

Sinais, pensou Reece de novo, apesar de ter dado um passo para trás sem perceber. Ela ficou parada onde estava, analisando o interior com cuidado pelo vidro. Cozinha com conceito aberto, lembrou a si mesma, esse detalhe era fundamental. Comida de lanchonete era algo que sabia fazer de olhos fechados. Ou pelo menos já soubera, no passado.

Talvez tivesse chegado o momento de descobrir se ainda sabia fazer isso, o momento de dar outro passo adiante. Se não desse conta do recado, saberia de uma vez por todas. E isso não pioraria sua situação de forma alguma.

O hotel também devia estar contratando mais funcionários para a alta temporada. Ou talvez o sr. Drubber precisasse de outro atendente na mercearia.

Mas o sinal estava ali, e seu carro chegara àquela cidade, e seus passos a trouxeram até ali, onde os brotos de narcisos nasciam do solo num primeiro fôlego hesitante de primavera.

Reece foi em direção à porta, respirou bem, bem fundo e abriu-a.

Cebolas fritas, carne grelhada — malpassada —, café forte, um jukebox tocando música country e um burburinho de conversas vindo das mesas.

Piso vermelho e limpo, notou ela, balcão branco polido. As poucas mesas vazias estavam arrumadas à espera de clientes. As paredes exibiam fotos — bonitas, na sua opinião. Imagens em preto e branco do lago, de canoagem, das montanhas em todas as estações.

Reece ainda estava se familiarizando, criando coragem, quando uma das garçonetes se aproximou.

— Boa tarde. Se quiser almoçar, pode escolher uma mesa ou comer no balcão.

— Na verdade, eu queria falar com o gerente. Ou com o dono. É sobre o anúncio no vidro da janela. Para o cargo de cozinheira.

A garçonete parou, ainda equilibrando a bandeja.

— Você é cozinheira?

Houve um tempo em que Reece torceria o nariz para o termo em tom de brincadeira, mas mesmo assim...

— Sou.

— Isso vai vir a calhar, porque faz dois dias que Joanie demitiu nosso cozinheiro.

A garçonete fechou a mão que estava livre e a balançou perto dos lábios, fazendo um gesto que indicava bebedeira.

— Ah...

— Ela contratou o sujeito em fevereiro, quando ele apareceu na cidade atrás de emprego. Disse que tinha encontrado Jesus e estava espalhando Sua palavra pelo país. — A mulher inclinou a cabeça e o quadril, abrindo um sorriso radiante em seu belo rosto. — E ele gostava mesmo de pregar, parecia um discípulo que tinha acabado de fumar crack. Falava tanto que dava vontade de enfiar um pano na goela dele. Mas aí acho que ele acabou esbarrando em alguma garrafa, e deu ruim. Enfim. Pode sentar no balcão. Vou ver se Joanie consegue escapar da cozinha rapidinho. Quer um café?

— Chá, se tiver.

— Pode deixar.

Ela não precisava aceitar o emprego, lembrou Reece a si mesma enquanto se acomodava em uma banqueta de metal com assento de couro e secava as mãos suadas na calça jeans. Mesmo que recebesse uma oferta, não precisava aceitar. Poderia limpar quartos em uma pousada ou tentar achar o hotel-fazenda.

O jukebox trocou de música, e Shania Twain anunciou, toda animada, que se sentia um mulherão.

A garçonete foi até a chapa e cutucou o ombro de uma mulher robusta e baixinha, que se inclinava para a frente. Depois de um instante, a mulher olhou por cima do ombro, encontrou os olhos de Reece e acenou com a cabeça. A garçonete voltou com uma xícara branca cheia de água quente e um saquinho de chá Lipton no pires.

— Joanie já vem. Quer almoçar? O prato do dia é o bolo de carne. Vem com purê de batata, vagem e um pãozinho.

— Não, obrigada. Só o chá mesmo.

Seria impossível comer com a ansiedade tomando conta de sua barriga. O pânico queria vir à tona; aquele peso sufocante apertava seu peito.

Era melhor ir embora, pensou Reece. Sair dali e voltar para o carro. Trocar a mangueira e partir. Danem-se os sinais.

Joanie tinha uma cabeleira loira, usava um avental branco cheio de manchas de gordura e um Converse vermelho de cano médio. Ela veio da cozinha enxugando as mãos em um pano de prato.

E analisou Reece com seus olhos penetrantes, que estavam mais para o cinza do que para o azul.

— Você cozinha? — A voz rouca por causa do cigarro fazia com que a ríspida pergunta ficasse estranhamente sensual.

— Sim.

— Profissionalmente ou só para ter algo para enfiar na boca?

— Era o que eu fazia em Boston... profissionalmente.

Lutando contra a ansiedade, Reece abriu o saquinho de chá.

Joanie tinha lábios delicados, com o arco do cupido bem definido, contrastando com aquele olhar sério. E uma cicatriz antiga, pois quase não dava para ver, na mandíbula, que ia da orelha esquerda até quase o queixo.

— Boston. — Em um gesto inconsciente, a mulher prendeu o pano de prato na cintura com a ajuda do avental. — Você veio de longe.

— Pois é.

— Não sei se quero uma cozinheira da Costa Leste que não consegue ficar quieta nem por cinco minutos.

Surpresa, Reece ficou boquiaberta, mas então se recompôs, abrindo um sorriso tímido.

— Sou uma tagarela quando fico nervosa.

— O que veio fazer por essas bandas?

— Estou viajando. Meu carro quebrou. Preciso de um emprego.

— Tem referências?

Ela sentiu um aperto no peito, como se uma mão coberta por uma tristeza silenciosa estivesse esmagando seu coração.

— Posso conseguir.

Joanie fungou e franziu a testa enquanto se virava para a cozinha.

— Vá lá pra trás e coloque um avental. O próximo pedido é um sanduíche de filé-mignon ao ponto, no pão de cebola, com cebolas fritas e cogumelos, uma porção de batatas fritas e salada de repolho. Se Dick não cair duro depois de comer sua comida, é bem provável que a vaga seja sua.

— Ok.

Reece desceu da banqueta e, respirando devagar, passou pela porta vai e vem no fim do balcão.

E nem percebeu, ao contrário de Joanie, que havia picotado a embalagem inteira do saquinho de chá.

A disposição da cozinha era simples e muito eficiente — uma chapa grande, um fogão, uma geladeira e um freezer industriais, estufas, pias, bancadas de trabalho, fritadeira elétrica dupla, sistema de combate a incêndios. Enquanto ela amarrava o avental, Joanie organizou os ingredientes na bancada.

— Obrigada.

Reece esfregou as mãos, uma na outra, e começou a trabalhar.

Não pense, disse a si mesma. Apenas deixe fluir. Ela colocou o bife na chapa, fazendo-a chiar, enquanto picava as cebolas e os cogumelos. Em seguida, colocou as batatas, já cortadas, na cesta da fritadeira e programou o timer.

Suas mãos não tremiam, e, apesar de o aperto no peito não ter passado, Reece não se permitiu olhar para trás e se certificar de que as paredes não estavam se fechando ao seu redor.

Preferiu se concentrar no som que vinha do jukebox, da chapa, da fritadeira.

Joanie pegou o próximo pedido preso no suporte de comanda e bateu na bancada com ele na mão.

— Uma sopa de feijão... Faz naquela panela ali. E acompanha torradas.

Reece apenas assentiu, jogou os cogumelos e as cebolas na chapa e os deixou fritar enquanto servia a sopa do segundo pedido.

— Outro pedido! — gritou Joanie, puxando uma nova comanda. — Um Reuben, um clubhouse e duas saladas de acompanhamento.

Ela foi de um pedido para outro, apenas deixando as coisas acontecerem. O clima e a comida podiam ser diferentes, mas o ritmo era o mesmo. Não pare de trabalhar, não pare de se mexer.

Reece montou o primeiro pedido no prato, se virou e o entregou para Joanie, a fim de que ela pudesse aprovar.

— Pode servir — disse a mulher. — Pode começar a fazer o próximo pedido. Se não precisarmos chamar uma ambulância em meia hora, você está contratada. Podemos conversar sobre o salário e os turnos depois.

— Preciso...

— Faça o próximo — concluiu Joanie. — Vou fumar um cigarro.

Reece trabalhou por mais noventa minutos antes que os pedidos diminuíssem e ela pudesse se afastar do fogão para beber água. Quando se virou, encontrou Joanie sentada ao balcão, tomando um café.

— Ninguém morreu — disse ela.

— Ufa... Aqui é sempre cheio assim?

— Nos almoços de sábado, sim. Temos um movimento bom. Você vai receber oito dólares por hora, para começar. Daqui a duas semanas, se continuar indo bem, aumento para nove. Somos só nós duas e mais uma pessoa por meio expediente, todo dia. Você tem dois dias de folga por semana, ou pelo menos boa parte desses dois dias. Faço a escala uma semana antes. Abrimos às seis e meia, o que significa que o horário de chegada do primeiro turno é às seis da manhã. O cardápio do café da manhã é servido o dia todo, o do almoço vai das onze até o fim do dia e o do jantar, das cinco da tarde às dez da noite. Se quiser trabalhar quarenta horas por semana, posso dar um jeito. Não pago hora extra, então, se você acabar ficando presa atrás do fogão e passar do horário, descontamos as horas na semana seguinte. Alguma dúvida até aqui?

— Não.

— Se aparecer pra trabalhar de cara cheia, vai ser demitida na mesma hora.

— Certo.

— O café, a água e o chá são liberados. Se quiser beber refrigerante, tem que pagar. Mesma coisa para a comida. Nada de almoço de graça por aqui. Não que eu ache que você vá surrupiar comida enquanto eu não estiver olhando. Você é magra que nem um graveto.

— Pois é.

— O cozinheiro do último turno limpa a chapa, o forno e tranca tudo.

— Não posso fazer isso — interrompeu Reece. — Não posso fechar a lanchonete. Posso abrir, posso trabalhar em qualquer turno. Posso trabalhar dois turnos seguidos quando você precisar, ou fazer dois turnos em horários diferentes. Posso até trabalhar mais de quarenta horas se tiver muito movimento. Mas não posso fechar. Sinto muito.

Joanie ergueu as sobrancelhas e tomou o último gole de seu café.

— Tem medo de escuro, menina?

— Tenho. Se fechar a lanchonete for um requisito, eu procuro outra coisa.

— A gente dá um jeito. Precisamos preencher uma papelada para o governo. Mas podemos deixar pra depois. Seu carro já está pronto, está te esperando na mercearia. — Joanie sorriu. — Fofoca aqui corre rápido, e eu presto atenção nas coisas. Se estiver procurando um lugar para ficar, posso alugar o apartamento em cima da lanchonete para você. Não é lá essas coisas, mas a vista é bonita, e é limpo.

— Obrigada, mas acho que vou tentar o hotel primeiro. Vamos esperar umas duas semanas e ver o desenrolar das coisas.

— Medo de compromisso.

— Medo em geral.

— Você que sabe. — Dando de ombros, Joanie se levantou e foi até a porta vai e vem com sua xícara. — Vá buscar seu carro, se instale. E esteja aqui às quatro.

Um pouco fora do ar, Reece foi embora da lanchonete. Estava de volta à cozinha, e deu tudo certo. Ela estava bem. Agora que o pior já tinha passado, se sentia meio tonta, mas isso era normal, não era? Uma reação esperada depois de conseguir um emprego logo de cara, fazendo algo que fora treinada para fazer. Fazendo algo que não fazia havia quase dois anos.

Reece voltou devagar para o carro, assimilando o que tinha acontecido. Quando chegou à mercearia, Mac registrava uma compra em um pequeno balcão do lado oposto à porta. O lugar era como ela imaginava: tinha um pouco de tudo — freezers com frutas, legumes, verduras e carne, prateleiras com alimentos não perecíveis, seções com ferragens e ferramentas, utensílios domésticos, equipamentos de pesca, munição.

Precisando de uma caixa de leite e de balas para sua pistola? Este era o lugar certo.

Quando Mac finalizou a venda, ela se aproximou do balcão.

— O carro já está pronto — disse ele.

— Fiquei sabendo, e obrigada. Como faço para pagar?

— Lynt deixou a nota comigo. Se quiser pagar com cartão, dê um pulo lá na oficina. Se for em dinheiro, pode pagar aqui. Vou me encontrar com ele mais tarde.

— Pode ser em dinheiro. — Ela pegou a nota e, aliviada, percebeu que o valor era menor do que calculara. Então, ouviu uma voz nos fundos da loja, o som de outra caixa registradora. — Consegui um emprego.

Mac inclinou a cabeça enquanto ela pegava a carteira.

— É mesmo? Que rápida!

— Na lanchonete. Nem gravei o nome ainda.

— Comida dos Anjos. Mas o pessoal daqui sempre fala que vai comer na Joanie.

— Na Joanie então. Espero que você apareça por lá qualquer dia desses. Eu cozinho bem.

— Aposto que cozinha. Aqui, seu troco.

— Obrigada. Obrigada por tudo. Acho que vou procurar um quarto e depois voltar para o trabalho.

— Se ainda estiver pensando em ficar no hotel, peça a Brenda na recepção pelo valor mensal. Diga que está trabalhando na Joanie.

— Pode deixar. Vou dizer. — Reece estava com vontade de anunciar a novidade no jornal local. — Obrigada, sr. Drubber.

O hotel era composto por cinco andares de estuque amarelo-claro com uma bela vista para o lago. Lá dentro, havia uma pequena mercearia, uma barraquinha que servia café e muffins e uma sala de jantar muito aconchegante, com mesas forradas com toalhas de linho.

Ela foi informada de que poderia ter acesso à internet de alta velocidade por uma pequena taxa diária, que o serviço de quarto funcionava das sete da manhã às onze da noite e que havia uma pequena lavanderia no porão.

Reece negociou um valor semanal por um quarto com cama de solteiro — uma semana já era tempo suficiente — no terceiro andar. Qualquer coisa abaixo do terceiro comprometeria sua paz de espírito, e qualquer coisa acima a faria se sentir presa.

Com a carteira agora completamente vazia, ela preferiu subir com a mala e o laptop pelos três lances de escada a pegar o elevador.

A vista condizia com o prometido, e Reece abriu as janelas assim que entrou, observando o brilho da água, o deslizar dos barcos e as montanhas que cercavam aquele trecho do vale.

Aquele era seu lar hoje, pensou. Depois, descobriria se continuaria sendo seu lar amanhã. Voltando ao que interessava, ela notou a porta que conectava seu quarto ao do lado. Verificou se estava trancada antes de empurrar, puxar e arrastar a única cômoda existente ali para bloqueá-la.

Melhor assim.

E não ia desfazer a mala, não exatamente, mas pegaria alguns itens essenciais e os colocaria a seu alcance. Suas velas, alguns itens de higiene pessoal, o carregador do celular. Como o banheiro era praticamente do tamanho do armário, Reece deixou a porta aberta enquanto tomava uma ducha. Para se manter calma, recitou a tabuada debaixo da água. Então, tirou roupas limpas da mala e se vestiu rápido.

Emprego novo, lembrou a si mesma, e se deu ao trabalho de secar o cabelo e de passar um pouco de maquiagem. Sem cara de morta hoje, observou, sem olheiras tão fundas.

Depois de checar a hora no relógio, ela pegou o laptop, abriu seu diário e escreveu um pouco.

Angel's Fist, Wyoming
15 de abril

Hoje eu cozinhei. Aceitei um emprego como cozinheira em uma pequena lanchonete nessa cidade tão linda, que fica em um vale com um enorme lago azul. Na minha cabeça, abri uma garrafa de champanhe, e há serpentinas e balões.

Sinto como se tivesse escalado uma montanha, como se estivesse escalando os cumes mais difíceis que cercam esse lugar. Ainda não cheguei ao topo; ainda estou em um precipício. Mas é uma base firme, espaçosa, e posso descansar um pouco antes de voltar a escalar.

Vou trabalhar para uma mulher chamada Joanie. Ela é baixinha, robusta e bonita de um jeito peculiar. E durona, o que é bom. Não quero que as pessoas fiquem cheias de dedos comigo. Acho que me sentiria sufocada, sem ar, da mesma forma que acontece quando acordo de um dos pesadelos. Consigo respirar aqui e não preciso ir embora quando eu quiser.

Tenho menos de dez dólares agora, mas de quem é a culpa mesmo? Não tem problema. Aluguei um quarto por uma semana, com vista para o lago e para a cordilheira, arrumei um emprego e troquei a mangueira do radiador.

Me esqueci de almoçar, o que foi um retrocesso. Mas também não tem problema. Estava ocupada demais cozinhando e vou compensar isso.

Quinze de abril está sendo um ótimo dia. Preciso ir trabalhar.

Reece fechou o laptop, guardou o celular, as chaves, a carteira de motorista e três dólares nos bolsos da calça. Depois de pegar uma jaqueta, seguiu para a porta.

Antes de abri-la, olhou pelo olho mágico, analisando o corredor vazio. Verificou duas vezes se a porta estava trancada, xingou a si mesma e verificou pela terceira vez antes de voltar e pegar um pedaço de fita adesiva em sua caixa de ferramentas. Então, colou-o na porta, um pouco abaixo da altura dos olhos, antes de sair e seguir para a escada.

Ela correu pelos degraus, contando-os enquanto descia. Depois de pensar um pouco, resolveu deixar o carro no estacionamento. Poderia economizar o dinheiro da gasolina se fosse andando, apesar de saber que já ia estar escuro quando seu expediente acabasse.

Eram dois quarteirões, só isso. Ainda assim, ela remexeu o chaveiro e o botão de pânico pendurado nele.

Talvez fosse melhor voltar e pegar o carro, só para garantir. Que bobagem, pensou ela. Já estava quase chegando. Pense no presente, não no futuro. Quando ela percebeu que a ansiedade não ia embora, Reece se imaginou diante da chapa. A luz forte da cozinha, a música do jukebox, as vozes vindo das mesas. Sons, aromas, movimentos familiares.

Talvez suas mãos estivessem suadas quando empurrou a porta da lanchonete, mas ela a abriu. E entrou.

A mesma garçonete com quem conversara no turno do almoço a viu e acenou em sua direção, chamando-a. Reece parou diante da mesa na qual a mulher enchia os frascos de condimento.

— Joanie está lá atrás na despensa. Pediu que eu te explicasse como as coisas funcionam por aqui. Esse horário é mais calmo. Daqui a pouco, o pessoal já começa a aparecer. Eu me chamo Linda-gail.

— Reece.

— Primeira coisa: Joanie não gosta de ver a gente à toa. Se pegar você à toa, vai te comer no esporro.

A garçonete sorria enquanto falava, fazendo os olhos azuis brilharem e as covinhas em suas bochechas ficarem mais aparentes. Seu cabelo era loiro como o de uma boneca, penteado para trás em uma trança embutida.

Ela usava calça jeans e uma camiseta vermelha com um bordado branco. Brincos em prata e turquesa pendiam de suas orelhas. A mulher parecia uma camponesa, pensou Reece.

— Gosto de trabalhar.

— Vai gostar mais ainda, confie em mim. Como hoje é sábado, o restaurante fica cheio. Hoje tem mais duas garçonetes trabalhando: Bebe e Juanita. Matt limpa as mesas, Pete lava a louça. Joanie fica na cozinha, e ela vai ficar de olho em tudo que você fizer. Se precisar de um intervalo, avise a ela e descanse. Pode deixar sua bolsa e seu casaco lá nos fundos. Você não trouxe bolsa?

— Não, não trouxe.

— Meu Deus, não consigo botar o pé fora de casa sem a minha. Vamos, vou te mostrar tudo. Joanie separou os contratos para você assinar. Imagino que tenha experiência com esse tipo de trabalho, pelo jeito que botou a mão na massa hoje.

— Sim, tenho.

— Banheiros. A gente reveza na limpeza. Você só vai ter o prazer de limpá-los daqui a duas semanas.

— Mal posso esperar.

Linda-gail sorriu.

— Sua família mora por aqui?

— Não. Vim da Costa Leste. — Ela não queria falar sobre isso, não queria pensar nisso. — Quem toma conta da máquina de refrigerante?

— As garçonetes. Se estivermos muito ocupadas, você pode encher os copos. Servimos vinho e cerveja também. Mas a maioria das pessoas vai ao Clancy's quando quer beber. Acho que é só isso. Se precisar de alguma coisa, pode me chamar. Tenho que terminar de arrumar as mesas, senão Joanie vai encher meu saco. Seja bem-vinda.

— Obrigada.

Reece foi até a cozinha e pôs o avental.

Uma base firme, espaçosa, disse a si mesma. Um bom lugar para ficar até chegar a hora de pegar a estrada de novo.

Capítulo dois

⌘ ⌘ ⌘

LINDA-GAIL TINHA razão: o restaurante ficou muito cheio. Moradores, turistas, pessoas que foram fazer trilhas, que estavam em acampamentos por perto e queriam uma refeição caseira. Ela e Joanie mal se falavam na hora do trabalho, enquanto as fritadeiras lançavam fumaça e a chapa exalava calor.

Em algum momento, a dona da lanchonete enfiou uma tigela sob o nariz de Reece.

— Coma.

— Ah, obrigada, mas...

— Você tem alguma coisa contra a minha sopa?

— Não.

— Sente no balcão e coma. O movimento diminuiu um pouco, e você ainda não tirou seu intervalo. Vou botar na sua conta.

— Está bem, obrigada.

A verdade era que, quando parou para pensar em comida em termos de se alimentar, e não de prepará-la, Reece percebeu que estava morrendo de fome. Um bom sinal, decidiu, enquanto ocupava um banco no fim da bancada.

O lugar lhe proporcionava uma visão panorâmica da lanchonete, inclusive da porta.

Linda-gail pôs um prato com um pão com manteiga na frente dela.

— Joanie disse que você precisa comer carboidrato. Quer um chá também?

— Perfeito. Posso pegar.

— Já estou com a mão na massa. Você é rápida — acrescentou a garçonete enquanto trazia uma xícara. Depois de dar uma olhada rápida por cima do ombro, ela se inclinou para perto e sorriu. — Mais rápida que Joanie. E você emprata de um jeito tão bonito. Alguns clientes até comentaram.

— Ah... — Reece não queria ser motivo de comentários nem o centro das atenções. A única coisa de que precisava era dinheiro. — Não foi minha intenção mudar o jeito que faziam as coisas por aqui.

— Ninguém está reclamando. — Linda-gail inclinou a cabeça com um sorriso que ressaltava suas covinhas. — Você se preocupa com tudo, não é?

— Pelo visto, sim. — Reece provou a sopa, gostando do fato de o caldo ser um pouco apimentado. — Agora entendi por que esse lugar vive cheio. Esta sopa é digna de um restaurante cinco estrelas.

Linda-gail olhou para a cozinha por cima do ombro de novo, certificando-se de que Joanie estava ocupada.

— Eu e o pessoal fizemos uma aposta. Bebe acha que você está metida com alguma coisa ilegal. Ela vê muita televisão. Juanita está convencida de que você está fugindo de um marido agressivo. Matthew, como tem dezessete anos, só consegue bolar teorias que tenham a ver com sexo. E eu acho que alguém partiu seu coração lá na Costa Leste. Algum de nós acertou?

— Não, sinto muito. — A ideia de os outros estarem comentando sobre sua vida a deixou um pouco ansiosa, mas Reece lembrou a si mesma de que restaurantes eram um antro de dramas e fofocas. — Só estou viajando sem rumo.

— Aí tem coisa — disse Linda-gail, balançando a cabeça. — Para mim, está na cara que você teve uma decepção amorosa. E falando em partir corações... Lá vem o Moreno, Alto, Bonito, Sensual.

Ele era alto mesmo, pensou Reece enquanto acompanhava o olhar da garçonete. Tinha um pouco mais de um metro e oitenta. Também era moreno, com o cabelo meio desgrenhado, preto como azeviche, e a pele olivácea. Mas a parte do sensual ela não comprou, não.

Para Reece, a palavra estava associada a pessoas elegantes, inteligentes, e aquele homem não parecia ser nenhum dos dois. Pelo contrário. A barba por fazer sobre as feições ossudas lhe dava um visual bronco, rústico. A linha reta e tensa que seus lábios formavam e a maneira como seus olhos percorriam o salão só reforçavam isso. Não havia nada de elegante em sua jaqueta de couro surrada, em sua calça jeans desbotada e em suas botas gastas.

Ele não fazia o estilo caubói, mas parecia alguém que sabia se virar no meio do mato. Era forte e tinha um ar malvadão.

— O nome dele é Brody — sussurrou Linda-gail. — Ele é escritor.

— É mesmo? — Reece relaxou um pouco. Algo no porte daquele homem, na atenção extrema com que analisara o interior da lanchonete, lhe deu a impressão de que ele era policial. Escritor era muito melhor. Mais fácil. — E o que ele escreve?

— Matérias de revista, coisas assim. E já publicou *três* livros. Romances policiais. Combina com esse ar misterioso dele. — Linda-gail jogou o cabelo e se moveu sutilmente para que pudesse observar Brody com o canto do olho enquanto o homem dirigia-se a uma das mesas com sofás. — Dizem que ele trabalhava em um jornal grande de Chicago e foi demitido. Hoje em dia, aluga uma cabana do outro lado do lago e não socializa muito. Mas vem jantar aqui três vezes por semana. E dá vinte por cento de gorjeta. — Ela se virou para Reece quando Brody se sentou. — Estou bonita?

— Maravilhosa.

— Um dia desses, vou descobrir como fazer esse homem me dar bola, só para matar minha curiosidade. Mas por enquanto os vinte por cento dão para o gasto.

Linda-gail foi até a mesa dele, tirando seu bloquinho do bolso. Do seu lugar, Reece conseguiu escutar seu cumprimento animado.

— Tudo bem com você, Brody? O que vai querer hoje?

Enquanto comia, ela assistiu à garçonete dando em cima do freguês e ele fazendo o pedido sem consultar o cardápio. Quando se virou, Linda-gail a fitou com um olhar exageradamente sonhador. Enquanto Reece respondia com um sorriso tímido, Brody desviou o olhar e a fitou.

A intensidade daquele olhar a fez sentir um frio na barriga. Mesmo enquanto desviava rapidamente, ela ainda sentia que ele a observava, sem disfarçar, como se a analisasse. Pela primeira vez desde que começara a trabalhar ali, percebeu como estava exposta e vulnerável.

Então, ela se levantou do banco e recolheu a louça. Lutando contra a vontade de olhar para trás, levou tudo para a cozinha.

ELE PEDIU costeletas de alce e ficou esperando na companhia de uma garrafa de cerveja e de um livro. Alguém pagara para ouvir Emmylou Harris tocar no jukebox, e Brody deixou a música cantarolar em seu inconsciente.

Estava curioso para saber mais sobre a morena e aquele olhar. Richard Adams cunhara o termo *tanatosada* em "A longa jornada". Ótima palavra, pensou Brody. Combinava com a cozinheira nova e sua repentina e paralisante tranquilidade.

Pelo que ele conhecia de Joanie Parks, ela não teria contratado ninguém que não fosse competente. No fundo, a dona da lanchonete tinha um coração mole, mas criava uma casca grossa e espinhenta para se proteger e não tinha muita paciência.

É óbvio que, se perguntasse o que queria saber à loirinha, ele ficaria sabendo de tudo e mais um pouco sobre a novata. Porém, a fofoca se espalharia e todo mundo viria perguntar o que ele achava e o que tinha descoberto. Brody sabia como funcionavam cidades como Angel's Fist e como a fofoca era seu combustível.

Se não perguntasse, levaria mais tempo para descobrir coisas sobre ela, mas logo, logo surgiriam burburinhos e comentários, boatos e especulações. Seus ouvidos de tuberculoso sempre o ajudavam nessas horas.

A mulher tinha uma aparência frágil, como se fosse se desmanchar a qualquer momento. Ele se perguntou por quê.

Mesmo assim, de seu assento privilegiado, Brody podia ver que tinha acertado sobre sua competência. A mulher trabalhava sem parar, com os trejeitos de uma chef profissional que aparentava ter um par de mãos extra escondido em algum lugar.

Hoje podia até ser o primeiro dia de trabalho dela ali, mas ele podia jurar que não era a primeira vez que ela pisava na cozinha de um restaurante. E, como — pelo menos por enquanto — a nova cozinheira era mais interessante que seu livro, Brody continuou observando-a enquanto tomava sua cerveja.

Ela não devia conhecer ninguém na cidade. Fazia quase um ano que ele morava ali, e teria ouvido falar se uma filha sumida havia tempos, irmã, sobrinha, prima de terceiro grau, de alguém estivesse voltando para casa. E ela também não parecia alguém que viajava por aí sem rumo. Parecia mais o tipo de pessoa que estava fugindo. Foi o que ele vira em seus olhos, o cansaço, o costume de partir de repente.

Quando a mulher se virou para deixar um pedido pronto no balcão, seus olhares se cruzaram — um gesto rápido, que durou um segundo. Antes de ela se voltar para a chapa, a porta se abriu, fazendo-a se virar. O sorriso surgiu em seu rosto de maneira tão súbita, e foi tão inesperado, que Brody realmente ficou surpreso. Tudo nela mudou, ela ficou mais leve, mais à vontade, e ficou nítido que havia algo mais — ao menos o potencial para algo mais — do que uma beleza frágil ali.

Quando ele olhou para a porta a fim de ver o motivo daquele enorme sorriso, encontrou Mac Drubber sorrindo de volta para ela e acenando.

Talvez a nova cozinheira conhecesse, sim, alguém na cidade.

Mac sentou-se de frente para Brody, à mesa em que ele estava.

— Como vão as coisas?

— Tudo indo.

— Fiquei com vontade de comer alguma coisa que eu não tivesse que fritar. O que tem de bom hoje? — Ele esperou um segundo e remexeu as sobrancelhas. — Além da cozinheira nova?

— Pedi as costeletas. Nunca te vejo por aqui aos sábados, Mac. Você é um cara que não sai da rotina, e isso quer dizer que só vem às quartas, que é dia de espaguete.

— Eu não estava muito a fim de cozinhar e queria ver como a moça nova está se saindo. Ela chegou aqui no sufoco hoje, com a mangueira do radiador estourada.

Tudo que precisava fazer era esperar cinco minutos, e as informações vinham de mão beijada, pensou Brody.

— É mesmo?

— Quando vi, ela já tinha arrumado um emprego. Do jeito que me contou a novidade, parecia que tinha ganhado na loteria. Ela é da Costa Leste, Boston. Pegou um quarto no hotel. E se chama Reece Gilmore.

Mac parou de falar quando Linda-gail chegou com o prato de Brody.

— Olá, sr. Drubber. Tudo bem? O que vai querer hoje?

O homem se inclinou para olhar o prato de Brody mais de perto.

— Isso aí está com uma cara ótima.

— A novata é uma cozinheira de mão-cheia. Depois me diga se gostou das costeletas, Brody. Deseja mais alguma coisa?

— Aceito outra cerveja.

— Já trago. Sr. Drubber?

— Quero uma Coca, querida, e o mesmo prato que trouxe para o meu amigo. Essas costeletas estão dando água na boca.

Estavam mesmo, pensou Brody, e eram servidas com porções generosas de batatas gratinadas e feijões-de-lima. A comida foi empratada de um jeito artístico em um prato branco, bem diferente das gororobas que Joanie costumava servir.

— Te vi no barco outro dia — comentou Mac. — Pescou alguma coisa?

— Não fui pescar.

Ele provou um pedaço da costeleta.

— Você é estranho, Brody. Gosta de ir ao lago, mas não pesca. Gosta de ir à floresta, mas não caça.

— Se eu pegasse alguma coisa, teria que cozinhar.

— É verdade. E aí?

— Está gostoso. — Brody comeu outro pedaço. — Muito bom mesmo.

Como Mac Drubber era uma das poucas pessoas com quem gostava de conversar, ele tomou seu cafezinho pós-refeição sem pressa enquanto o outro homem terminava de devorar a própria janta.

— O feijão está com um gosto diferente. Mais sofisticado. E melhor também, mas, se você contar isso para alguém e Joanie ficar sabendo, vou dizer que é mentira.

— Se ela está no hotel, talvez não pretenda ficar por muito tempo.

— Reservou uma semana. — Mac gostava de saber de tudo o que acontecia, e com quem acontecia, na cidade. Ele não era apenas o dono da mercearia, era também o prefeito. Na sua opinião, as fofocas faziam parte do trabalho. — A verdade, Brody, é que a moça não parece ter muito dinheiro. — Ele balançou o garfo em sua direção antes de espetar o último feijão. — Pagou em dinheiro pela mangueira do radiador e pelo hotel, pelo que fiquei sabendo.

Ela não usava cartões de crédito, refletiu Brody, se perguntando se a mulher misteriosa estava realmente tentando passar despercebida.

— Talvez ela não queira deixar pistas que facilitem que algo, ou alguém, a ache.

— Você é muito desconfiado. — Mac comeu o último pedaço da costeleta. — E, se for o caso, ela deve ter um bom motivo. Ela me passa honestidade.

— E você é muito romântico. Falando em romance... — Brody inclinou a cabeça em direção à porta.

O homem que entrou usava uma calça Levi's e uma camisa jeans de botão por baixo de uma jaqueta preta. O visual era complementado com botas de couro de cobra, um cinto Sam Brown e um chapéu Stetson cinza-claro digno de um caubói de respeito.

O cabelo loiro-escuro, clareado nas pontas pelo sol, encaracolava sob o chapéu. Seu rosto era delicado, simétrico, com uma covinha no queixo e olhos azul-claros, que, como todo mundo sabia, costumavam ser usados para seduzir as moças da cidade.

Ele andou cheio de ginga — não havia outro termo para descrever o andar bamboleante, o rebolado — até o balcão e empoleirou-se em uma das banquetas.

— Don veio ver se vale a pena investir na moça nova. — Mac balançou a cabeça, comendo as últimas batatas. — É muito fácil cair nos encantos de Don. Ele tem muita lábia, mas espero que ela tenha bom senso.

Uma das coisas que mais divertiram Brody naquela cidade no último ano fora observar Don conquistando uma mulher atrás da outra.

— Aposto dez pratas que ela vai cair na lábia e parar na cama dele até o fim da semana.

Mac ergueu as sobrancelhas, incomodado.

— Ela é uma boa moça, não fale assim.

— Você não a conhece há tempo suficiente para ter tanta certeza de que é uma boa moça.

— Mas eu já sei que ela é. Então, vou aceitar a aposta só para tirar dinheiro de você.

Brody soltou uma risada em meio a um suspiro. Mac não bebia, não fumava e, se dava em cima das mulheres, não o fazia em lugares onde o povo da cidade pudesse ver. E aquela atitude levemente puritana fazia parte do seu charme.

— É só sexo, Mac. — Então, ele abriu um sorriso de verdade quando a ponta das orelhas do outro homem ficou vermelha. — Você ainda se lembra de como é, não se lembra?

— Tenho uma vaga lembrança do processo.

Na cozinha, Joanie colocou um pedaço de torta de maçã no balcão.

— Tire seu intervalo — ordenou a mulher a Reece. — Coma a torta.

— Não estou com fome e preciso...

— Por acaso eu perguntei se você estava com fome? Coma a torta. É por conta da casa. É a última fatia, e amanhã vai estar ruim. Viu o sujeito que acabou de sentar no balcão?

— Aquele que parece ter vindo direto de um rodeio?

— O nome dele é William Butler. Mas o chamam de Don, que vem de Don Juan. Ele ganhou esse apelido quando era adolescente e dedicava todo seu tempo a dormir com todas as mulheres em um raio de duzentos quilômetros.

— Certo.

— Veja bem, sábado à noite, Don geralmente tem um encontro ou vai ao Clancy's com os amigos, procurar uma nova presa. Ele veio aqui para dar uma olhada em você.

Como não tinha outra escolha, Reece começou a comer a torta.

— Imagino que, a essa altura do campeonato, ele não vai ficar muito impressionado.

— Mesmo assim, você é carne nova, é mulher, jovem e, até segunda ordem, desimpedida. Mas preciso ser justa e dizer que Don não dá em cima de mulher comprometida. Olha lá, ele está de conversinha com Juanita agora. No fim do ano passado, os dois passaram umas semanas se atracando por aí, até ele se interessar pelas turistas que vieram esquiar. — Joanie pegou a enorme caneca de café que estava sempre a seu alcance. — O garoto tem charme pra dar e vender. Nunca conheci nenhuma mulher que tenha se magoado depois de ele abotoar a calça e dar o fora.

— E você está me dizendo isso porque acha que vou ser a próxima?

— Só estou explicando como as coisas funcionam por aqui.

— Entendi. Mas não se preocupe. Não vim pra cá atrás de homem. Nem de nenhum tipo de relacionamento. Principalmente com um homem que parece ter uma varinha de condão no lugar do pênis.

Joanie soltou uma gargalhada.

— A torta está boa?

— Está. Muito boa. Nem perguntei sobre os doces. São vocês que fazem ou compram de outro lugar?

— Eu faço tudo.

— Jura?

— E sei que você está pensando que levo mais jeito para tortas do que para ficar na chapa. E tem razão. E você?

— Não é meu ponto forte, mas posso ajudar quando precisar.

— Combinado. — Reece montou dois hambúrgueres antes de despejar batatas fritas e feijões-de-lima no prato. Joanie estava colocando picles e tomates nos pratos quando Don entrou vagarosamente na cozinha. — William.

— Mãe.

Ele se inclinou e beijou o topo da cabeça dela enquanto Reece sentia um embrulho no estômago.

Mãe, pensou ela, muito ciente de que fizera uma piada sobre o pênis dele.

— Ouvi dizer que a lanchonete está mais chique. — Don abriu um sorriso preguiçoso e descontraído para Reece antes de tomar um gole da cerveja que trouxera consigo. — Meus amigos me chamam de Don.

— Reece. É um prazer. Deixa que eu levo, Joanie.

Ela pegou os pratos e os levou para o balcão. E, incomodada, notou que não havia pedidos pendentes pela primeira vez na noite.

— Já vou fechar a cozinha — disse Joanie. — Pode bater o ponto e ir embora. Você está no primeiro turno amanhã, então esteja aqui às seis em ponto.

— Tudo bem. Pode deixar.

Reece começou a desamarrar o avental.

— Posso te dar uma carona até o hotel. — Don largou sua cerveja pela metade. — Só para garantir que você chegue em segurança.

— Ah, não. Não precisa. — Ela olhou para a mãe dele, esperando alguma ajuda, mas Joanie tinha se afastado para desligar as fritadeiras. — É tão perto. E está tudo bem, eu gosto de andar.

— Sem problema, vamos andando então. Está com um casaco aí?

Se ela insistisse, seria grosseira. Se não insistisse, estaria arriscando. Ela teria que arriscar. Sem dizer nada, Reece pegou sua jaqueta jeans.

— Estarei aqui às seis.

Depois de murmurar suas despedidas, ela seguiu para a porta. Conseguia sentir o olhar do escritor — Brody — grudado em suas costas. Por que ele ainda estava ali?

Don abriu a porta para ela e a seguiu.

— Está um gelo aqui fora. Tem certeza de que não vai ficar com frio?

— Estou bem. Depois de passar o dia todo no calor da cozinha, é uma sensação boa.

— Faz sentido. Não está deixando minha mãe te explorar, está?

— Gosto de trabalhar.

— Aposto que a lanchonete estava lotada hoje. Que tal tomarmos uma cerveja para você relaxar um pouco? E aí pode me contar sua história.

— Obrigada, mas minha história não vale o preço da cerveja, e preciso acordar cedo amanhã.

— Amanhã deve fazer um dia bonito. — Sua voz era tão arrastada quanto seu caminhar. — E se eu te buscar depois do trabalho? Posso mostrar a cidade para você. Garanto que não vai encontrar um guia melhor em Angel's Fist. E posso te dar várias referências que comprovem como sou cavalheiro.

Don tinha um sorriso lindo, isso era verdade, e seu olhar era tão sedutor quanto uma carícia pelo corpo inteiro.

E ele era filho de sua chefe.

— É muito gentil da sua parte, mas, como só conheço meia dúzia de pessoas aqui, e todas por menos de um dia, seria fácil distorcer essas referências. Acho melhor eu aproveitar o dia de amanhã para me instalar.

— Fica pra outro dia então.

Quando Don segurou seu braço, Reece deu um pulo e ele abaixou a voz em um tom tranquilizador, como se falasse com um cavalo assustado.

— Calma, só queria que andasse mais devagar. Dá pra perceber do jeito que anda que veio da Costa Leste. Vá com calma, olhe para o céu. Isso é que é uma vista, hein?

O coração de Reece continuava acelerado, mas ela olhou para o céu. E lá, acima das sombras irregulares das montanhas, pairava uma lua cheia.

Havia uma explosão de estrelas ao seu redor, como se alguém tivesse carregado uma espingarda com diamantes e dado vários tiros para o céu. A luz que emanava delas dava uma misteriosa coloração azulada aos cumes cobertos de neve e lançava sombras intensas e escuras sobre as fendas e as valetas das montanhas.

Aquele era o tipo de coisa que perdia quando permitia que a ansiedade a dominasse, a forçasse a encarar o chão. E, apesar de achar que teria sido melhor estar ali sozinha, precisava dar crédito a Don por forçá-la a parar e olhar ao redor.

— Que lindo... O guia que comprei diz que as montanhas são majestosas, mas discordei. Quando as vi mais cedo, as achei imponentes e irregulares. Mas a definição cai como uma luva agora. Majestosas.

— Há lugares lá em cima que parecem de mentira, e eles mudam, até quando você está olhando para eles. Nessa época do ano, quando a gente para do lado do rio, dá pra ouvir o estalido das pedras batendo umas nas outras no escoamento da primavera. Vou levar você para um passeio. A melhor maneira de conhecer a cordilheira é a cavalo.

— Não sei andar a cavalo.

— Posso te ensinar.

Reece voltou a andar.

— Guia de turismo, instrutor de equitação.

— No geral, é isso que faço lá no Circle K. É um hotel-fazenda que fica a uns trinta quilômetros daqui. Posso pedir à cozinheira que prepare uma cesta de piquenique e sele um cavalo manso para você. Prometo que vai ser um dia inesquecível.

— Aposto que sim. — Reece queria ouvir o estalido das pedras, queria ver as moreias e os prados. E agora, sob aquele luar espetacular, se sentia tentada a aceitar o convite de Don. — Vou pensar. Chegamos.

— Vou te levar lá em cima.

— Não precisa. Eu...

— Minha mãe me ensinou a deixar as mulheres na porta de casa.

Ele pegou seu braço de novo, casualmente, e abriu a porta do hotel. Reece notou que ele tinha um cheiro bom de couro e pinheiro.

— Boa noite, Tom — disse ele ao recepcionista do turno da noite.

— Don. Senhora.

E Reece viu um quê de malícia nos olhos do homem.

Quando Don se virou para o elevador, ela se afastou.

— É logo ali, no terceiro andar. Vou de escada.

— Você é uma daquelas pessoas viciadas em exercício? Deve ser por isso que é tão magra.

Mas ele mudou de direção sem nem pestanejar, abrindo a porta da escada.

— Obrigada por se dar ao trabalho de me trazer até aqui. — Reece disse a si mesma para não entrar em pânico, porque a escada parecia tão menor com ele ao seu lado. — Parece que vim parar em uma cidade muito amigável.

— O Wyoming é um estado amigável. Não tem muita gente por aqui, mas somos gente boa. Fiquei sabendo que você é de Boston.

— Sou, sim.

— Primeira vez por essas bandas?

— Sim.

Mais um lance, e chegariam a sua porta.

— Tirou uns dias de férias para viajar pelo país?

— Sim. Sim, exatamente.

— É algo que exige muita coragem, ainda mais sozinha.

— Você acha?

— Mostra um espírito aventureiro.

Reece teria rido, mas foi tomada pelo alívio quando ele abriu a porta que dava para o corredor do terceiro andar.

— É aqui que eu fico.

Ela pegou o cartão para abrir a porta, olhando automaticamente para conferir se a fita adesiva que grudara nela continuava intacta.

Antes que conseguisse enfiar o cartão na fechadura, ele o pegou de sua mão e realizou a pequena tarefa por conta própria. Quando a porta se abriu, ele lhe devolveu o cartão.

— Deixou todas as luzes acesas — comentou Don. — E a televisão ligada.

— Ah, devo ter esquecido. Estava nervosa com o trabalho novo. Obrigada, Don, por ter me acompanhado.

— O prazer foi todo meu. Vamos colocá-la em cima de um cavalo logo, logo. Você vai ver.

Ela abriu um sorriso forçado.

— Vou pensar... Obrigada de novo. Boa noite.

Reece entrou no quarto e fechou a porta. Fechou o trinco e passou a corrente. Ela andou até a cama e escolheu um lugar estratégico perto da janela que lhe permitisse apreciar a vista, aquela vastidão, até sua respiração ficar estável.

Mais calma, voltou até a porta para espiar pelo olho mágico e se certificar de que o corredor estava vazio antes de travar a maçaneta com uma cadeira. Depois de conferir mais uma vez que tudo estava trancado e a cômoda, do jeito que ela deixou, bloqueando a porta que ligava o quarto dela ao do lado, Reece começou a se preparar para dormir. Programou o despertador para as cinco da manhã, antes de programar o alarme de seu relógio portátil só para garantir.

Depois, atualizou o diário e negociou consigo mesma quantas luzes podia deixar acesas durante a noite. Aquela era sua primeira noite em um lugar novo; era justo que deixasse a luminária da mesa acesa, assim como a luz do banheiro. Mas a do banheiro não contava. Era só por segurança e conveniência. Talvez ela precisasse se levantar de madrugada para fazer xixi.

Reece tirou a lanterna da mochila e deixou-a ao lado da cama. Se houvesse um incêndio, faltaria luz. Ela não era a única hóspede do hotel, afinal de contas. Alguém podia cair no sono com um cigarro aceso na mão, crianças podiam estar brincando com fósforos.

Vai que...

O prédio inteiro podia ser tomado por chamas às três da madrugada. E então ela teria de sair correndo. Manter a lanterna por perto era apenas uma precaução.

O leve aperto no peito a fez pensar nos soníferos em seu *nécessaire*. Eles, assim como os antidepressivos e os ansiolíticos, eram apenas uma garantia, lembrou Reece a si mesma. Fazia meses que não tomava um sonífero, e hoje estava tão cansada que não precisava de ajuda para dormir. Além do mais, se houvesse *mesmo* um incêndio e um apagão, ela acordaria grogue e lenta. Acabaria morrendo ou queimada ou por inalação de fumaça.

Esse pensamento fez com que ela se sentasse na cama, segurando a cabeça e xingando a si mesma por ter uma imaginação tão fértil e burra.

— Pare com isso, Reece. Pare e vá dormir! Você precisa acordar cedo e agir como um ser humano normal.

Ela fez outra ronda nas portas antes de se deitar. Então, ficou imóvel, ouvindo o próprio coração bater, tentando escutar quaisquer sons que viessem do quarto ao lado, do corredor, do lado de fora da janela.

Segura, disse a si mesma. Estava completamente segura. Não haveria um incêndio. Nenhuma bomba ia explodir. Ninguém ia invadir seu quarto e assassiná-la enquanto estivesse dormindo.

O céu não ia desabar.

Mas ela deixou a televisão ligada, com o volume baixo, e deixou que o filme antigo em preto e branco embalasse seu sono.

A DOR FOI tão surpreendente, tão forte, que ela nem sequer conseguiu gritar. A escuridão, a bigorna da escuridão acertou seu peito, prendendo-a, esmagando seus pulmões, impedindo que ela respirasse, se mexesse. Um martelo acertou a bigorna, golpeando sua cabeça, seu peito, batendo, batendo. Ela tentou puxar o ar, mas a dor era forte demais, e o medo a dominava.

Eles estavam lá fora, na escuridão. Dava para ouvi-los, dava para escutar o vidro se espatifando, as explosões. E pior: os gritos.

Pior do que os gritos eram as risadas.

Ginny? Ginny?

Não, não, não grite, não dê nem um pio. Era melhor morrer ali, no escuro, do que deixar que a encontrassem. Mas eles estavam vindo, estavam vindo para pegá-la, e ela não conseguia engolir os gemidos, não conseguia fazer os dentes pararem de bater.

A luz repentina a cegou, e os gritos descontrolados que explodiram em sua cabeça saíram como rosnados selvagens.

— Achamos uma com vida.

E ela se debateu, fraca, batendo e chutando as mãos que a seguraram.

Acordando encharcada de suor, com os gritos ainda presos na garganta, Reece agarrou a lanterna como se fosse uma arma.

Havia alguém ali? Junto à porta? À janela?

Ela se sentou na cama, nervosa, tremendo, com os ouvidos atentos a qualquer som.

Uma hora depois, quando seus alarmes tocaram, ela ainda estava sentada na cama, segurando a lanterna, e todas as luzes do quarto estavam acesas.

Capítulo três

⌘ ⌘ ⌘

Depois da crise de pânico, era mais difícil encarar a cozinha, as pessoas, a pretensão de ser normal. Entretanto, ela não só não tinha um centavo no bolso, como também dera sua palavra. Seis horas da manhã em ponto.

A única alternativa seria voltar atrás, recuar, e todos os meses de progresso lento seriam jogados no lixo. Ela sabia que poderia ser resgatada com um telefonema.

E tudo acabaria.

Reece deu um passo de cada vez. A primeira vitória foi se vestir; a segunda, sair do quarto. Pisar na rua e ir em direção à lanchonete foi um pequeno triunfo pessoal. O dia estava frio — o inverno ainda não tinha ido completamente embora —, então ela podia ver nuvens esbranquiçadas de vapor condensado saindo de sua boca e de seu nariz quando expirava, sob a iluminação fraca do início da manhã. As montanhas eram silhuetas escuras e largas em contraste com o céu agora que a imensa lua desaparecera por trás dos cumes. A névoa parecia um lençol comprido e baixo, espalhado pelos sopés. Uma neblina densa pairava sobre o lago e cercava as árvores desfolhadas, finas como asas de fadas.

Na escuridão gélida, tudo parecia tão irreal, tão imóvel, tão perfeitamente equilibrado. Seu coração disparou quando avistou algo saindo da névoa. Mas voltou a se acalmar ao ver que era apenas um animal. Um alce, uma gazela, um cervo, era impossível ter certeza daquela distância. O que quer que fosse, no entanto, parecia estar sendo carregado pela neblina em um movimento contínuo até o lago.

Enquanto ele baixava a cabeça para beber água, Reece ouviu o primeiro coral do canto dos pássaros. Parte de si queria se sentar, bem ali na calçada, e ficar sozinha, em silêncio, observando o nascer do sol.

Mais tranquila, ela voltou a andar. Teria de encarar a cozinha, as pessoas, as perguntas que sempre surgiam quando se era nova em qualquer emprego. E não podia se atrasar nem ficar nervosa, porque Deus era testemunha de que não queria atrair mais atenção que o necessário.

Fique calma, ordenou a si mesma. Mantenha o foco. Para ajudar, recitou trechos de poesia mentalmente, concentrando-se no ritmo das palavras, até perceber que as estava dizendo em voz alta e fazer uma careta. Mas não havia ninguém por perto que pudesse ouvi-la, e a distração a levou até a porta da Comida dos Anjos.

As luzes resplandeciam lá dentro, aliviando um pouco da tensão em seus ombros. Dava para ver o movimento de onde estava — Joanie, já na cozinha. Essa mulher não dormia, não?

Você precisa entrar, disse Reece a si mesma — entrar, sorrir, acenar. Quando desse esse passo, quando se forçasse a entrar, descontaria a ansiedade no trabalho.

Mas seus braços pareciam pesados como chumbo, recusando-se a se mexer. Seus dedos estavam duros, frios demais para se fechar em punho. Ela ficou onde estava, se sentindo burra, inútil, impotente.

— Algum problema com a porta?

Reece deu um pulo. E lá estava Linda-gail, batendo a porta do motorista de um carro pequeno, mas robusto.

— Não. Não. Eu só estava...

— Viajando na maionese? Pela sua cara, parece que não dormiu muito essa noite.

— Acho que estava. Acho que não. — O ar, já frio, se tornava ainda mais gelado a cada passo que Linda-gail dava em sua direção. Os olhos azuis, tão amigáveis no dia anterior, estavam indiferentes, desdenhosos. — Estou atrasada?

— Fico surpresa que tenha aparecido depois da noite que deve ter tido.

Reece pensou em si mesma encolhida na cama, agarrada à lanterna, prestando atenção em tudo. Tudo.

— Como você...?

— Dizem por aí que Don tem muita disposição.

— Don? Eu não... Ah! — A surpresa e a comicidade excederam a ansiedade. — Não, a gente não... *Eu*, não. Meu Deus, Linda-gail, conversei por uns dez minutos com o cara. Preciso conhecer um cara por pelo menos uma hora antes de testar a disposição dele.

A garçonete baixou a mão que levara à porta, estreitando os olhos para Reece.

— Você não foi para a cama com Don?

— Não. — Pelo menos com aquela situação ela sabia lidar. — Eu quebrei alguma tradição secreta da cidade? Vou ser demitida? Presa? Porque, se piranhar for um requisito, acho melhor deixar claro que mereço ganhar mais do que oito dólares por hora.

— Esse requisito não é obrigatório. Foi mal. — Covinhas apareceram no rosto enrubescido de Linda-gail. — Me desculpe, de verdade. Eu não devia ter tirado conclusões tão precipitadas e te atacado só porque vocês foram embora juntos.

— Ele me levou até o hotel, sugeriu que tomássemos uma cerveja, e eu recusei. Depois, tentou me convencer a fazermos um passeio pela cidade, coisa que posso fazer sozinha, e a andarmos a cavalo. Não sei andar a cavalo, mas talvez isso eu tente fazer. Don é nota dez nos quesitos beleza e educação. Eu não sabia que vocês dois estavam juntos.

— Juntos? Eu e Don? — Linda-gail bufou, desdenhando. — Não estamos. Eu devo ser a única mulher com menos de cinquenta anos em um raio de duzentos quilômetros que não tenha dormido com ele. Um canalha é um canalha, na minha opinião, não importa se é homem ou mulher. — Ela deu de ombros, analisando o rosto de Reece de novo. — Enfim, você parece cansada mesmo.

— Não dormi muito bem, só isso. Primeira noite em um lugar novo, emprego novo. Foi só ansiedade.

— Deixa isso pra lá — ordenou Linda-gail enquanto abria a porta, os olhos voltando a assumir o ar dócil. — O pessoal daqui é gente boa.

— Eu estava me perguntando se vocês duas iam passar o dia inteiro lá fora, de conversa fiada. Não pago ninguém pra ficar fofocando.

— Pelo amor de Deus, são seis e cinco, Joanie. Pode me descontar. Ah, falando em dinheiro, aqui está sua parte das gorjetas de ontem, Reece.

— Minha parte? Mas eu não servi ninguém.

Linda-gail lhe entregou o envelope.

— É a política daqui, os cozinheiros ganham dez por cento das gorjetas. Nós recebemos pelo serviço, mas, se a comida é uma porcaria, não nos ajuda muito.

— Obrigada.

Agora estava menos falida, pensou Reece enquanto enfiava o envelope no bolso.

— Não gaste tudo de uma vez.

— Já terminaram o intervalo? — Joanie cruzou os braços sobre a bancada. — Arrume as mesas para o café, Linda-gail. Reece, que tal você vir aqui pra trás e começar a trabalhar?

— Sim, senhora. Ah, e só pra você saber — acrescentou ela enquanto contornava a bancada e pegava o avental —, seu filho é muito charmoso, mas eu dormi sozinha ontem.

— O garoto deve estar perdendo o jeito.

— Aí já não sei. Pretendo continuar dormindo sozinha enquanto estiver em Angel's Fist.

Joanie deixou a tigela com massa de panqueca de lado.

— Você não gosta de sexo?

— Gosto. — Reece foi lavar as mãos na pia. — Mas isso não está na minha lista de prioridades no momento.

— Então essa lista deve ser bem curta e triste. Sabe fazer *huevos rancheros*?

— Sei.

— Pedem muito esse prato aos domingos. E panquecas. Pode ir fritando o bacon e as linguiças. Os primeiros fregueses logo, logo estarão aqui.

Pouco antes do meio-dia, Joanie empurrou um prato com panquecas, ovos mexidos e bacon na direção de Reece.

— Vá lá para os fundos. Sente e coma.

— Isso aqui serve duas pessoas.

— Só se as duas forem anoréxicas.

— Eu não sou anoréxica.

Ela provou os ovos.

— Vai comer na minha sala. Você tem vinte minutos.

Ela já tinha entrado na sala de Joanie uma vez, e chamar aquele lugar de *sala* era muito gentil de sua parte.

— Olha... Não fico muito à vontade em lugares apertados.

— Nictofobia, claustrofobia. Quantas fobias, hein... Coma no balcão então. Você ainda tem vinte minutos.

Reece obedeceu, sentando-se à extremidade do balcão. Pouco depois, Linda-gail colocou uma xícara de chá a seu lado e piscou para ela.

— Olá, doutor. — A garçonete passou um pano na bancada, abrindo um sorriso de bom-dia para o homem que se sentava na banqueta ao lado de Reece. — O de sempre?

— O do dia, cheio de colesterol, Linda-gail. Hoje é meu dia de ser rebelde.

— Pode deixar. Joanie! — gritou ela, sem se dar ao trabalho de anotar o pedido. — O doutor chegou. Doutor, essa é a Reece, nossa cozinheira nova. Reece, esse é o dr. Wallace. Não importa o que você tenha ou pegue, ele vai descobrir o que é. Mas não aceite nenhum de seus convites para jogar pôquer. É impossível ganhar dele.

— Ora, ora, como vou arrancar dinheiro de quem acabou de chegar se você fica falando assim de mim para todo mundo? — O médico se virou para Reece e a cumprimentou com um aceno de cabeça. — Ouvi dizer que Joanie arrumou alguém que sabe o que faz na cozinha. Está gostando do trabalho?

— Por enquanto, sim. — Ela precisou se esforçar para se lembrar de que ele não estava usando um jaleco nem tentando atacá-la com seringas. — Gosto do que faço.

— Não há café da manhã melhor no Wyoming que o de Joanie. O hotel prepara um banquete enorme para os turistas, mas aqui é muito melhor. — O médico pegou o café que Linda-gail colocou em sua frente. — Coma enquanto ainda está quente.

Em vez de ficar encarando o prato, pensou o doutor, como se a comida fosse um quebra-cabeça. Fazia quase trinta anos que ele era o médico da cidade. Quando jovem, vira o anúncio que a prefeitura publicara no jornal de Laramie e se candidatara. E contou tudo isso a Reece enquanto ela enrolava para comer

— Eu queria um desafio — disse ele com um leve sotaque anasalado do interior. — Me apaixonei pelo lugar e por uma linda moça de olhos castanhos chamada Susan. Criei três filhos aqui. O mais velho também é médico, está em Cheyenne, no primeiro ano de residência. A do meio, nossa Annie, se casou com um fotógrafo da *National Geographic*. Eles se mudaram para Washington, D.C. Tenho um neto lá também. O mais novo está na Califórnia, fazendo faculdade de filosofia. Não sei sobre que raios ele quer filosofar, mas fazer o quê? Perdi minha Susan há dois anos para o câncer de mama.

— Sinto muito.

— É muito, muito difícil. — Ele olhou para sua aliança de casamento. — Quando acordo de manhã, ainda procuro por ela na cama. Acho que isso nunca vai mudar.

— Prontinho, doutor. — Linda-gail colocou um prato diante do médico, e os dois riram quando Reece arregalou os olhos ao ver a quantidade de comida. — E ele vai comer tudo — disse a garçonete antes de se afastar.

Havia uma pilha enorme de panquecas, um omelete, uma fatia grossa de presunto, uma porção generosa de batatas fritas e três linguiças.

— O senhor não vai aguentar comer tudo isso.

— Aprenda com o mestre, mocinha.

Ele era um coroa inteiro, pensou Reece, parecia estar em forma por baixo de sua camisa quadriculada e seu cardigã confortável. Tipo alguém que fazia refeições saudáveis e se exercitava com frequência. Seu rosto era avermelhado e magro, com um par de olhos cor de mel por trás dos óculos com armação metálica.

Mesmo assim, o homem atacava a farta refeição como um caminhoneiro que passara a noite inteira sem comer.

— Você tem família na Costa Leste? — perguntou ele.

— Sim, tenho minha avó em Boston.

— Foi lá que aprendeu a cozinhar?

Reece não conseguia parar de olhar para a montanha de comida que desaparecia.

— Sim, foi onde comecei. Estudei no New England Culinary Institute, em Vermont, e depois passei um ano em Paris, na Cordon Bleu.

— Um instituto de culinária... — O médico remexeu as sobrancelhas. — E Paris. Que chique.

— Perdão? — De repente, Reece se deu conta de que, em dois minutos, compartilhara informações de sua vida que renderiam facilmente conteúdo para duas semanas caso contasse em doses espaçadas. — Na verdade, foi bem puxado. É melhor eu voltar a trabalhar. Foi um prazer conhecer o senhor.

Ela terminou o turno do almoço e, com a tarde e a noite livres, decidiu fazer uma caminhada. Poderia dar uma volta em torno do lago, quem sabe explorar um pouco das florestas e alguns riachos. Poderia tirar fotos e mandar para sua avó por e-mail, e aproveitar o ar puro e o exercício para gastar energia.

Reece calçou as botas de caminhada e equipou a mochila com tudo que seu guia julgava necessário para uma trilha com menos de quinze quilômetros. Ao sair, avistou um lugar à beira do lago perfeito para se sentar e ler os folhetos que pegara no hotel.

Tinha decidido que, sempre que desse, tiraria um tempo para passear pela cidade, pelo parque, quem sabe conhecer um pouco o interior. Ela funcionava melhor ao ar livre; sempre fora assim.

Quando tivesse seu primeiro dia de folga, faria uma das trilhas mais curtas até o rio. Mas, por enquanto, era melhor seguir a sugestão do guia e amaciar suas botas de caminhada.

Reece começou andando devagar — sua vida atual tinha pelo menos essa vantagem. Não tinha pressa para quase nada. Ela podia fazer o que quisesse, no tempo que quisesse, no ritmo que quisesse. Nunca tinha se permitido isso antes. Nos últimos oito meses, vira mais e fizera mais coisas do que nos vinte e oito anos anteriores. Talvez estivesse ficando meio doida e, com certeza, era neurótica, medrosa e levemente paranoica, mas conseguira juntar os próprios cacos.

Ela nunca mais seria a mesma pessoa — uma moça da cidade grande, ávida e ambiciosa. Mas descobrira que gostava da pessoa que estava se tornando. Sua nova versão prestava mais atenção aos detalhes que, antes, passavam despercebidos. O jogo de luz e sombra, o barulho da água, a sensação do chão esponjoso e úmido sob seus pés.

Agora podia parar e observar uma garça sair voando do lago, silenciosa como uma nuvem. Podia observar as ondulações causadas na superfície da água se afastando cada vez mais, até chegarem à ponta dos remos empunhados por um menino em um caiaque vermelho.

Reece se lembrou de pegar a câmera para fotografar a garça tarde demais, mas tirou uma foto do menino e do caiaque, da água azul, do reflexo maravilhoso das montanhas que ocupava toda a superfície.

Acrescentaria observações sobre cada foto, pensou ela enquanto voltava a caminhar. Assim, a avó se sentiria parte de sua jornada. Reece sabia que era motivo de preocupação em Boston, mas a única coisa que podia fazer era enviar e-mails cheios de entusiasmo e ligar para sua avó de vez em quando para lhe contar onde e como estava.

Apesar de nem sempre dizer a verdade quando se tratava do "como".

Havia casas e chalés espalhados em torno do lago, e em algum lugar alguém fazia um churrasco. O dia estava perfeito para isso — frango grelhado, salada de batata, espetinhos de legumes marinados, litros de chá e cerveja gelados.

Um cachorro nadava atrás de uma bola azul enquanto uma menina, parada na margem, ria e gritava incentivos. Quando ele pegou o brinquedo e voltou para terra firme, se sacudiu todo, encharcando a menina com gotas de água que refletiam na luz do sol e reluziam feito diamantes.

Quando ela arremessou a bola de novo, o cachorro soltou um latido que expressava uma felicidade louca, e ele pulou de volta na água para repetir o ciclo.

Reece pegou sua garrafa de água e tomou um gole enquanto se afastava do lago e seguia para a mata.

Quem sabe ela poderia avistar cervos, ou um alce — talvez o mesmo que vira naquela manhã —, caso andasse sem fazer nenhum barulho. Seria ótimo se não encontrasse os ursos que os folhetos e o guia afirmavam viver nas florestas da região, mesmo com o guia alegando que a maioria deles iria embora se farejasse a presença de um humano.

Até onde Reece sabia, o urso podia estar mal-humorado naquele dia e resolver descontar nela.

Então, tomaria cuidado, não adentraria muito a mata e, apesar de ter levado sua bússola, não sairia da trilha.

Estava mais fresco ali. Os raios de sol não conseguiam alcançar os trechos com neve, e a correnteza do pequeno riacho que ela encontrou precisava estar muito forte para abrir caminho entre as pedras de gelo.

Reece seguiu o curso do riacho, escutando o estalar do gelo enquanto ele derretia lentamente. Quando avistou pegadas e estercos, sentiu a adrenalina correr por suas veias. De quem eram aquelas pegadas? E o cocô? Disposta a descobrir, começou a procurar o guia na mochila.

O farfalhar a paralisou, e ela olhou ao redor com muita atenção. Era difícil dizer quem estava mais em choque, se era Reece ou o cervo, mas os dois ficaram se encarando em mútua surpresa por um instante de tirar o fôlego.

Eu devo estar contra o vento, pensou ela. Ou seria a favor do vento? Enquanto tentava pegar a câmera, devagar, Reece fez uma anotação mental para pesquisar isso mais tarde. Ela conseguiu tirar uma foto de frente do animal, mas cometeu o erro de comemorar com uma risada. O som fez com que o cervo saísse correndo.

— Eu te entendo — murmurou ela enquanto o observava fugir de qualquer contato humano. — O mundo é cheio de coisas assustadoras.

Reece guardou a pequena câmera no bolso, se dando conta de que não conseguia mais escutar os latidos do cachorro nem o ronco do motor dos carros passando pela estrada principal da cidade. Apenas a brisa soprando pelas árvores como uma onda tranquila e os estalidos do riacho.

— Talvez eu devesse morar em uma floresta. Arranjar um chalé no meio do mato, ter a minha horta. Eu conseguiria virar vegetariana — refletiu ela enquanto atravessava o riacho estreito. — Tá bem, não conseguiria. Mas posso aprender a pescar. E comprar uma picape para ir até a cidade uma vez por mês comprar suprimentos.

Reece começou a idealizar essa vida, criando uma imagem em sua cabeça. Um lugar perto da água, não muito embrenhado nas montanhas. Com muitas janelas, para dar a impressão de que vivia ao ar livre.

— Posso começar meu próprio negócio. Algo simples que desse para fazer dentro do chalé. Eu cozinharia todos os dias, venderia os produtos... pela internet, talvez. E nunca sairia de casa. E acabaria acrescentando agorafobia à minha lista.

Não, ela moraria na floresta — essa parte era boa —, mas trabalharia na cidade. Podia até ser aqui, e ela continuaria trabalhando na lanchonete de Joanie.

— É melhor esperar algumas semanas para ver o que acontece. Tenho que sair daquele hotel, isso é certo. Não vai dar pra ficar lá por muito tempo. O problema é só decidir para onde vou. Talvez eu possa...

Reece soltou um gritinho, cambaleou para trás e quase caiu de bunda no chão.

Uma coisa era dar de cara com um cervo, outra completamente diferente era se deparar com um homem deitado em uma rede, com um livro aberto sobre o peito.

Ele a ouviu se aproximar — era difícil não ouvir a mulher falando sozinha. Achou que ela daria meia-volta, mas, em vez disso, viera em direção a sua rede, fitando as próprias botas de caminhada novinhas em folha. Então, ele interrompeu a leitura para observá-la.

Uma mulher da cidade grande explorando a natureza, refletiu Brody. Mochila e botas da L.L.Bean, uma calça da Levi's um pouco gasta, uma garrafa de água.

Ela estava com o celular no bolso? Para quem ela ia ligar dali?

Reece tinha prendido o cabelo, passando o rabo de cavalo pela abertura traseira do boné preto que usava. Ela estava branca como um fantasma; os olhos, arregalados e surpresos, de um tom castanho-avermelhado penetrante, bonito.

— Se perdeu?

— Não. Sim. Não. — Ela olhou em volta como se tivesse acabado de chegar de outro planeta. — Eu só estava dando uma volta, não prestei atenção aonde estava indo. Devo ter invadido sua propriedade.

— Deve. Pode esperar um pouco aí enquanto pego minha arma?

— Acho melhor não. É... Imagino que aquela seja a sua cabana.

— Hoje você está afiada.

— É bonita. — Ela analisou a casa por um instante, a estrutura simples de madeira, o alpendre espaçoso com apenas uma cadeira, uma única mesa. Era uma graça, pensou Reece. Apenas uma cadeira, uma única mesa. — Isolada — acrescentou ela. — Desculpe.

— Eu não sinto. Gosto de me isolar.

— Eu quis dizer que... Bem, você sabe o que eu quis dizer. — Ela respirou fundo, abrindo e fechando a tampa da garrafa de água. Falar com desconhecidos era mais fácil. Eram os olhares pesarosos e preocupados das pessoas que conhecia que tinham se tornado insuportáveis. — Você está fazendo de novo. Está me encarando. Isso é falta de educação.

Brody ergueu uma sobrancelha. Reece sempre admirara pessoas que conseguiam fazer isso, como se aquela sobrancelha tivesse músculos independentes. Então, ele baixou a mão e pegou uma garrafa de cerveja sem errar o alvo.

— Quem decide esse tipo de coisa? O que é falta de educação em uma cultura?

— A SPG.

Ele só precisou de um segundo para compreender.

— A Sociedade para Prevenção de Grosserias? Achei que eles já tinham fechado.

— Não, eles continuam fazendo um belo trabalho em locais mais escondidos.

— Meu bisavô era membro da SPG, mas não tocamos muito nesse assunto, já que ele era um babaca de marca maior.

— Bem, toda família ou grupo tem um desses. Vou te deixar ler seu livro.

Reece deu um passo para trás, e Brody se perguntou se devia lhe oferecer uma cerveja. Contudo, como quase nunca fazia isso, ele já tinha decidido não oferecer quando um som agudo explodiu no ar.

Ela se jogou no chão, cobrindo a cabeça com os braços como um soldado em uma trincheira.

A primeira reação de Brody foi achar graça. *Burguesinha da cidade grande*. Porém, quando ela continuou imóvel e muda, ele percebeu que devia ter algo por trás daquela reação. Então, saltou da rede e se agachou.

— Cano de descarga — disse ele, calmo. — Da caminhonete de Carl Sampson. É uma lata-velha.

— Cano de descarga.

Ele a ouviu repetir aquelas palavras diversas vezes enquanto tremia.

— É, isso aí.

Brody tocou seu braço para acalmá-la, mas ela se retraiu.

— Não. Não encoste em mim. Não encoste em mim. Não. Só preciso de um minuto.

— Tudo bem. — Ele se levantou para pegar a garrafa de água que saiu voando quando Reece se jogou no chão. — Quer isso aqui? Sua água?

— Quero. Obrigada.

Ela pegou a garrafa, mas seus dedos trêmulos não conseguiam abri-la. Sem dizer nada, Brody tirou-a das mãos dela, abriu-a e devolveu-a.

— Estou bem. Foi só um susto.

Susto, porra nenhuma, pensou ele.

— Achei que fosse um tiro.

— Isso a gente também escuta por aqui. Não é temporada de caça, mas os moradores gostam de praticar tiro ao alvo. Estamos no Velho Oeste, magrinha.

— Óbvio. É óbvio que eles praticam. Eu vou me acostumar.

— Se for caminhar pela floresta, pelas colinas, use algo chamativo. Vermelho, laranja.

— Ok. Sim, pode deixar. Da próxima vez, vou fazer isso.

O rosto de Reece parecia ter retomado um pouco da cor, mas, na opinião de Brody, era apenas pura vergonha. Ela se levantou, mas continuava ofegante. E não se esforçou muito para se limpar.

— E esse foi todo o entretenimento que eu tinha guardado pra hoje. Aproveite o restante do seu domingo.

— É o que pretendo fazer.

Um cara mais legal, pensou Brody, provavelmente insistiria para ela se sentar ou se ofereceria para acompanhá-la de volta à cidade. Mas ele não era esse cara.

Ela continuou andando, mas então diminuiu o ritmo e olhou para trás.

— Meu nome é Reece, aliás.

— Eu sei.

— Ah. Bem... A gente se vê por aí.

Isso seria difícil de evitar, pensou Brody enquanto ela se afastava, ágil, com os olhos atentos ao chão. Uma mulher assustada com aqueles olhos grandes, de vítima indefesa. Mas era bonita — com uns cinco quilos a mais, ficaria gostosa também.

O que o fascinava, porém, era aquele medo todo. Ele nunca conseguia resistir a tentar entender o comportamento das pessoas. E Reece Gilmore parecia uma bomba prestes a explodir.

Reece manteve os olhos grudados no lago — nas ondulações, nos cisnes, nos barcos. A caminhada seria longa, mas lhe daria tempo para se acalmar e parar de se sentir envergonhada. A sensação já se transformava em uma enxaqueca, mas estava tudo bem, tudo certo. Se a dor não passasse sozinha, tomaria um remédio quando voltasse para o hotel.

Seu estômago podia até estar embrulhado, mas poderia ter sido pior. Pelo menos ela não vomitou e tornou a situação ainda mais humilhante.

Por que não podia estar sozinha na floresta quando o cano de descarga daquela maldita caminhonete fez aquele barulho? É lógico que, se esse fosse o caso, ela ainda estaria encolhida no chão, choramingando.

Pelo menos Brody lidara racionalmente com a situação. Aqui está sua água, se recomponha. Era mais fácil interagir com esse tipo de gente do que com pessoas que tentavam consolá-la com tapinhas nas costas e conselhos genéricos.

Com os olhos ardendo por conta da claridade, Reece revirou a mochila em busca dos óculos escuros. E ordenou a si mesma que mantivesse a cabeça erguida e caminhasse em um ritmo normal. Até conseguiu sorrir para um casal que também passeava pelo lago e, quando finalmente, *finalmente*, chegou à estrada principal, ergueu o braço em resposta ao cumprimento de um motorista que passava por ali.

A moça — com a cabeça latejando, Reece não conseguia se lembrar do nome dela — estava em seu posto, na recepção do hotel. Ela abriu um sorriso ao vê-la, perguntou como estava, se tinha gostado da trilha. Reece sabia que lhe estava respondendo, mas todas as palavras que saíam de sua boca pareciam falsas e vazias.

Ela só queria seu quarto.

Então, subiu a escada, encontrou a chave e, quando entrou, apenas apoiou-se na porta.

Depois de checar se estava tudo trancado — duas vezes — e tomar seu remédio, se aconchegou na cama ainda de roupa, botas e óculos escuros.

E, ao fechar os olhos, cedeu à exaustão de fingir que era normal.

Capítulo quatro

⌘ ⌘ ⌘

Uma tempestade de primavera despejou vinte centímetros de neve pesada e derretida, transformando o lago em um disco cinza de espuma. Alguns moradores passavam por cima dela com *snowmobiles*, enquanto as crianças, embrulhadas em vestes de inverno maiores que elas, se divertiam construindo bonecos de neve na margem do lago.

Lynt, com os ombros largos e o rosto avermelhado por conta do frio, encarregado de remover a neve das ruas naquela manhã, fazia intervalos na lanchonete de Joanie para encher sua garrafa térmica de café e reclamar do tempo.

Reece também tinha passado um perrengue mais cedo, na ida para o trabalho. O vento soprava com raiva pelo cânion, pelo lago, espalhando neve fresca por todo lado enquanto congelava seus ossos.

Ele ricocheteava nas janelas, berrava como um assassino possuído. Quando a luz caiu, a própria Joanie vestiu um casaco e calçou botas para enfrentar a neve e ligar o gerador lá fora.

O rugido do aparelho competia com os gritos do vento e o trovejar do limpa-neve de Lynt até Reece começar a se perguntar como ninguém enlouquecia com aquela barulheira incessante.

Mas isso não impediu os fregueses de aparecer. Lynt desligou o veículo para devorar uma tigela enorme de cozido de carne de búfalo. Carl Sampson, com as bochechas também vermelhas por conta do vento, entrou, bufando, e sentou-se ao lado de Lynt, pedindo o bolo de carne e só indo embora depois de comer duas fatias da torta de mirtilo.

Uns vieram e ficaram pouco. Outros vieram e ficaram muito. Mas todos queriam comida e companhia, notou ela. Contato humano e algo quente na barriga para lembrá-los de que não eram pessoas solitárias. Enquanto Reece grelhava, fritava, cozinhava e picava, se sentia acalentada pelo burburinho no ambiente.

Mas não haveria vozes e contato humano quando terminasse seu turno. Pensando no que aconteceu no quarto do hotel, Reece foi aos trancos e barrancos à mercearia na hora do intervalo comprar pilhas extras para sua lanterna. Só para garantir.

— O inverno sempre dá um último golpe — disse Mac enquanto registrava a compra das pilhas. — Vou ter que pedir mais pilhas. Compraram meu estoque inteiro hoje. Também estou com pouco pão, ovo e leite. Por que as pessoas sempre compram pão, ovo e leite quando neva?

— Vai ver é para fazer rabanada.

Mac soltou uma gargalhada rouca.

— Pode ser. Como vão as coisas lá na Joanie? Não consegui ir lá hoje. Gosto de dar uma passada em todos os negócios que estão abertos na cidade quando cai uma nevasca dessas. Como prefeito, parece a coisa certa a fazer.

— O gerador está funcionando, então continuamos abertos. Você também.

— Pois é, não gosto de fechar. Lynt já limpou boa parte das estradas, e a eletricidade deve voltar em duas horas. Já verifiquei. E a tempestade não demora muito.

Reece olhou pela janela.

— É mesmo?

— Quando a luz voltar, já vai ter passado. Vai ver só. O único problema que não conseguimos resolver ainda foi o telhado do galpão de Clancy, que desabou. A culpa foi dele. O lugar já estava precisando de reforma, e ele não tirou a neve. Diga a Joanie que vou passar por lá assim que der.

Em pouco mais de uma hora, as previsões de Mac se concretizaram. O vento foi de um grito raivoso para um murmúrio irritado. Antes de outra hora se passar, o jukebox — que Joanie se recusava a conectar ao gerador — gemeu, engasgou e começou a tocar Dolly Parton.

E muito tempo depois de a nevasca forte e o vento brutal abandonarem a cidade, Reece ainda via nuvens carregadas castigando as montanhas.

Aquilo só parecia aumentar a ferocidade da cordilheira, dando-lhe um poder gélido, arredio.

Ela agradeceu por poder assistir àquela cena do quentinho do seu quarto de hotel.

No trabalho, Reece mexia tonéis de cozido de acordo com as receitas de Joanie, preparava quilos e quilos de carne e frango e peixe grelhados. No fim de cada turno, contava o dinheiro das gorjetas e guardava tudo em um envelope que deixava em sua mala.

Em algum momento durante o dia ou a noite, Joanie enfiava um prato de comida diante da fuça de Reece. Ela comia em um canto da cozinha enquanto a carne fumegava na chapa, o jukebox tocava e as pessoas se sentavam ao balcão e fofocavam.

Três dias depois da tempestade, ela estava servindo uma sopa quando Don entrou com aquele gingado dele na cozinha. Ele farejou o ar de um jeito exagerado.

— Tem alguma coisa cheirando muito bem aqui...

— Sopa de *tortilla.* — Reece, finalmente, tinha convencido Joanie a deixar que preparasse uma de suas receitas. — E está uma delícia. Quer um pouco?

— Eu estava falando de você, mas aceito uma sopa.

Ela lhe entregou a tigela que acabara de encher e se esticou para pegar outra. Don se aproximou por trás dela, erguendo seu braço ao mesmo tempo. Clássico, pensou Reece, assim como a esgueirada dela para o lado.

— Eu consigo pegar. Sua mãe está na sala dela, caso a esteja procurando.

— Vou passar lá depois. Vim aqui para ver você.

— Ah, é? — Ela encheu a outra tigela e jogou um pouco do queijo que ralara e as tiras de *tortilla* que fritara por cima. E, enquanto a servia com um pãozinho e dois sachês de manteiga, lamentou ao pensar em como a sopa teria ficado muito melhor com um coentro fresco. Ela se virou e pôs a comida no balcão. — Tá pronto! — gritou antes de pegar a próxima comanda.

Talvez pudesse convencer Joanie a acrescentar coentro e outras ervas frescas ao estoque. Tomates secos e rúcula. Se pudesse ao menos...

— Ei, foi parar no mundo da lua? — questionou Don. — Posso ir junto?

— O quê? Foi mal, você disse alguma coisa?

Ele parecia um pouco irritado, além de surpreso. Provavelmente, não estava acostumado a ser ignorado pelas mulheres. Filho da chefe, lembrou Reece a si mesma, e abriu um sorriso.

— Fico distraída quando estou cozinhando.

— Estou vendo. Mesmo assim, o movimento está fraco hoje.

— Não tanto.

Reece pegou os ingredientes para preparar um *cheeseburger* e um sanduíche de frango e seguiu adiante para montar duas porções de batata frita.

— Nossa! Essa sopa está uma delícia *mesmo*.

Don tomou mais uma colherada.

— Obrigada. Não se esqueça de comentar com a chefe também.

— Pode deixar. Então, Reece, estava dando uma olhada na escala agora. Não precisa ficar hoje à noite.

— Ok.

Ela cumprimentou Pete com um aceno de cabeça quando o moço magricelo que lava os pratos voltou do intervalo.

— A gente bem que podia ver um filme.

— Não sabia que tinha um cinema na cidade.

— Não tem. Mas eu tenho a melhor coleção de DVDs da zona oeste do Wyoming. E minha pipoca também é uma delícia.

— Não seria uma surpresa pra ninguém. — Filho da chefe, relembrou Reece a si mesma. Havia uma linha tênue entre ser simpática e debochada. — É muito legal da sua parte me convidar, Don, mas preciso resolver um monte de coisas hoje. Quer um pão pra comer com a sopa?

— Talvez. — Ele chegou um pouco mais perto, quase cercando-a na chapa. — Sabe, querida, você vai partir meu coração se continuar me rejeitando assim.

— Duvido. — Ela manteve o tom descontraído enquanto virava os pedidos na chapa e pegava um pão e um prato para ele. — Não chegue muito perto da chapa — alertou. — Vai espirrar gordura na sua roupa.

Em vez de levar a sopa para as mesas, como Reece esperava, Don apenas se apoiou no balcão.

— Meu coração é muito sensível.

— Então é melhor você ficar longe de mim — disse ela. — Sou péssima com esse tipo de coisa. Deixei um rastro de corações estraçalhados de Boston até aqui. É um hábito doentio.

— Talvez eu seja a cura.

Reece o encarou. Bonito demais, charmoso demais. No passado, ela teria gostado de ser o interesse amoroso dele, talvez até se deixasse levar por seus encantos por um tempo. Mas agora não tinha forças para aquele tipo de brincadeira.

— Quer saber a verdade?

— Vai doer?

Ela riu.

— Eu gosto de você. E prefiro continuar gostando. Você é filho da minha chefe, o que, na minha opinião, faz com que seja meu chefe por associação. E eu não durmo com meus chefes, então não vou dormir com você. Mas agradeço pela oportunidade.

— Ainda não falei nada sobre dormirmos juntos — argumentou Don.

— Só estou poupando o seu tempo e o meu.

Ele tomou outra colherada de sopa, mastigando devagar, pensativo. E sorriu da mesma forma — devagar, pensativo.

— Aposto que, se agarrasse essa oportunidade, eu conseguiria fazê-la mudar de ideia.

— E é por isso que não vou te dar oportunidade nenhuma.

— Talvez você seja demitida ou minha mãe me deserde.

Quando a fritadeira apitou, Reece deixou as batatas secando nas cestas enquanto terminava os sanduíches.

— Preciso do meu emprego e sua mãe ama você. — Ela terminou os pedidos e os colocou no balcão. — Agora, vá lá para fora e coma sua sopa. Você está me atrapalhando.

Don sorriu.

— Tenho um fraco por mulheres mandonas.

Mas ele foi embora quando ela começou a preparar o próximo pedido.

— Ele vai tentar de novo — disse Pete da pia com um sotaque que, mesmo depois de oito anos morando no Wyoming, entregava que viera do Bronx. — Não consegue se controlar.

Reece ficou um pouco perturbada, um pouco nervosa.

— Talvez fosse melhor eu ter dito que era casada ou lésbica.

— Agora é tarde demais. Melhor dizer que se apaixonou loucamente por mim.

Pete abriu um sorriso, exibindo o espaço generoso entre seus dois dentes da frente.

Ela riu de novo.

— Por que eu não pensei nisso antes?

— Ninguém pensa. É por isso que daria certo.

Joanie entrou, enfiou um cheque no bolso do avental de Pete e entregou outro para Reece.

— Dia de pagamento.

— Obrigada. — E ela tomou uma decisão impulsiva. — Será que você poderia me mostrar o apartamento lá de cima quando tiver um tempo livre? Se ainda estiver vago.

— Você viu alguém se mudando pra lá? Vai pra minha sala.

— Preciso...

— Quando alguém te der uma ordem, obedeça — concluiu Joanie, saindo.

Sem saída, Reece a seguiu. Lá dentro, a chefe abriu um armário embutido na parede, decorado com o brasão de um caubói montado em um cavalo empinado. Havia uma imensidão de chaves etiquetadas e penduradas em um porta-chaves. Joanie pegou uma e lhe entregou.

— Suba e dê uma olhada.

— Não está na hora do meu intervalo.

Joanie inclinou o quadril para o lado e apoiou uma das mãos fechada na cintura.

— Garota, seu intervalo é quando eu digo que é. Suba. A escada fica lá fora, nos fundos.

— Tudo bem. Volto em dez minutos.

Mesmo com a neve derretendo rapidamente, estava frio o suficiente para ela precisar pegar o casaco. E, após subir a escada bamba e abrir a porta, ficou grata por ter ido até lá. Era óbvio que Joanie era pão-duro demais para deixar o aquecedor do apartamento ligado.

O lugar estava mais para uma quitinete, com uma alcova que acomodava um sofá-cama com encosto de ferro e uma bancada pequena delimitando o espaço da minúscula cozinha e que ficava na parede que dava para a rua. O piso de carvalho em tamanhos aleatórios era marcado por alguns arranhões, enquanto as paredes tinham um tom bege industrial meio pálido e apessegado.

Havia um banheiro levemente maior do que o do quarto do hotel, com uma pia branca e uma banheira antiga com pés de ferro fundido e em formato de garra. Manchas de ferrugem decoravam a beirada dos ralos. O espelho sobre a pia estava manchado. Os azulejos eram muito brancos, mas os rejuntes, pretos.

O espaço principal tinha um sofá xadrez com os assentos afundados, uma poltrona em um azul desbotado e duas mesinhas com uma luminária que, obviamente, haviam sido compradas em uma feira.

Antes de ir até as janelas, Reece já sorria. As três tinham vista para as montanhas e pareciam lhe mostrar o mundo inteiro. Ela conseguia ver dali as faixas azuis de céu lutando contra a parte branca melancólica e o lago, onde o azul cintilava no cinza.

Os bonecos de neve derretiam, se transformando em *hobbits* deformados que se espalhavam pelo gramado amarronzado por conta do inverno. Os salgueiros pareciam varetas maltratadas e tortas e os choupos tremiam. Sombras se moviam sobre os cumes cobertos de neve enquanto as nuvens se reuniam e se dispersavam, e Reece pensou ter visto um reflexo singelo que poderia indicar um lago alpino.

A cidade, com suas ruas cheias de neve derretida, seu animado gazebo branco e seus chalés rústicos, se alastrava lá embaixo. Parada ali, ela sentia que pertencia ao lugar por mais que estivesse isolada e distante.

— Eu poderia ser feliz aqui — murmurou Reece. — Eu poderia me sentir bem aqui.

Teria de comprar algumas coisas. Toalhas, lençóis, utensílios de cozinha, materiais de limpeza. Ela pensou no cheque em seu bolso, no dinheiro das gorjetas que guardara. Tinha o suficiente para comprar o básico. E seria divertido — era a primeira vez que ia comprar coisas para si mesma em quase um ano.

Um grande passo, pensou Reece, e imediatamente começou a repensar tudo. Será que era um passo grande demais, rápido demais? Alugar um espaço, comprar lençóis. E se eu precisar ir embora? E se eu for demitida? E se...?

— Meu Deus, como eu sou chata — murmurou ela. — Posso me preocupar com isso amanhã. O que importa é o agora, o presente. E agora quero morar aqui.

Ao dizer isso, as nuvens se dissiparam e um raio de sol fraco abriu caminho entre elas.

Aquilo, decidiu Reece, era um sinal aceitável. Ia tentar ficar ali o tempo que desse.

Ela ouviu alguém subindo a escada lá fora, e o medo explodiu em seu peito. Enfiando a mão no bolso, agarrou o botão do pânico com uma das mãos e pegou uma das luminárias bregas com a outra.

Quando Joanie abriu a porta, Reece abaixou a luminária como se estivesse analisando-a.

— É feia, mas ilumina bem — disse a chefe, deixando por isso mesmo.

— Desculpe, demorei muito. Já vou descer.

— Não tem pressa. O movimento está fraco, e Beck está cuidando da chapa. Contanto que não seja nada muito complicado, ele dá conta. Você quer o apartamento ou não?

— Quero, se eu conseguir bancar o aluguel. Você não disse...

Apenas com uma camisa por baixo do avental sujo e os sapatos de sola grossa, Joanie deu uma rápida volta pelo cômodo. Então, informou um valor mensal que era um pouco menor que o do hotel.

— Isso inclui luz e gás, a não ser que você passe dos limites. Se quiser um telefone, é com você. Mesma coisa se for inventar de pintar as paredes. Não quero ouvir muito barulho aqui em cima durante o horário comercial.

— Não sou barulhenta. Prefiro que a gente combine um valor por semana. Gosto de ir pagando as coisas aos poucos.

— Por mim, tudo bem, contanto que o aluguel não atrase. Pode se mudar ainda hoje se quiser.

— Amanhã. Preciso comprar umas coisas.

— Está bem. O lugar não tem muita coisa mesmo. — Os olhos de águia de Joanie analisaram o cômodo. — Acho que posso trazer uns móveis. Se você precisar de ajuda para carregar suas coisas, Pete e Beck podem ajudar.

— Obrigada. Por tudo.

— Você está pagando. E daqui a pouco vai ganhar aquele aumento.

— Obrigada.

— Não precisa me agradecer por algo que combinamos desde o início. É só fazer seu trabalho e não arrumar encrenca. E não fazer muitas perguntas. Ou você não entrou na fila para ser curiosa ou não quer que as pessoas façam perguntas de volta.

— Isso é uma pergunta ou uma afirmação?

— Mas também não é burra. — A mão de Joanie apalpou o bolso do avental em que Reece sabia que a mulher guardava o maço de cigarros. — Vamos botar as cartas na mesa: você está passando por alguma dificuldade. Qualquer pessoa com o mínimo de discernimento percebe isso só de olhar pra você. Imagino que tenha aquilo que costumam chamar de *questões*.

— É assim que costumam chamar? — murmurou Reece.

— Agora, não é da minha conta se você está lidando com elas ou só torcendo para que desapareçam. Mas não deixa seus problemas interferirem no seu trabalho, porque aí vira um problema meu também. E você é uma ótima funcionária, a melhor cozinheira que já pisou naquela cozinha. Isso é uma vantagem pra mim, contanto que você não fuja no meio da noite e me deixe na mão. Não gosto de depender de ninguém, isso só traz decepção. Mas vou me beneficiar do seu trabalho, e você vai receber seu salário sem atraso e pagar um aluguel justo por esse apartamento. Vai ter suas folgas e, se em dois meses ainda estiver aqui, posso te dar outro aumento.

— Não vou te deixar na mão. Se eu precisar ir embora, vou avisar antes.

— Justo. Agora vou ser bem direta e vou saber se estiver mentindo. A polícia está atrás de você?

— Não. — Reece passou os dedos pelo cabelo e soltou uma risada fraca. — Meu Deus, não.

— Eu já desconfiava que não, mas é melhor você saber que algumas pessoas na cidade andam dizendo isso. O povo daqui gosta de fofocar, é uma forma de passar o tempo. — Joanie ficou em silêncio por um instante. — Se não quiser me contar qual é o problema, isso também não é da minha conta. Mas se alguém aparecer aqui atrás de você, talvez fosse bom me contar se quer ser encontrada ou se prefere que eu os mande para outra direção.

— Ninguém virá me procurar. Só tenho minha avó, e ela sabe onde estou. Não estou fugindo.

Talvez apenas de mim mesma, pensou Reece.

— Então tudo bem. Você já tem a chave. Tenho uma cópia no escritório. Depois que se mudar, pode ficar tranquila. Não vou aparecer de supetão e ficar fuxicando suas coisas. Mas se atrasar o aluguel, vou descontar do seu salário. Não aceito desculpas. Já ouvi todas que você pode imaginar.

— Se você puder me pagar em dinheiro, posso te dar a primeira semana agora.

— Acho que podemos fazer assim. Outra coisa, vou precisar de ajuda com as tortas de vez em quando. Talvez eu te peça uma mãozinha. Asso tudo na cozinha da minha casa.

— Tudo bem.

— Vou colocar na escala. Bem, é melhor voltarmos antes que Beck envenene alguém.

Com o restante do salário e uma parte das gorjetas, Reece seguiu para a mercearia. Só o básico, lembrou a si mesma. Apenas o essencial e nada mais. Ela não estava na Newbury Street e não podia se dar ao luxo.

Mas, nossa, como era divertido sair para comprar algo que não fosse um novo par de meias e uma calça jeans. O pensamento a deixou mais leve e fez com que ela se *sentisse* bem. Até suas bochechas foram tomadas por uma cor bonita e saudável.

Reece entrou, fazendo o sino pendurado em cima da porta soar. Havia outros clientes lá dentro, alguns que reconhecia da lanchonete. Sanduíche de filé-mignon com o dobro de cebolas para o homem de jaqueta xadrez na seção de ferragens. A mulher e o garotinho analisando as prateleiras de alimentos não perecíveis — frango frito para ele, salada Cobb para ela.

Um grupo de quatro pessoas parecia estar na cidade para acampar, pegando suprimentos e empilhando-os em um dos carrinhos de mercado.

Reece acenou para Mac Drubber e se sentiu reconfortada quando o homem a cumprimentou com um aceno de cabeça. Era bom reconhecer os outros e ser reconhecida. Tudo tão normal e casual. E lá estava ela, olhando roupas de cama. Os lençóis brancos foram rejeitados imediatamente. Eram muito parecidos com os de hospital. Quem sabe o azul-claro, com pequenas violetas estampadas, e o cobertor azul-escuro. E, para toalhas, o tom de amarelo-ovo traria um pouco de luz do sol ao banheiro.

Ela levou suas primeiras aquisições para a bancada.

— Achou um lugar pra ficar?

— Sim. O apartamento em cima da lanchonete — respondeu Reece a Mac.

— Que bom! Quer abrir uma conta aqui?

Estava tão feliz que ficou tentada. Ela poderia levar tudo de que precisava e algumas coisas que apenas queria e pagar por tudo mais tarde. Mas isso quebraria a regra de ouro que seguia havia mais de oito meses.

— Não precisa. Recebi meu salário hoje. Só vou comprar algumas coisas para a cozinha, por enquanto.

Reece fez as contas de cabeça enquanto analisava, questionava, rejeitava ou escolhia o que era completamente necessário e eliminava o que era supérfluo. Uma boa frigideira de ferro fundido, uma panela decente. Não poderia bancar o tipo de utensílio de cozinha que costumava ter nem facas boas, mas dava para se virar.

Contudo, ao mesmo tempo que fazia cálculos e reorganizava sua lista, ela erguia a cabeça sempre que o sininho tocava.

E então viu Brody entrar. A mesma jaqueta de couro gasta, as mesmas botas que já tinham visto dias melhores. Ele parecia ter feito a barba recentemente. Mas aquele olhar, que indicava que o homem já tinha visto de tudo e não se impressionava com mais nada, era o mesmo de quando ele a fitou antes de seguir para a seção de comida.

Ainda bem que ela já tinha pegado o que considerava serem itens básicos de despensa e geladeira.

Reece empurrou o carrinho até o balcão.

— Acho que é só isso, sr. Drubber.

— Vou registrar. A chaleira é por minha conta. Um presente para a casa nova.

— Não precisa.

— Minha loja, minhas regras. — Ele balançou o indicador enquanto falava. — Só um minuto, Brody.

— Tudo bem. — O homem colocou uma caixa de leite, uma caixa de cereal e um pacote de café na bancada. E assentiu com a cabeça para Reece. — Como vão as coisas?

— Bem, obrigada.

— Reece vai se mudar para o apartamento em cima da lanchonete.

— É mesmo?

— Depois que eu passar as compras dela e empacotar tudo, quebre um galho e leve as coisas dela de carro até em casa, Brody.

— Ah, não. Está tudo bem. Eu me viro.

— Você não vai conseguir carregar isso tudo sozinha — insistiu Mac. — Seu carro está lá fora, não está, Brody?

O indício de um sorriso se formou nos lábios dele, como se achasse aquela situação muito divertida.

— Está.

— E você já estava indo jantar na lanchonete, não estava?

— São os meus planos.

— Viu só? Não vai ser nenhum incômodo. É dinheiro ou cartão, querida?

— Dinheiro. É dinheiro.

Mesmo com a dedução da chaleira, o total sugou quase todo seu dinheiro.

— Pode colocar o meu na minha conta, Mac.

Brody apoiou suas compras em cima de uma das caixas que Mac já empacotara e a levou para o carro. Antes de o restante ser embalado, ele já tinha voltado para buscar a segunda caixa.

Encurralada, Reece pegou a que sobrou.

— Obrigada, sr. Drubber.

— Aproveite a casa nova — gritou ele enquanto ela seguia Brody até o lado de fora.

— Você não precisa me dar carona. Sério — começou Reece assim que saíram. — Ele o colocou em uma situação difícil.

— Colocou mesmo.

Brody guardou a segunda caixa no banco traseiro de um Yukon preto antes de se virar e pegar a que Reece segurava. Ela a segurou com mais força.

— Eu disse que você não precisa me dar carona. Consigo dar conta sozinha.

— Não, não preciso, e não, você não consegue. Então vamos adiantar a nossa vida e acabar logo com isso. — Ele simplesmente arrancou a caixa das mãos dela e a colocou no carro. — Entre.

— Não quero...

— Isso é idiotice. Já guardei suas coisas — continuou Brody contornando o carro pela frente. — Você pode entrar e vir comigo ou pode ir andando.

Reece preferia a segunda opção, mas, além de ser idiotice, era burrice. Ela entrou batendo a porta para demonstrar sua irritação. E, sem se importar em nada com o conforto dele, abriu a janela para não se sentir sufocada.

Brody não fez nenhum comentário, e, como o rádio tocava Red Hot Chili Peppers aos berros, ela não precisou tentar puxar assunto durante o curto trajeto.

Ele estacionou e saiu do carro para pegar uma caixa no banco traseiro enquanto ela fazia o mesmo pelo outro lado.

— A entrada é pelos fundos.

A voz de Reece saiu ríspida, o que a surpreendeu. Não conseguia se lembrar da última vez em que se irritara de verdade com alguém além de si mesma.

Ela precisou apertar o passo para não ficar para trás; porém, apesar de passar à frente dele na escada, se atrapalhou ao apoiar a caixa na parede para pegar a chave.

Brody simplesmente segurou a caixa dele com um braço só, pegou a chave da mão dela e abriu a porta.

Uma onda de ressentimento a arrebatou. Aquela era *sua* casa agora. Ela devia poder convidar ou não convidar quem quisesse. E lá estava ele, atravessando o cômodo para colocar a caixa com as novas aquisições dela na bancada.

Então ele saiu de novo, sem fazer um comentário sequer. Bufando, Reece se abaixou, colocou a caixa que segurava no chão e correu até a porta, torcendo para que desse tempo de alcançá-lo e trazer o restante por conta própria.

Mas Brody já estava voltando.

— Eu posso levar essa. — O vento jogou-lhe cabelo sobre o rosto. Ela o afastou, irritada. — Obrigada.

— Pode deixar que eu levo. O que tem aqui dentro? Tijolo?

— Deve ser a frigideira de ferro fundido e os produtos de limpeza. Eu consigo carregar, sério.

Ele apenas a ignorou e subiu a escada.

— Por que você trancou a porta se a gente só foi ali?

— Força do hábito. — Reece abriu a porta, mas, antes que conseguisse se virar e pegar a caixa, ele passou por ela e entrou no apartamento. — Bem, obrigada. — Ela continuou ao lado da porta aberta, sabendo que não só era falta de educação, como também estava deixando o ar frio entrar. — Desculpe por ter te dado trabalho.

— Sem problemas. — Brody se virou, agora com as mãos nos bolsos. Era um espaço apertado e deprimente, pensou ele, até você se deparar com a vista. Ela era a atração principal. E era limpo; esse crédito era de Joanie. Mesmo que não tivesse ninguém morando ali, ela fazia questão de passar uma vassoura e tirar as teias de aranha de vez em quando. — Uma pintura cairia bem — comentou ele.

— Também acho.

— Um aquecedor ligado também. Magrinha desse jeito, você vai morrer de frio aqui.

— Não faz sentido ligá-lo antes de eu mudar amanhã. Não quero te alugar mais do que já aluguei.

Brody se virou, fitando-a com aqueles olhos.

— Você não está nem aí para o que eu faço com o meu tempo, só quer se livrar de mim.

— Ok. Tchau.

Pela primeira vez, ele abriu um sorriso breve, mas genuíno.

— Você é mais interessante quando está irritada. Qual é o prato do dia lá na lanchonete?

— Coxa de frango frita, batata com salsinha, ervilhas e cenouras.

— Delícia. — Brody seguiu para a porta, parando bem na frente de Reece. E quase conseguiu ouvir o corpo dela se retrair. — A gente se vê por aí.

A porta se fechou silenciosamente às suas costas, e a tranca emitiu um clique antes de Brody descer o primeiro degrau. Ele deu a volta no prédio e, para matar a curiosidade, olhou para cima quando chegou à fachada.

Ela estava parada diante da janela, contemplando o lago. Magra como o tronco de um salgueiro, pensou ele, com o vento soprando em seus cabelos e o olhar profundo, misterioso. A mulher parecia mais uma pintura emoldurada do que alguém de carne e osso. E ele se perguntou onde ela deixara o restante de si mesma. E por quê.

O DEGELO DE primavera significava lama. A terra nas trilhas ficava macia e densa, e botas sujas deixavam marcas pelas ruas e calçadas. Na lanchonete de Joanie, os fregueses, que já sabiam como ela era, tentavam limpar o máximo possível a sujeira nos calçados antes de entrar. Os turistas, que invadiriam os parques, acampamentos e chalés dali a um mês, eram presenças raras. Mas havia quem fosse para a cidade por causa do lago e do rio, para remar suas canoas e seus caiaques na água fria, por dentro dos cânions ecoantes.

Angel's Fist sossegou-se no interlúdio tranquilo entre a loucura que era o inverno e o verão.

Pouco depois do nascer do sol, quando o céu era tomado por tons cor-de-rosa, Reece passava por uma das estradas estreitas e esburacadas do outro lado do lago. Parecia mais uma trilha do que uma estrada, pensou enquanto girava o volante e diminuía a velocidade para desviar de um buraco na pista de terra.

Quando um alce surgiu na sua frente, ela não só espantou-se com a surpresa, apesar de boa, como também agradeceu aos céus por estar a menos de vinte quilômetros por hora.

E, se não estivesse perdida, estaria cantando louvores.

Joanie queria que ela chegasse às sete horas, e, mesmo tendo saído de casa mais cedo do que costumava sair, Reece estava com medo de se atrasar. Ou de acabar chegando a Utah.

Como estava ansiosa por passar a manhã fazendo tortas, ir parar em Utah não era uma boa ideia.

Ela passou pelos salgueiros vermelhos, como fora instruída. Pelo menos ela achava que aquelas árvores eram salgueiros vermelhos. Então, viu um feixe de luz.

— Depois dos salgueiros, vire à esquerda e... Isso!

Reece avistou a picape Ford antiga de Joanie e, mentalmente, ergueu os braços para comemorar. Em seguida, estacionou.

Ela não sabia o que esperava encontrar. Um chalezinho rústico, talvez. Um pequeno bangalô interiorano. Qualquer uma dessas opções corresponderia ao que ela imaginava ser a casa de sua chefe impaciente e caxias.

Mas o que ela não esperava era o estilo e o tamanho da casa de vidro e madeira com que deu de cara, os alpendres espaçosos, os deques suspensos sobre o pântano que se estendiam até uma clareira.

Também não esperava ver todos aqueles amores-perfeitos, vivos e roxos, transbordando das jardineiras nas janelas. Seu primeiro pensamento foi que o lugar lembrava uma casa de *gingerbread*, apesar do formato reto e prático em vez de curvilíneo. Mas havia algo na forma como estava embrenhada no meio do mato, como se fosse um segredo, que lhe dava um ar fantástico.

Encantada, Reece seguiu as instruções que recebera, estacionou, saltou do carro e seguiu em direção à porta dos fundos.

Janelas por toda parte, notou ela. Tinham uma largura generosa, oferecendo vistas da montanha, do pântano, do lago e da cidade. Mais vasos com amores-perfeitos e outros com caules de onde brotariam narcisos, tulipas e jacintos quando o tempo esquentasse.

A luz do dia refletia no vidro. Ela viu Joanie através das janelas da cozinha, usando um casaco de moletom com as mangas arregaçadas até os cotovelos, já batendo alguma coisa em uma tigela.

Reece bateu à porta.

— Está aberta!

O fato de a chefe não deixar a casa trancada lhe deu uma aflição. E se ela fosse um maníaco com um porrete? Será que uma mulher, principalmente quando morava sozinha, não devia considerar essas possibilidades e tomar certas providências? A entrada dava para uma área de serviço bem organizada, onde uma jaqueta de flanela surrada e um chapéu marrom disforme estavam pendurados em um cabideiro de parede e um par de botas estava perto da porta a postos.

— Tire os sapatos se eles estiverem cheios de lama antes de entrar na minha cozinha.

Reece olhou para baixo para conferir se tinha de fato muita lama em seus sapatos e, curvando os ombros em culpa, os tirou.

Se o exterior da casa fora uma surpresa, a cozinha foi a resposta a todas as suas orações.

Espaçosa, bem iluminada, com um quilômetro de bancada de primeira em tons de bronze e cobre. Fornos duplos — ai, meu Deus, pensou ela, um forno de convecção. Uma geladeira Sub-Zero, notou, quase tremendo de prazer como se fosse uma mulher prestes a transar com um deus grego. E quase salivou quando viu o fogão Vulcan e — ai, meu Senhor Jesus! — uma batedeira Berkel.

Reece, literalmente, sentia os olhos se encherem de lágrimas.

E, além da eficiência tecnológica, havia também um charme. Plantas primaveris floresciam em pequenas garrafas de vidro no peitoril das janelas, com galhos e gramas interessantes atirando-se para fora de um vaso de madeira burl. Havia uma pequena lareira acesa. E o cheiro delicioso de pão fresco e canela infestava o ambiente.

— E aí? — Joanie colocou a tigela que segurava sobre a bancada. — Vai ficar aí babando na minha cozinha ou vai pegar um avental e começar a trabalhar?

— Acho que quero me ajoelhar e agradecer primeiro.

A boca bonita de Joanie se curvou. Ela, obviamente, desistiu de bancar a durona e sorriu.

— É linda demais, não é?

— Sua cozinha é maravilhosa. Estou apaixonada. Achei que a gente... — Reece se interrompeu, pigarreando.

— Fosse assar as tortas em um forno velho e ter uma bancada minúscula para trabalhar? — Joanie deu uma gargalhada sarcástica e seguiu para a cafeteira de aço inoxidável. — Eu moro aqui e na minha casa gosto de ter um pouco de luxo e beleza.

— Estou vendo. Quer me adotar?

A chefe riu de novo.

— E gosto da privacidade que tenho aqui. Essa é a última casa nessa parte da cidade. A casa dos Mardson fica a meio quilômetro daqui. Rick e Debbie, as crianças. A mais nova vive brincando com o cachorro no lago.

— Sim. — Reece pensou na garotinha jogando a bola na água para o cão buscar. — Já a vi algumas vezes.

— São boas meninas. Depois deles, a casa mais perto é a de Dick, que já é um pouco longe. O pedido dele foi o seu teste. Dick é aquele velho maluco — disse ela com certa afeição — que gosta de fingir que é um machão que vive isolado nas montanhas, mas é gay, caso não tenha percebido.

— Acho que percebi.

— Depois dele fica a cabana que Brody aluga. Tem uns chalés espalhados por aí, mas a maioria é alugada por temporada. Então é um lugar tranquilo.

— E bonito. Hoje eu trombei com um alce na estrada. Quer dizer, eu vi um alce. Não tivemos nenhum contato.

— Esses bichos só faltam bater aqui em casa. Não me incomodo com eles nem com nenhum ser vivo que aparece por aqui. Só quando começam a cavucar minhas plantas. — Estudando Reece, Joanie pegou um pano de prato e secou as mãos. — Vou tomar um café e fumar um cigarro. A água já ferveu. Faz um chá pra você. Vamos passar mais ou menos umas três horas trabalhando, e não gosto de ficar batendo papo enquanto estou com a mão na massa. Então vamos conversar antes.

— Ok.

Joanie acendeu o cigarro. Apoiando as costas na bancada, ela soprou a fumaça.

— Você está se perguntando por que eu moro em um lugar como este.

— Aqui é lindo.

— Faz quase vinte anos que tenho esta casa. Nessas duas décadas, fiz várias reformas, fui mexendo nas coisas que queria mudar. — Ela fez uma pausa para tomar um gole de café e cruzou os pés cobertos de meias de lã cinza. — Só agora está tudo mais ou menos do jeito que eu queria.

Reece tirou a chaleira do fogo.

— Você tem muito bom gosto.

— Você também deve estar se perguntando, já que eu tenho bom gosto, por que minha lanchonete não é mais sofisticada. E eu vou te dizer o porquê — continuou Joanie antes que Reece pudesse responder —: as pessoas vão à Comida dos Anjos porque querem ficar à vontade. Porque querem comida boa, rápida e barata. Era isso que eu tinha em mente quando abri o lugar, quase vinte anos atrás.

— A lanchonete é um sucesso.

— É mesmo. Eu vim pra cá porque queria ter meu negócio, e dar uma vida boa e estável para meu filho. Cometi o erro de me casar com um cara que não me ajudava em nada, só tinha um rostinho bonito. Era muito bom em ficar se exibindo por aí, mas em compensação não fazia nada por mim nem pelo próprio filho.

Cautelosa, Reece pegou o chá que preparara.

— Você se saiu muito bem sem ele.

— Se eu tivesse continuado com aquele homem, um de nós já estaria morto. — Joanie deu de ombros e tragou de novo. — Foi a melhor decisão expulsá-lo de casa, recomeçar. Eu tinha um dinheiro guardado, uma bela poupança. — Os lábios dela se curvaram, formando algo entre um sorriso genuíno e desdém. — Posso ter sido burra ao me casar com ele, mas fui inteligente ao abrir uma conta no banco só minha e não contar nada para ele. Eu me mato de trabalhar desde os meus dezesseis anos. Já fui garçonete, já fui fritadeira. Fazia um curso à noite e consegui meu certificado em administração de restaurantes.

— Foi muito inteligente mesmo.

— Quando tirei aquele peso das minhas costas, decidi que, já que eu ia continuar me matando de trabalhar, era melhor que fosse pra mim e pro meu filho. E pra mais ninguém. Então, vim parar aqui. Na época, consegui um emprego em um lugar chamado A Carroça.

— Sua lanchonete? Ela se chamava A Carroça?

— Hambúrguer encharcado de óleo e carne dura. Mas, em quatro meses, o lugar era meu. O dono era um imbecil, estava todo endividado. Como ele estava quase falindo, estava pedindo uma merreca. No fim da negociação, saiu praticamente de graça. — A felicidade que aquela lembrança lhe trazia estava estampada no rosto dela. — Eu e William moramos lá em cima, no apartamento em que você está, naquele primeiro ano.

Reece tentou imaginar uma mulher e uma criança dividindo aquele espaço.

— Deve ter sido difícil — murmurou ela, focada em Joanie. — Deve ter sido muito difícil tocar um negócio, criar um filho e ser alguém na vida.

— Não é tão difícil quando se é forte e determinada. Eu era as duas coisas. Comprei esse terreno, construí uma casinha. Dois quartos, um banheiro, uma cozinha que era metade dessa. Depois de viver apertada naquele apartamento com um menino de oito anos, pra mim isso aqui era um castelo. Eu consegui o que queria porque sou teimosa quando é preciso, o que é quase sempre. Mas eu me lembro, eu me lembro muito bem como é fazer as malas e ir embora, deixar tudo que você construiu pra trás, por mais difícil que fosse, e tentar descobrir qual é o seu lugar no mundo. — Joanie deu de ombros enquanto tomava mais café. — Quando olho pra você, revivo todas essas lembranças.

Talvez revivesse mesmo, pensou Reece. Talvez ela enxergasse alguns dos motivos que faziam uma mulher acordar às três da madrugada cheia de preocupações, questionamentos. Rezando.

— Como você soube qual era o seu lugar?

— Eu não soube. — Com gestos rápidos, Joanie apagou o cigarro no cinzeiro e tomou o último gole de café. — Era só um lugar diferente, melhor que o outro. Então, acordei um dia, e ele era meu. E parei de olhar pra trás.

Reece pousou a xícara.

— Você está se perguntando por que alguém com a minha formação está trabalhando na sua lanchonete. Por que eu fiz as malas e vim parar aqui.

— Digamos que já fiz mais do que me perguntar.

Aquela era a mulher que lhe dera um emprego, pensou Reece. Que lhe colocara um teto sobre sua cabeça. Que lhe oferecia, do seu jeitinho, um ombro amigo.

— Não estou querendo criar nenhum mistério, só que eu ainda não consigo falar sobre os detalhes. É difícil falar sobre eles. Mas eu não fui embora por causa de uma pessoa ou de um marido. Foi por causa de um... evento. Eu passei por uma experiência que me trouxe danos físicos, psicológicos... Acho que posso dizer que prejudicou todos os aspectos da minha vida. — Reece olhou nos olhos de Joanie. Era um olhar forte, sério, impiedoso. E era difícil explicar, até para si mesma, como aquilo a encorajava a continuar falando. — E, quando me dei conta de que eu não ia ficar cem por cento bem se eu continuasse onde estava, fui embora. Minha avó parou a vida dela para ficar cuidando de mim. E eu não aguentava mais isso. Um dia, entrei no meu carro e fui embora. Depois, liguei pra ela, pra minha avó, e tentei convencê-la de que eu estava bem. De que eu estava melhor e queria passar um tempo sozinha.

— E você conseguiu? Convencê-la?

— Não muito, mas ela não podia me impedir. Ultimamente ela tem andado mais tranquila. Deu até um nome para o que estou fazendo: "As aventuras de Reece". É muito fácil passar essa impressão por mensagem ou por ligação. E às vezes é verdade. Às vezes realmente parece uma aventura. — Ela se virou para pegar um avental pendurado no cabideiro da área de serviço. — Enfim, estou muito melhor agora. Gosto de como me sinto agora. Por enquanto. E isso é o suficiente pra mim.

— Então vamos encerrar por aqui. Por enquanto. Quero que você prepare a massa. Vamos ver se você tem mão boa pra doce, e então a gente continua.

Capítulo cinco

⌘ ⌘ ⌘

HAVIA MEIA dúzia de gatos-pingados na lanchonete, e Linda-gail tinha assumido o balcão. Ela pôs um pedaço de torta de maçã na frente de Don e encheu a xícara dele de café.

— Você anda aparecendo muito por aqui.

— O café é bom, a torta, melhor ainda. — Ele deu uma garfada generosa e sorriu. — A vista não é ruim.

Linda-gail olhou para trás, observando Reece na chapa.

— Fiquei sabendo que você deu com os burros na água, campeão.

— Ainda há tempo. — Ele provou a torta. Ninguém fazia uma torta como sua mãe. — Já descobriu mais alguma coisa sobre ela?

— A vida de Reece não é da minha conta.

Ele soltou uma risada irônica.

— Pare com isso, Linda-gail.

A garçonete tentou permanecer indiferente, mas, droga, ela e Don adoravam jogar conversa fora desde quando eram crianças. No fim das contas, ele era a pessoa com quem ela mais gostava de fofocar.

— Ela não fala muito, não faz corpo mole no trabalho, chega na hora e fica até o fim do expediente ou até Joanie mandá-la ir pra casa. — Dando de ombros, Linda-gail apoiou o cotovelo na bancada. — Até onde eu sei, nunca chega correspondência pra ela. Mas instalou um telefone lá em cima. E...

Don inclinou-se, aproximando o rosto do dela.

— Continue.

— Bem, Brenda, do hotel, me contou que, quando Reece estava lá, colocou a cômoda na frente da porta que dá para o quarto ao lado. Acho que ela está com medo de algo ou de alguém. Não usou cartão de crédito, nunca, e não usou o telefone do hotel para nada, a não ser para usar a internet discada uma vez por dia. O quarto tinha Wi-Fi, mas custava dez dólares por dia, então era mais barato usar a discada. Só isso que eu sei.

— Pelo visto ela está precisando de uma distração.

— Isso que é um eufemismo — disse Linda-gail, enojada. Ela se afastou, irritada por ter se deixado levar por um velho hábito. — Vou te contar o que não seria bom pra ela: ser perseguida por um tarado que só quer levá-la pra cama. Reece precisa de um amigo.

— Eu posso ser amigo dela. Nós dois somos amigos.

— É isso que nós somos?

Algo mudou no olhar dele, no rosto dele. Don esticou o braço sobre a bancada, na direção dela.

— Linda-gail...

Mas ela olhou para o lado, se afastou e abriu seu sorriso de garçonete.

— Oi, xerife.

— Linda-gail. Don.

O xerife Richard Mardson se acomodou em uma banqueta. Ele era um homem grande, com braços compridos, que caminhava vagarosamente e mantinha a paz na cidade com argumentos sensatos e soluções conciliatórias, quando possível, e força, quando necessário.

O homem gostava de café fraco e doce, e nem esperou Linda-gail terminar de lhe servir para pegar o açúcar.

— Vocês dois estão brigando de novo?

— Só conversando — disse Don. — Sobre a nova cozinheira da minha mãe.

— A moça sabe o que está fazendo naquela chapa. Linda-gail, pode pedir pra ela preparar um filé de frango pra mim? — O xerife colocou leite no café. Seus olhos azul-claros combinavam com o cabelo loiro cujo corte ele mantinha bem rente à cabeça. A mandíbula marcada estava sempre lisa desde quando sua esposa, com quem era casado havia catorze anos, o pentelhara para tirar a barba que deixara crescer no inverno. — Está de olho na magrinha, Don?

— Dei uma investida.

Rick balançou a cabeça.

— Você precisa de um amor de verdade.

— Preciso mesmo. E não está faltando tentativas da minha parte. A nova cozinheira é misteriosa. — Ele se virou, acomodando-se para conversar melhor. — Tem gente que acha que ela está fugindo de alguém.

— Se estiver, não é da polícia. Já fiz meu dever de casa — disse Rick quando Don ergueu as sobrancelhas. — A moça não tem passagem pela polícia, nenhum mandado de prisão pendente. E ela sabe fazer um belo filé.

— Imagino que você já esteja sabendo que ela alugou o apartamento aqui em cima. Linda-gail estava me contando que Brenda disse que, no hotel, Reece deixava a cômoda na frente da porta que dava para o quarto ao lado. Me parece uma atitude de alguém que está com medo de algo.

— Talvez ela tenha os motivos dela. — Os serenos olhos azuis do xerife focaram na cozinha. — Provavelmente largou um marido ou um namorado que era agressivo.

— Não entendo isso. Nunca entendi. Homem que bate em mulher não é homem.

Rick tomou um gole de café.

— Há vários tipos de homem nesse mundo.

Quando seu expediente acabou, Reece se acomodou no andar de cima com seu diário. Ela ajustara o aquecedor para comedidos dezoito graus e usava um suéter e dois pares de meia. Pelos seus cálculos, talvez o que tinha economizado até agora já desse para pagar as vinte e quatro horas por dia de luz acesa.

Ela estava cansada, mas era um cansaço bom. O apartamento era confortável, seguro, sem muitos móveis, arrumado. E parecia mais seguro ainda desde que decidira usar uma das cadeiras que Joanie lhe dera para a bancada para travar a maçaneta da porta sempre que estivesse do lado de dentro.

Hoje o movimento também estava fraco. Quase todos os fregueses eram moradores daqui. Já está tarde demais para esquiar ou andar de snowboard, mas ouvi dizer que algumas montanhas só vão estar liberadas para visitantes daqui a algumas semanas. É estranho pensar que há metros de neve acima de nós, enquanto aqui embaixo está cheio de lama e grama amarronzada.

As pessoas são muito esquisitas. Fico me perguntando se elas realmente acham que não percebo quando estão falando de mim, ou se apenas pensam que isso é normal. Acho que pensam mesmo, principalmente em uma cidade pequena. Quando estou diante da chapa ou do fogão, sinto as palavras soprando minha nuca.

Todo mundo está tão curioso, mas ninguém me pergunta nada. Acho que isso não seria muito educado, então ficam especulando.

Amanhã vou ficar de folga. Um dia inteiro livre. Eu estava tão ocupada fazendo faxina no apartamento e arrumando as coisas na minha última folga que nem pareceu um dia de folga. Mas dessa vez, quando vi a escala, quase entrei em pânico. O que eu ia fazer? Como eu ia aguentar um dia inteiro sem trabalhar?

Então decidi que vou fazer uma trilha pelo cânion, conforme planejei quando cheguei. Vou escolher uma fácil, tentar andar o máximo que eu conseguir, observar o rio. Talvez dê para ouvir o barulho das pedras batendo umas contra as outras, como Don disse que acontece. Quero ver as corredeiras, as moreias, os prados e os pântanos. Talvez encontre alguém fazendo rafting no rio. Vou levar um almoço leve e andar com calma.

O rio Snake é bem diferente de Back Bay.

A cozinha estava completamente iluminada, e Reece cantarolava com Sheryl Crow enquanto limpava o fogão. O expediente, pensou ela, estava oficialmente encerrado.

Aquela era sua última noite no Maneo's — o fim de uma era —, então pretendia deixar a bancada de trabalho um brinco.

Ela teria uma semana inteira de folga e então — *então* — começaria seu emprego dos sonhos como chef do Oasis. Chef de um dos restaurantes mais famosos e badalados de Boston, pensou ela, fazendo uma dancinha enquanto trabalhava. Supervisionaria uma equipe de quinze pessoas, criaria pratos especiais e seu trabalho seria páreo para os melhores chefs no mercado.

Os expedientes seriam intermináveis; a pressão, uma loucura.

Reece mal podia esperar.

Ela mesma ajudara a treinar Marco, e, com ele e Tony Maneo, o restaurante ficaria em boas mãos. Ela sabia que Tony e sua esposa, Lisa, estavam felizes por sua conquista. Na verdade, tinha bons motivos para acreditar — já que sua ajudante de cozinha, Donna, era incapaz de guardar segredos — que havia uma festa de despedida sendo organizada para ela naquele exato momento.

Reece imaginou que Tony já dispensara os últimos clientes, com exceção dos poucos fregueses de longa data que foram convidados.

Ela ia sentir saudade daquele lugar, das pessoas, mas chegara a hora de dar o próximo passo. Tinha se esforçado para aquilo, estudado, feito planos, e agora tudo se tornaria realidade.

Afastando-se do fogão, Reece assentiu com a cabeça, satisfeita, e levou os produtos de limpeza para o pequeno armário, a fim de guardá-los.

O barulho de algo caindo do lado de fora da cozinha a fez revirar os olhos. Mas os gritos que se seguiram a fizeram virar na direção deles na mesma hora. Quando o estampido dos tiros ressoou, ela ficou paralisada. Enquanto se atrapalhava toda para tirar o celular do bolso, a porta vai e vem se escancarou. A cozinha virou um borrão e houve um instante de medo. Ela viu a arma, só a arma. Tão preta, tão grande.

Então, foi jogada de costas no armário, golpeada por uma dor imensurável e uma queimação no peito.

O GRITO, QUE vivia engasgado, escapou da boca de Reece enquanto ela se sentava na cama, com a mão no peito. Dava para sentir a dor no lugar em que o tiro a acertara. O calor, o baque. Ao olhar para a mão, porém, não via nem uma gota de sangue; ao esfregar a pele, só sentia a cicatriz.

— Está tudo bem. Estou bem. Foi só um sonho. Um sonho, só isso.

Mas quando pegou a lanterna para conferir a porta e as janelas, seu corpo inteiro tremia.

Não havia ninguém ali, nenhum movimento na rua nem no lago. Os chalés e as casas estavam com as luzes apagadas. Ninguém veio terminar o que começou há dois anos. Eles não se importavam com o fato de que ela sobrevivera e, mesmo que se importassem, não saberiam onde encontrá-la.

Reece estava viva — apenas por um acaso do destino, por pura sorte, pensou ela enquanto passava os dedos pela cicatriz que a bala deixara.

Estava viva, e um novo dia se iniciava. E olhe, olhe ali. Um alce se aproximando do lago para beber água.

— Aí está uma coisa que não se vê todo dia — disse ela em voz alta. — Pelo menos não em Boston. Não se você passa cada segundo do seu dia tentando ser promovida, subir na vida. Assim é impossível ver o sol começando a clarear o céu a leste e um alce com joelhos enormes saindo da floresta para beber água.

A névoa cobria o chão, notou ela, tão fina quanto um lenço de papel, e o lago estava tão parado que parecia feito de vidro. E ali perto uma luz se acendeu na cabana de Brody. Talvez ele também não estivesse conseguindo dormir. Talvez tivesse acordado cedo para escrever e poder passar a tarde lendo na rede.

A visão da luz e o conhecimento de que havia outra pessoa acordada além dela eram estranhamente reconfortantes.

Reece tivera o sonho — ou boa parte dele — e não perdera as estribeiras. Estava progredindo, não estava? E alguém acendera a luz do outro lado do lago. Talvez ele olhasse pela janela da mesma forma que ela olhava pela dela e visse o brilho que emanava de sua luz. De forma inusitada, eles veriam juntos o nascer do sol.

Ela ficou ali, olhando para a luz que nascia a leste manchar o céu de rosa e dourado, observando as cores refletindo no lago, como se a água abrigasse um fogo que se alastrava silenciosamente.

Quando Reece finalmente terminou de arrumar sua mochila com todos os itens que a lista recomendava para uma trilha, parecia carregar vinte quilos. Era apenas pouco mais de dez quilômetros, indo e voltando, mas era melhor ser cautelosa e se basear na lista para trilhas com mais de quinze quilômetros.

Talvez resolvesse andar mais ou seguir outro caminho. Ou... Deixa pra lá, ela já tinha colocado tudo dentro da mochila e não ia arrumar tudo de novo. Reece lembrou a si mesma de que poderia parar quando quisesse, sempre que quisesse, para tirar o peso das costas e descansar. O dia estava bonito, ensolarado — e livre —, e lhe faria bem aproveitá-lo.

Ela mal tinha andado três metros quando foi interrompida.

— Vai dar uma explorada hoje? — perguntou Mac.

Ele usava uma de suas camisas de flanela favoritas por dentro da calça jeans e um gorro.

— Acho que vou fazer a trilha Pequeno Anjo.

As sobrancelhas dele se uniram.

— Sozinha?

— É uma trilha fácil, de acordo com o meu guia. Está fazendo um dia bonito, e eu quero ver o rio. Tenho um mapa — continuou Reece —, uma bússola, água e tudo de que preciso, de acordo com o meu guia — repetiu ela, sorrindo. — Acho que não vou precisar de mais nada.

— O caminho vai estar enlameado. E aposto que seu guia diz que o ideal é fazer trilhas em dupla. Ou, melhor ainda, em grupo.

Isso era verdade, mas ela não gostava muito de tarefas em grupo. Sozinha era sempre o ideal.

— Não vou muito longe. Já fiz algumas trilhas na cordilheira Great Smoky, nas Black Hills. Não se preocupe comigo, sr. Drubber.

— Também estou de folga hoje. Leon assumiu o caixa da mercearia e arrumei alguém para atender aos clientes. Posso tirar uma hora para fazer a trilha com você.

— Estou de boa, e esses não eram seus planos para seu dia de folga. É sério, não se preocupe. Não vou muito longe.

— Se não voltar antes das seis da noite, vou mandar uma equipe de busca atrás de você.

— Às seis não só estarei de volta, como também estarei com os pés cansados de molho. Prometo.

Reece ajeitou a mochila nas costas e seguiu para o lago, dando a volta nele e pegando a trilha no meio da mata que levava à parede do cânion.

Ela manteve um passo tranquilo e lento, apreciando a luz falhada que atravessava a copa das árvores. Com o ar frio batendo em seu rosto e o cheiro de pinha e terra fresca, os resquícios do sonho que ainda ocupavam seus pensamentos desapareceram.

Faria aquilo com mais frequência, prometeu a si mesma. Procuraria outras trilhas e as exploraria em todos os seus dias de folga — ou pelo menos na maioria deles. Em algum momento, pegaria o carro e faria o mesmo no parque, antes de os turistas chegarem e lotarem o local no verão. Uma rotina boa e saudável de exercícios aumentaria seu apetite, e ela voltaria a ficar em forma.

E, para sua saúde mental, aprenderia a identificar as flores silvestres que o guia afirmava cobrirem a floresta e as laterais da trilha, as planícies cheias de sálvia e os prados montanhosos no verão. Seria um bom incentivo para continuar ali, vê-las florescer.

Quando uma bifurcação surgiu, Reece girou os ombros para ajeitar a mochila nas costas e escolheu o caminho com a placa que indicava o cânion Pequeno Anjo. O declive era sutil, porém longo, no trecho de ar úmido, protegido pelas coníferas que abrigavam ninhos em seus galhos mais altos. Poças de neve derretida e rios de lama rodeavam rochedos enormes em locais que, de acordo com o guia, estariam tomados por flores silvestres dali a algumas semanas.

Por enquanto, contudo, Reece sentia que estava em outro planeta, no meio daqueles tons de verde e marrom desbotados e do silêncio.

A trilha começou a subir, levemente a princípio, sobre a moreia, seguindo em meio a um conglomerado de pinheiros e dando em um desfiladeiro fundo e inesperado em um dos lados. As montanhas se agigantavam, pináculos cobertos de neve reluziam sob a forte luz do sol, e, conforme a subida ficava mais íngreme, ela se lembrou de tentar dar passos menores, firmando levemente os joelhos. Devagar, lembrou.

Sem pressa, sem afobação.

Quando completou um quilômetro e meio, Reece parou para descansar, beber um pouco de água e admirar a vista.

Ainda conseguia ver o brilho do lago Anjo a sudeste. A névoa desaparecera agora, dissipada pelo sol forte no céu limpo. O movimento do café da manhã devia estar no auge, pensou ela, com muito falatório e algazarra na lanchonete e a cozinha tomada pelo cheiro de bacon e café. Mas ali o centro das atenções era aquela vastidão silenciosa e de tirar o fôlego e o ar cheirando a pinha.

E ela estava sozinha, completamente sozinha, nenhum som exceto pela brisa suave percorrendo as árvores, abrindo caminho entre a mata de um pântano ocupado por patos. E o tamborilar distante e insistente de um pica-pau tomando seu café da manhã na floresta.

Reece seguiu adiante na subida íngreme o suficiente para fazer seus músculos reclamarem. Antes do que aconteceu, ela conseguiria subir aquela trilha correndo, pensou com repulsa.

Não que tivesse o hábito de fazer trilhas, mas o *transport* da academia programado para uma subida de oito quilômetros não era a mesma coisa?

— Há um mundo — murmurou ela —, há um mundo de diferença. Mas eu consigo.

A trilha atravessou prados ainda sonolentos, ziguezagueou por declives. Ao longo da ladeira ensolarada onde Reece parou mais uma vez para recuperar o fôlego, conseguia ver uma pequena lagoa pantanosa, de onde uma garça saiu voando por entre as taboas com um peixe se debatendo no bico.

Ela xingou a si mesma por pegar a câmera tarde demais e foi bufando pelo caminho em zigue-zague até ouvir os primeiros ruídos do rio. Quando a trilha lamacenta apresentou outra bifurcação, Reece olhou com pesar para a plaquinha que indicava a trilha Grande Anjo. O caminho serpenteava até o alto do cânion e exigiria não só um bom preparo físico, como também algumas habilidades básicas de escalada.

Ela não tinha nenhuma dessas coisas e precisava admitir que suas pernas estavam castigadas e seus pés, doloridos. Então, parou de novo, bebeu mais água e se perguntou se não seria melhor se contentar apenas com a vista dos pântanos e dos prados naquele primeiro passeio. Ela poderia se sentar em uma das pedras que se encontravam por ali, tomar sol, quem sabe ter a sorte de ver alguns animais silvestres. Mas o barulho do rio a chamava. Seu plano era chegar até o fim da trilha, e era isso que ela ia fazer.

Seus ombros doíam. Tudo bem, talvez tivesse exagerado — e muito — na quantidade de coisas que trouxe na mochila. Mas lembrou a si mesma de que já andara metade do caminho e, mesmo no seu ritmo lento, poderia chegar ao fim do percurso antes do meio-dia.

Reece atravessou o prado; depois, subiu outra ladeira lamacenta. Quando passou por mais uma série de curvas acentuadas, teve a primeira visão do rio comprido e reluzente.

Ele fora entalhado no meio do cânion e emitia um murmúrio constante e poderoso. Em alguns pontos, viam-se pilhas de pedras e rochas nas margens, como se a água as tivesse jogado ali. Mas até que a corredeira estava serena agora, passando um ar onírico com as águas descendo em espiral no formato íngreme e alcantilado seguindo para oeste.

Reece pegou a câmera, já ciente de que uma foto seria incapaz de capturar toda a beleza da paisagem. Uma imagem não transmitiria os sons, a sensação do ar, as subidas e descidas sinuosas e fascinantes das rochas.

Então, viu uma dupla de caiaques azuis e, maravilhada, a enquadrou para usá-la como escala. Ela observou as pessoas remando em círculos, e ouviu uma confusão de vozes à distância de pessoas que pareciam estar gritando. Alguém devia estar tendo uma aula de alguma coisa, concluiu ela, e pegou os binóculos para ver melhor. Um homem e um menino — no começo da adolescência, pelo visto. O semblante do menino estava feliz e concentrado. Reece o viu sorrir, concordar com a cabeça, e sua boca se mexia enquanto ele gritava algo para o homem. Professor?

Os dois continuaram remando, lado a lado, seguindo para oeste.

Lá de cima na trilha, Reece pendurou os binóculos no pescoço e os seguiu.

A altura impressionava. Enquanto seu corpo era forçado a seguir adiante, com os músculos ardendo, a distração de uma aventura afastava qualquer sinal de preocupação ou ansiedade. Ela percebeu que se sentia viva. Pequena, mortal, deslumbrada. Se inclinasse a cabeça para trás, o céu inteiro seria seu. Assim como aquelas montanhas que reluziam um tom de azul por conta dos raios de sol.

Mesmo com o vento frio batendo em seu rosto, o suor do exercício molhava suas costas. Na próxima parada, tiraria a jaqueta e tomaria mais água.

Reece se arrastou ladeira acima, arfando.

E parou bruscamente, escorregando um pouco, quando viu Brody em cima de uma saliência rochosa e larga.

O homem mal se virou para olhá-la.

— Eu devia ter desconfiado que era você. Está fazendo tanto barulho que quase provocou uma avalanche. — Quando Reece ergueu o olhar, cautelosa, ele balançou a cabeça. — Talvez nem tanto. Mesmo assim, barulho nas trilhas geralmente espanta os predadores. Pelo menos os de quatro patas.

Se tinha se esquecido da possibilidade de encontrar um urso — e tinha mesmo —, com certeza se esquecera da possibilidade de encontrar um ser humano.

— O que você está fazendo aqui?

— Cuidando da minha vida. — Ele tomou um gole de sua garrafa de água. — E você? Além de andar se arrastando por aí e cantar "Ain't No Mountain High Enough"?

— Eu não estava cantando nada.

E não estava mesmo.

— Tudo bem, você não estava cantando. Estava muito ofegante para isso.

— Estou fazendo uma trilha. É meu dia de folga.

— Uhul.

Brody pegou o caderno que estava em seu colo.

Como Reece tinha parado, precisava de um minuto para recuperar o fôlego antes de continuar. E poderia encobrir sua necessidade de descanso puxando papo.

— Você está escrevendo? Aqui?

— Pesquisando. Vou matar alguém aqui em cima mais tarde. Na ficção — acrescentou ele com certa satisfação quando a vermelhidão no rosto dela, causada pelo exercício, esmaeceu. — Aqui é perfeito pra isso, ainda mais nessa época do ano. Ninguém faz trilha no início da primavera. Ou pelo menos quase ninguém. Ele a convence a subir e a empurra. — Brody se inclinou um pouco na beirada do precipício, olhando para baixo. Ele estava como Reece queria estar: sem jaqueta. — É uma queda feia, alta. Um acidente terrível, uma tragédia terrível.

Mesmo sem querer, ela ficou curiosa.

— Por que ele faz isso?

Os ombros largos de Brody, cobertos por uma camisa jeans de botão, apenas se encolheram.

— Basicamente, porque ele pode.

— Tem gente de caiaque no rio. Podem vê-lo fazendo isso.

— É por isso que se chama ficção. Caiaques... — murmurou ele, anotando algo em seu caderno. — Talvez. Talvez seja melhor que tenha testemunhas. O que elas veriam? Um corpo caindo. Um grito ecoando. Um baque.

— Bem, vou te deixar em paz.

Como a resposta de Brody foi apenas um resmungo distraído, ela seguiu em frente. Era um pouco irritante, na verdade. O homem encontrara um bom lugar para descansar e admirar a vista. Um lugar que seria *seu* se ele não estivesse lá. Mas ela podia achar outro, um só dela. Só teria de subir um pouco mais.

Mesmo assim, Reece se manteve longe da borda enquanto caminhava e tentou apagar de sua mente a imagem de um corpo voando, batendo contra as pedras e caindo na água lá embaixo.

Ela sabia que estava chegando ao seu limite físico quando ouviu seu coração martelando de novo. Ao parar, ela apoiou as mãos nas coxas e recuperou o fôlego mais uma vez. Antes que conseguisse decidir se aquele era o lugar que estava procurando, ouviu o longo grito feroz de um falcão. Olhando para cima, viu o animal seguindo para oeste.

Reece queria segui-lo, como se ele fosse um sinal. Mais uma curva, decidiu ela, só mais uma curva, e então se sentaria em uma solidão esplendorosa, comeria seu almoço e aproveitaria uma hora na companhia do rio.

A vista das corredeiras foi a recompensa daquele último gás. As águas do rio agitado batiam nas pedras largas e desniveladas, espirravam nas rochas altas e depois desabavam em uma pequena cachoeira espumante. Seu rugido preenchia o cânion e abafava a risada de prazer de Reece.

Ela conseguira.

Aliviada, tirou a mochila das costas antes de se acomodar em uma rocha esburacada. Então, pegou o almoço e o devorou, satisfeita.

No topo do mundo. Era como se sentia. Relaxada, porém cheia de energia, e completamente feliz. Reece mordeu uma maçã tão crocante que se surpreendeu, ao mesmo tempo em que o falcão gritava de novo e planava no céu.

Era perfeito, pensou ela. Absolutamente perfeito.

Ela ergueu os binóculos para seguir o voo do falcão, baixando-os para rastrear a poderosa movimentação do rio. Esperançosa, ela começou a analisar as pedras, os agrupamentos de salgueiros e choupos, voltando para os pinheiros em busca de animais silvestres. Talvez um urso aparecesse para pescar, ou ela veria outro alce, um cervo vindo beber água.

Queria achar um castor, observar lontras brincando. Queria apenas permanecer exatamente onde estava, com as montanhas se agigantando ao fundo, o sol brilhando e a água produzindo aquele resmungo constante lá embaixo.

Se não estivesse analisando a margem agitada do rio, não os teria visto.

Os dois estavam de pé entre as árvores e as pedras. O homem — pelo menos parecia um homem — estava de costas para ela e a mulher estava encarando o rio, com as mãos na cintura.

Mesmo de binóculos, a altura e a distância não lhe davam uma visão nítida do rosto deles, mas Reece notou o cabelo preto por cima de um casaco vermelho e sob um gorro também vermelho.

Ela se perguntou o que eles estavam fazendo; conversando sobre o melhor lugar para montar a barraca, refletiu ela, ou a melhor forma de entrar no rio. No entanto, quando observou melhor as margens com o binóculo, não havia nenhum sinal de canoa ou de caiaque. Deveriam estar acampando então, apesar de não ter avistado nenhum equipamento de camping por perto.

Dando de ombros, Reece voltou a observá-los. Aquilo parecia invasivo, mas precisava admitir que deixava tudo mais emocionante. Eles não conseguiam vê-la ali, tão no alto, do outro lado do rio, observando-os como se fossem uma dupla de filhotes de urso ou um bando de cervos.

— Estão brigando — murmurou Reece. — É isso que parece.

Havia algo agressivo e irritado na postura da mulher, e, quando ela balançou o dedo na direção dele, Reece soltou um assobio baixinho.

— Ah, é, você está pê da vida. Aposto que queria ficar em um hotel confortável, com encanamento e serviço de quarto, e ele quis acampar.

O homem gesticulou como um juiz de beisebol aceitando uma jogada, e dessa vez a mulher lhe deu um tapa na cara.

— Ai.

Reece fez uma careta e disse a si mesma para abaixar os binóculos. Não era certo espiá-los. Mas ela não conseguia resistir àquele showzinho exclusivo e continuou olhando.

A mulher empurrou o peito do homem com as duas mãos e, sem seguida, deu-lhe outro tabefe. Reece começou a abaixar os binóculos agora, já que aquela violência toda a deixava um pouco enjoada.

Mas sua mão ficou paralisada e seu coração palpitou quando ela viu o braço do homem indo para trás com o intuito de pegar impulso. Ela não soube dizer se foi um tapa, um soco, um tapa com as costas da mão, mas a mulher caiu no chão.

— Não, não, não — murmurou ela. — Parem. Vocês dois precisam parar agora. Parem.

Em vez disso, a mulher se levantou num pulo e foi para cima dele. Mas antes que conseguisse atacá-lo foi jogada para trás de novo, escorregando no chão lamacento e caindo no chão com força.

O homem se aproximou e parou em cima dela enquanto o coração de Reece quase pulava para fora do peito. Ele se inclinou um pouco para a frente e pareceu lhe oferecer a mão, como se quisesse ajudá-la a se levantar, e a mulher se apoiou nos cotovelos.

Sua boca sangrava, ou talvez fosse o nariz, mas seus lábios se moviam rápido. *Está gritando com ele*, pensou Reece. *Pare de gritar, você só vai piorar a situação.*

E piorou, piorou muito quando ele se sentou em cima dela, a segurou pelo cabelo e bateu com a cabeça dela no chão. Sem perceber que se levantara, que sua garganta ardia com os próprios gritos, Reece observou pelos binóculos enquanto as mãos do homem se fechavam em torno do pescoço da mulher.

Botas debateram-se no chão e o corpo estremeceu e arqueou-se. E, quando parou de se mexer, só restavam o rugido do rio e os soluços fortes que escapavam do peito de Reece.

Ela se virou, cambaleando, escorregando e caindo de joelhos. Então se levantou e saiu correndo.

Enquanto descia pela ladeira numa velocidade alucinada, com as botas derrapando, os arredores se transformaram em um borrão. Com o coração na garganta, batendo em disparada, ela foi tomada pelo pavor enquanto se desequilibrava e escorregava pelas curvas íngremes. O rosto da mulher de casaco vermelho se transformou em outro que a encarava com os olhos azuis de boneca.

Ginny. Ela não era Ginny. Aqui não era Boston. Isso não era um sonho.

Mesmo assim, tudo se misturava e se confundia em sua mente, até ela ouvir os gritos e as risadas e os tiros. Até seu peito começar a doer e o mundo, a rodar.

Reece esbarrou com força em Brody, debatendo-se loucamente nos braços que a seguravam.

— Pare. Ficou maluca? Está querendo se matar? — Com a voz ríspida, ele a empurrou em direção a uma pedra, segurando-a quando seus joelhos cederam. — Pare! Não adianta ficar histérica. O que foi? Viu um urso?

— Ele a matou, ele a matou. Eu vi, eu vi. — Como Brody estava ali, Reece se apoiou no corpo dele, escondendo o rosto em seu ombro. — Eu vi. Não era Ginny. Não era um sonho. Ele a matou do outro lado do rio.

— Respire fundo. — Ele se afastou, segurando os ombros dela. E inclinou a cabeça para baixo até seus olhos se encontrarem. — Eu disse para respirar fundo. Isso, de novo. Mais uma vez.

— Certo, certo. Estou bem. — Reece inspirou o ar, expirou. — Por favor, me ajude. Por favor. Os dois estavam do outro lado do rio, e eu fiquei espiando com isso. — Ela ergueu os binóculos com uma das mãos, que não parava de tremer. — O homem a matou, e eu vi.

— Onde?

Ela fechou os olhos. Não estava sozinha dessa vez. Havia alguém ali, alguém que poderia ajudar.

— Foi lá em cima. Não sei quanto eu corri, mas é um pouco mais lá pra cima.

Reece não queria voltar, não queria ver aquele lugar de novo, mas Brody segurava seu braço e a guiava pelo caminho.

— Eu parei para comer — continuou ela, mais calma. — Para admirar o rio, as cachoeiras. Vi um falcão.

— É, eu também.

— Era lindo. Peguei os binóculos. Achei que podia encontrar um urso ou um alce. Hoje cedo, vi um alce no lago. Pensei... — Ela sabia que estava tagarelando e tentou filtrar o que dizia. — Eu estava procurando entre as árvores, entre as pedras, e vi duas pessoas.

— Como elas eram?

— Eu... Eu não consegui enxergar muito bem.

Ela cruzou os braços sobre o peito. Tinha tirado a jaqueta e a usado para forrar a rocha onde se sentara para almoçar. Para tomar sol.

Agora estava com tanto frio... Um frio de congelar os ossos.

— A mulher tinha cabelo comprido. Escuro. E usava um casaco e um gorro vermelhos. Óculos de sol. Ele estava de costas pra mim.

— E o que ele vestia?

— Hum... Uma jaqueta escura e um gorro laranja. Estava vestido como um caçador. Ele... Acho que... Sim, ele também usava óculos escuros. Não vi o rosto dele. Ali, ali está minha mochila. Larguei tudo e saí correndo. Bem ali, foi bem ali. — Reece apontou e acelerou o passo. — Os dois estavam ali, na frente daquelas árvores. Sumiram agora, mas estavam ali, lá embaixo. Eu os vi. Preciso me sentar.

Quando Reece se acomodou na rocha, Brody ficou em silêncio, mas pegou os binóculos pendurados em torno do pescoço dela. Olhou para baixo. E não viu nenhum sinal de vida.

— O que você viu exatamente?

— Eles estavam brigando. Dava pra ver que ela estava irritada pela linguagem corporal. Mãos na cintura. Agressiva. — Reece tentou engolir em seco, se concentrar, porque seu estômago começava a embrulhar. Tremendo, ela pegou sua jaqueta e a vestiu, se abraçando. — A mulher deu um tapa no cara, depois o empurrou e deu outro tapa nele. Ele revidou tão forte que ela caiu no chão, mas ela se levantou e foi pra cima dele. Foi aí que ele a acertou de novo. Tinha sangue no rosto dela. Acho que vi sangue no rosto dela. Ai, meu Deus. Ai, meu Deus.

Brody apenas ficou ali olhando para ela.

— Você não vai surtar de novo. Você vai terminar de me contar o que viu.

— O homem se agachou, segurou-a pelo cabelo e bateu com a cabeça dela no chão, eu acho. Parecia que... ele a estrangulou. — Lembrando-se da cena, Reece encostou as costas da mão na boca, rezando para não vomitar. — Ele a estrangulou, e os pés dela se debatiam no chão. E então pararam. E eu corri. Gritei, eu acho, mas a corredeira faz tanto, tanto barulho...

— É uma distância enorme, mesmo com os binóculos. Você tem certeza do que viu?

Reece enfim olhou para cima, os olhos inchados e exaustos.

— Você já viu alguém ser assassinado?

— Não.

Ela se levantou e pegou a mochila.

— Eu, já. Ele a levou para algum lugar, a tirou de lá. Arrastou o corpo. Não sei. Mas ele a matou e vai se safar dessa. Precisamos ligar para alguém.

— Me dê sua mochila.

— Eu consigo carregar minha mochila.

Brody arrancou a mochila da mão dela, encarando-a com pena.

— Leve a minha, está mais leve. — Ele tirou a bolsa dos ombros e a ofereceu. — Podemos ficar aqui e discutir. Eu vou ganhar mesmo assim, mas vamos perder tempo.

Reece colocou a outra mochila nas costas, e, é claro, ele tinha razão. Estava bem mais leve. Ela trouxera muita coisa, mas só queria ter certeza de que...

— Meu celular! Sou muito burra.

— Talvez — disse Brody enquanto ela vasculhava o bolso. — Mas um celular não ia fazer milagre aqui. Não tem sinal.

Apesar de continuar andando, Reece tentou mesmo assim.

— Talvez a gente passe por alguma parte com sinal. Vamos demorar muito para voltar. Você vai chegar mais rápido se for sozinho. Vá na frente.

— Não.

— Mas...

— Qual foi o outro assassinato que você presenciou?

— Não consigo falar sobre isso. Quanto tempo vamos levar voltando?

— Quando a gente chegar, você vai ver. E não adianta ficar me perguntando se estamos chegando.

Reece quase sorriu. Brody era tão ríspido, tão grosseiro, que a fazia se esquecer do medo. Ele tinha razão. Os dois levariam o tempo que fosse para chegar. E fariam o que precisava ser feito assim que pudessem.

Pelo tamanho das passadas dele, o trajeto seria percorrido na metade do tempo que ela demorara para vir. Isso se conseguisse acompanhá-lo.

— Você pode conversar comigo? Sobre outra coisa? Qualquer coisa. Sobre seu livro.

— Não. Não falo sobre trabalhos que ainda não terminei.

— Que estrelinha.

— É chato.

— Não acho chato.

Ele a encarou.

— É chato pra mim.

— Ah. — Reece queria palavras; dele, suas. Qualquer palavra servia. — Tudo bem, por que escolheu Angel's Fist?

— Provavelmente pelo mesmo motivo que você. Eu queria mudar de ares.

— Porque foi demitido em Chicago.

— Não fui demitido.

— Você não bateu no seu chefe e foi demitido do *Tribune*? Foi isso que me contaram.

— Eu bati em um cara, que mal dava pra ser chamado de colega de trabalho, por ter roubado minhas anotações. E como o editor, que por um acaso é tio daquele babaca, preferiu acreditar na versão dele e não na minha, pedi demissão.

— Para escrever livros. É divertido?

— Eu acho.

— Aposto que você matou o babaca no primeiro que escreveu.

Brody a encarou de novo, e havia um quê de diversão em seus olhos. Olhos de um verde muito interessante.

— E apostaria certo. Ele foi espancado com uma pá até a morte. Foi muito gratificante.

— Eu gostava de ler thrillers e livros de suspense. Faz um tempo... que não consigo mais fazer isso.

Reece ignorou o protesto dos músculos de suas pernas enquanto continuavam descendo.

Ela devia andar de um jeito diferente agora que descia o terreno inclinado. Jogando o corpo para a frente, pisando com a ponta dos dedos e não com os calcanhares. Assim como Brody fazia.

— Talvez eu tente ler um dos seus.

Ele deu de ombros de novo, desinteressado.

— Há coisas piores para se ler por aí.

Capítulo seis

⌘ ⌘ ⌘

Os DOIS passaram um tempo caminhando em silêncio, atravessando o prado, a lagoa pantanosa. Reece se lembrou dos patos que vira, da garça. E do pobre peixe fadado à morte. Seu corpo parecia anestesiado e sua mente, confusa.

— Brody?

— Continuo aqui.

— Pode ir à delegacia comigo?

Ele parou para tomar um pouco de água. Em seguida, lhe ofereceu a garrafa. Seus olhos a encaravam com tranquilidade e frieza. Olhos verdes. Escuros como as folhas no fim do verão.

— Podemos ligar da minha casa. É mais rápido do que dar a volta no lago.

— Obrigada.

Aliviada e grata, Reece continuou colocando um pé na frente do outro, seguindo na direção de Angel's Fist.

Para manter o foco, ela recitou receitas em sua cabeça, imaginando que media os ingredientes e organizava tudo.

— Parece estar gostoso — comentou Brody, tirando-a da fantasia.

— O quê?

— O prato que você está cozinhando aí. — Ele deu uma batidinha na própria testa com o indicador. — Camarão frito?

Não havia motivo, não havia nenhum motivo para ficar com vergonha, decidiu Reece. Já tinha passado dessa fase.

— Camarão marinado e grelhado. Não percebi que estava falando alto. — Ela continuou olhando para a frente. — Tenho esse problema.

— Não vejo nenhum problema nisso. Mas agora estou com fome, e é difícil arrumar camarão por aqui.

— Só preciso pensar em outra coisa. Qualquer coisa. Tenho que... Ah, não. Droga. — Ela sentiu um aperto muito forte no peito, e o ar sumiu. O ataque de pânico a agarrou pela garganta subitamente. Conforme sua cabeça girava, Reece dobrou o corpo para a frente, arfando. — Não consigo respirar. Não consigo.

— Consegue, sim. Você está respirando. Mas, se continuar puxando o ar assim, vai hiperventilar e desmaiar. Não vou te carregar pelo restante do caminho, então pare com isso. — A voz de Brody soava inexpressiva e prática enquanto ele a erguia. Seus olhares se encontraram. — Pare com isso.

— Ok.

Havia um tom de dourado em volta das pupilas dele, na borda externa das íris. Devia ser por isso que seus olhos pareciam tão intensos.

— Termine o camarão.

— Perdão?

— Termine o camarão.

— Ah, hum. Acrescente metade do azeite infundido com alho à tigela com os camarões grelhados e misture. Transfira tudo para um prato, decore com tiras de limão e folhas de louro picadas e sirva com pão *ciabatta* tostado e o restante do azeite infundido com alho.

— Se eu arranjar uns camarões, você pode se redimir por hoje e fazer esse prato pra mim.

— Claro.

— Mas que diabos é um pão *ciabatta*?

Reece não sabia por que aquilo a fez rir, mas sua mente desanuviou enquanto caminhavam.

— É um pão branco italiano. É muito bom. Você vai gostar.

— Provavelmente. Está planejando gourmetizar a lanchonete da Joanie?

— Não. Não sou a dona.

— Você já foi dona de algum lugar? Já teve seu negócio? Um restaurante? Pela forma como trabalha, é óbvio que não é sua estreia na cozinha — acrescentou Brody quando ela continuou quieta.

— Eu trabalhava em um restaurante. Nunca tive o meu. Nunca quis.

— Por que não? Esse não é o sonho americano, ter o próprio negócio?

— Cozinhar é uma arte. Ter o próprio restaurante traz a parte administrativa. Eu só queria... — Reece quase disse "criar", mas decidiu que isso parecia muito pomposo — ...cozinhar.

— Queria?

— Quero. Talvez. Não sei. — Mas ela sabia, e, conforme seguiram andando, atravessando a mata fria, resolveu dizer aquilo em voz alta. — Quero ser normal de novo, parar de sentir medo. Quero voltar a ser a pessoa que eu era dois anos atrás, mas isso nunca vai acontecer. Então estou tentando descobrir quem serei pelo resto da minha vida.

— O resto da sua vida é muito tempo. Talvez você só precise descobrir quem vai ser pelas próximas duas semanas.

Reece o encarou. Depois, desviou o olhar.

— Acho melhor começar com as próximas duas horas.

Brody apenas deu de ombros enquanto pegava o celular. Aquela mulher era um mistério com uma pitada de ansiedade. Talvez fosse interessante tentar descobrir o que havia por baixo da superfície, chegar ao seu cerne. Ele não achava que Reece era tão frágil quanto ela mesma acreditava ser. Depois da cena que testemunhara, muita gente não conseguiria voltar pela longa trilha sem ter uma crise de choro.

— Aqui deve ter sinal — disse ele, discando alguns números. — Aqui é Brody. Preciso falar com o xerife. Não. Agora.

Ela não teria discutido com aquela ordem, pensou Reece. Havia uma autoridade determinada naquele tom de voz, simplesmente, por não transmitir urgência nem desespero. Ela se perguntou se algum dia conseguiria recuperar nem que fosse um tiquinho daquele tipo de controle e confiança.

— Rick, estou com Reece Gilmore a uns quatrocentos metros da minha casa, na trilha Pequeno Anjo. Preciso que você nos encontre aqui na minha cabana. Sim, aconteceu. Ela testemunhou um assassinato. Isso mesmo. Ela pode explicar melhor. Já estamos quase chegando. — Brody desligou o celular e o enfiou de volta no bolso. — Vou te dar um conselho, e olha que eu odeio conselhos pra caralho, não importa se estou dando ou recebendo...

— Mas...?

— Mas você precisa se acalmar. Se quiser surtar de novo, chorar, gritar, desmaiar, espere até ele terminar de colher seu depoimento. Melhor ainda, espere até ir embora da minha cabana, porque não quero lidar com esse tipo de coisa. Conte todos os detalhes, seja bem direta e termine logo com isso.

— Se eu começar a me descontrolar, você me ajuda? — Reece podia ver a cara emburrada dele antes mesmo de olhar para cima. — Quer dizer, me interrompa ou derrube uma luminária no chão. Não se preocupe, eu te reembolso. Qualquer coisa que me dê um minuto para me recompor.

— Vou pensar.

— Consigo sentir o cheiro do lago. Dá pra vê-lo entre as árvores. Eu me sinto melhor quando vejo água. Talvez devesse me mudar para uma ilha, mas acho que aí seria água demais. Preciso tagarelar um pouco. Você não precisa me ouvir.

— Eu tenho orelhas — lembrou Brody antes de pegar um atalho até sua cabana.

Eles chegaram pelos fundos da casa, cercada por árvores e arbustos de artemísias. Reece supôs que ele conseguia ver as montanhas de todas as janelas.

— Que bonito. Você tem uma casa muito bonita.

Mas sua boca ficou seca quando Brody abriu a porta. Ele não a trancara. Qualquer um podia ter entrado ali.

Quando ela não o seguiu, ele se virou.

— Você quer conversar com Rick aí fora? O xerife?

— Não.

Reunindo toda sua coragem, Reece entrou na cabana.

Pela cozinha. Era pequena, mas o espaço era bem aproveitado. Estava na cara que um homem morava ali. Era horrível generalizar assim, pensou ela. Mas a maioria dos homens que conhecia que não trabalhava com cozinha fazia faxina só passando um paninho por cima, lavava a louça — quem sabe —, limpava a bancada e pronto.

Havia duas maçãs e uma banana madura demais em uma tigela branca qualquer em cima da bancada de granito cinza, uma cafeteira, uma torradeira que parecia mais velha que ela e um bloco de papel.

Brody foi imediatamente à cafeteira, enchendo-a de água e pesando os grãos de café antes mesmo de tirar a jaqueta. Reece continuou parada ao lado da porta enquanto ele a ligava e pegava três canecas brancas de cerâmica em um armário.

— Hum, você tem chá?

Ele lançou um olhar irônico por cima do ombro.

— Ah, claro. Só preciso pegar a capa de crochê do meu bule.

— Imagino que isso seja um não. Não bebo café, me deixa nervosa. Mais nervosa — acrescentou Reece quando ele ergueu uma sobrancelha. — Água. Água serve. Você também deixa a porta da frente aberta?

— Não adianta nada trancar as portas aqui. Se alguém quisesse entrar, ia arrombar a porta ou então quebrar uma janela. — Quando ela empalideceu, Brody inclinou a cabeça. — O que foi? Quer que eu veja se tem alguém escondido no armário, embaixo da cama?

Reece apenas se virou para tirar a mochila das costas.

— Aposto que você nunca sentiu medo de nada.

Ele a irritara, pensou Brody, e decidiu que preferia aquele tom ofendido e raivoso em sua voz do que a tremedeira e a hesitação.

— Michael Myers.

Confusa, ela se virou de novo.

— Quem? O Shrek?

— Nossa, magrinha, esse é *Mike* Myers. Michael Myers. O assassino de máscara. De *Halloween*, sabe? Eu vi a fita VHS desse filme quando tinha uns dez anos. Morri de medo. Depois disso, Michael Myers passou anos morando no armário do meu quarto.

Os ombros de Reece relaxaram um pouco enquanto ela tirava a jaqueta.

— E como você resolveu isso? Ele ficava voltando, como nos filmes?

— Quando eu tinha dezesseis anos, levei uma garota escondido para o meu quarto. Jennifer Ridgeway. Uma ruivinha bonita, bem... animada. Depois de umas duas horas no escuro com ela, nunca mais pensei em Michael Myers.

— Sexo como forma de exorcismo?

— Deu certo pra mim. — Brody seguiu para a geladeira, pegando uma garrafa de água para ela. — Se quiser tentar, me avise.

— Pode deixar.

Por reflexo, Reece pegou a garrafa que ele jogou. Mas quase a deixou cair, sentindo os ombros tensionarem de novo quando uma batida rápida soou à porta.

— É o xerife. Michael Myers não pede pra entrar em lugar nenhum. Quer conversar com ele aqui?

Ela escaneou a cozinha apertada.

— Aqui está ótimo.

— Peraí.

Enquanto Brody atendia a porta, Reece abriu a tampa da garrafa e bebeu a água supergelada. Então, ouviu murmúrios baixos e os passos pesados de botas masculinas. Fique calma, lembrou a si mesma. Calma, sucinta e direta.

Rick entrou e cumprimentou-a com um aceno de cabeça; seus olhos inexpressivos, impossíveis de ler.

— Reece. Fiquei sabendo que você queria falar com a polícia.

— Sim.

— Vamos nos sentar aqui pra você me contar melhor.

Ela obedeceu e começou a falar, se esforçando para contar os detalhes sem se enrolar, sem deixar passar qualquer informação relevante. Em silêncio, Brody serviu o café, colocando uma caneca na frente de Rick.

Enquanto falava, Reece alisava a garrafa de água pra cima e pra baixo, e o xerife anotava seu depoimento, observando-a. Brody se apoiou na bancada de granito cinza, tomando seu café, ainda calado.

— Certo. Agora me diga: você acha que conseguiria reconhecer algum dos dois?

— Ela, talvez. Talvez. Mas não vi o homem. O rosto dele, digo. Ele estava de costas pra mim e usava um gorro. Acho que os dois estavam de óculos escuros. Ela estava, no começo. E o cabelo dela era castanho ou preto. Acho que era castanho. Comprido, castanho. Ondulado. E ela usava um casaco e um gorro vermelhos.

Rick se virou para encarar Brody.

— O que você viu?

— Reece. — Brody foi até a cafeteira e encheu sua caneca de novo. — Ela já tinha tomado uma distância de uns quatrocentos metros de mim. De onde eu estava sentado, não conseguiria enxergar o lugar onde tudo aconteceu nem se estivesse virado para aquela direção.

Mardson mordeu o lábio inferior.

— Vocês não estavam juntos.

— Não. Como Reece disse, ela passou pelo lugar onde eu estava trabalhando, nós conversamos um pouco e ela seguiu adiante. Comecei a subir de novo mais ou menos uma hora depois e esbarrei com ela voltando correndo. Ela me contou o que aconteceu e subimos juntos.

— Você viu alguma coisa quando chegou lá?

— Não. Se quiser saber onde estávamos, posso pegar um mapa e mostrar.

— Obrigado, Brody. Reece — continuou Rick quando Brody saiu —, você viu algum barco, carro, alguma caminhonete? Qualquer coisa assim?

— Não. Acho que cheguei a procurar por um barco, mas não vi nada. Achei que eles estavam acampando, mas não vi nenhum equipamento nem barraca. Só eles dois. Só o homem estrangulando a mulher.

— Me diga tudo que você se lembra dele. Diga tudo que vier à sua cabeça — incentivou o xerife. — Há coisas que a gente nem percebe que viu. Nunca se sabe o que podemos lembrar.

— Eu não prestei muita atenção. Ele era branco, tenho quase certeza. Olhei para suas mãos, mas ele estava de luva. Pretas ou marrons. Mas o perfil do homem... Tenho certeza de que ele era branco. Acho que ele podia ser latino ou indígena. Os dois estavam tão longe, mesmo com os binóculos era difícil de ver. E, a princípio, eu estava só assistindo. Mas então a mulher bateu nele. Duas vezes. Na segunda vez, o homem a empurrou, ou deu um tapa nela. Ela caiu. Tudo aconteceu tão rápido. Ele usava uma jaqueta preta. Uma jaqueta escura e um daqueles gorros de caça laranja, vermelho-alaranjados.

— Tudo bem, é um bom começo. E o cabelo dele?

— Acho que não reparei. — Seu corpo queria tremer. Da outra vez, também fora assim. As perguntas que ela simplesmente não conseguia responder. — O gorro cobria a cabeça dele toda, eu acho, o casaco também. O cabelo não parecia ser comprido. Eu gritei, acho que berrei. Mas eles não ouviram. Minha câmera estava na mochila, mas nem me lembrei dela na hora. Fiquei paralisada e depois saí correndo.

— Acho que você podia ter pulado no rio, tentado nadar contra a correnteza e o arrastado até a polícia se tivesse força de vontade suficiente. — O comentário de Brody soou indiferente enquanto ele voltava com um mapa da região. Colocou-o aberto na mesa e pousou o dedo em um ponto específico. — Aqui.

— Tem certeza?

— Tenho.

— Ok, então. — Rick assentiu, se levantando. — Estou indo lá agora, ver se encontro alguma coisa. Não se preocupe, Reece, vou cuidar disso e depois vou entrar em contato com você. Por enquanto, quero que pense no que aconteceu. Se você se lembrar de alguma coisa, qualquer coisa, mesmo que não pareça importante, quero ficar sabendo. Combinado?

— Sim. Sim, combinado. Obrigada.

Depois de se despedir de Brody com um aceno de cabeça, Rick pegou seu chapéu e saiu.

— Bem. — Reece soltou um longo suspiro. — Você acha que o xerife vai... Ele é competente?

— Nunca vi nada que me leve a achar o contrário. Por aqui, a polícia geralmente só lida com bêbados e baderneiros, alguns casos de violência doméstica, adolescentes roubando lojas, brigas. Mas ele dá conta de tudo. E, na alta temporada, sempre há casos de pessoas se perdendo ou se machucando enquanto fazem trilhas, escalam, passeiam pelo rio, além das infrações de trânsito de sempre. Ele faz seu trabalho direito. Richard é... Acho que a melhor palavra seria "dedicado".

— Mas uma morte... homicídio é diferente.

— Talvez, mas ele é o responsável. E, como tudo aconteceu fora dos limites da cidade, imagino que terá de avisar à polícia do condado ou do estado. Você viu o que viu, avisou às autoridades, prestou depoimento. Não há mais nada que possa fazer.

— Não, nada. — Assim como antes, pensou Reece, não havia mais nada que ela pudesse fazer. — Acho melhor eu ir embora. Obrigada por... tudo — disse enquanto se levantava.

— Também não posso fazer mais nada. Vou te levar em casa.

— Não precisa. Vou andando.

— Não seja burra.

Brody pegou a mochila dela e saiu da cozinha, seguindo até a porta.

Como se sentia mesmo burra, Reece vestiu a jaqueta e o seguiu. Ele andava rápido, sem lhe dar chance de observar e analisar os arredores. A primeira impressão era de que o lugar era simples, casualmente bagunçado, o hábitat de um homem solteiro.

Nada de flores, bugigangas, almofadas ou toques delicados na sala de estar pela qual passaram. Um sofá, uma única poltrona, duas mesas e uma aconchegante lareira de pedra que dominava a parede mais distante dela.

Reece notou tons terrosos, móveis simples e uma decoração prática antes de sair porta afora.

— Eu te dei muito trabalho hoje — começou ela.

— Deu mesmo. Entre.

Reece parou, e a gratidão entrou em conflito com o ultraje, a raiva e a exaustão. A gratidão perdeu.

— Você é um babaca mal-educado, grosso e insensível.

Brody se apoiou no carro.

— E daí?

— Uma mulher foi assassinada hoje. Estrangulada. Você *entende* isso? Ela estava viva e agora está morta, e ninguém pôde ajudá-la. Eu não pude. Tive que ficar parada lá, assistindo. Sem fazer nada, que nem da outra vez. Eu o vi matá-la, e você era a única pessoa para quem pude contar o que aconteceu. Em vez de ficar indignado, nervoso e se solidarizar, você foi curto e grosso, ficou todo irritadinho. Então, pode ir para o inferno. Prefiro andar de novo os dez quilômetros daquela trilha do que passar três quilômetros com você, enfurnada nessa sua SUV idiota de machão. Me dê a droga da minha mochila.

Brody continuou onde estava, mas a expressão de tédio desaparecera.

— Até que enfim. Eu estava me perguntando se você se irritava como uma pessoa normal. Está se sentindo melhor?

Reece odiava admitir que estava. E ficou furiosa por saber que a indiferença dele a deixara tão acelerada que ela vomitara boa parte de sua ansiedade e apreensão em cima dele.

— Ainda quero que você vá para o inferno.

— Não tenho muito como escapar disso. Mas entre no carro. Você teve um dia péssimo. — Brody abriu a porta. — E, só pra sua informação, homens não ficam "irritadinhos". Somos psicologicamente incapazes de ficar irritadinhos. Da próxima vez, use "insensível". É mais preciso.

— Você é um homem insuportável e estranho.

Mas ela entrou no carro.

— Essas palavras também servem.

Brody bateu a porta e seguiu para o lado do motorista. Depois de jogar a mochila dela no banco detrás, ele se sentou ao volante.

— Você tinha algum amigo em Chicago? — perguntou Reece. — Ou as pessoas só o achavam insuportável, estranho e insensível?

— Um pouco das duas coisas, eu acho.

— Jornalistas não deveriam ser pelo menos um pouco simpáticos para que consigam arrancar informações dos outros?

— Não sei, mas também não sou mais jornalista.

— E escritores têm o direito de ser rabugentos, fechados e esquisitos.

— Talvez. Combina mais com a minha personalidade.

— Sem dúvida — respondeu Reece, fazendo Brody rir.

O som a surpreendeu tanto que ela o encarou. Ele ainda sorria enquanto davam a volta no lago.

— Aí, sim, magrinha. Já sabia que você era uma mulher de atitude. Agora sei que você sabe se impor.

Contudo, quando Brody estacionou diante da Comida dos Anjos e Reece olhou pela janela, ela sentiu toda aquela atitude desaparecer, e seus dentes queriam bater um no outro. Mesmo assim, ela saltou do carro e teria pegado sua mochila se ele não a tivesse alcançado primeiro.

Então, ficou parada na calçada, oscilando entre orgulho e pânico.

— Algum problema?

— Não. Sim. Droga. Escute, você já me trouxe até aqui. Será que poderia subir comigo, só por um instante?

— Só para garantir que Michael Myers não esteja te esperando lá em cima?

— Quase isso. Fique à vontade para retirar o elogio sobre a minha atitude. Se é que aquilo foi um elogio.

Brody apenas jogou a mochila por cima do ombro e começou a dar a volta no prédio, indo em direção à escada. Depois que ela pegou a chave e destrancou a fechadura, ele abriu a porta e passou à frente dela.

Mais pontos no quesito sensibilidade. Ele não rira, não falara, apenas entrara primeiro.

— O que você faz quando está aqui?

— Quê? Como assim?

— Não tem televisão — disse ele —, não tem rádio.

— Acabei de me mudar. Não passo muito tempo em casa.

Brody inspecionou o espaço, e ela não o impediu. Não que houvesse muito o que ver.

O sofá-cama arrumado, o sofá, as banquetas. Mas o lugar tinha um cheiro feminino, notou ele. Não viu, porém, nenhum sinal do aconchego que esperava encontrar na casa de uma mulher. Não havia coisas bonitas e inúteis enfeitando os móveis, nenhuma lembrança de casa ou de suas viagens.

— Laptop maneiro.

Ele tamborilou sobre ele.

— Você disse que estava com fome.

Brody afastou o olhar do computador, notando subitamente como o vazio do cômodo a fazia parecer solitária.

— Disse?

— Antes. Se ainda estiver, posso cozinhar alguma coisa. Vai ser minha redenção. Meu jeito de me redimir por hoje, e aí ficamos quites.

O tom de Reece podia ter saído descontraído, mas ele era bom em ler as pessoas e aquela ali ainda não estava preparada para ficar sozinha. De qualquer forma, ele estava mesmo com fome e sabia em primeira mão que a mulher era talentosa na cozinha.

— Que tipo de coisa?

— Ah. — Reece passou uma das mãos pelo cabelo, olhando para a cozinha. Brody tinha quase certeza de que ela estava repassando mentalmente o que tinha na despensa. — Posso fazer um frango e um arroz rapidinho. Vinte minutos?

— Tudo bem. Tem cerveja?

— Não. Foi mal. Tenho vinho. — Ela se virou para a cozinha. — Branco. Está gelado.

— Serve. Você está com frio?

— Frio?

— Se não estiver, tire o casaco.

Reece pegou o vinho primeiro e, depois, o saca-rolhas. Então, tirou uma bandeja com dois peitos de frango desossados do pequeno congelador. Teria que descongelá-los, pelo menos um pouco, no micro-ondas igualmente pequeno, pois não havia outra opção.

Enquanto ela levava seu casaco e o que ele jogara em cima de uma das banquetas para o sofá-cama, Brody abriu a garrafa.

— Não tenho taças — disse ela enquanto abria um armário. — Na verdade, eu ia usar o vinho para cozinhar.

— Está me servindo um vinho que usa para cozinhar. Puxa, *sláinte*.

— É um bom vinho — respondeu Reece, levemente irritada. — Eu não cozinharia com nada que não bebesse. É um Pinot Grigio muito bom. Então, *salute* é mais apropriado.

Brody serviu um pouco de vinho no copo que ela lhe entregara e esticou o braço por trás da cabeça de Reece para pegar outro e servi-lo também. Em seguida, provou e acenou com a cabeça.

— Pode acrescentar *sommelier* ao seu currículo. Onde você cursou gastronomia?

Reece se virou para começar a preparar a comida.

— Em mais de um lugar.

— E um deles foi Paris.

Ela pegou alho e cebolinha.

— Por que perguntou se o dr. Wallace já te contou?

— Na verdade, ele contou pro Mac e Mac me contou. Você ainda não entrou no ritmo de cidade pequena.

— Acho que não.

Reece colocou a água do arroz para ferver. Brody pegou seu vinho e se acomodou em uma das banquetas para observá-la.

Competência, pensou. Controle com uma pitada de poesia. A aura de ansiedade que a cercava na maior parte do tempo não se manifestava quando ela cozinhava.

O que Reece precisava era comer mais o que preparava até engordar, no mínimo, uns cinco quilos. O peso que ela perdeu depois da experiência misteriosa que a fizera fugir de Boston.

Ele se perguntou mais uma vez qual assassinato ela devia ter presenciado. E por quê. E como.

Reece preparou uma entrada rápida e prática, uma pasta de *cream cheese*, azeitonas e algo que parecia páprica, e a serviu com biscoitos de água e sal em um pratinho.

— Entrada.

Ela lhe ofereceu a sombra de um sorriso antes de começar a cortar o frango e picar o alho.

Brody já tinha comido metade dos biscoitos — estavam uma delícia — quando ela partiu para o arroz. O ar cheirava a alho.

Enquanto ele ficava sentado lá quietinho, a mulher supervisionava três panelas — uma com o frango, outra com o arroz e a terceira, na qual fritava pedaços de pimentão e cogumelos, além de três pequenos ramos de brócolis.

— Como você consegue cozinhar e empratar ao mesmo tempo?

Reece olhou para trás, e seu rosto estava relaxado, um pouco avermelhado por conta do calor.

— Como você sabe a hora de terminar um capítulo e começar outro?

— Boa pergunta. Você fica com o semblante melhor quando está cozinhando.

— Minha comida é melhor que o meu semblante.

Ela mexeu os legumes e balançou a frigideira do frango.

Como se quisesse comprovar o que dissera, Reece desligou o fogo e começou a servir a refeição. Então, colocou um prato diante dele, fazendo-o erguer uma sobrancelha.

— Vinte minutos. E está com um cheiro muito melhor do que a lata de sopa que eu ia abrir hoje.

— Você fez por merecer.

Ela serviu o próprio prato — com porções bem menores que a de Brody — antes de dar a volta na bancada para se sentar ao lado dele. E, pela primeira vez, pegou o vinho.

Reece ergueu o copo em um meio brinde e tomou um gole.

— E aí? Gostou?

Brody deu a primeira garfada e se recostou na cadeira como se pensasse na resposta.

— Você tem um rosto bonito — começou ele. — Fascinante de um jeito único, com esses olhos grandes e escuros. Se um homem não tomar cuidado, pode acabar se deixando levar por eles e se perder. Mas... — continuou quando ela pareceu encolher-se, só um pouco. — Talvez sua comida seja mesmo melhor que seu rosto.

A forma como o sorriso de Reece se abriu, cheio de orgulho, o fez mudar de ideia, mas Brody continuou comendo, saboreando a refeição e a companhia dela mais do que esperava.

— Então, quer saber o que as pessoas estão dizendo lá embaixo? — perguntou ele.

— Na lanchonete?

— Sim. As pessoas estão vendo meu carro lá na frente, mas não me acham no salão. Alguém comenta alguma coisa, alguém responde: "Eu o vi subindo com Reece." Ou "com a nova cozinheira da Joanie". "Já faz um tempo que está lá em cima."

— Ah — bufou Reece. — Bem, não estou nem aí. — Então, ela se empertigou um pouco no banco. — Ou será que deveria estar? Você liga para o que as pessoas falam?

— Estou pouco me lixando. Você liga para o que as pessoas falam ou pensam?

— Às vezes, sim, mais do que deveria. Às vezes, nem um pouco. Definitivamente não ligo para a aposta que você perdeu com Mac Drubber sobre eu ir para a cama com Don.

Os olhos de Brody riram do comentário dela enquanto ele continuava comendo.

— Superestimei Don e subestimei você.

— Parece que sim. E vai que as pessoas achando que tem algo entre mim e você, Don pare de me encher o saco.

— Ele está te incomodando?

— Não, não desse jeito. E ele melhorou depois que deixei bem claro que não estava interessada. Mas isso também vai ajudar. Então acho que te devo mais uma.

— Pois é. Vou ganhar outro jantar de recompensa?

— Eu... Bem, pode ser. — Reece uniu as sobrancelhas, confusa. — Se você quiser.

— Quando é sua próxima folga?

— Ah... — Meu Deus, como foi que ela se meteu nessa furada? — Terça. Vou trabalhar no primeiro turno, largo às três da tarde.

— Ótimo. Passo aqui às sete. Pode ser?

— Sete... Sim, claro. Bem, tem alguma coisa que você não coma, não goste, ou que tenha alergia?

— Só não me venha com tripas.

— Nada de molejas, pode deixar.

E agora? Reece se perguntou. Não conseguia pensar em nada para falar, nenhuma trivialidade para puxar assunto. Antes, ela era boa nisso. Gostava de ir a encontros, de jantar com um homem, conversar, rir. Mas seu cérebro simplesmente não funcionava agora.

— Daqui a pouco ele aparece.

Reece encarou Brody.

— Se eu sou tão transparente assim, preciso instalar umas cortinas.

— É natural ficar pensando nisso. Você se distraiu cozinhando.

— O xerife já deve ter encontrado o corpo. Quem quer que tenha feito isso não deve ter ido muito longe, e se ele a enterrou...

— Seria mais fácil colocar pedras no corpo e jogá-lo no rio.

— Ai, meu Deus! Muito obrigada pela dica. Agora vou ficar pensando nisso.

— É lógico que o corpo provavelmente não afundaria por muito tempo, não com a correnteza. Logo acabaria aparecendo em algum lugar. Algum cara que for pescar vai encontrá-la, ou alguém que esteja fazendo uma trilha, passeando de barco, um turista de Omaha, o que preferir. Alguém vai ter uma surpresa e tanto quando der de cara com ela.

— Quer *parar* com isso? — Reece franziu o cenho. — Mesmo que ele tenha feito alguma coisa assim, deixaria alguma pista, alguma evidência. Sangue. O cara bateu com a cabeça dela no chão com muita força. Talvez tenha deixado um rastro na mata, ou... pegadas. Não?

— Provavelmente. Ele não sabia que tinha alguém o observando, então por que se dar ao trabalho de cobrir seu rastro? Na minha opinião, o cara deve ter se preocupado só em esconder o corpo e ir embora.

— Sim. Então o xerife vai encontrar alguma coisa.

Ela deu um pulo quando ouviu passos do lado de fora.

— Deve ser ele — disse Brody, tranquilo, e se levantou do banco para abrir a porta.

Capítulo sete

⌘ ⌘ ⌘

— Brody. — Rick tirou o chapéu enquanto entrava. — Reece. — Seu olhar escaneou a bancada. — Desculpe interromper o jantar.

— Já terminamos. Não é nada de mais. — Apesar do tremor nas pernas, Reece também se levantou. — O senhor a encontrou?

— Podemos nos sentar?

Como ela pôde se esquecer das etapas do ritual que era uma visita policial? Convide-os para entrar, se sentar, ofereça café. Naquela época, ela teria café na despensa para oferecer aos amigos. Aos policiais.

— Desculpe. — Reece gesticulou para o sofá. — Por favor. Aceita alguma coisa?

— Não. Obrigado.

Depois de se acomodar no sofá, Rick apoiou o chapéu no colo e esperou Reece se sentar. Como fizera anteriormente na cabana, Brody continuou apoiado na bancada.

Ela já sabia o que o xerife ia dizer antes mesmo de ele proferir as palavras, estava estampado em seu rosto. Já aprendera a ler a expressão cuidadosamente imparcial que os policiais sempre exibiam.

— Não encontramos nada.

Mesmo assim, ela balançou a cabeça.

— Mas...

— Vamos por partes — interrompeu Rick. — Pode me contar de novo tudo que viu?

— Ai, meu Deus. — Reece esfregou o rosto com força e pressionou os olhos com a ponta dos dedos; depois, baixou as mãos e as pousou nas pernas. Sim, óbvio. Repetir tudo. Outra parte do ritual. — Tudo bem. — Ela relatou de novo, todos os detalhes de que se lembrava. — O homem deve ter jogado o corpo no rio, ou o enterrado, ou...

— Vamos investigar. Você tem certeza sobre o local? — Enquanto falava, o xerife olhou para Brody.

— Mostrei no mapa o lugar em que Reece me disse que viu tudo acontecer. Perto das cachoeiras menores.

— Do outro lado do rio — disse Rick para Reece com um tom de voz tão impassível quanto a expressão em seu rosto. — Como estava muito longe, você pode não ter mostrado o local exato. Pode ter se enganado.

— Não. As árvores, as pedras, a água cheia de espuma. Não me enganei.

— Não havia nenhum sinal de luta naquela área. Nem nos arredores.

— Ele deve ter coberto os rastros dele.

— Talvez. — Mas ela sentiu um tom de hesitação na voz do xerife, uma leve derrapada em sua imparcialidade. — Quero voltar lá amanhã cedo, quando estiver mais claro. Brody? Talvez você possa vir comigo, só para garantir que estou no lugar certo. Enquanto isso, vou fazer algumas ligações, tentar descobrir se há alguma turista ou moradora desaparecida.

— Há alguns chalés naquela região. — Brody pegou o vinho que deixara sobre a bancada.

— Dei uma olhada nos mais próximos. Um deles é meu e dois são de Joanie. Nessa época do ano, é difícil de alugar. Não vi ninguém nem pareciam estar recebendo ninguém. Vou confirmar essas informações também. Vamos descobrir o que aconteceu, Reece. Não quero que se preocupe com isso. Brody? Vai querer ir comigo amanhã?

— Claro, posso ir.

— Posso descer agora, pedir a manhã de folga para Joanie e ir também — começou Reece.

— Brody estava lá. Acho que um de vocês já é suficiente. E prefiro que você não comente o que aconteceu com mais ninguém por enquanto. Vamos investigar todas as possibilidades antes de deixar a fofoca correr. — Rick se levantou, assentindo para Brody. — Que tal eu passar na sua casa às sete e meia da manhã?

— Estarei lá.

— Tentem aproveitar o restante do dia. Reece, esqueça isso por enquanto. Não há mais nada que você possa fazer.

— Não. Não, não há. — Ela permaneceu sentada enquanto o xerife colocava o chapéu e saía. — Ele não acredita em mim.

— Não o ouvi dizendo isso.

— Ouviu, sim. — Uma raiva imponente borbulhou dentro dela. — Nós dois ouvimos por trás daquelas perguntas.

Brody pousou o copo de novo e se aproximou.

— Por que ele não acreditaria em você?

— Porque não encontrou nada. Porque ninguém mais viu o que aconteceu. Porque só faz duas semanas que estou na cidade. Porque não quer acreditar.

— Eu ouvi as mesmas coisas que o xerife e acredito em você.

Os olhos de Reece arderam. O desejo de se levantar, pressionar o rosto no peito dele e deixar as lágrimas caírem era quase irresistível. Em vez disso, ela permaneceu sentada, apertando as mãos com força sobre o colo.

— Obrigada.

— Vou pra minha casa. Talvez seja melhor você seguir o conselho do xerife e tentar esquecer isso por um tempo. Tome um remedinho, vá dormir.

— Como você sabe que tenho remédios?

Os lábios dele se curvaram um pouco.

— Tome um sonífero e apague. Amanhã te darei notícias sobre em que pé estão as coisas, mesmo que não sejam boas notícias.

— Tudo bem. Obrigada. — Ela se levantou para abrir a porta. — Boa noite.

Satisfeito por deixá-la mais irritada do que deprimida, Brody saiu sem dizer mais nada.

Reece trancou a porta, verificou a tranca, as janelas. Por força do hábito, fez menção de seguir para a cozinha lavar as panelas e os pratos, mas, em vez disso, se virou e ligou o laptop.

Era melhor escrever tudo, todos os detalhes, no diário.

Enquanto estava sentada diante da tela, Rick entrava em sua sala na delegacia e acendia as luzes. Pendurou o chapéu e o casaco e foi até a copa passar um café.

Enquanto aguardava, aproveitou para ligar para casa. Como já esperado, a filha mais velha atendeu ao primeiro toque.

— Oi, papai! Posso usar rímel para o baile de primavera da escola? Só um pouco. *Todo mundo* vai usar. Por favor?

Rick pressionou os olhos com os dedos. A menina ainda não completara nem treze anos e já falava sobre rímel e bailes de escola.

— O que a sua mãe disse?

— Ela falou que ia pensar. Papai...

— Então também vou pensar. Passe o telefone para a mamãe, querida.

— Você não pode vir para casa? A gente devia *conversar* sobre isso.

Deus tenha piedade.

— Preciso trabalhar até mais tarde hoje, mas podemos conversar amanhã. Passe o telefone para a mamãe.

— *Mãe!* O papai está no telefone. Ele precisa trabalhar até tarde, e vamos conversar sobre eu usar rímel como uma pessoa *normal* amanhã.

— Obrigada pelo resumo. — Parecendo mais entretida do que irritada, Debbie Mardson riu ao pegar o aparelho. Rick não sabia como ela conseguia manter o humor lá em cima. — Achei que você já estivesse vindo para casa.

— Vou ficar preso aqui no trabalho por um tempo. Não sei até que horas. Por que raios essa menina quer usar rímel? Ela puxou seus olhos, que têm os cílios mais longos do Wyoming.

Rick conseguia visualizá-los, tão curvados e compridos, cobrindo aqueles olhos de tom azul-violeta.

— Pelo mesmo motivo que eu uso. Eles são muito finos. E é um item básico para todas as mulheres.

— Você vai deixar?

— Estou cogitando a hipótese.

Ele então esfregou a nuca. Rick era o bendito fruto entre as mulheres.

— Primeiro foi o batom.

— Brilho — corrigiu Debbie. — Brilho labial.

— Tanto faz. Agora é o rímel. Daqui a pouco, vai querer fazer uma tatuagem. É o fim do mundo.

— Acho que ainda não precisamos nos preocupar com a tatuagem. Pode me ligar quando estiver saindo daí? Para eu esquentar sua janta.

— Não devo jantar em casa. Peguei um sanduíche de almôndegas na Joanie. Não se preocupe. Dê um beijo nas meninas por mim.

— Pode deixar. Não trabalhe demais e venha logo pra casa me dar um beijo.

— Pode deixar. Deb? Eu te amo.

— Também te amo. Até logo.

Rick ficou sentado em silêncio por um tempo, tomando seu café, comendo seu sanduíche, pensando na esposa e nas três filhas. Não queria que sua bebezinha usasse maquiagem. Aquela ali daria trabalho — ele já sabia. A mais velha puxara a teimosia da mãe.

Suspirando, o xerife arremessou o guardanapo dentro da embalagem para viagem e jogou tudo fora. E, servindo-se da segunda xícara de café, repassou mentalmente o depoimento de Reece, analisando — de novo — os detalhes, a duração dos acontecimentos. Balançando a cabeça, acrescentou leite em pó e levou a xícara de volta para sua sala.

Rick ligou o computador. Chegara a hora de descobrir mais sobre Reece Gilmore, além de ela não ter antecedentes criminais e ter vindo de Boston.

Ele passou várias horas pesquisando, lendo, fazendo ligações e anotando suas descobertas. Quando terminou, tinha um arquivo e, depois de um debate interno, guardou tudo na última gaveta de sua mesa.

Já era tarde quando ele saiu de lá, se perguntando se a esposa ainda estaria acordada.

E, quando passou pela Comida dos Anjos, notou que as luzes do apartamento do andar de cima ainda estavam acesas.

ÀS SETE e meia da manhã, enquanto Reece se esforçava para se concentrar no preparo de panquecas e ovos com gema mole, Brody entrou no carro de Rick, armado com uma garrafa térmica cheia de café.

— Bom dia. Obrigado por vir comigo, Brody.

— Sem problema. Estou encarando como uma pesquisa para meu livro.

O sorriso do xerife foi breve.

— Acho que temos um mistério aqui. Quanto tempo você disse que se passou mesmo entre Reece ver o que aconteceu com o casal e encontrar você?

— Não sei quanto tempo exatamente ela demorou pra descer. Ela estava correndo e eu já subia a trilha. Acho que menos de dez minutos. Talvez cinco, antes de começarmos a voltar lá pra cima, e mais ou menos de dez a quinze para chegarmos ao ponto em que ela viu tudo.

— E qual era o estado mental de Reece quando a encontrou?

A irritação começou a dar as caras.

— O que se espera de uma mulher quando ela vê outra sendo estrangulada até a morte.

— Calma, Brody. Não comece a achar que estou sendo insensível. Mas preciso encarar a situação de uma forma diferente. Quero saber se ela estava lúcida, dizendo coisa com coisa.

— Depois de alguns minutos, sim. Leve em consideração que Reece estava a quilômetros de distância de qualquer ajuda, de qualquer forma de conseguir ajuda, além da minha, que era sua primeira vez naquela trilha. Que ela estava sozinha, em choque, assustada e desamparada enquanto via tudo acontecer.

— De binóculos, do outro lado do rio Snake — lembrou Rick. — As coisas podem ter acontecido do jeito como ela descreveu, mas preciso levar em conta as circunstâncias, a falta de provas. Você tem certeza, sem sombra de dúvida, de que Reece não está confundindo as coisas? Talvez ela tenha visto um casal brigando, quem sabe até o homem batendo na mulher.

Brody pensara bastante nisso na noite passada. Repassara a cronologia dos fatos em sua cabeça, tim-tim por tim-tim. E se lembrara do rosto dela — suado e branco como um fantasma, os olhos arregalados, atordoados e apavorados.

Uma mulher não exalaria puro pavor depois de testemunhar uma simples discussão entre dois desconhecidos.

— Eu acredito que Reece viu exatamente o que disse ter visto. O que ela me contou na trilha e o que repetiu três vezes para você em seus depoimentos. Os detalhes nunca mudaram.

Rick encheu o pulmão de ar.

— Isso é verdade. Vocês dois estão juntos?

— De que forma?

Rick soltou uma risada.

— É impossível não gostar de você, Brody. Muito espertinho. Vocês estão envolvidos romanticamente?

— Que diferença isso faz?

— Informações sempre fazem diferença quando estamos investigando um caso.

— Então por que não me pergunta logo se estou dormindo com ela?

— Eu estava tentando ser discreto — respondeu Rick com um sorrisinho. — Mas tudo bem, então. Você está dormindo com ela?

— Não.

— Tudo bem, então — repetiu ele.

— E se eu dissesse que sim?

— Aí eu levaria em conta essa informação, como um bom policial. Ninguém tem nada a ver com a sua vida, Brody. A não ser, lógico, quando você dá pano pra manga. Sexo é o assunto favorito do povo, não importa se é você que está fazendo ou se quer só falar sobre o que os outros estão fazendo.

— Prefiro transar a falar sobre a transa dos outros.

— Essa é a sua opinião. — Outro sorriso rápido surgiu. — E a minha também, pra ser sincero.

Os dois passaram um tempo em silêncio até Rick sair da estrada.

— Esse é o melhor caminho para chegar ao lugar que você me mostrou no mapa.

Brody colocou uma pequena mochila nas costas. Mesmo para uma trilha tão pequena, era melhor levar o básico. Os dois passaram por arbustos e trechos de mata, pontos em que a terra macia revelava pegadas que Brody reconhecia ser de cervos, ursos — e provavelmente das botas de Rick do dia anterior.

— Não há pegadas humanas indo em direção ao rio — comentou o xerife. — Essas são as minhas de ontem. É óbvio que eles podem ter usado outra trilha, mas já dei uma olhada nos arredores. Você tem um corpo na sua frente, você precisa se livrar dele. Sua reação talvez seja jogá-lo no rio, dar ouvidos ao pânico. — O xerife continuou andando devagar, estudando o solo e as árvores. — Ou enterrá-lo. E isso deixaria pistas, Brody. Não faz sentido arrastar um corpo por quilômetros de distância, e é bem mais difícil cavar uma cova do que se imagina. — Ele levou as mãos à cintura, com a palma de uma delas se apoiando de leve na base do carregador da pistola. — Deixariam pistas, e os animais da floresta encontrariam esse corpo rapidinho. Você mesmo está vendo agora. Nada indica que alguém passou por aqui ontem. Vou perguntar de novo: você pode ter me indicado o lugar errado?

— Não.

Passando por pinheiros e arbustos de frutas vermelhas, os dois seguiram para noroeste, na direção do rio. O chão estava molhado pelo degelo, notou Brody. E exibiria pegadas humanas tão bem quanto exibia as dos cervos e alces. Apesar de ele ver vestígios da passagem de animais, não havia nada que denunciasse presença humana. Eles passaram por um trecho de mata densa, e, enquanto Brody fazia uma pausa para analisar o local e se agachava em busca de qualquer coisa que fugisse do normal, Rick esperou.

— Imagino que você tenha feito isso ontem.

— Fiz — concordou o xerife. — Estamos na época das frutas vermelhas — disse ele, puxando papo. — Tem mirtilo, uva-ursina. — Rick fez uma pausa antes de olhar na direção do rio. — Brody, se um homem tentasse esconder um cadáver aqui, haveria pistas. E imagino que, a essa altura, os animais o teriam farejado e vindo analisar.

— Pois é. — Brody se levantou. — É, você tem razão. Até um cara da cidade grande como eu sabe disso.

Apesar das circunstâncias, o xerife sorriu.

— Para um cara da cidade grande, até que você sabe se virar bem no meio do mato.

— Preciso morar aqui por quanto tempo para me livrar desse estereótipo?

— Talvez as pessoas esqueçam uns dez ou quinze anos depois da sua morte.

— Foi o que eu pensei — disse Brody enquanto os dois continuavam a caminhada. — Você também não nasceu aqui — lembrou ele. — Seu milico.

— Como minha mãe se mudou para Cheyenne antes de eu completar doze anos, acho que tenho mais credibilidade que você. Em termos locais. Dá pra ouvir as cachoeiras agora.

O resmungo baixo atravessava os álamos-trêmulos, os choupos e os salgueiros vermelhos. A luz do sol foi ficando mais forte até Brody vê-la refletida na água. O cânion estava diante deles, assim como o mirante, do outro lado, em que estivera com Reece.

— Era ali que ela estava sentada quando viu tudo acontecer. — Protegendo os olhos com uma das mãos, Brody apontou para as pedras.

Estava mais frio ali, perto da água, com o vento passando pelos galhos das árvores. Mas a luz era forte o suficiente para forçá-lo a tirar os óculos escuros da mochila.

— Vou ser bem sincero, Brody. É longe pra cacete. — Rick pegou seus binóculos e apontou-os na direção indicada. — É longe pra cacete — repetiu. — E ainda tem a luz do sol que reflete na água naquela hora do dia.

— Rick, nesse último ano, construímos uma amizade.

— Sim.

— Então vou ser direto. Por que você não acredita em Reece?

— Vamos por partes. Ela está lá em cima, vê aquilo tudo acontecendo, desce a trilha correndo e encontra você. Enquanto isso, o que o cara faz com a mulher morta? Se a joga na água, ela vai parar em algum lugar. E provavelmente já teria sido encontrada. Não há muita coisa por aqui que dê pra usar como peso no corpo para fazê-lo afundar, e, pelo tempo que vocês levaram pra voltar, ele só teria meia hora para dar conta de tudo. Se isso estava nos planos, acho que ele precisaria de mais tempo, e vocês chegariam lá em cima antes de o assassino terminar o serviço.

— Ele poderia ter arrastado a mulher para trás daquelas pedras ali ou até as árvores. Do outro lado do rio, seria impossível ver. Talvez tenha ido buscar uma pá, uma corda. Sei lá.

Rick suspirou.

— Você chegou a ver algo suspeito que te levasse a crer que alguém estivesse andando de um lado para outro, arrastando e enterrando um corpo?

— Não, até agora não vi nada.

— Agora nós dois vamos dar uma volta pela área, como fiz ontem. Não há nenhum vestígio que indique que uma cova tenha sido cavada aqui recentemente. Então, as únicas opções seriam arrastar ou carregar o corpo para fora da floresta, até um carro ou um chalé. É um caminho e tanto para percorrer com um peso morto, um caminho e tanto para não deixar nenhuma pista. — O xerife se virou para Brody. — Você está me dizendo que tem certeza de que esse é o lugar onde ela viu tudo acontecer, e eu estou te dizendo que não vejo nada indicando que alguém tenha vindo aqui ontem para se divertir, que dirá jogar uma mulher no chão e estrangulá-la.

Era impossível refutar aqueles argumentos. Mas mesmo assim...

— Ele cobriu os rastros.

— Talvez, talvez. Mas com que tempo? O cara tirou-a daqui, arrastou-a e tirou-a de vista, voltou, apagou as pegadas, e isso sem saber que teve uma testemunha ocular.

— Presumindo que ele não tenha visto Reece lá em cima.

Rick tirou os óculos escuros e olhou para o outro lado da água, na direção da trilha lá em cima.

— Tudo bem, vamos mudar essa parte e cogitar a hipótese de que ele a tenha visto. E mesmo assim ele tenha conseguido terminar de cobrir os rastros na meia hora em que você disse que levaram para voltar. Mesmo que fossem quarenta minutos, ainda acho difícil.

— Acha que ela está mentindo? Que inventou tudo? A troco de quê?

— Não acho que Reece esteja mentindo. — Rick afastou o chapéu e esfregou a testa, preocupado. — As coisas não são tão simples assim, Brody. Como vocês dois estavam juntos ontem, primeiro na sua casa e depois na dela, achei que estivesse rolando algo. Que talvez você soubesse mais do passado dela.

— Mais o quê?

— Vamos dar aquela volta e eu te conto. Espero que você guarde segredo. Imagino que seja uma das poucas pessoas nesta cidade que saiba manter o bico fechado.

Enquanto andavam, Brody olhava para o chão e analisava a mata. Ele se deu conta de que queria muito encontrar qualquer coisa que provasse que o xerife estava errado.

O que significava que preferia provar que uma mulher tinha morrido a provar que outra mulher se enganara.

Mas ele se lembrava da expressão no rosto de Reece, de como ela lutara para manter o controle no longo caminho de volta. E como parecera solitária em seu apartamento quase vazio.

— Eu investiguei Reece. — Quando Brody parou e estreitou os olhos, Rick balançou a cabeça. — Considero isso parte do meu trabalho. Sempre que alguém novo aparece e resolve ficar, gosto de saber se está tudo bem. Fiz a mesma coisa com você.

— E eu passei no teste?

— Não tivemos qualquer conversa que indicasse o contrário, tivemos? — Ele fez uma pausa e apontou para a esquerda com o queixo. — Ali ficam os fundos de um dos chalés de Joanie. É o mais próximo, e demoramos dez minutos para chegar aqui, isso andando relativamente rápido, sem peso algum para carregar. Nenhum veículo conseguiria chegar mais perto de lá. De toda forma, haveria marcas de pneus.

— Você entrou lá? No chalé?

— Não posso invadir a propriedade dos outros só porque tenho um distintivo. Mas dei uma olhada no quintal, nas janelas. As portas estão trancadas. Fui até os outros dois mais próximos, inclusive o meu. E entrei lá. Nada. — Os dois seguiram em frente, alcançando o chalé, dando a volta nele. — Reece não tem passagem pela polícia, pra sua informação — continuou Rick quando Brody espiou por uma das janelas. — Mas esteve envolvida em um caso alguns anos atrás.

Brody se afastou da janela, falando devagar:

— Que caso?

— Um assassinato em massa no restaurante em que trabalhava em Boston. Ela foi a única sobrevivente. Levou dois tiros.

— Meu Deus!

— Pois é. Foi largada em um armário, uma despensa, deixada para morrer. Um policial de Boston, que trabalhou no caso, me contou os detalhes. Reece estava na cozinha e o restante do pessoal, no salão depois do expediente. Ela ouviu gritos, tiros, e se lembra, ou acha que se lembra, de pegar o celular. Um dos homens entrou na cozinha e atirou nela. Depois disso, não tem memória de mais nada. Ou não tinha. Não prestou atenção no rosto do sujeito. Ela caiu dentro do armário e ficou lá até ser encontrada pela polícia, duas horas depois. O policial com quem conversei disse que ela quase morreu. Passou uma semana em coma depois da cirurgia que precisou ser submetida, e depois que acordou só se lembrava de flashes do dia. Seu estado mental também não estava dos melhores.

Nada, nada do que ele imaginou chegava perto disso.

— Como...?

— Contei isso tudo para dizer que ela teve um colapso nervoso. Ficou internada alguns meses em um hospital psiquiátrico. Nunca conseguiu dar detalhes suficientes ou uma descrição dos criminosos para os policiais. Eles nunca prenderam as pessoas que mataram aquela gente toda, e depois ela sumiu do mapa. No primeiro ano, o investigador-chefe entrava em contato com Reece de vez em quando. Da última vez que tentou, descobriu que ela se mudou sem deixar um número para contato. A avó, a única parente viva que ela tem, só lhe disse que Reece tinha ido embora e não pretendia voltar. — Rick parou, deu uma olhada demorada nos arredores e depois mudou de direção, voltando. Um pássaro começou a cantar alto, em um tom agudo. — Eu me lembro da história, chegou a dar nos jornais. E dei graças a Deus por morarmos aqui e não em uma cidade grande.

— Pois é, as pessoas não andam armadas por aqui.

Rick firmou a mandíbula.

— Aqui, as pessoas dão valor ao direito constitucional de portar armas. E o respeitam. Seu paga-pau de cidade grande.

— Se esqueceu de mencionar o esquerdista.

— Eu estava sendo educado.

— Sei — disse Brody, descontraído. — Seu doente de direita.

Rick soltou uma gargalhada.

— Não sei como fiz amizade com um elitista cosmopolita. — Ele inclinou a cabeça. — Estou surpreso por você não ter ouvido falar dessa história, Brody, sendo um jornalista de cidade grande e tal.

Brody fez as contas. Se isso aconteceu logo depois de ter pedido demissão do jornal, ele estava aplacando seu rancor com o sol e o mar de Aruba. Passara quase oito semanas sem ler um jornal e boicotando a CNN — uma questão de princípios.

— Tirei uns dois meses de férias dos jornais depois que pedi demissão.

— Bem, acho que a poeira já tinha baixado depois desse tempo. Sempre encontram alguma coisa diferente para bombardear o público.

— Constitucionalmente, a liberdade de imprensa é mais importante que o direito de portar armas.

— E isso é uma vergonha. Mas, voltando ao assunto, preciso perguntar. Como Reece é? É difícil pra caramba se recuperar de algo assim, e talvez ela não tenha se recuperado completamente.

— Então você acha que ela inventou um assassinato na cabeça dela? Porra nenhuma, Rick.

— Talvez Reece tenha caído no sono por uns minutos e tido um pesadelo. O policial que trabalhou no caso disse que isso costumava acontecer. É uma trilha pesada para quem não está acostumado, e talvez ela estivesse cansada quando chegou lá em cima. Pode ter ficado tonta com a altitude. Joanie diz que a moça só come quando ela manda. E é uma pilha de nervos. Arrastou uma cômoda para bloquear a porta que dava para o quarto ao lado do dela no hotel e nunca a tirou de lá. Nunca desfez as malas.

— Só porque ela é superprecavida não quer dizer que seja louca.

— Eu nunca disse que ela era *louca*. Mas acho que Reece ainda esteja emocionalmente instável. — Ele ergueu as duas mãos imediatamente. — Vamos trocar "instável" por "frágil". É assim que estou interpretando a situação, porque, no fim das contas, não tenho mais nada para interpretar. Vou continuar investigando, mas não vejo motivo para acionar a Polícia Estadual agora. Não há nada que eles possam fazer aqui. Vou averiguar se existe alguém desaparecido na região, ver se encontro alguma pessoa com a descrição que Reece me deu da mulher. E isso é tudo que está ao meu alcance nesse momento.

— É isso que você vai dizer a ela? Que isso é tudo que pode fazer?

Rick tirou o chapéu e passou os dedos pelo cabelo.

— Você está vendo a mesma coisa que eu? Esse monte de nada? Se tiver tempo, quero que venha ver os outros chalés comigo.

— Tenho tempo. Mas por que eu e não um policial experiente?

— Você estava com ela. — Com uma expressão determinada, Rick pôs o chapéu de volta na cabeça. — Digamos que seja uma testemunha secundária.

— Tirando o seu da reta, Rick?

— Ache o que quiser — disse o xerife, sem rancor. — Veja bem, eu acredito que ela acha que viu alguma coisa. Mas não há provas que sustentem sua versão. Acho que ela pegou no sono e teve um pesadelo. Você precisa, pelo menos, cogitar essa possibilidade. Não quero piorar os problemas da moça, sejam lá quais forem, e preciso trabalhar com fatos. E o fato é que não existe nenhuma pista de que ocorreu um crime aqui. Não existe nenhum indício de presença humana nas últimas vinte e quatro horas. Vamos dar mais uma olhada quando estivermos voltando e fazer uma visita aos chalés do lado de cá. Se encontrarmos alguma coisa, qualquer fiapinho que seja, vou notificar a Polícia Estadual e investigar. Caso contrário, a única coisa que posso fazer é averiguar a lista de pessoas desaparecidas.

— O problema é que você não acredita nela.

— A essa altura, Brody? — Rick olhou para o outro lado do rio, para as pedras no alto. — Não acredito mesmo.

Quando a correria do café da manhã passou, Reece se jogou no preparo da sopa do dia. Ela ferveu o feijão, cortou o presunto em cubos, fatiou a cebola. Joanie não usava temperos frescos, então ela acrescentou os secos.

Ficaria melhor com manjericão e alecrim frescos. E pimenta-preta moída na hora seria bem superior àquela droga de pozinho cinza na lata sobre a prateleira. E, pelo amor de Deus, como ela podia fazer uma comida decente com alho em pó? Reece desejou ter sal marinho. E será que era impossível encontrar um tomate que tivesse gosto de *alguma* coisa naquela época do ano?

— Você está muito reclamona hoje. — Joanie se aproximou e farejou o que tinha na panela. — Pra mim, está ótimo.

Falando sozinha de novo, Reece se deu conta.

— Desculpe. Está bom, vai ficar bom. É que não estou muito bem hoje.

— Deu pra perceber hoje de manhã. E agora ouvir. Aqui não é nenhum Cordon Bleu. Se você queria trabalhar em um lugar chique, devia ter mirado em Jackson Hole.

— Está tudo bem. Desculpe.

— Eu já não queria o primeiro pedido de desculpas, agora dois já é irritante. Você não tem nenhuma força de vontade aí dentro?

— Antigamente eu tinha.

O que quer que tenha acarretado aquele mau humor, o olhar de Reece e seus gestos nervosos eram preocupantes.

— Eu te disse para fazer a sopa do seu jeito, não disse? — Joanie manteve um tom de voz ríspido. — Se precisar de alguma coisa que a gente não tenha, faça uma lista. Talvez eu compre. Talvez. Se você não tem coragem de pedir o que quer, não reclame.

— Tudo bem.

— Sal marinho. — Com uma risada zombeteira, Joanie foi se servir de uma xícara de café. De onde estava, conseguia analisar Reece discretamente. A garota estava pálida, cheia de olheiras. — Parece que seu dia de folga não te fez bem.

— Não, não fez.

— Mac disse que você foi para a trilha Pequeno Anjo.

— Fui.

— Vi que voltou com Brody.

— Nós... A gente se encontrou na trilha.

Joanie tomou um gole de café devagar.

— Do jeito que suas mãos estão tremendo, vai acabar cortando um dedo em vez da cenoura.

Reece abaixou a faca e se virou.

— Joanie, eu vi... — Ela se interrompeu quando Brody entrou na lanchonete. — Posso tirar meu intervalo agora?

Alguma coisa aconteceu, pensou Joanie, observando a forma como Brody parava e esperava. Alguma coisa muito estranha.

— Pode.

Reece não correu, mas andou bem depressa, sem tirar os olhos do escritor. Seu coração estava disparado. E ela esticou o braço para segurar a mão dele quando ainda estava a dois passos de distância.

— Vocês acharam...?

— Vamos lá pra fora.

Ela apenas concordou com a cabeça, o que era bom, porque ele já a puxava para a porta.

— Vocês acharam a mulher? — repetiu Reece. — Me fale o que aconteceu. Já sabemos quem é ela?

Brody continuou andando, a mão firme em seu braço, até contornarem o prédio e pararem ao pé da escada que levava ao apartamento.

— Não encontramos nada.

— Mas... Ele deve ter jogado o corpo no rio. — Ela visualizara a cena diversas vezes durante a noite. — Ai, meu Deus, ele jogou o corpo no rio.

— Eu não disse "ninguém", Reece. Eu disse "nada".

— Ele deve... — Ela se controlou, respirando fundo. Então, falou devagar: — Não entendi.

— Fomos ao lugar onde você disse que viu os dois. Fizemos vários caminhos que davam na estrada. Fomos aos cinco chalés mais próximos. Todos estão vazios, sem sinal algum de hospedagem.

Uma apreensão nauseante começou a tomar o centro de seu corpo.

— Eles não estavam necessariamente em um dos chalés.

— Não. Mas precisaram sair de algum lugar para chegar aonde você os viu. Não havia pegadas, nada.

— Vocês foram ao lugar errado.

— Não. Não fomos.

Reece se abraçou, mas não era a brisa gelada da primavera que a fazia estremecer.

— Isso é impossível. Eles estavam lá. Discutiram, brigaram, ele a matou. Eu *vi*.

— Não estou dizendo que não. Estou dizendo que não há nada que confirme sua história.

— Ele vai escapar. Simplesmente vai embora e vai seguir com sua vida. — Reece se sentou em um degrau. — Porque eu fui a única testemunha, não vi o suficiente e não pude fazer nada.

— O mundo sempre gira em torno de você?

Ela olhou para cima, dividida entre surpresa e tristeza.

— E como você se sentiria? Acho que você não ia nem se importar. Ah, fiz tudo que pude. A melhor coisa que eu faço é esticar minhas pernas na rede e tomar uma cerveja.

— Ainda está cedo pra uma cerveja. O xerife quer dar uma olhada na lista de pessoas desaparecidas. Ele vai ao hotel-fazenda, às pousadas, aos acampamentos e a alguns lugares mais afastados do centro. Você tem alguma ideia melhor sobre como investigar o caso?

— Isso não faz parte do *meu* trabalho.

— Nem do meu.

Reece se levantou.

— Por que ele não veio falar comigo? Porque acha que eu não vi nada — respondeu ela antes que Brody pudesse responder. — O xerife acha que inventei tudo.

— Se quiser saber a opinião dele, vai lá perguntar. Só estou contando o que eu sei.

— Quero ir até lá, ver com meus próprios olhos.

— É um direito seu.

— Não sei como chegar lá. E talvez você seja a última pessoa para quem eu queria pedir a droga de um favor, mas sabe de uma coisa? Também é a única pessoa que tenho certeza absoluta de que não matou aquela mulher. A não ser que um dos seus inúmeros talentos seja criar asas e voar. Vou sair às três. Pode vir me buscar aqui.

— Posso?

— Sim, pode. E é isso que você vai fazer. Porque quer saber o que aconteceu tanto quanto eu. — Reece enfiou a mão no bolso, tirou uma nota desbotada e amassada de dez dólares e enfiou-a na mão dele. — Aqui. Isso deve dar para a gasolina.

Ela saiu batendo os pés, deixando Brody encarando a nota com um misto de felicidade e irritação.

Capítulo oito

⌘ ⌘ ⌘

Reece deixou a sopa no fogo e, como seu sangue já estava fervendo, começou a fazer uma lista dos itens que considerava essenciais para qualquer cozinha.

Um restaurante de cinco estrelas, uma lanchonete de cidade pequena, uma cozinha particular. Que diferença fazia? Comida era comida, e por que raios não devia ser perfeitamente preparada?

Ela montou os pedidos de algumas pessoas que, por algum motivo inexplicável, queriam hambúrgueres de carne de búfalo antes do meio-dia. E, nos intervalos, ela deu início a uma faxina na cozinha, começando pelos armários.

Reece estava ajoelhada, lavando a área embaixo da pia, quando Linda-gail agachou-se ao seu lado.

— Está tentando fazer o restante de nós parecer preguiçoso?

— Não. Estou ocupando minha mente.

— Quando terminar de ocupá-la aqui, pode ocupá-la na minha casa. Está irritada com Joanie?

— Não. Estou irritada com o mundo. Com essa droga de mundo de merda.

Linda-gail olhou para trás e abaixou a voz.

— Você está menstruada?

— Não.

— É só que, em um ou dois dias por mês, também fico irritada com essa droga de mundo de merda. Tem algo que eu possa fazer pra ajudar?

— Pode usar o poder da sua mente para apagar as últimas vinte e quatro horas?

— Acho difícil. — Ela esfregou as costas de Reece. — Mas tenho chocolate na bolsa.

Reece suspirou, largando o pano de chão no balde cheio de água e sabão.

— Qual chocolate?

— Aqueles pequenininhos embalados em papel laminado dourado que o hotel coloca nos travesseiros à noite. Maria, a camareira, é minha traficante.

Reece sorriu, uma expressão tão esquecida por seu rosto que quase doeu fisicamente.

— Dá pro gasto. Obrigada, talvez...

— Reece. — A voz de Joanie, ríspida e fria, a fez tirar a cabeça de baixo da pia. — Quero falar com você na minha sala.

Reece e Linda-gail trocaram um olhar — o da garçonete era de pena — antes de ela se levantar e seguir a chefe até a pequena sala.

— Feche a porta. Acabei de receber uma ligação do meu filho. Parece que o xerife esteve no hotel-fazenda, fazendo perguntas estranhas. Acho que está procurando alguém, mais especificamente uma mulher que possa ter desaparecido nas últimas horas. Don não conseguiu arrancar muita coisa de Rick, mas não criei nenhum idiota, e ele descobriu o suficiente. — Virando-se para a janelinha, ela a abriu antes de tirar o maço de cigarro do bolso. — Ele disse que alguém talvez tenha testemunhado um ataque contra essa mulher e que essa pessoa estava na Pequeno Anjo e achou ter visto algo do outro lado do rio. Como também não sou idiota, cheguei à conclusão de que essa pessoa é você.

— O xerife pediu que eu não contasse nada a ninguém até ele concluir a investigação, mas como ele não encontrou nada... Eu vi um homem matar uma mulher. Eu vi quando ele a estrangulou, mas eu estava longe demais para ajudá-la. Estava longe demais para fazer qualquer coisa. E agora ninguém consegue encontrar provas. É como se nada tivesse acontecido.

Joanie soprou uma nuvem de fumaça.

— Que mulher?

— Não sei. Não a reconheci, não consegui enxergá-la direito. Não vi o rosto dela. Nem o dele. Mas vi... Eu vi...

— Não se exalte. — Joanie manteve a voz fria e firme. — Se precisar, pode se sentar, mas não se exalte.

— Tudo bem. Ok. — Reece não se sentou, mas secou as lágrimas com o punho. — Eu vi os dois. Vi o que aquele homem fez com ela. Fui a única pessoa que viu alguma coisa.

As botas da mulher batendo no chão.

Nikes pretos de cano alto com detalhes prateados do outro lado da porta da despensa.

O casaco preto e o gorro laranja do homem.

Moletom cinza-escuro, pistola grande, preta.

— Fui a única que viu alguma coisa — repetiu ela. — E não vi o suficiente.

— Você disse que esbarrou com Brody na trilha.

— Ele estava mais pra baixo. Não viu o que aconteceu. Subiu de novo comigo, mas já não tinha mais ninguém lá. — Como a salinha minúscula não parecia ter ar suficiente, Reece se aproximou da janela. — Não foi coisa da minha cabeça.

— Por que eu acharia que foi? Se você estava nervosa com isso tudo, podia ter tirado o dia de folga.

— Eu tirei folga ontem, e olha só no que deu. Don disse... Tinha alguma mulher hospedada no hotel-fazenda?

— Todos os hóspedes que chegaram antes disso e todos os funcionários continuam lá.

— Óbvio. — Sem saber se deveria ficar aliviada ou horrorizada, Reece fechou os olhos. — É óbvio que estão.

Após uma breve batida à porta, Linda-gail enfiou a cabeça dentro da sala.

— Desculpem. Mas o movimento está aumentando.

— Diga para esperarem — ordenou Joanie e esperou até que a porta fosse fechada de novo. — Está se sentindo bem para terminar o expediente?

— Sim. Prefiro manter minha mente ocupada.

— Então vá cozinhar. E, enquanto isso, se ficar ansiosa, ignore tudo que Rick Mardson disser. Pode conversar comigo.

— Obrigada. Sinto como se eu tivesse sido atropelada por um caminhão.

— Não me surpreende. Mas deve ser um alívio colocar tudo para fora.

— É, sim. Perguntei a Brody, mas ele é amigo do xerife Mardson. Eu queria saber o que você acha dele, como profissional.

— Gosto de Rick o suficiente para ter votado nele nas duas vezes em que se candidatou para o cargo. Faz doze anos que conheço ele e Debbie, desde que se mudaram de Cheyenne para cá.

— Sim, mas... — Reece molhou os lábios. — E como policial?

— Como policial, ele faz o que precisa ser feito, sem firulas. Talvez você ache que não aconteça muita coisa em uma cidade pequena assim. Mas garanto que todo mundo em Angel's Fist tem uma arma em casa. A maioria tem mais de uma. Rick se certifica de que elas só sejam usadas para caça e tiro ao alvo. E mantém a paz quando a cidade fica cheia de turistas. O homem faz o trabalho dele. — Não era preciso ser especialista para perceber que Reece não fora convencida. — Vou te perguntar uma coisa — continuou Joanie —: você poderia ter feito mais alguma coisa além do que já fez?

— Não sei.

— Então deixe Rick cuidar disso e volte para o seu trabalho na cozinha.

— Tudo bem. Acho que você tem razão. Hum, Joanie? Estou fazendo aquela lista e só queria explicar que comprar cabeças de alho sairia muito mais barato e seria mais prático a longo prazo do que comprar alho em pó.

— Anotado.

A sopa foi um sucesso, então não havia motivo para ficar pensando que teria sido melhor se tivesse todos os ingredientes que ela queria.

Isso estava no passado — a constante necessidade de se aprimorar, de ser melhor, de ser perfeita. Será que ainda não aprendera que não havia nenhum problema em ser mediana? Ninguém ali queria saber se o orégano era fresco ou se passara os últimos seis meses em potes de plástico.

Por que ela deveria se importar?

As únicas coisas que precisava fazer eram cozinhar, servir a comida e receber o salário.

Nada ali era seu. Na verdade, alugar o apartamento no andar de cima foi provavelmente um erro. Estava abaixando muito a guarda. Era melhor voltar para o hotel.

Na verdade, o ideal seria jogar suas coisas no carro e seguir em frente.

Nada a prendia ali. Nada a prendia a lugar algum.

— Brody está aqui — avisou Linda-gail. — Aqui está o pedido, ele e o doutor querem sopa.

— Brody e o doutor — resmungou Reece. — Perfeito.

Ela serviria a sopa dos dois. Sem problemas.

Com a raiva começando a fervilhar dentro de si, Reece encheu duas tigelas e as serviu com pãezinhos e manteiga. E, conforme a raiva começava a fumegar, ela mesma as levou até a mesa deles.

— Aqui está a sopa. E, como acompanhamento, quero deixar uma coisa bem clara: não preciso nem quero um diagnóstico. Não estou doente. Não há nada de errado com meus olhos. Não caí no sono no meio da trilha e sonhei que vi uma mulher sendo estrangulada. — Ela foi direto ao ponto, e, com a indignação de suas palavras cortando o ar, todas as conversas nas mesas ao redor cessaram. Por um instante, o único som na lanchonete era Garth Brooks cantando no jukebox. — Tenham um bom almoço — concluiu Reece e voltou para a cozinha. Ela arrancou o avental e pegou a jaqueta. — Meu turno acabou. Vou lá pra cima.

— Tudo bem. — Tranquila, Joanie virou um hambúrguer na chapa. — Amanhã você trabalha das onze às oito.

— Eu sei minha escala.

Reece seguiu para os fundos, deu a volta na lateral e subiu a escada batendo os pés.

Dentro do apartamento, foi direto para seus mapas e guias, pegando o que queria. Ela mesma encontraria o lugar. Não precisava de um ajudante, não precisava de um homem a seu lado para acalmá-la e tratá-la como uma criança.

Então, abriu o mapa e o observou pairar no ar até tocar o chão, escapando de seus dedos vacilantes.

O papel estava coberto de linhas tortas e círculos vermelhos, manchas. A região do outro lado da trilha que seguira no dia anterior fora circulada com força várias vezes.

Ela não tinha feito aquilo, não mesmo. Mesmo assim, olhou para os próprios dedos, quase esperando encontrar as pontas sujas de vermelho. O mapa estava impecável no dia anterior, mas agora parecia que fora aberto e fechado um milhão de vezes, rabiscado com algum código maluco.

Ela não tinha feito aquilo. Não poderia ter feito aquilo.

Ofegante, Reece correu para a gaveta da cozinha e abriu-a. Ali, no exato local em que a guardara, estava sua caneta hidrográfica vermelha. Com as mãos tremendo, ela removeu a tampa e viu que a ponta estava amassada e sem tinta.

Mas não estava assim antes. Fazia apenas alguns dias que a comprou do sr. Drubber.

Com cuidado, Reece tampou a caneta de novo e guardou-a. Fechou a gaveta. Em seguida, se virou e observou o apartamento.

Não havia nada fora do lugar. Ela saberia. Saberia se um livro tivesse sido movido um centímetro sequer. E tudo estava exatamente como deixara naquela manhã, quando trancara a porta depois de sair.

E conferira a fechadura duas vezes. Talvez três.

Reece voltou a encarar o mapa no chão. Será que fizera aquilo? Em algum momento, durante a madrugada, entre os pesadelos e as tremedeiras, será que levantara e tirara a caneta da gaveta?

Se sim, por que não se lembrava de nada?

Não fazia diferença, disse a si mesma, e foi buscar o mapa. Ela andava estressada e não se lembrava. Ela andava muito estressada e pegara a caneta para se certificar de que não se esqueceria do local exato em que vira o assassinato.

Aquilo não era um sinal de loucura.

Reece dobrou o mapa de novo. Decidiu que compraria um novo. Jogaria aquele fora — poderia jogá-lo no lixo da lanchonete — e compraria um novo. Era apenas um mapa. Não precisava se preocupar.

Contudo, quando escutou passos subindo a escada, ela o enfiou no bolso detrás da calça como se estivesse fazendo algo errado.

A batida à porta foi rápida e — se fosse possível interpretar o som de juntas dos dedos na madeira — irritada. O que lhe deu certeza de que seu visitante era Brody.

Reece esperou um instante para se acalmar um pouco antes de seguir para a porta e destrancá-la.

— Está pronta?

— Mudei de ideia. Vou sozinha.

— Ótimo. Pode ir. — Mas ele a forçou a dar um passo para trás, entrando e batendo a porta. — Não sei por que me dou ao trabalho. Não levei o doutor à lanchonete para diagnosticá-la. Por que eu faria uma coisa dessas? Acontece que ele almoça aqui algumas vezes por semana. Coisa que você já sabia, a menos que seja cega ou burra. Por acaso, quando acontece de estarmos lá ao mesmo tempo, comemos juntos às vezes. Pessoas sociáveis agem assim. Feliz agora?

— Não. Não muito.

— Ótimo, porque a próxima parte te daria o trabalho de ficar irritada de novo. Rick andou fazendo umas perguntas por aí. Ele só estava fazendo o trabalho dele, na minha opinião, mas as pessoas estão comentando. O doutor me perguntou se eu sabia o que tinha acontecido. Antes de você servir a sopa, eu ainda estava pensando se devia contar alguma coisa ou não. Estava uma delícia, aliás. Sua doida.

— Passei três meses internada em um hospital psiquiátrico. Não me abala ser chamada de louca.

— Talvez tenham te dado alta muito cedo.

Reece abriu a boca, mas fechou-a. Então, seguiu para o sofá-cama e se sentou. E riu. Ela continuou rindo enquanto tirava o prendedor de cabelo e o soltava sobre as costas.

— Por que isso faz com que eu me sinta melhor? Por que será que é mais fácil ouvir esse tipo de comentário grosseiro e maldoso do que ser consolada por pessoas com boas intenções? Talvez eu seja mesmo doida. Talvez eu tenha endoidado de vez.

— Talvez você devesse parar de sentir pena de si mesma.

— Achei que tivesse parado. Mas parece que não. Pessoas gentis, pessoas que se importam comigo, tentavam me levar a médicos e terapeutas toda vez que eu piscava.

— Não sou uma pessoa gentil. Não amo você.

— Da próxima vez, vou me lembrar disso. — Reece colocou o prendedor na mesinha ao lado do sofá-cama. — Ainda está disposto a me levar lá?

— Meu dia já foi para o buraco mesmo.

— Então, tudo bem.

Reece se levantou para buscar a mochila.

Ele ficou parado ao lado da porta, observando-a checar o que tinha dentro. Fechá-la. Abri-la, conferir tudo de novo. Brody achou que ela pareceu se esforçar para não abrir a mochila novamente depois de fechá-la pela segunda vez.

Quando ele abriu a porta, Reece saiu e a trancou. Então, ficou parada por um instante, encarando-a.

— Fique à vontade. Cheque a fechadura. Não faz sentido ficar preocupada e cismada depois que sairmos daqui.

— Obrigada. — Reece verificou se a porta estava trancada, o encarou rapidamente com um olhar pesaroso e a verificou de novo antes de se obrigar a descer a escada. — Estou progredindo — disse. — Eu costumava levar vinte minutos para conseguir sair de um cômodo. E isso era na época em que tomava Xanax para ficar mais tranquila.

— A química melhorando vidas.

— Nem tanto. Os remédios me deixam... estranha. Mais estranha do que pareço. — Antes de entrar no carro, ela deu uma olhada no banco detrás. — Por um tempo não me importei em me sentir esquisita, mas prefiro demorar um pouco verificando tudo várias vezes do que tomar um remédio e não me importar com nada. — Reece colocou o cinto de segurança, testando-o. — Não quer saber por que fiquei internada em um hospital psiquiátrico?

— Vai me contar a história da sua vida agora?

— Não. Mas acho que, como enfiei você nessa furada, merece saber pelo menos uma parte.

Brody arrancou com o carro e começou a jornada para dar a volta no lago e sair da cidade.

— Já sei uma parte. O xerife investigou seu passado.

— Ele... — Reece se interrompeu, obrigando-se a refletir. — Imagino que isso seria uma etapa lógica. Ninguém me conhece, e, de repente, começo a falar de assassinatos.

— A polícia pegou o cara que atirou em você?

— Não. — Automaticamente, ela ergueu a mão para esfregar o peito, distraída. — Acham que identificaram um deles, mas o cara morreu de overdose antes de ser interrogado. Havia mais de um, não sei quantos exatamente, só sei que havia mais. Era impossível ter apenas um.

— Tudo bem.

— Doze pessoas. Pessoas com quem eu trabalhava, para quem cozinhava. Pessoas queridas. Todas mortas. Eu também devia ter morrido. Sempre penso nisso, em por que eu sobrevivi e os outros não. O que isso significa?

— Sorte.

— Talvez. Talvez seja simples assim. — Havia consolo na simplicidade? Reece se questionou. — Eles só levaram uns dois mil dólares. A maioria das pessoas usa cartões de crédito em restaurantes. Dois mil e os trocados que estavam nas carteiras, nas bolsas. Algumas joias, mas nada de mais. Vinho e cerveja. A gente tinha uma adega boa. Mas não foi por isso que mataram todo mundo. Ninguém os impediu, ninguém reagiu. Não por causa de uma mixaria daquela, por causa de vinhos, de alguns relógios.

— Então por que eles os mataram?

Reece encarou as montanhas, tão imponentes, tão selvagens, na frente do azul leitoso do céu.

— Porque quiseram. Por diversão. Pela emoção de matar. Ouvi os policiais dizendo isso. Eu trabalhava lá desde os dezesseis anos. Cresci no Maneo's.

— Você trabalhava aos dezesseis anos? Deve ter sido uma garota rebelde.

— Tive os meus momentos. Mas eu queria trabalhar. Queria trabalhar em um restaurante. Eu limpava mesas, ajudava com o preparo da comida nos fins de semana, no verão, nas férias. E adorava. Amava todos eles. — Reece conseguia ver o restaurante agora, como costumava ser. A agitação da cozinha, o barulho do outro lado da porta, o vozerio, os aromas. — Era minha última noite. Eles fizeram uma festinha de despedida, era pra ser surpresa, então eu estava enrolando na cozinha para dar tempo de arrumarem tudo. Ouvi gritos, tiros, estrondos. Acho que fiquei sem reação por um instante. Era estranho ouvir gritos e tiros no Maneo's, um restaurante de família. Sheryl Crow.

— O quê?

— No rádio da cozinha. Estava tocando Sheryl Crow. Peguei meu celular, é só disso que me lembro. E a porta se abriu. Eu tentei me virar. Ou talvez tenha começado a correr. Na minha cabeça, quando penso nisso ou quando sonho, vejo a arma e o moletom cinza-escuro. Só. Vejo essas coisas, começo a cair e a dor explode. Dois tiros, pelo que me disseram. Um no peito e o outro passou de raspão pela minha cabeça. Mas eu não morri.

Quando ela fez uma pausa, Brody a olhou de soslaio.

— Continue.

— Caí de costas no armário onde guardávamos os materiais de limpeza. Eu estava guardando as coisas e caí lá dentro. Os policiais me contaram depois. Eu não sabia onde estava. Retomei a consciência, só um pouco. Estava me sentindo anestesiada, com frio, confusa. — Reece esfregou a mão no peito de novo. — Não conseguia respirar. Havia um peso no meu peito, uma dor horrível, e eu não conseguia respirar, não conseguia puxar o ar. A porta ainda estava aberta, não toda, só alguns centímetros. Ouvi vozes e, no começo, tentei gritar por ajuda. Mas não consegui. Ainda bem que não consegui. Ouvia choro e gritos. E risos. — Ela baixou a mão, muito consciente do que fazia, até o colo. — Então, desisti de pedir ajuda. Eu só pensava em ficar quieta, muito quieta, para eles não voltarem e conferirem a cozinha. Para não me matarem. Ouvi um baque. Minha amiga, minha ajudante de cozinha, caiu do outro lado da porta. Ginny. Ginny Shanks. Ela tinha só vinte e quatro anos. Tinha ficado noiva no mês anterior, no Dia dos Namorados. Ia se casar em outubro. Eu ia ser uma das madrinhas. — Como Brody não falou nada, Reece fechou os olhos e deixou o restante sair. — Ginny caiu no chão, eu vi o rosto dela pela fresta da porta, todo machucado, todo ensanguentado. Devem ter batido nela. Ela chorava, implorava. E nossos olhos se encontraram, só por um segundo. Acho que se encontraram. Então escutei o tiro, e ela se sacudiu. Só uma vez, como uma boneca de cordas. Seus olhos mudaram. Em um estalar de dedos, a vida desapareceu. Um deles deve ter chutado a porta, porque ela se fechou. Tudo ficou escuro. Ginny estava do outro lado, e eu não pude fazer nada por ela. Por nenhum deles. Eu não conseguia sair dali. Estava no meu caixão, enterrada viva, e estávamos todos mortos. Foi isso que eu pensei. Aí, a polícia me encontrou. E eu sobrevivi.

— Você passou quanto tempo no hospital?

— Seis semanas, mas não me lembro de nada das duas primeiras e de apenas partes da terceira. Mas não lidei muito bem com as coisas.

— Que coisas?

— O incidente, o fato de eu ter sobrevivido, de ser uma vítima.

— E qual é o jeito certo de lidar bem com o fato de ter levado um tiro, ser abandonada sangrando até a morte e ver uma amiga ser assassinada?

— Colaborar com a terapia, aceitar que eu não poderia ter feito nada para evitar ou prevenir o que aconteceu e, com o tempo, ficar feliz por ter sobrevivido. Encontrar Jesus ou me jogar nos prazeres da vida — disse Reece, impaciente. — Sei lá. Mas eu não conseguia superar aquilo, ainda não superei. Lembranças e pesadelos. Sonambulismo, crises de histeria, letargia. Eu achava que via os caras me perseguindo, via aquele moletom cinza em desconhecidos na rua. Tive um colapso nervoso e fui parar no hospital psiquiátrico.

— Você foi internada?

— Eu mesma me internei quando percebi que não estava melhorando. Não trabalhava, não comia. Não fazia nada. — Reece esfregou a têmpora. — Mas tive que sair de lá, porque percebi que seria fácil demais continuar naquele ambiente controlado para sempre. Tive que parar de tomar os remédios, porque eles me deixavam dopada, e eu já tinha perdido tempo demais.

— Então agora você é só neurótica e obsessiva.

— Isso. Claustrofóbica, obsessivo-compulsiva, com paranoias ocasionais e ataques de pânico frequentes. Pesadelos, e às vezes acordo pensando que tudo está acontecendo de novo ou que poderia acontecer. Mas eu vi aquelas duas pessoas. Não projetei nada, não inventei. Eu as vi.

— Tudo bem. — Brody saiu da estrada. — Podemos ir andando daqui.

Reece saltou primeiro e, se preparando para o pior, tirou o mapa do bolso.

— Peguei o mapa quando estava irritada, achando que você tinha levado o médico lá para me diagnosticar. Fui lá em cima no apartamento e peguei o mapa, porque tinha decidido que vinha sozinha. — Ela desdobrou o papel e o entregou para Brody. — Não me lembro de ter feito essas coisas, de rabiscá-lo. Não lembro, mas isso não significa que o que eu vi ontem seja coisa da minha cabeça. Devo ter tido um ataque de pânico durante a noite e apaguei isso da minha memória.

— Então por que está me mostrando isso?

— Você devia saber com quem está lidando.

Brody examinou o mapa por um instante e, depois, o dobrou de novo.

— Eu vi a sua cara quando você veio correndo pela trilha. Se imaginou aquela mulher sendo assassinada, cozinhar é uma perda de tempo. Qualquer pessoa com uma imaginação tão fértil assim devia fazer o que eu faço. Você venderia mais livros que J. K. Rowling.

— Você acredita mesmo em mim.

— Nossa Senhora. Olha. — Ele enfiou o mapa nas mãos dela. — Se eu não acreditasse, não estaria aqui. Tenho minha vida, meu trabalho, minhas coisas para fazer. O que você viu é errado pra cacete. Uma mulher morreu, e alguém tem de se importar com isso.

Reece fechou os olhos por um instante.

— Não interprete o que eu vou fazer do jeito errado, está bem?

Dito isso, ela se aproximou, passou os braços em volta do pescoço de Brody e pressionou os lábios de leve nos dele.

— Qual seria o jeito errado de interpretar isso?

— Qualquer coisa que não seja uma gratidão sincera. — Reece colocou a mochila em um ombro só. — Você sabe o caminho?

— Sei, sim.

Enquanto os dois se afastavam da estrada, ela o fitou rapidamente.

— Fazia dois anos que eu não beijava um homem.

— Por isso que endoidou. Como foi?

— Reconfortante.

Brody soltou uma risada sarcástica.

— Da próxima vez, magrinha, talvez a gente devesse tentar algo que seja mais interessante do que reconfortante.

— Quem sabe? — Agora pense em outra coisa, ordenou Reece a si mesma. — Hoje fui à mercearia em um dos meus intervalos e comprei seu livro, Jamison P. Brody.

— Qual?

— *No fundo do poço*. Mac disse que foi sua estreia, então quis começar por esse. Ele também me contou que gostou muito.

— Eu também.

Reece riu.

— Depois eu conto o que achei. Alguém te chama pelo primeiro nome?

— Não.

— O que o pê significa?

— Perverso.

— Até que combina. — Ela umedeceu os lábios. — Eles podem ter subido por outro caminho.

— Você disse que não viu mochilas nem equipamentos.

— Realmente não vi, mas eles podem ter deixado as coisas mais pra trás, fora do meu campo de visão.

— Não tinha pegadas, Reece, em nenhuma direção. Só as de Rick chegando e indo embora. Veja. — Ele se agachou. — Está vendo aqui? Não sou nenhum bicho do mato, mas consigo me virar com o básico. Essas são minhas pegadas de hoje cedo e as de Rick. O solo está muito fofo.

— Bem, eles não chegaram aqui voando.

— Não. Mas se o cara entende o mínimo de trilhas, de como rastrear alguém, deve ter apagado as pegadas.

— Por quê? Quem viria aqui procurar uma mulher morta que ninguém viu ser assassinada?

— Você viu. E talvez ele tenha te visto também.

— Ele não olhou ao redor nem para o outro lado em nenhum momento.

— Não enquanto você estava olhando. E você saiu correndo, não foi? Deixou suas coisas na pedra. Talvez o cara tenha te visto indo embora, ou sua mochila. É fácil ligar os pontos. Ele cobriu os rastros. Nós levamos duas horas para chegar a minha cabana. Rick chegou aqui meia hora depois, no mínimo. Provavelmente, levou uma hora porque falou com você antes. Três horas? Puts, daria pra esconder uma marcha de elefantes se você for inteligente.

— Ele me viu.

E a garganta dela fechou só de pensar.

— Talvez tenha visto, talvez não. De qualquer forma, o assassino foi precavido. Inteligente e precavido o suficiente para fazer as coisas com calma, para se desfazer de qualquer pista de que esteve aqui, e dela também.

— O homem me viu. Por que não pensei nisso antes? — Reece esfregou o rosto com a mão. — Ele já tinha arrastado ou carregado a mulher para longe, ou colocado pedras no corpo dela e a jogado na água quando te encontrei.

— Acho que foi o primeiro cenário. Demoraria muito providenciar a quantidade de pedras que um corpo precisa pra afundar.

— Então ele a carregou.

Reece parou, porque o rio corria adiante da linha das árvores, do aglomerado de pedras, cortando o meio do cânion, de forma que as paredes pareciam se agigantar até o firmamento. Era como se estivessem em uma caixa com a tampa aberta para o céu, pensou ela.

— Aqui... — murmurou Reece. — É tudo tão... solitário. O rio, a presença dele, faz com que você se sinta isolado de tudo. E é tão bonito... Do que mais o ser humano precisaria?

— Um bom lugar para morrer.

— Nenhum lugar é. Quando você chega perto da morte, entende que não existe lugar bom para isso. Mas aqui é tão bonito. As árvores, as pedras, os paredões, a água. Essas seriam as últimas coisas que aquela mulher viu na vida, só que ela não prestava atenção em nada. Estava tão possessa. Acho que só conseguia enxergar ele e a própria raiva. E então viria o medo, a dor.

— Consegue enxergar daqui onde você estava?

Reece andou um pouco, chegando mais perto do rio. Está mais frio hoje, pensou, com menos claridade. O sol mais fraco; as nuvens, mais espessas — faixas e montes de branco cobrindo o azul.

— Ali. — Ela apontou para cima. — Parei ali, me sentei, comi um sanduíche, bebi um pouco de água. O sol estava gostoso, e foi relaxante ficar escutando o barulho da correnteza. Observei o falcão. E depois os vi, parados aqui. — Ela se virou para Brody. -- Como estamos agora. A mulher estava de frente para o homem, assim, e ele estava de costas para a água. Como eu disse, acho que ela só prestava atenção nele. E ele só prestava atenção nela. Eu foquei mais na mulher, porque ela estava mais agitada, se mexendo muito. — Reece balançou os braços, imitando-a. — Bem dramática. Dava pra sentir a irritação dela do outro lado do rio. Ela estava soltando fumaça pelas ventas. Mas o cara parecia calmo. Pelo menos, era o que sua linguagem corporal demonstrava. Será que estou inventando tudo isso? — Reece apertou os olhos com os dedos. — Estou me lembrando do que aconteceu ou idealizando tudo?

— Você sabe muito bem o que viu.

A calma absoluta no tom de voz de Brody a fez baixar as mãos, aniquilando o frio em sua barriga.

— Sim. Sim, eu sei. A mulher estava sacudindo os braços, apontando o dedo para ele. Como quem diz: "Estou te avisando." E então o empurrou. — Reece firmou as mãos no peito de Brody e fez força. — Acho que ele deu um passo para trás — disse ela, seca. — Se você puder entrar no personagem.

— Ok.

Ele obedeceu.

— Aí, o cara fez assim. — Reece cruzou as mãos e depois esticou os braços na altura do peito. — Eu pensei: "Salvo!" Como num jogo de beisebol.

— Beisebol? — Brody achou graça. — Você pensou em beisebol?

— Por um segundo. Mas foi tipo: "Já chega. Não aguento mais." E aí ela deu um tapa na cara dele.

Quando Reece impulsionou a mão, Brody segurou seu pulso.

— Já entendi.

— Eu não ia bater em você. O cara não fez nada na primeira vez, mas depois a mulher bateu nele de novo. Foi aí que ele a empurrou. Vai.

— Ok.

Brody a empurrou, mas, apesar de recuar um pouco, Reece não caiu.

— Deve ter sido bem mais forte que isso. Não. — Ela ergueu as mãos quando ele sorriu e simulou outro empurrão. — Vou fazer de conta que caí. — Reece olhou para trás e calculou a distância até as pedras. Só porque estava reencenando um crime, não precisava se machucar. — Espere. A mulher estava sem mochila. — Reece tirou a mochila das costas, jogou-a no chão e se deitou. — Ela deve ter caído com mais força, acho que bateu a cabeça, pelo menos de leve, talvez nas pedras. E ficou caída por um instante. O gorro dela caiu. Eu me esqueci disso. O gorro caiu, e quando ela sacudiu a cabeça, como se estivesse um pouco atordoada, vi algo reluzir. Brincos! Ela devia estar usando brincos. Não prestei muita atenção.

— Acho que você prestou atenção suficiente. O que ele fez? Chegou mais perto?

— Não. Não. A mulher se levantou, rápido, e foi pra cima dele. Não estava com medo, estava pê da vida. De verdade. Ela gritava. Não dava para ouvir, mas dava para perceber. Ele a jogou no chão. Não foi um empurrão dessa vez. E, quando ela caiu, o cara parou em cima dela. — Reece se deitou e olhou para Brody. — Se importa?

— Não, tudo bem.

Ele posicionou um pé em cada lado do corpo dela.

— O cara lhe estendeu a mão, eu acho, mas a mulher não a segurou. Ela se apoiou em seus cotovelos e continuou falando. Sua boca se mexia, e eu, na minha cabeça, a ouvi gritando, reclamando. Aí o homem se abaixou. Ele não só se sentou em cima dela, como também a prendeu com o peso do corpo dele — explicou Reece quando Brody se agachou. — Ai. — Ela arfou quando ele seguiu suas instruções. — É, assim. Não era um gesto de brincadeira nem algo sexual. Pelo menos não foi a interpretação que eu tive. A mulher batia no cara, e ele segurava seus braços. Não. Pare! — Reece foi tomada pelo pânico quando Brody apertou seus pulsos no chão. — Não consigo. Pare.

— Calma. — Ele não afastou os olhos dos dela enquanto aliviava a força e ajeitava sua posição. — Não vou te machucar. Conte o que aconteceu depois.

— A mulher começou a se debater, a se contorcer debaixo dele. Mas o cara era mais forte. Ele a puxou pelo cabelo, bateu a cabeça dela no chão com força.

Então ele... Então ele colocou as mãos no pescoço dela. A mulher se retraiu, tentou se desvencilhar, agarrou os pulsos dele, mas não acho que lhe restava muita força. Espere... O cara usou os joelhos para prender os braços dela, para impedir que ela batesse nele. Eu me esqueci dessa parte também, droga.

— Mas se lembrou agora.

— A mulher deu um chute, tentando conseguir algum apoio, eu acho. Seus pés batiam na terra, as unhas fincadas no chão. Então pararam. Tudo parou, menos o homem, que continuou estrangulando-a. Ele continuou, e eu saí correndo. Você pode se levantar? Levante-se.

Brody apenas mudou de posição, sentando-se ao lado dela.

— Será que a mulher ainda pode estar viva?

— O homem continuou estrangulando-a.

Reece se sentou e ergueu os joelhos, pressionando o rosto neles.

Os dois ficaram em silêncio por alguns minutos, deixando o som do rio preencher o vazio enquanto as nuvens criavam sombras sobre a água e as rochas.

— Imagino que você seja o tipo de pessoa que vê o copo meio vazio.

— O quê?

— O copo deve estar meio vazio porque está rachado, e o líquido vaza. Então você vê algo assim acontecer e pensa: "Ai, meu Deus, quanta culpa, quanta culpa, quanto desespero. Vi uma mulher ser assassinada e não consegui impedir. Coitadinha dela, coitadinha de mim." — Brody continuou. — Em vez de pensar que viu uma mulher ser assassinada, e se não estivesse no lugar certo, na hora certa, ninguém saberia o que aconteceu com ela.

Reece apoiou o queixo nos joelhos para analisá-lo enquanto ele falava e inclinou a cabeça.

— É verdade. Sei que isso é verdade e estou tentando encarar as coisas dessa forma. Mas você não me parece o tipo de pessoa que vê o copo meio cheio.

— Meio cheio, meio vazio. Que diferença faz? Contanto que ainda tenha alguma coisa na droga do copo, eu bebo.

Reece riu. Sentada no lugar em que uma mulher morrera no dia anterior, ela sentiu a risada se formar em seu peito e escapar.

— Boa lógica. Eu só queria uma taça de Pinot Grigio agora. — Depois de pressionar os olhos com a base das mãos, ela se levantou. — Nossa encenação deixou marcas. Pegadas. Marcas do calcanhar das minhas botas, buracos na terra, marcas de mãos. Não precisa ser nenhum *expert* para entender que duas pessoas brigaram aqui.

Brody se afastou um pouco para quebrar um galho de salgueiro e começou a varrer com a folhagem o solo remexido.

— Esse cara é inteligente — disse ele, enquanto apagava as marcas. — Depois que a carregou, ou a arrastou, para longe do rio, do cânion, ele pegou um galho parecido com esse aqui em outro lugar, voltou e se certificou de que não deixaram cair nada. Manteve a cabeça fria. — Brody esticou as costas e analisou o chão. — Está bem limpo. Um *expert* talvez notasse alguma coisa, mas sou um amador. Talvez, quem sabe, uma equipe de peritos pudesse encontrar um fio de cabelo, mas o que isso provaria? — Ele jogou o galho longe. — Nada. Tudo que esse cara precisou fazer foi apagar as pegadas saindo do local. Na floresta, há muitos lugares onde você pode enterrar um corpo. Se eu estivesse nessa situação e tivesse um carro, a jogaria na mala e iria para outro lugar. Algum canto em que pudesse cavar, sem pressa, um buraco fundo o suficiente para que os animais não conseguissem farejá-la.

— Isso não é manter a cabeça fria. É ser frio.

— Matar alguém é uma questão de frieza ou de calor do momento, dependendo da situação. Mas conseguir se safar? Sim, o cara precisaria ter sangue-frio. Já viu tudo que queria?

Reece concordou com a cabeça.

— Até mais que eu queria.

Capítulo nove

⌘ ⌘ ⌘

ENQUANTO OS dois voltavam, Reece abriu sua garrafa e tomou um pouco de água. Quando Brody esticou o braço, ela lhe passou a garrafa.

— Sempre ouvi dizer que o crime perfeito não existe.

Ele tomou um gole demorado e devolveu a garrafa.

— A gente escuta um monte de coisas, e na maioria das vezes elas estão erradas.

— Pois é. Mas, mesmo assim, aquela mulher, seja lá quem fosse, morava em algum lugar. Veio de algum lugar. Provavelmente tinha um emprego, uma casa. Talvez fosse mãe.

— Talvez. Quem sabe?

Irritada, Reece enfiou as mãos nos bolsos.

— Bem, pelo menos uma pessoa era ligada a ela. E ele a matou. Os dois estavam envolvidos de alguma forma.

— E voltamos para o "talvez, quem sabe?". Eles podem ter se conhecido no dia em que vieram para cá ou estado juntos há uma década. Podem ter vindo de qualquer canto. Da Califórnia, do Texas, da Costa Leste. Talvez fossem até franceses.

— Franceses?

— Pessoas de todas as nacionalidades são capazes de matar. O que quero dizer é que as chances de os dois estarem a passeio são tão grandes quanto as de serem daqui. Provavelmente até maiores. A população do Wyoming é menor que a do Alasca.

— Foi por isso que você se mudou pra cá?

— Em parte. Talvez. Quando você trabalha em um jornal, em um jornal grande, vive soterrado de gente. Só acho que é mais provável que essas pessoas, sejam lá quem fossem, tenham vindo de outro lugar.

— E brigaram a ponto de um matar o outro porque se perderam e o cara não queria parar para pedir informação? É um problema masculino digno de uma surra, realmente. Mas não acho que tenha sido isso. Ou eles se encontraram lá ou foram até lá porque precisavam conversar sobre alguma coisa. Ou discutir sobre alguma coisa.

Brody concluiu que gostava da forma como ela falava — raramente ia direto ao ponto. A mesma coisa acontecia quando cozinhava, administrando um monte de pratos ao mesmo tempo.

— Isso é uma suposição, não um fato.

— Tudo bem. Estou supondo. E também suponho que eles não eram franceses.

— Italianos, talvez. Também é possível que fossem lituanos.

— Certo, um casal lituano se perde porque, como todos os homens do mundo, o cara usa o pênis como bússola, entre outras funções. Então, ele é incapaz de parar para pedir informação a alguém e menosprezar o poder do seu pau.

Brody franziu a testa.

— Esse é um segredo masculino que pouca gente conhece. Como foi que decifrou o código?

— Você nem imagina quanta gente já decifrou isso. Enfim, os dois saem do carro, atravessam a mata e chegam ao rio, porque, lógico, essa é a melhor forma de descobrirem onde estão. Eles discutem, brigam, ele a mata. Então, como é um lituano acostumado a passar o tempo em montanhas, se desfaz de todas as pistas com primor e leva o corpo da mulher até o Taurus que eles alugaram para enterrá-la em sua terra natal.

— Você devia escrever isso.

— Se esse é o tipo de besteira que *você* escreve, fico surpresa que publiquem seus livros.

— Eu diria que eram franceses, só pra manter o ar internacional. Mas continuo achando, magrinha, que eles podem ter vindo de qualquer lugar.

Fazia bem pensar naquilo como um mistério. De algum jeito, isso a distanciava do que realmente acontecera.

— Se ele cobriu seus rastros tão bem assim, sabe o básico sobre trilhas e como rastrear pessoas na mata.

— Muita gente sabe o básico. Voltando às possibilidades, os dois podem ter vindo aqui antes.

Brody olhou ao redor. Ele conhecia esse tipo de terreno porque já fizera trilhas em regiões parecidas e as usava em seus escritos. Muito em breve, aquilégias e moedas-do-papa começariam a desabrochar. Madressilvas floresceriam enquanto se enroscariam em tudo que encontrarem. Lugares com sombra, lugares bonitos.

Conforme junho fosse se aproximando, a floresta ficaria mais vistosa.

— Ainda não é a temporada de turistas — refletiu Brody —, mas as pessoas vêm nessa época do ano porque querem fugir da multidão do verão e do inverno. Ou estão indo para outro lugar e resolvem fazer uma parada para uma trilha rápida. Ou você viu moradores de Angel's Fist que já provaram sua comida.

— Que pensamento feliz. Obrigada.

— Você viu a roupa dele. Conseguiria reconhecê-la?

— Um gorro laranja tipo de caçador, jaqueta preta impermeável. Casaco. Não, jaqueta, eu acho. Vejo esse tipo de coisa todos os dias. Não vi o rosto dele. Posso servir a sopa do dia na boca do sujeito e nunca saber que foi ele. Acho que nunca... Ai, meu Deus.

Brody também viu. Na verdade, notou a presença do urso dez segundos antes de Reece vê-lo se aproximando, desengonçado.

— Ele não quer saber de você.

— E você sabe disso porque consegue ler a mente dos ursos? — Era surreal ela não estar com medo. Pelo menos, não estava desesperada. — Meu Deus, ele é enorme.

— Já vi maiores.

— Bom pra você. Hum, a gente não devia correr.

— Não. Isso só o divertiria até ele nos alcançar. Continue falando, continue andando, só vamos sair um pouco do caminho. Ok, ele viu a gente.

Ok, pensou Reece, agora ela estava ficando assustada de verdade. Olá, urso.

— E isso é bom?

Ela se lembrou do desenho no guia que ilustrava uma sugestão de posição para se fingir de morto no caso de um ataque de urso. Parecia a postura da criança da ioga.

Seria fácil fazer aquilo, sem problema. Reece não teria nenhuma dificuldade em se jogar no chão, porque, se fosse atacada, seus joelhos cederiam de qualquer forma.

No entanto, antes de ter a oportunidade de testar a eficácia do guia, o urso os encarou com um olhar demorado, virou-se de costas e foi embora.

— No geral, eles são tímidos — comentou Brody.

— No geral. Ótimo. Acho que preciso me sentar.

— Continue andando. Esse foi o primeiro urso que você viu?

— De perto, sim. Eu me esqueci deles. — Reece pôs uma das mãos entre os seios para se certificar de que seu coração disparado permaneceria no lugar. — Meu guia diz que devemos sempre ficar alerta à presença dos ursos. Estou meio sem ar — disse ela, levando uma das mãos ao peito de novo. — Ele até que era bonito, de um jeito apavorante.

— Uma coisa. Se tivesse um cadáver por perto e ele o farejasse, seu comportamento seria mais agressivo. Então isso significa que ela não está aqui ou que foi enterrada em uma cova funda.

Agora Reece precisou engolir em seco, arranhando a garganta.

— Mais coisas legais para eu imaginar. Com certeza vou tomar aquele vinho. Uma taça bem grande.

REECE SE sentiu mais segura de volta ao carro. Mais segura e absurdamente exausta. Uma soneca cairia tão bem quanto o vinho. Um quarto escuro, silencioso, um lençol macio, portas trancadas. E um cochilo.

Quando Brody deu partida no carro, ela fechou os olhos cansados só por um segundo. E sua fadiga se transformou em sono.

ELA DORMIA de um jeito tranquilo, pensou Brody, sem fazer barulho, sem se mexer. A cabeça estava apoiada no espaço entre o assento e a janela e as mãos, soltas sobre o colo.

Que raios ele faria com aquela mulher agora?

Como não tinha certeza, Brody dirigiu sem pressa, pegando atalhos impulsivos para prolongar a viagem de volta para a cidade.

Reece se virava melhor do que imaginava. Ao menos, essa era a opinião dele. Muita gente não teria voltado àquele lugar. A maioria, provavelmente, acharia que já tinha feito sua parte ao denunciar o crime.

Mas ela não.

Talvez por causa do que acontecera antes. Ou talvez fosse apenas do seu feitio fazer algo assim.

Ela mesma se internara no hospital psiquiátrico, refletiu ele. E, pelo seu tom de voz ao contar a história, parecia encarar aquilo como uma derrota.

Brody encarava como um ato de coragem.

Reece também parecia achar que suas viagens desde Boston eram um tipo de fuga. Ele via aquilo como uma jornada. Da mesma forma que considerava sua vida desde que saíra de Chicago. Uma fuga se tratava apenas de medo e vontade de escapar. Uma jornada? Era uma transição, não era? Ele precisara daquela transição para refletir e fazer o que desejava, viver como queria, no seu tempo.

Para ele, Reece Gilmore estava fazendo a mesma coisa. Só que sua viagem trazia uma bagagem mais pesada.

Brody nunca passara por nenhum momento em que sentira medo de morrer, mas poderia imaginar como era. Imaginar fazia parte do seu trabalho. Assim como conseguia imaginar o pânico de estar deitado em uma cama de hospital, desnorteado, sentindo dor. O desespero de duvidar da própria sanidade. Somando tudo, era muito problema para uma pessoa só.

E Reece o convencera, o que não era algo fácil de fazer. Ele não era o tipo de homem que tentava curar a asa quebrada de um filhote de passarinho. A natureza seguia seu curso, e quanto menos pessoas interferissem, melhor.

Brody, porém, estava envolvido agora, e não só porque quase testemunhara um assassinato. Apesar de isso ser suficiente.

Ela o atraía. Não por suas fraquezas, mas pela força que reunia para combatê-las. Ele respeitava isso. Assim como reconhecia a atração que incendiava em fogo lento entre os dois.

Ele não diria que ela fazia seu tipo. A determinação sendo reconstruída sob aquela casca frágil. Isso era algo que devia deixá-la carente por ora, e ele não tinha paciência para mulheres carentes. Em geral.

Gostava de mulheres inteligentes e estáveis, ocupadas com as próprias vidas. Assim, não ocupavam muito a sua.

Reece, provavelmente, fora isso tudo antes da tragédia. E talvez voltasse a ser, mas nunca seria igual. Brody achava que seria interessante testemunhar sua recuperação, ver os resultados.

Então, continuou dirigindo enquanto ela dormia, passando por gramados amarelados e pelo verde desbotado dos arbustos onipresentes. E observou a cordilheira Teton se agigantando sobre o terreno plano. Não era uma subida suave. Não havia colinas para abrandar e quebrar o gelo de toda aquela imponência.

A neve ainda cobria os cumes, e as nuvens brancas contrastavam com o azul, com o cinza, acrescentavam outra camada de força enquanto disputavam por espaço no céu.

Ele ainda se lembrava da primeira vez que as vira, como ficara embasbacado com aquela magia rústica e assustadora, apesar de não se considerar um homem religioso. As Rochosas eram mais imponentes, e as da Costa Leste, mais elegantes. Mas aquelas, que faziam parte da cordilheira que cercava o que era até então seu lar, eram primitivas.

Talvez ele tivesse se mudado para lá porque não queria ficar esbarrando em conhecidos toda hora que fosse a algum lugar espairecer. Mas aquelas montanhas eram uma vantagem e tanto.

Brody dirigiu, veloz, pela estrada vazia que cruzava a planície em que um pequeno rebanho de búfalos pastava. Andando devagar, notou ele, com os pelos bagunçados, as cabeças grandes abaixadas. Alguns filhotes, provavelmente recém-nascidos, permaneciam grudados às mães.

Apesar de achar que Reece gostaria de vê-los, não a acordou.

As planícies ficariam floridas sob o sol de verão, brilhando com cores inacreditáveis em meio aos arbustos. E Brody imaginava que, com tantos acres de terreno aberto, uma cova passaria despercebida por homens e animais. Isso se o assassino tivesse paciência para cavar fundo o suficiente.

Ele serpenteou na direção de Angel's Fist, dos grupos de choupos e pinheiros que cercavam a cidade. Reece gemeu baixinho no sono. Quando Brody a encarou, viu que ela começara a tremer.

Ele parou no meio da estrada e se virou para sacudir seu braço.

— Acorde.

— Não!

Ela despertou como uma maratonista largando do bloco de partida. Quando seu punho voou, Brody o bloqueou com a palma da mão.

— Se você bater em mim — disse ele, tranquilo —, vou revidar.

— O quê? O quê? — Ela lançou um olhar desnorteado para seu punho fechado, preso com força na mão dele. — Eu dormi. Eu dormi?

— Se não dormiu, passou uma hora fingindo muito bem.

— Eu bati em você?

— Quase. Não tente de novo.

— Ok. — Reece se esforçou para desacelerar as batidas de seu coração. — Pode soltar minha mão?

Brody abriu os dedos, e ela recolheu o braço, deixando a mão apoiada no colo.

— Você sempre acorda como se tivesse escutado o sino do segundo *round*?

— Não sei. Faz muito tempo que não durmo com alguém perto de mim. Nem me lembro de quando foi a última vez. Acho que me sinto confortável com você.

— Reconfortante, confortável. — Ele levantou uma sobrancelha. — Se você continuar com esse vocabulário, vou me sentir obrigado a fazê-la mudar de ideia.

Ela abriu um sorrisinho.

— Você não faz o tipo que machuca mulheres.

— É mesmo?

— Não fisicamente. Já deve ter partido muitos corações por aí, mas não bate nas donas deles antes. Só fere seus egos com palavras, o que, agora que parei pra pensar, é tão ruim quanto um soco no queixo. Enfim, obrigada por me deixar dormir. Eu devo... Ah! Olhe só pra elas. — Reece mudara de posição, e a vista que preenchia o para-brisa fez com que se esquecesse de tudo. Impressionada, ela tirou o cinto de segurança e abriu a porta. O vento a atingiu enquanto ela saltava do carro. — É tudo tão *natural*, tão bonito e assustador. Tanto espaço, e lá estão elas, uma... Sei lá, uma fortaleza dominando tudo. Parece que, simplesmente, brotaram do chão. Amo como a paisagem muda de repente. — Reece foi até a frente do carro para se apoiar no capô. — Olho para elas todos os dias, da minha janela ou quando estou indo trabalhar. Mas é diferente estar aqui, sem prédios, sem pessoas.

— Eu sou uma pessoa.

— Você entendeu. Aqui, na frente delas, você se sente tão vivo. — Ela olhou para o lado, satisfeita ao ver que Brody dera a volta para lhe fazer companhia. — Eu achei que fosse só passar por aqui, trabalhar um pouco e seguir em frente. Mas todas as manhãs, quando vejo o lago da minha janela, quando vejo o reflexo das montanhas, não consigo pensar em nenhum motivo para ir embora.

— Uma hora a gente precisa sossegar em algum canto.

— Esse não era o plano. Bem, eu não tinha um plano, por assim dizer. Mas achava que acabaria voltando para a Costa Leste em algum momento. Ou iria para outro lugar depois de Boston. Vermont, talvez. Estudei lá, então seria um lugar familiar. Eu tinha certeza de que sentiria falta do verde, daquele verde da Costa Leste.

— Os campos verdes, as planícies floridas, os pântanos. Parece um quadro.

— Parece mesmo, mas isso aqui também. Melhor do que a minha taça de vinho.

Reece jogou a cabeça para trás, fechou os olhos e respirou fundo.

— Você fica assim às vezes quando está cozinhando.

Ela abriu os olhos, exibindo aquele castanho-avermelhado profundo.

— Fico? Como?

— Relaxada e calma. Feliz.

— Acho que é o lugar onde me sinto confiante, o que me deixa relaxada e feliz. E senti falta disso. Depois do que aconteceu, eu não conseguia pisar em uma cozinha. Foi algo que roubaram de mim, ou que eu permiti ser roubado. Não importa, vou recuperar tudo que me pertence. Escute os pássaros. Qual deve ser a espécie deles?

Ele não escutara os passarinhos cantando até Reece mencioná-los. Ela se virou para olhar ao redor, e seus olhos se arregalaram. Então, agarrou o braço dele e apontou.

— Olha só. Uau!

Quando Brody olhou, viu o pequeno rebanho de búfalos ruminando as gramíneas da planície.

— Primeira vez com eles também?

— Já os tinha visto uma vez, que nem o urso. Mas nunca tão de perto. É mais divertido. Ah, veja! Filhotes!

Reece pronunciou a última palavra de um jeito mais delicado, alongando--a como se ela estivesse derretendo.

— Por que as mulheres sempre dizem "filhotes" nesse tom?

Ela apenas usou o dorso da mão para lhe dar um tapinha no braço.

— Eles são tão fofos, e depois crescem tanto.

— E aí você os frita na chapa.

— Por favor, estou curtindo um momento legal na natureza. Agora fiquei com vontade de andar a cavalo, não em uma SUV. Sabe, cavalos combinam mais com essa cena. Quero ver um antílope — decidiu ela. — Bem, primeiro, preciso aprender a cavalgar.

— Você quer cavalgar um antílope?

— Não. — Reece riu de novo. O som baixo e tranquilo. — Já cogitei essa hipótese. Quero ver um antílope enquanto estiver andando a cavalo. Mas nunca cavalguei.

— Don não se ofereceu para te ensinar?

Ela colocou as mãos nos bolsos.

— Não era um cavalo que ele queria que eu cavalgasse. Mas talvez eu aceite a oferta *da aula* quando tiver certeza de que Don vai se comportar.

— Você gosta de homens comportados?

— Não necessariamente — respondeu ela, distraída. — Mas, no caso dele, sim.

Ela só se tocou do que estava acontecendo quando Brody se virou e posicionou as mãos no capô, uma de cada lado, deixando-a sem saída.

— Brody.

— Você não é burra nem tapada. Nervosismo é outra coisa. Não venha me dizer que não entendeu que isso ia acontecer.

O coração de Reece disparou, talvez, em parte, por medo. Mas não completamente.

— Faz muito tempo que não penso nessas coisas. Acho que parei de prestar atenção. Acho que quase parei de prestar atenção — corrigiu-se ela.

— Se não está interessada, é melhor dizer logo.

— É claro que estou interessada. É só que... Opa!

A última palavra saiu praticamente em um grito quando Brody segurou seus braços e a ergueu até que ela ficasse na ponta dos pés.

— É melhor você respirar fundo — alertou ele.

Reece não conseguiu respirar, não conseguiu pensar, não conseguiu se equilibrar. O mergulho foi tão profundo e repentino que o ar, antes tão fresco e gelado, se tornou flamejante. A boca de Brody não era paciente nem gentil, não persuadia nem seduzia. Apenas pegava aquilo que queria. A sensação de ser envolvida, dominada, arrebatada, a deixou desorientada e relaxada.

Ardente, pensou Reece. Forte, ela pensou. Ofegante. Ela quase se esquecera de como era encontrar um homem com tanta vontade de prová-la e ir atrás do que queria.

Mesmo enquanto se perguntava se restaria alguma parte de si mesma depois que Brody se fartasse, Reece prendeu os braços em torno de seu pescoço. Ele segurou seu quadril e a puxou com força para si.

O coração de ambos batia colado um no outro — forte, rápido. E Reece tremia. Mas sua boca estava tão sedenta quanto a dele; seus braços continuavam se enroscando com firmeza em torno do pescoço dele. O que Brody sentia enquanto devorava os lábios dela não era medo, e sim surpresa atravessando uma explosão sufocante de desejo.

Como queria mais, simplesmente ergueu o quadril de Reece até sentá-la no capô do carro. Então, se aproximou mais ainda e continuou.

Talvez ela tivesse enlouquecido, mas se preocuparia com isso depois. Por enquanto, só queria ceder aos desejos do corpo, e enroscou as pernas em torno da cintura dele.

— Me toca. — Reece mordiscou o lábio inferior de Brody, a língua. — Aqui. Em qualquer lugar.

As mãos dele passaram por baixo do algodão macio de seu suéter, se fecharam sobre seus seios. O gemido escapou enquanto o corpo dela se arqueava em busca de mais. Mais contato, mais sensação, mais tudo. As mãos de Brody eram ásperas e grossas, como o restante dele, ásperas e grossas e diretas. Fortes, de forma que tudo que ele tocava fazia com que ela se sentisse maravilhosamente extasiada, gentilmente ferida.

A reação de Reece, suas exigências, fizeram com que ele sentisse todo o controle que não imaginara precisar se esvair. Brody conseguia se imaginar tomando-a em cima do carro, rasgando qualquer peça de roupa que estivesse no caminho e bombeando-a até que aquela tensão primitiva e extrema fosse liberada.

— Calma. — As mãos dele não estavam totalmente firmes quando seguraram os braços dela dessa vez. — Vamos mais devagar.

Reece estava tão atordoada que mal conseguia ouvi-lo e apoiou a cabeça no ombro dele, sem forças.

— Tudo bem, tudo bem. Nossa. A gente não pode... A gente não devia...

— Mas a gente fez. E vamos fazer de novo, só que, como não temos mais dezesseis anos, não vai ser no meio da estrada, em cima do capô do carro.

— Não. Ok. — Era ali que estavam? Reece se forçou a erguer a cabeça, se concentrar. — Meu Deus! Estamos no meio da estrada. Sai daí. Você precisa sair.

Ela pulou, penteou o cabelo bagunçado com as mãos, ajeitou o suéter, a jaqueta.

— Você está bem.

Ela não se sentia bem. Sentia-se usada — mas não usada o suficiente.

— Nós não podemos... Não estou pronta para... Isso não foi uma boa ideia.

— Não estou pedindo que você se case comigo e construa uma família, magrinha. Foi só um beijo, e uma ótima ideia. Dormirmos juntos é uma ideia melhor ainda.

Reece pressionou as têmporas com as mãos.

— Não consigo pensar. Minha cabeça vai explodir.

— Alguns minutos atrás, parecia que outra parte do seu corpo ia explodir.

— Pare. Será que dá pra parar? Olhe só pra gente, nos atracando, falando de sexo. Uma mulher morreu.

— Ela vai continuar morta independentemente de nós irmos para a cama ou não. Se você precisar de um tempo para se acostumar com a ideia, tudo bem. Tire uns dias para pensar. Mas, se você acha que depois disso não devemos tirar uma casquinha um do outro, então eu me enganei. Você é burra.

— Não sou burra.

— Viu só? Eu tinha razão.

Ele se virou a fim de voltar para o carro.

— Brody. Peraí.

— O que foi?

Reece o encarou, tão grande, másculo e grosseiro diante da gigantesca elevação da dramática cordilheira.

— Não sei. Não sei mesmo.

— Então vamos voltar. Quero tomar uma cerveja.

— Eu não vou pra cama com todo homem por quem me sinto atraída.

Ele se apoiou na porta aberta do carro.

— De acordo com você mesma, faz dois anos que não vai pra cama com ninguém.

— Pois é. Se você acha que pode se aproveitar da minha... seca...

— Mas eu vou me aproveitar mesmo.

Brody sorriu enquanto entrava no carro. Ela marchou até a porta do passageiro e bufou ao entrar.

— Que conversa ridícula...

— Então pare de falar.

— Eu nem sei por que gosto de você — murmurou Reece. — Talvez eu nem goste. Posso ter reagido desse jeito porque faz muito tempo desde a última vez que tive... contato íntimo com alguém.

— Por que você não diz logo "trepar"?

— É óbvio que eu não tenho a mesma elegância que você para escolher palavras. Mas o que eu quero dizer é que, só porque tive uma reação, não significa que vou deixar você fazer o que quiser comigo.

— Eu não pretendia bater na sua cabeça com um porrete e arrastá-la pelo cabelo até a minha caverna.

— Isso não me surpreenderia. — Reece pegou os óculos escuros para se esconder. — E, por mais que eu fique grata por você acreditar em mim, não...

Brody freou com tanta força que ela foi jogada contra o cinto de segurança.

— Uma coisa não tem nada a ver com a outra. — Sua voz soava perigosamente fria. — Nem ouse pensar nisso.

— Eu... — Reece fechou a boca, respirando fundo quando ele voltou a dirigir. — Foi um comentário ofensivo, você tem razão. Foi ofensivo para nós dois. Eu disse que não estava conseguindo pensar. Meu corpo está elétrico, e minha cabeça está uma loucura. Estou irritada, com medo, com tesão. E estou começando a ter uma enxaqueca.

— Tome duas aspirinas, descanse um pouco. E me avise quando o tesão vencer.

Reece encarou as montanhas.

— Os últimos dois dias foram muito estranhos.

— Nem me diga.

— Quero falar com o xerife. Você podia me deixar lá.

— Vá pra casa, tome as aspirinas e ligue para ele.

— Preciso conversar com ele cara a cara. Me deixe lá — insistiu ela quando entraram nos limites de Angel's Fist. — Vá tomar sua cerveja. — Quando Brody não respondeu, ela se virou para encará-lo. — Não estou pedindo que você venha comigo. Não quero que venha. Se o xerife Mardson achar que não consigo me defender sozinha, vai ter menos motivos para acreditar em mim.

— Faça o que você quiser.

— Estou tentando.

Quando Brody estacionou em frente à delegacia, ele a encarou com curiosidade.

— O que vai ter para o jantar amanhã?

— Quê?

— Você vai cozinhar pra mim.

— Ah, tinha me esquecido. Não sei. Vou pensar em alguma coisa.

— Parece delicioso. Vá, resolva logo isso. E depois durma. Você parece que vai desmaiar a qualquer momento.

— Por favor, pare de me elogiar. Vou acabar me acostumando.

Reece esperou um instante. Então, pegou a mochila no chão e começou a abrir a porta.

— Algum problema?

— Não. Bem, achei que você fosse me dar um beijo de despedida.

Os lábios de Brody se contorceram enquanto ele erguia uma sobrancelha.

— Puxa, magrinha, a gente não está namorando sério?

— Você é um babaca. — Mas uma risada fazia sua garganta coçar enquanto ela empurrava a porta. — Quando você me pedir em namoro, não se esqueça de me dar um anel de compromisso. — Reece enfiou a cabeça de volta no carro. — E tulipas. São minhas flores favoritas.

Então, bateu a porta.

Aquela animação confusa a levou até a porta da delegacia. A ansiedade só surgiu quando ela abriu a porta e pisou lá dentro.

O lugar cheirava a café requentado e cachorro molhado. Reece notou a origem do primeiro odor em cima de uma bancada pequena do lado esquerdo da sala, onde uma cafeteira quase vazia fumegava, abrigando algo que lembrava lama. Já a do segundo, estava roncando no chão, ao lado de duas mesas de metal, uma de frente para a outra, que deviam ser usadas pelos policiais.

Apenas uma estava ocupada. Uma cabeleira preta, cavanhaque, olhos castanho-claros felizes, um corpo jovem, magro. Denny Darwin, lembrou Reece, que gostava de ovos com a gema bem cozida e fatias de bacon quase queimadas.

Ele olhou para cima quando a porta se abriu e corou um pouco. Pela forma como seus dedos digitaram algo rápido, parecia que o computador não estava sendo usado para nenhum trabalho oficial da polícia.

— Olá, srta. Gilmore.

— Reece. — Denny não era tão mais novo assim que ela. Vinte e cinco anos, talvez, com um rosto simpático e juvenil apesar do cavanhaque. — Eu queria conversar com o xerife, se ele estiver aqui.

— Claro, ele está na sala dele. Pode entrar.

— Obrigada. Que cachorrinho mais lindo! — Ela parou para admirá-lo.

— Eu já o vi antes. Ele gosta de nadar no lago.

— Moisés. É de Abby Mardson, filha do meio do xerife.

— Sim, verdade. Ela joga a bola na água para ele ir buscar nadando.

— Moisés gosta de nos fazer companhia quando as meninas estão na escola. Ele veio aqui um dia e agora sempre aparece.

Moisés abriu um olho, analisou Reece com sua fuça marrom e resolveu dar-se ao trabalho de balançar o enorme rabo peludo.

— De vez em quando sobra uns ossos lá na lanchonete. Quando Moisés quiser um, é só avisar.

— Obrigado.

— Foi um prazer te conhecer, Moisés.

Reece foi em direção à sala que Denny indicara. Havia outra mesa para o atendimento de chamadas de emergência, vazia e silenciosa agora, no início do corredor.

No fim dele, de um lado, havia duas celas abertas, atualmente vazias, enquanto o outro lado era ocupado por duas portas: uma com uma placa escrito DEPÓSITO, e a outra, BANHEIRO. Diante do depósito, a porta do escritório de Rick Mardson estava aberta.

Ele estava sentado atrás de uma mesa de carvalho que parecia ter passado por várias guerras. O homem ficava de frente para a porta, com uma janela às costas, a uma altura que lhe dava privacidade ao mesmo tempo que permitia a entrada de luz natural. Além do computador e do telefone, já esperados, a mesa exibia dois porta-retratos, pastas para arquivos e uma caneca vermelha que era usada como depósito de lápis e canetas.

Em um dos cantos, um cabideiro segurava seu chapéu e uma jaqueta marrom gasta. Pôsteres de filmes animavam as paredes cor de creme com imagens de John Wayne, Clint Eastwood e Paul Newman em seus dias de glória como caubóis.

Ele se levantou enquanto Reece hesitava diante da porta.

— Pode entrar, Reece. Acabei de ligar para a sua casa.

— Eu devia comprar uma secretária eletrônica. Podemos conversar rapidinho?

— Claro. Sente-se. Quer uma xícara de um dos piores cafés do Wyoming?

— Fica pra próxima, obrigada. Eu queria saber se o senhor descobriu alguma coisa.

— Bem, a boa notícia é que ninguém desapareceu em Angel's Fist. O mesmo vale para os turistas que estiveram aqui nos últimos dias. E não encontrei nenhum registro de pessoa desaparecida na região que fosse parecida com a mulher que você descreveu.

— Ninguém percebeu que ela sumiu ainda. Só faz um dia.

— Pode ser. Vou conferir de tempos em tempos.

— O senhor acha que foi coisa da minha cabeça.

O xerife foi até a porta, fechou-a e voltou para se escorar na beirada da mesa. Seu rosto não expressava nada além de bondade e paciência.

— Só posso dizer o que eu sei. Por enquanto, sei que todas as mulheres da minha cidade permanecem aqui e que as turistas que estão na área ou estiveram ontem continuam sãs e salvas. E sei que, porque faz parte do meu trabalho conferir esse tipo de coisa, você teve alguns problemas no passado.

— Isso não tem nada a ver com o que aconteceu ontem.

— Talvez tenha. Agora, quero que pare pra pensar um pouco na situação. Pode ser que você tenha visto um casal brigando, como me contou. Talvez as coisas até tenham ficado agressivas. Mas você estava muito longe, Reece, mesmo com os binóculos. Quero que pense se é possível que essas pessoas tenham ido embora.

— Ela morreu.

— Bem, como você estava do outro lado do rio, lá em cima na trilha, não teve a oportunidade de checar o pulso dela, teve?

— Não, mas...

— Eu reli seu depoimento algumas vezes. Você saiu correndo, esbarrou em Brody e voltou. Isso daria uma meia hora. Não é possível que a mulher tenha se levantado e ido embora? Talvez ainda irritada, talvez com alguns machucados, mas viva?

O copo não estava meio vazio nem meio cheio, pensou Reece. Era apenas uma porcaria de copo, e ela vira tudo com os próprios olhos.

— A mulher morreu. Se ela saiu andando, como o senhor explica a ausência de pegadas? A falta de pistas da presença de alguém?

O xerife ficou em silêncio por um instante, e, quando falou, havia aquela mesma paciência infinita em sua voz. Isso estava começando a irritá-la.

— Você não é daqui, e era sua primeira vez fazendo a trilha. Estava assustada e nervosa. O rio é grande, Reece. É muito fácil, pra quem não conhece, confundir o lugar. Até onde a gente sabe, tudo pode ter acontecido um quilômetro à frente.

— Não é pra tanto.

— Bem, eu fiz o máximo que pude, mas é uma área muito grande. Entrei em contato com os hospitais mais próximos. Nenhuma mulher internada ou tratada lá bate com sua descrição de ferimentos no pescoço e na cabeça. Vou ligar pra lá de novo amanhã.

Reece se levantou.

— O senhor acha que eu não vi nada.

— Não é isso. Acho que você viu algo que a assustou, que a deixou nervosa. Mas não consegui encontrar nenhuma evidência que sustente sua alegação de ter testemunhado um assassinato. Espero que você me permita continuar investigando e te dou minha palavra de que farei isso. E esqueça esse assunto por enquanto. Eu já estava indo para casa ver minha esposa e minhas filhas. Posso te dar uma carona.

— Prefiro ir andando para espairecer as ideias. — Ela seguiu até a porta, mas se virou. — Aquela mulher morreu, xerife. Esse não é um assunto fácil de esquecer.

Quando Reece foi embora, Mardson bufou, sacudindo a cabeça. Ele faria tudo que pudesse, pensou, mas não podia fazer milagres.

Agora pegaria seu cachorro e iria para casa jantar com sua esposa e suas filhas.

Capítulo dez

⌘ ⌘ ⌘

BRODY PEGOU sua cerveja e jogou uma pizza congelada no forno. Quando apertou o botão da secretária eletrônica, ouviu um recado de sua agente. A obra que seria publicada no começo do outono fora escolhida por um clube do livro famoso — o que era motivo para uma segunda cerveja.

Talvez, com sua parte dos lucros, pudesse esbanjar com uma televisão nova. De plasma. E a colocaria em cima da lareira. Será que ele podia colocar uma televisão de plasma em cima da lareira? Ou o calor a estragaria?

Bem, ele descobriria, porque seria ótimo se deitar no sofá e assistir à ESPN em uma daquelas telas enormes.

Mas, por enquanto, ele ficaria só parado na entrada da cozinha, tomando sua cerveja enquanto observava a luz diminuir e as sombras se alargarem conforme a noite chegava.

O silêncio caiu tão bem quanto aquela primeira cerveja gelada.

Ele precisava compensar o tempo de trabalho perdido — não poderia bancar uma televisão de plasma gigante se não se dedicasse à escrita. O que significava que teria de passar umas duas horas imerso no atual livro inacabado antes de ir dormir. Além do mais, estava ansioso por escrever.

Precisava matar uma mulher.

Mesmo assim, tomando sua cerveja, esperando a pizza ficar pronta, poderia aproveitar para pensar em outra mulher.

Ela não caiu tão bem em sua vida. Reece Gilmore tinha complexidades demais para agradar a um homem. Talvez fosse isso que a tornava tão intrigante quando Brody não tinha a menor intenção de ficar intrigado. Gostava de como ela era feita de opostos — corajosa e frágil, cautelosa e impulsiva. Pessoas que andavam na linha a vida toda se tornavam tediosas após certo tempo.

Além disso, Brody não conseguia ignorar o fato de que os dois estavam juntos naquela *situação*.

Até conseguirem resolver o problema, seria interessante descobrir mais sobre ela.

Ele olhou ao redor. O laptop estava em cima da mesa.

— Agora é a hora — decidiu e, dando outro gole na cerveja, fechou a porta.

Brody ligou o computador e tirou a pizza do forno. O cortador, assim como a cafeteira, era um dos poucos utensílios básicos de cozinha que ele tinha. Ele colocou a pizza inteira, cortada em quatro pedaços, em um prato, pegou duas folhas de papel-toalha e, abrindo uma segunda cerveja, considerou o jantar servido.

Duvidava muito que levara mais tempo que o xerife para acessar as informações sobre o passado de Reece. Uma pesquisa no Google lhe rendeu links suficientes para mantê-lo ocupado e distraído.

Brody desencavou uma matéria antiga sobre chefs promissores de Boston que listava Reece, então com vinte e quatro anos. Ele tinha razão, notou enquanto analisava a foto. Ela ficava mais bonita com cinco quilos a mais. Na verdade, ficava maravilhosa.

Jovem, radiante e, de alguma forma, uma pessoa *importante*, sorrindo para a câmera enquanto segurava uma enorme tigela azul e um batedor de claras reluzente. A matéria descrevia sua formação — um ano em Paris acrescentava muita sofisticação —, personalizando-a com a história de como ela costumava preparar jantares de cinco pratos para suas bonecas quando era pequena.

E citava Tony e Terry Maneo, os donos do restaurante onde ela trabalhava — o casal que morreria dali a alguns anos. Os dois diziam que ela não só se destacava no mercado, como também fazia parte da família.

Havia outras informações soltas pela matéria, alguns fatos citados de forma superficial. Brody descobriu que Reece perdera os pais quando tinha quinze anos e fora criada pela avó materna desde então. Ela era solteira, falava francês fluentemente e gostava de receber amigos em casa, já que era conhecida por seu *brunch* de domingo.

Os adjetivos usados para descrevê-la eram *animada*, *criativa*, *ousada* e, o que ele mesmo usara antes, *radiante*.

Como ele descreveria Reece agora? Brody se perguntou enquanto se recostava na cadeira e comia a pizza. Paranoica, ansiosa, determinada.

Linda.

Havia uma matéria atrativa no *Boston Globe* sobre o fato de ela ter aceitado o cargo de chef principal de um "*point* bastante famoso, conhecido pela culinária americana *fusion* e o clima informal".

As informações básicas eram fornecidas ao lado da foto de uma Reece mais sofisticada, com o cabelo preso para trás — belo pescoço —, posando diante do que parecia ser sua gloriosa cozinha nova repleta de aço inoxidável, usando um sexy blazer preto e sedutores saltos altos vermelhos.

> *"Sempre vou me lembrar com muito carinho dos meus anos no Maneo's e de todo mundo com quem trabalhei e para quem cozinhei lá. Tony e Terry Maneo não só me deram minhas primeiras oportunidades profissionais, como também me acolheram em sua família. Vou sentir falta do aconchego e da familiaridade do Maneo's, mas estou muito empolgada para entrar na equipe criativa do Oasis. Pretendo seguir os altos padrões do restaurante — e acrescentar algumas surpresas."*

— Você está muito gostosa nessa foto, magrinha — disse Brody em voz alta, voltando para a imagem depois de ler a citação.

Ele conferiu a data da matéria e notou que fora publicada na mesma época em que mandara o editor do *Tribune* para o inferno. Quando abriu a primeira notícia sobre os assassinatos no Maneo's, viu que ocorreram três dias após a reportagem do *Boston Globe*.

Que tragédia... Reece era mencionada como a única sobrevivente, tendo levado vários tiros e ficado em estado grave. A polícia estava investigando o caso. A matéria falava sobre os donos e o restaurante, o qual haviam administrado por mais de vinte e cinco anos. Havia comentários de parentes e amigos — o choque, as lágrimas, a indignação. O jornalista usava termos como "banho de sangue", "carnificina", "brutalidade".

Notícias subsequentes relatavam o progresso das investigações — praticamente zero —, e Brody percebia a frustração dos detetives em cada declaração ríspida.

Os enterros e as homenagens aos falecidos foram noticiados. O estado de Reece evoluiu para crítico. Foi relatado que ela estava sob proteção policial.

Então, aos poucos, as matérias foram rareando, saindo do destaque da primeira página, e indo para a terceira página, para o meio. Havia uma notinha, que parecia ter sido acrescentada em cima da hora, sobre a alta de Reece. Não havia nenhum comentário nem fotos dela.

Era assim que as coisas funcionavam, pensou Brody. Uma notícia só era a sensação do momento até outra aparecer. Era preciso sensacionalismo para algo ser digno de tinta, de tempo no noticiário, e o impacto do Massacre do Maneo's, como a imprensa o batizara, acabara em menos de três semanas.

Os mortos foram enterrados, os assassinos permaneceram soltos e a única sobrevivente seguira com sua vida arruinada, tentando catar os cacos.

Enquanto Brody terminava a pizza e lia sobre ela, Reece enchia sua pequena banheira com água quente e um jato indulgente da espuma de banho que comprara na farmácia. Ela tomara uma aspirina e se obrigara a comer biscoitos de água e sal e um pouco de queijo, com um cachinho de uvas para equilibrar a refeição.

Agora ia ficar de molho, tomar seu vinho e começar a ler o livro de Brody na banheira. Não queria pensar na vida real — pelo menos, não na próxima hora. Ela se perguntou se devia ou não fechar e trancar a porta do banheiro. Preferia ter trancado, mas o cômodo era tão pequeno que não aguentaria ficar presa ali dentro.

Já tentara ficar ali com a porta fechada algumas vezes, mas sempre acabava saindo da banheira, encharcada e ofegante, para reabri-la.

A porta da casa estava trancada, lembrou a si mesma, e havia uma cadeira prendendo a maçaneta. Ela estava completamente segura. Mas, depois de entrar na água, teve de se sentar na beirada da banheira duas vezes e esticar o corpo para enxergar a sala. Só para garantir. E aguçar os ouvidos em busca de algum som.

Impaciente consigo mesma, Reece tomou dois longos goles do vinho.

— Pare com isso. Relaxe. Você adorava fazer isso, lembra? Tomar um banho de banheira com uma taça de vinho e um livro. Chega de se esfregar em três minutos e sair correndo do chuveiro como se Norman Bates estivesse vindo te matar. E, ah, pelo amor de *Deus*, cale a boca!

Reece fechou os olhos, tomando outro gole de vinho. Então, abriu o livro.

A primeira frase era a seguinte:

Há quem diga que Jack Brewster cavava a própria cova há anos, mas, conforme a pá penetrava a terra endurecida pelo inverno, ele se sentia um pouco irritado por estar levando o comentário tão ao pé da letra.

Ela sorriu e torceu para Jack não terminar a sete palmos abaixo da terra em um futuro próximo.

Quinze minutos de leitura se passaram antes de ela sentir a necessidade de espiar a sala outra vez. Era um novo recorde. Satisfeita consigo mesma, Reece aguentou mais dez minutos antes de sua ansiedade crescente avisar que não dava mais para esperar.

Da próxima vez, tentaria ficar na banheira por mais tempo, prometeu a si mesma enquanto destampava o ralo.

Ela havia gostado do livro, o que era um alívio. Reece o deixou de lado para passar o hidratante com o mesmo aroma da espuma de banho. Ela levaria o livro para a cama, decidiu. Usaria o Jack Brewster de Brody para se distrair de todas as coisas que sua mente insistia em pensar.

Não escreveria no diário, não hoje.

Talvez estivesse irritada com o xerife Mardson quando saíra da delegacia, mas, agora que tinha se acalmado, entendia que o homem estava fazendo tudo que podia.

Mesmo que não acreditasse nela, não fora arrogante. Não muito.

Então, Reece ia se esforçar para seguir pelo menos um de seus conselhos. Tentaria esquecer aquele assunto por algumas horas.

Ela vestiu a calça de flanela e a camiseta que usaria como pijama e tirou os grampos do cabelo. Um chazinho, pensou, e uma noite de leitura.

Depois de colocar a chaleira no fogo, tentou reunir um pouco de ânimo para preparar um sanduíche. Em vez disso, ficou pensando no cardápio da próxima noite.

Carne vermelha, lógico. Talvez um assado com molho de vinho tinto. Teria que ir ao mercado no seu primeiro intervalo, preparar uma marinada. Dá pra fazer, pensou enquanto começava a fazer uma lista. Batatas e cenouras, vagens frescas — se tivesse. Uma refeição bem máscula. Pãezinhos de leite talhado.

Talvez pudesse fazer cogumelos recheados como aperitivo se sobrasse tempo. E frutas vermelhas com chantili de sobremesa. Não, muito menininha. *Crumble* de maçã, talvez. Algo simples, tradicional.

Será que ia terminar a noite na cama dele? Não era uma boa ideia. Na verdade, era uma péssima ideia. Mas, puxa vida, o homem sem dúvida mexeu com ela. Havia certo alívio em saber que ela ainda *conseguia* sentir algo, mas era frustrante não saber como deveria agir.

Seria melhor lavar os lençóis, só para garantir. Como tinha comprado só um jogo, escreveu "lavar roupa" com um ponto de interrogação ao lado em sua lista. E precisava comprar um bom vinho tinto. Talvez conhaque. E, droga, ela não só não tinha café, como também não tinha nada com o que passá-lo.

Reece deu um passo para trás, pressionou a testa com os dedos, no ponto em que a dor de cabeça ameaçava voltar. Devia cancelar o jantar. Era óbvio que enlouqueceria tentando preparar a refeição perfeita enquanto Brody, provavelmente, ficaria satisfeito com dois hambúrgueres de carne de búfalo e batatas fritas.

Seria mais inteligente, seria melhor, cancelar tudo, fazer as malas, deixar um bilhete para Joanie e ir embora de Angel's Fist. Por que tinha de ficar ali?

Uma mulher fora assassinada, o que era um belo motivo para sair da cidade. A essa altura, ou, sem dúvida, em um futuro próximo, todos saberiam que ela alegara ter testemunhado um assassinato e que a polícia não encontrara nada que comprovasse isso.

Reece não queria voltar a ser encarada com desconfiança. Como se fosse uma bomba-relógio, prestes a explodir. Além do mais, ela evoluiu um pouco ali e poderia ir embora sem se sentir culpada. Ela voltou a cozinhar, alugou um apartamento — apesar de não ser dos melhores. Conseguiu ficar vinte e cinco minutos dentro de uma banheira.

E sentia a chama de libido começando a acender.

Se tivesse outro encontro com Brody, aquela libido ia transbordar. Não que tivesse algum problema com isso, de forma alguma. Eles eram dois adultos livres e desimpedidos. Sexo era saudável. Cogitar transar com um homem bonito era algo normal na vida de uma mulher.

Progresso.

Então, ela poderia pegar todo esse progresso, nas várias áreas de sua vida, e usá-lo na próxima cidade.

Reece abaixou o lápis quando a chaleira começou a ferver. Ela apitava enquanto pegava uma xícara e um pires. Não tinha bule, lembrou-se. Talvez pudesse comprar um no próximo lugar em que parasse.

Ela desligou o fogo e passou a chaleira para uma boca fria. E, conforme o apito diminuía, alguém bateu à porta.

Reece teria soltado um grito se tivesse ar suficiente em seus pulmões. Em vez disso, deu um pulo, batendo com o quadril na bancada. Enquanto fechava uma das mãos em torno do cabo de sua faca grande, a voz de Joanie bradou irritada do outro lado da porta ainda trancada.

— Pelo amor de Deus, abra logo. Não tenho a noite toda.

Com as pernas bambas, Reece correu até a porta e, se esforçando para não fazer barulho, removeu a cadeira.

— Desculpe, só um segundo! — Ela destrancou a porta e abriu o trinco. — Eu estava na cozinha.

— Pois é, o apartamento é tão grande que dei sorte de você me escutar. — Joanie entrou, cheirando a temperos e fumaça. — Juntei o que sobrou daquela sopa. Da próxima vez, faça mais. Já comeu?

— Bem, eu...

— Deixe pra lá. — Joanie colocou a sopa embalada para viagem em cima da bancada. — Coma agora. Vamos. — Ela fez um gesto impaciente com a mão quando Reece hesitou. — Ainda está quente. Resolvi tirar meu intervalo. — Dito isso, a chefe foi até a janela e abriu-a um pouco. Então, pegou o isqueiro e o maço de Marlboro Lights. — Você vai me irritar e dizer que não posso fumar aqui?

— Não. — Sem ter outra coisa mais adequada, Reece lhe entregou o pires para usar como cinzeiro. — Como está o movimento?

— Bom. A sopa fez sucesso. Pode fazer a de amanhã, se tiver alguma ideia.

— Ok. Tudo bem.

— Sente aí e coma.

— Você não precisa ficar na janela.

— Estou acostumada. — Mas Joanie apoiou a bunda no peitoril. — Está cheiroso aqui dentro.

— Acabei de tomar banho. Manga Tropical.

— Muito bom. — Joanie deu uma tragada pensativa. — Vai receber visita?

— O quê? Não, não. Hoje, não.

— Don está lá embaixo. — Distraída, Joanie jogou as cinzas pela janela aberta. — Ele queria trazer a sopa. Acho que a ideia não era dar em cima de você, porque chamou Linda-gail para vir também. Mas mesmo assim... Espere só o menino conseguir uma brecha.

— Que gentil da parte dele.

— Don ficou preocupado, acha que você deve estar assustada e nervosa.

— Já me acostumei a me sentir assim — disse Reece com um sorriso tímido enquanto se sentava para tomar a sopa. — Mas estou bem.

— Ele não é o único que está preocupado com você. A fofoca está comendo solta, como sempre, sobre o que você viu na trilha.

— Vi ou acho que vi?

— Bem, o que foi que aconteceu?

— Eu vi.

— Tudo bem. Linda-gail pediu para avisar que, se você não quiser ficar sozinha, pode ir para a casa dela, ou ela pode dormir aqui.

Reece parou com a colher na metade do caminho até a boca.

— Sério?

— Não, acabei de inventar isso para ver sua cara de boba.

— Isso é muito legal da parte dela. Mas eu estou bem.

— Você está com uma cara melhor, pelo menos. — Apoiando as costas na esquadria da janela, Joanie bateu mais cinzas. — Como sou sua chefe e sua senhoria, hoje tive de ficar respondendo a perguntas sobre como você está e ouvir que todo mundo está preocupado. E ainda tive de prometer que te mandaria lembranças. Mac, Carl, Bebe, Pete, Beck, o doutor, e assim vai.

Teve gente que apareceu só para tentar ver como você estava ou querendo arrancar alguma informação de mim, mas a maioria era sincera. Achei que seria bom te contar.

— Agradeço pela preocupação e pelas lembranças. Joanie, o xerife não encontrou nada.

— Algumas coisas demoram mais para serem encontradas do que outras. Rick vai continuar procurando.

— Sim, acho que vai mesmo. Mas ele acha que eu não vi nada. E por que acreditaria em mim? Por que qualquer pessoa acreditaria? E, se acreditam agora, com certeza vão mudar de ideia quando a fofoca começar a rolar, como sempre, sobre o que aconteceu em Boston. E... — Ela se interrompeu, estreitando os olhos. — Pelo visto, já está rolando.

— Fulano comentou alguma coisa com ciclano, que comentou com beltrano. Então, sim, já ficaram sabendo do que aconteceu lá e do que fizeram com você.

— Era só questão de tempo. — Reece tentou não parecer incomodada. — Agora vai haver mais comentários, mais fofoca. E aí vai começar o: "Ah, coitadinha, ela sofreu tanto, não consegue superar e fica imaginando coisas."

— Puxa, esqueci minha empatia em casa. — Com os gestos rápidos de sempre, Joanie apagou o cigarro. — Vou trazer sem falta quando você der a próxima festa de lamentações.

— Você é tão má. — Reece deu outra colherada na sopa. — Por que é que as duas pessoas que mais me tratam mal nessa cidade são as que mais me ajudam?

— Acho que você recebia compaixão demais em Boston e não quer mais ficar aqui.

— Acertou na mosca. Antes de você aparecer, eu estava me convencendo a ir embora. Agora estou sentada aqui, tomando uma sopa que ficaria *muito* melhor com temperos frescos, batendo papo, e sei que não vou a lugar algum. É bom saber disso. Apesar de também saber que, quando você for embora, vou conferir se as janelas e as portas estão trancadas, se o telefone está funcionando.

— E vai colocar aquela cadeira embaixo da maçaneta de novo?

— Você percebe tudo.

— Quase tudo. — Joanie levou o cinzeiro improvisado para a pia. — Com sessenta anos nas costas, a gente...

— Você tem sessenta anos? Mentira!

Incapaz de controlar um rápido sorriso diante da descrença nítida de Reece, Joanie deu de ombros.

— Vou fazer sessenta em janeiro, então já estou praticando. Assim, o baque não será tão grande. E esqueci o que eu ia falar.

— Eu chutaria uns cinquenta anos.

Joanie lhe lançou um olhar demorado e frio, mas seus lábios se contorceram em um sorriso de novo.

— Está tentando adiantar seu aumento?

— Se possível.

— O que eu ia dizer é que tenho o dom de saber se as pessoas têm um coração bom. Você tem e vai ficar por aqui. Já passou por coisa pior.

— Não passei, não.

— Não me venha com essa — rebateu Joanie. — Estou bem aqui, olhando para você, não estou? Lembre-se: Angel's Fist está cheia de linguarudos, mas tem muita gente boa aqui, senão eu teria me mandado há muito tempo. Tragédias não têm endereço, e você sabe disso muito bem. O povo dessa cidade cuida de si mesmo e uns dos outros quando precisam. Se precisar de ajuda, é só pedir.

— Pode deixar.

— Preciso voltar. — Enquanto se afastava, Joanie olhou ao redor. — Você quer uma televisão? Tenho uma sobrando.

Reece começou a dizer que não, que não queria incomodar, que daria muito trabalho. Sendo dramática de novo, pensou ela.

— Seria ótimo se você puder me emprestar.

— Trago amanhã. — À porta, Joanie parou e fungou. — Vai chover de novo. A gente se vê às seis em ponto.

Sozinha, Reece se levantou para fechar as janelas e trancar a porta, mas fez questão de se mover devagar. Como qualquer outra mulher, disse a si mesma, fechando a casa antes de se deitar. E, se gostava de colocar uma cadeira embaixo da maçaneta, isso não fazia mal a ninguém.

A CHUVA COMEÇOU a cair pouco depois das duas horas da madrugada, acordando Reece. Ela caíra no sono com as luzes acesas e o livro de Brody na mão. O rosnado abafado de uma trovoada sobressaiu em meio ao barulho da chuva que caía no telhado e nas janelas. Ela gostava desse barulho, da força do vento, sentindo-se mais aconchegada e confortável em sua pequena cama.

Reece se aninhou, massageando um nó em seu pescoço. Bocejou e puxou as cobertas até o queixo. E, na sua rotineira análise do cômodo antes de voltar a fechar os olhos, ficou paralisada.

A porta da casa estava aberta. Só uma fresta.

Tremendo, ela enroscou a coberta em torno dos ombros e agarrou a lanterna ao lado da cama como se fosse um porrete. Precisava se levantar, precisava fazer as pernas funcionarem. Ofegante, saiu da cama e correu até a entrada.

Então, bateu a porta, trancando-a, e virou a maçaneta só para ter certeza de que não se abriria de novo. Seu coração continuava disparado enquanto ela corria até a janela, certificando-se de que todas estavam trancadas enquanto espiava pelo vidro.

Não havia ninguém lá fora, na chuva. O lago parecia uma poça preta, e a rua estava molhada e vazia.

Ela tentou dizer a si mesma que se enganou e deixou a porta aberta, ou a destrancou por engano na última vez que deu uma olhada antes de se deitar. Foi o vento que abriu a porta. A chuva caiu, e o vento a abriu.

Entretanto, quando se ajoelhou diante da porta, viu arranhões leves causados pela cadeira.

O vento não empurraria a porta com tanta força a ponto de afastar tanto a cadeira.

Ela se sentou ao lado da entrada, com as costas na parede, ainda enrolada na coberta.

REECE CONSEGUIU tirar uma soneca, então se arrumou e foi trabalhar. Assim que a mercearia abriu, tirou seu intervalo e foi comprar uma fechadura de alta segurança.

— Você sabe instalar isso aí? — perguntou Mac.

— Pensei em descobrir tentando.

Ele pousou a mão sobre a dela.

— Posso instalar para você. Eu já estava pensando em dar um pulo lá para almoçar mesmo. Vai ser rápido.

Se precisar de ajuda, é só pedir, lembrou Reece.

— Muito obrigada, sr. Drubber.

— Pode deixar comigo. É normal ficar um pouco nervosa. Uma fechadura melhor vai te deixar mais tranquila.

— É verdade. — Ela olhou ao redor quando a porta se abriu. — Bom dia, sr. Sampson — disse quando Carl entrou.

— Bom dia. Como vai?

— Estou bem. Hum, acho que o xerife já deve ter conversado com os senhores, mas eu queria saber se vocês viram uma mulher de cabelo escuro, comprido, e com um casaco vermelho por aqui nesses últimos dias.

— Apareceu um grupo indo fazer trilha — disse Mac. — Todos homens, apesar de dois estarem de brincos. Um deles ficava no nariz.

— A cidade fica cheia de gente assim no inverno, na época do *snowboard* — comentou Carl. — Os rapazes usam mais penduricalhos que as mulheres. Uns dias atrás, um casal aposentado de Minnesota passou por aqui em um trailer — lembrou ele a Mac.

— A mulher tinha o cabelo todo branco, Carl, e o sujeito pesava mais de cem quilos. O xerife não citou essas características.

— Só estou comentando. — Carl olhou para Reece. — Talvez as pessoas que você viu estivessem apenas brigando de mentirinha. Brincando, sabe? Tem maluco pra tudo.

— Tem mesmo. — Reece pegou a carteira. — Posso deixar a fechadura aqui, sr. Drubber?

— Pode e guarde seu dinheiro. Vou colocar na conta de Joanie.

— Ah, não. É pra mim, então...

— Você pretende arrancar a fechadura da porta e levar pra algum canto depois?

— Não, mas...

— Eu me entendo com Joanie. Qual é a sopa de hoje?

— A boa e velha canja de galinha.

— Vai cair bem. Precisa de mais alguma coisa?

— Na verdade, sim, mas depois eu volto. Meu intervalo acabou.

— Pode falar. — Ele pegou um lápis e lambeu a ponta. — Levo pra você quando eu for almoçar.

— Que atendimento maravilhoso! Ah, preciso de uma peça pequena de alcatra, quinhentos gramas de batata e de cenoura — começou Reece.

Quando ela terminou, Mac mexeu as sobrancelhas para cima e para baixo.

— Parece que alguém vai receber visita para o jantar.

— Pois é. — Que mal faria contar a verdade? — Vou cozinhar para Brody. Ele me ajudou com umas coisas.

— Aposto que valeu a pena.

— O senhor pode ficar com tudo que sobrar. Pela instalação da fechadura.

— Combinado.

Reece voltou para a lanchonete, respirando o ar fresco e gelado após a tempestade da madrugada. Tinha lidado com o problema. Tinha tomado uma atitude sensata.

E, quando fosse para a cama naquela noite — sozinha ou não —, teria uma boa fechadura em sua porta.

DON ENTROU em Angel's Fist em sua picape Ford com um CD de Waylon Jennings se lamentando no aparelho de som. Antes de chegar à cidade, estava escutando Faith Hill, que achava uma grande gostosa. Mas, mesmo assim, apesar de sua voz excelente, um homem não podia ser visto chegando em casa ao som de uma mulher cantando.

A menos que ela estivesse dentro da picape, em carne e osso.

Ele estava pensando em uma mulher agora. Na verdade, em duas, mas havia espaço suficiente em sua cabeça para mulheres. Viu uma delas usando uma calça jeans skinny e um suéter vermelho em cima de uma escada, pintando de amarelo as venezianas de madeira da casinha que alugava.

Don deu um ronco no motor com a intenção de fazer a mulher se virar e admirá-lo em sua imponente picape preta. Mas, como isso não aconteceu, ele revirou os olhos e estacionou.

Deus era testemunha de que aquela mulher era mais difícil do que todas as outras que já encontrara juntas.

— E aí, Linda-gail?

— Olá.

Ela continuou pintando.

— O que está fazendo aí?

— Estou fazendo limpeza de pele e pintando as unhas dos pés. O que você acha que estou fazendo?

Don revirou os olhos de novo e saltou da picape.

— Está de folga hoje?

Ele já olhara a escala e sabia que sim.

— Estou. E você?

— Temos alguns hóspedes, mas eles vão fazer canoagem hoje. Você falou com Reece?

— Não.

Ela bateu com o pincel na madeira com força suficiente para fazer a tinta respingar, obrigando-o a pular para trás.

— Cuidado!

— Sai daí.

Que mulher mal-humorada. Ele não sabia por que ficava voltando para ser maltratado.

— Escute, eu só queria saber como ela está.

— Sua mãe disse que ela precisa de espaço, então estou obedecendo. — Mesmo assim, Linda-gail suspirou, abaixando o pincel. — Mas bem que eu queria saber também. Que situação triste...

— Triste — repetiu Don e esperou um instante. — Mas um pouco emocionante.

— Não *é*? — Ela se virou para encará-lo lá de cima. — Somos pessoas horríveis, mas, meu Deus, um assassinato... Bebe acha que foram dois ladrões de banco que brigaram, e o homem matou a mulher para ficar com o dinheiro.

— É uma boa teoria.

Abaixando o pincel de novo, Linda-gail se inclinou na escada.

— Já *eu* acho que os dois eram casados com outras pessoas e tinham um caso. E resolveram fugir juntos. A mulher mudou de ideia e quis voltar para o marido e os filhos, então o cara a matou no calor do momento.

— Essa também é boa. Colocou pedras no corpo e o enfiou em um buraco velho de castor no rio.

— Ah, que ideia *péssima*, Don. Pior do que enterrá-la em algum canto.

— Provavelmente não foi isso que aconteceu. — Ele também se apoiou na escada. O cheiro da tinta era forte, mas, tão perto como estava, conseguia sentir o aroma do perfume dela. — O cara teria de saber onde encontrar tocas de castor, não teria? E os dois, com certeza, não eram daqui. Enfim, o sujeito já deve ter picado a mula.

— Pois é. Não que isso torne as coisas mais fáceis para Reece. — Linda-gail voltou a pintar, e, na posição em que estava, Don ficou de cara com aquela bunda linda.

Poderia se inclinar um pouquinho para a frente e...

— Imagino que você esteja indo lá falar com ela.

— Com quem? — Don piscou, se concentrando. — Ah, com Reece. Não sei. Pensei em fazer isso, se você quisesse vir comigo.

— Sua mãe me disse para não encher o saco de Reece hoje. E eu já comecei a pintar. Preciso terminar.

— Nesse ritmo, vai levar o dia todo.

Linda-gail o encarou por cima do ombro.

— Tenho outro pincel, espertinho. Você podia fazer alguma coisa útil em vez de ficar desfilando por aí.

— Estou de folga.

— Eu também.

— Merda. — A última coisa que Don queria fazer era pintar aquelas janelas. Mas não conseguia pensar em nenhum outro lugar para ir, em nada para fazer. — Acho que posso ajudar. — Ele pegou um pincel que ainda exibia a etiqueta do preço da mercearia. — Talvez possamos ir ao hotel-fazenda se a gente conseguir terminar antes de terça-feira. Posso arrumar dois cavalos. Está um dia lindo para cavalgar.

Linda-gail abriu um sorrisinho enquanto pintava.

— Quem sabe... Está fazendo um dia lindo mesmo.

DESVIOS

A dor tem um quê de vazio;
Ela não se lembra
de quando surgiu nem se houve
Um dia em que não existiu.

— Emily Dickinson

Capítulo onze

⌘ ⌘ ⌘

Reece saiu correndo para o andar de cima quando deu a hora do seu próximo intervalo. Usando a chave que Mac deixara na lanchonete, abriu a nova fechadura resistente.

Só de ouvir aquele clique, já se sentia melhor. Ela a testou algumas vezes e suspirou de alívio.

Mas precisava ser rápida, lembrou a si mesma, e preparar logo a marinada para deixar a carne bem temperada antes de voltar lá para baixo e terminar seu expediente.

Ela encontrou um bilhete de Mac em cima da bancada, com sua caligrafia simples e legível, preso em um canto pela nova assadeira que estava em sua lista.

Tomei a liberdade de guardar suas compras — não queria deixar as coisas que podiam estragar fora da geladeira. Abri uma conta para você, então podemos acertar tudo no fim do mês. Aproveite o jantar. Estou ansioso pelas sobras. M. D.

Que gracinha, pensou Reece, e, distraída, se perguntou por que uma mulher inteligente ainda não o traçara.

Ela tirou o que precisava da geladeira e do armário que ficava em cima da pia e abriu o outro, que ficava embaixo da bancada, para pegar uma tigela.

Mas não a encontrou. Nenhuma de suas tigelas estava ali. No lugar delas, viu as botas de caminhada e a mochila.

Ela não as colocara ali, não colocara. As botas e a mochila deviam estar no guarda-roupa. Com cuidado, como se desarmasse uma bomba, Reece as tirou de lá, analisando-as. Abriu a mochila e encontrou a garrafa extra de água, a bússola, o canivete, a manta, o protetor solar. Tudo no devido lugar.

Um pouco trêmula, ela levou tudo para o guarda-roupa. E lá estavam as tigelas, na prateleira acima dos cabides.

Aquilo não significava nada. Um momento de distração, só isso. Qualquer um poderia cometer um erro tão bobo. Qualquer um.

Reece colocou as botas no chão e pendurou a mochila no gancho certo. E se lembrou de quando fez exatamente a mesma coisa depois de voltar do rio com Brody: antes mesmo de tomar a aspirina, antes de preparar seu banho, ela tirou as botas e as colocou no guarda-roupa juntamente com a mochila.

Poderia jurar que tinha feito isso.

E as tigelas. Por que as tiraria do lugar?

Mas deve ter tirado. Da mesma forma que deve ter rabiscado o mapa. Estava apagando essas coisas da memória. Lembranças perdidas, pensou ela, apoiando a testa na porta do guarda-roupa. Não queria acreditar que estava se esquecendo das coisas de novo, como na época em que tivera o colapso nervoso. Mas as tigelas estavam no lugar errado, não estavam?

Mac Drubber não as mudaria de lugar para pregar uma peça nela. Então, a opção que restava era que ela mesma tinha feito isso.

Era só estresse. Depois de passar por um trauma, de se atormentar com o que acontecera, estava guardando algumas coisas no lugar errado. Aquilo não era um problema, não precisava ser um problema se reconhecesse o que estava acontecendo.

Reece apenas levou as tigelas de volta para a cozinha, deixou uma na bancada e guardou as outras no armário certo.

E, se recusando a continuar remoendo aquele assunto, começou a picar, medir e misturar.

QUANDO SEU turno acabou, ela destrancou a porta de novo. Dessa vez, verificou tudo: os armários da cozinha, o guarda-roupa, o estoque de remédios, a cômoda.

Tudo estava no devido lugar. Então, Reece deixou o incidente de lado e lavou a nova assadeira que Mac deixou lá. E começou a fazer o que amava.

Fazia muito tempo desde a última vez que preparara uma refeição de verdade, íntima. E, para ela, era como reencontrar o amor. As texturas, os formatos, os aromas e as escolhas eram algo físico, emocional, até espiritual.

Enquanto os legumes borbulhavam e coravam no molho do assado, ela abriu uma garrafa de Cabernet e a deixou respirando. Provavelmente, foi besteira comprar os guardanapos de pano com aquela estampa colorida, pensou enquanto arrumava os descansos de prato na bancada. Mas não conseguia usar guardanapos de papel quando tinha visitas.

Além disso, eles faziam um contraste tão bonito e festivo com seus pratos brancos e simples. E as velas eram tanto práticas quanto bonitas. Podia faltar luz em algum momento, e as pilhas da lanterna poderiam acabar. Sem contar que os pequenos castiçais de vidro azul não foram caros.

Reece tinha decidido ficar na cidade por um tempo, não tinha? Então, não fazia mal comprar algumas coisas para tornar o apartamento mais aconchegante. Mais seu. Não era como se ela estivesse gastando o salário inteiro com tapetes e cortinas e obras de arte.

Apesar de que um tapete colorido ficaria bonito sobre aqueles velhos tacos arranhados. E poderia vendê-lo quando se mudasse. Era algo a se pensar, refletiu ela enquanto olhava para o relógio.

Reece se viu cantarolando enquanto picava e misturava o recheio dos cogumelos. Um bom sinal. Um ótimo sinal de que ela estava bem. Não precisava se preocupar com nada.

Quando trabalhava na cozinha antes, ela sempre ouvia música — rock, óperas, melodias relaxantes —, qualquer coisa que combinasse com seu humor e com a refeição.

Talvez comprasse um radinho com entrada para CD e o deixasse em cima da bancada, apenas para lhe fazer companhia. Reece olhou para o brilho tranquilizador de sua nova fechadura contrastando com a tinta desbotada da porta. Aquele era um lugar seguro. Por que não torná-lo alegre e confortável também?

E ia fazer outra trilha. Talvez pudesse alugar ou pegar um barco emprestado para passear no rio. Remar não devia ser muito difícil. Ela queria experimentar.

Esse seria outro passo rumo à real normalidade em vez da falsa.

E tinha um encontro hoje, não tinha? Mais ou menos. Isso era bem normal. Assim como o fato de Brody estar dez minutos atrasado também poder ser normal.

A menos que ele não aparecesse. A menos que tivesse pensado em tudo que acontecera — ou quase acontecera — entre os dois e preferido se afastar antes de as coisas ficarem complicadas. Por que um homem ia querer se envolver com uma pessoa com tantos problemas emocionais? Alguém que verificava a porta três vezes e ainda conseguia deixá-la destrancada. Que não conseguia se lembrar de ter rabiscado um mapa com caneta vermelha. Que guardava as botas no armário da cozinha.

Devo estar tendo crises de sonambulismo, pensou Reece, suspirando. Regredindo. Daqui a pouco, estaria andando pelada na rua.

Ela parou e fechou os olhos, respirando fundo. E sentiu o cheiro dos cogumelos, dos pimentões e das cebolas, da carne assada.

Ela não só estava segura e relativamente sã, como também estava sendo produtiva. Sua única preocupação aquela noite deveria ser preparar uma refeição gostosa. Mesmo que acabasse comendo sozinha. Enquanto esse pensamento surgia, Reece ouviu alguém subindo a escada.

O pânico inicial veio, mas logo se foi. Quando a batida soou, ela estava calma de novo. Secando as mãos no pano de prato preso à cintura, foi abrir a porta.

Calma, pensou Reece, mas não burra.

— Brody?

— Estava esperando outra pessoa? O que vamos comer?

Então, ela sorriu ao destrancar e abrir a porta.

— Croquetes de salmão, aspargos cozidos no vapor e polenta.

Ele entrou, estreitando os olhos. Então, deu uma fungada e abriu um sorriso de orelha a orelha.

— Carne. Talvez você queira passar esse salmão para outro dia.

Reece pegou a garrafa de vinho que Brody lhe estendeu, notando que era um ótimo Pinot Grigio. Ele prestava atenção nas coisas, pensou ela, mesmo quando não parecia.

— Obrigada. Abri um Cabernet caso queira uma taça.

— Eu não recusaria. — Ele tirou a jaqueta, jogando-a sobre o encosto de uma cadeira. — Fechadura nova?

Prestando atenção, notou Reece de novo.

— O sr. Drubber instalou para mim. Acho que deve ser exagero da minha parte, mas vou dormir mais tranquila.

— Uma televisão... Você está evoluindo.

— Resolvi me render à tecnologia.

Reece serviu uma taça de vinho para ele. Então, se virou, tirou a carne do forno e colocou-a sobre o fogão.

— Ah! Igual à que minha mãe fazia.

— Sério?

— Não. Minha mãe era capaz de queimar até comida pronta.

Sorrindo, Reece terminou de rechear os cogumelos.

— Ela trabalha com o quê?

— Ela é psiquiatra. Tem um consultório.

Tentando ignorar seu estômago, que embrulhou na mesma hora, Reece se concentrou na comida.

— Ah.

— E faz macramê.

— O quê?

— Ela faz coisas dando nós em cordas. Uma vez, acho que fez uma quitinete inteira de macramê. Com móveis. Ela é obcecada.

Reece colocou os cogumelos no forno e regulou o *timer*.

— E o seu pai?

— Meu pai gosta de fazer churrasco no quintal até se estiver nevando. Ele é professor universitário. Línguas românicas. Algumas pessoas acham que os dois formam um casal estranho. Ela é animada e sociável, ele é tímido e vive sonhando acordado. Mas dá certo. Você vai tomar o vinho?

— Daqui a pouco. — Ela serviu um prato de azeitonas. — E irmãos?

— Um irmão e uma irmã.

— Eu sempre quis ter um irmão. Alguém com quem brigar ou com quem unir forças contra a autoridade. Sou filha única, e tanto meu pai quanto minha mãe eram filhos únicos.

— É bom que sobra mais peru no dia de Ação de Graças.

— Sempre existe um lado positivo. Um dos motivos pelo qual eu adorava trabalhar no Maneo's era o movimento. O lugar estava sempre lotado, acontecendo várias coisas ao mesmo tempo. Na minha casa era o oposto. Minha avó é maravilhosa. Centrada e amorosa e justa. Ela é tão boa pra mim. — Reece ergueu sua taça em um meio brinde e bebeu. — E eu só dei motivo para ela se preocupar nos últimos dois anos.

— Ela sabe onde você está?

— Sabe, sim. Ligo pra casa a cada duas semanas e sempre mando e-mails. Minha avó adora e-mails. É uma mulher ocupada, moderna, com uma vida ativa. — Reece se virou para dar uma olhada nos cogumelos e ligou a grelha. — Ela se divorciou do meu avô antes de eu nascer, nunca o conheci. E abriu uma empresa de decoração. — Distraída, Reece olhou ao redor do apartamento minúsculo. — E ficaria horrorizada se visse o que não fiz com esse lugar. Enfim, ela adora viajar. Teve de diminuir o ritmo quando meus pais morreram. Foi um acidente de carro, quando eu tinha quinze anos. Minha avó me criou depois disso. Ela não queria que eu saísse de Boston. E eu não podia ficar lá.

— Centrada, amorosa, justa. Ela deve desejar sua felicidade mais do que sua presença em Boston.

Reece refletiu sobre esse comentário enquanto pegava um prato.

— Você tem razão, mas parece que eu gosto de me sentir culpada. Enfim, quase consegui convencê-la de que estou bem. Ela está em Barcelona agora, fazendo compras. — Reece tirou os cogumelos do forno e salpicou queijo parmesão por cima, devolvendo-os ao forno. — Ficaria melhor com queijo curado, mas não consegui encontrar uma peça inteira.

— Acho que eu consigo me forçar a comer alguns.

Depois que ela ficou satisfeita com os cogumelos, serviu-os em um prato e o colocou na bancada.

— Essa é a primeira refeição que preparo para outra pessoa em dois anos.

— Você cozinha todo dia lá embaixo.

Reece balançou a cabeça.

— Lá estou trabalhando. Quis dizer que essa é a primeira refeição que faço por prazer. A outra noite não conta. Aquilo foi uma gororoba improvisada. Senti falta disso e só me dei conta hoje.

— Que bom que eu pude ajudar. — Brody pegou um cogumelo e o jogou na boca. — Delícia.

Ela pegou outro e deu uma mordida. Sorriu.

— Está mesmo.

NÃO FOI tão difícil assim. Foi mais fácil para ela do que sair, encontrar ou aceitar fazer alguma atividade pensada para passar o tempo ou puxar assunto. Ela podia relaxar ali, se divertir dando os toques finais na comida. E, por incrível que pareça, relaxar e se divertir na presença de Brody.

— Acho que fica mais fácil se eu servir a comida. Pode ser?

— Claro. — Ele apontou para o prato com sua taça. — Não seja muquirana.

Enquanto Reece servia a comida, ele encheu as duas taças de vinho. Ele reparou nas velas, nos guardanapos bonitos, no moedor de pimenta de boa qualidade. Tudo novo desde sua última visita.

Também notou seu livro sobre a minúscula mesa ao lado do sofá-cama.

Ela estava ficando cada vez mais à vontade, pensou Brody, prevendo que encontraria um vaso de flores e algumas fotos na parede em alguns meses.

— Comecei a ler seu livro.

Reece encontrou o olhar dele enquanto falava, e Brody sentiu seu coração palpitar rapidamente.

Não se viam olhos como aqueles todo dia.

— Está gostando?

— Estou. — Ela deu a volta na bancada para se sentar ao lado dele, abrindo o guardanapo no colo. — Dá medo, mas isso é bom. E me deixa menos ansiosa. Gostei de Jack. Ele é todo errado. Espero que não termine naquela cova. Também gosto de pensar que Leah vai dar um jeito nele.

— É isso que as mulheres fazem? Dão um jeito nos homens?

— As pessoas deviam dar um jeito umas nas outras quando podem e quando se gostam. Ela gosta dele. Espero que terminem juntos.

— Felizes para sempre?

— Se a justiça não prevalece e o amor não vence na ficção, de que adianta ler? A realidade já é deprimente demais.

— Felizes para sempre não te dá um Pulitzer.

Reece franziu os lábios enquanto o estudava.

— É isso que você quer?

— Se fosse, eu ainda estaria no *Tribune*. Fazer carne assada em cima de uma lanchonete no Wyoming e fritar hambúrgueres de búfalo na mesma lanchonete não vão te dar qualquer que seja o equivalente gastronômico do Pulitzer.

— Eu achava que queria essas coisas também antigamente. Prêmios, reconhecimento. Prefiro preparar carne assada. — Ela fez uma pausa. — Gostou?

— Eu te daria um prêmio. — Brody cortou outro pedaço da carne e, depois, passou para um dos pãezinhos com uma quantidade generosa de manteiga. — Onde você comprou esses pãezinhos?

— Eu que fiz.

— Sério? — A surpresa dele foi instantânea e sincera. — Tipo, com farinha?

— Esse seria um dos ingredientes.

Reece lhe passou a tigela para ele pegar outro.

— O gosto está bem diferente dos que eu compro no mercado.

— Espero que esteja mesmo. Sou chata com comida — disse ela quando Brody sorriu. — Não nego. Vou tentar adivinhar o que tem na sua despensa... Pizza congelada, cozido e sopa enlatados, caixas de cereal, waffles talvez. Salsichas, comida congelada.

— Esqueceu das caixas de mac and cheese.

— Ah, sim, um clássico na cozinha dos homens solteiros. Macarrão seco e queijo em pó. Que delícia.

— Dá sustância.

— É, tipo um bate-entope.

Brody espetou uma das batatinhas assadas em seu prato com o garfo.

— Você vai dar um jeito em mim, magrinha?

— Bem, posso te alimentar de vez em quando, o que seria bom para os dois. E...

Ela se interrompeu, largando o garfo quando ouviu um barulho alto lá fora.

— É a caminhonete de Carl — disse Brody, calmo.

— A caminhonete de Carl. — Reece pegou a taça de vinho com as duas mãos. — Sempre me assusto. Ele bem que podia consertar esse troço.

— A cidade inteira acha isso. Você escreve essas coisas?

— Que coisas?

— As receitas.

— Ah. — Ela se obrigou a pegar o garfo e comer, apesar de seu estômago estar embrulhando de novo. — Sim, sim. Eu já era organizada e um pouco maníaca antes de enlouquecer de vez. Tenho receitas no meu laptop e cópias em dois pendrives. Por quê? Você quer tentar fazer os pãezinhos?

— Não. Só estava me perguntando por que você ainda não publicou um livro de receitas.

— Eu achava que poderia fazer isso com o tempo, quando conseguisse um programa na televisão — acrescentou ela com um breve sorriso. — Algo moderno e divertido, voltado para o público jovem, cosmopolita, que gosta de oferecer jantares e *brunches* no domingo.

— Essa coisa de "com o tempo" é um mito. Se quiser fazer alguma coisa, faça agora.

— Acho difícil eu conseguir um programa na televisão. Seria impossível, para mim, lidar com algo assim.

— Eu estava falando do livro de receitas.

— Ah. Não penso nisso desde... Hum... — Por que ela não poderia escrever um livro de receitas? Havia centenas de receitas no seu computador, e todas já tinham sido testadas. — Talvez eu faça mesmo. Em algum momento.

— Se você escrever uns capítulos, mostrando a proposta do livro, posso mandar pra minha agente.

— Por que você faria isso?

Brody comeu o último pedaço de carne que tinha em seu prato.

— Ótima carne assada. Agora, se estivéssemos falando de um livro de ficção, eu só aceitaria ler se você apontasse uma arma para a minha cabeça ou fosse para a cama comigo. Com essas condições e se a história não fosse uma porcaria, talvez eu cogitasse falar com a minha agente. Mas, como provei sua comida, posso fazer a oferta sem a arma ou o sexo. Você que sabe.

— Faz sentido — respondeu Reece. — Quantos livros você já mandou pra sua agente com essas condições?

— Nenhum. Já tocaram no assunto comigo algumas vezes, mas sempre consegui escapar.

— Vou ter de dormir com você se eu montar uma proposta e sua agente topar me representar?

— Óbvio que sim. — Brody balançou a cabeça como se a pergunta fosse ridícula. — É óbvio.

— Ok. Vou pensar. — Relaxada de novo, Reece se recostou na cadeira com seu vinho. — Eu perguntaria se você quer repetir, mas, primeiro, prometi ao sr. Drubber que faria um prato pra ele com o que sobrasse. Segundo, não sobraria carne suficiente para você levar e fazer sanduíches em casa. E, terceiro, você precisa deixar um espaço pra sobremesa.

Brody se apegou ao primeiro argumento.

— Por que Mac pode ficar com as sobras?

— Por ter instalado a fechadura nova. Ele não me deixou pagar.

— Ele tem uma quedinha por você.

— E eu tenho uma quedinha por ele. Por que ele não é casado?

Brody soltou um suspiro dramático.

— Típica pergunta de mulher. Eu esperava mais de você.

— É verdade, é típica mesmo. Mas eu queria que o sr. Drubber tivesse alguém fazendo carne assada para ele e o ajudando na mercearia.

— Você está fazendo carne assada para ele, pelo visto. E Leon e o senhor Frank o ajudam na loja. Beck trabalha lá meio período quando Mac precisa.

— Mas mesmo assim... É diferente quando alguém que gosta de você trabalha a seu lado e faz questão de preparar uma comida de verdade pra você no fim do dia.

— Dizem que uma mulher partiu o coração dele mais de vinte anos atrás. Os dois estavam noivos, e ela o largou. Não no altar, mas quase. Foi embora com o melhor amigo dele.

— Mentira! É sério?

— É a história que contam, o que provavelmente significa que aumentaram um pouco. Mas imagino que exista um pingo de verdade aí no meio.

— Que vaca! Ela não merecia o sr. Drubber.

— Ele nem deve se lembrar mais do nome dela.

— Lógico que se lembra. Aposto que ela já está no quarto marido e se viciou em remédios depois de ter complicações com a terceira cirurgia plástica na cara.

— Como você é má. Gostei.

— Quando alguém magoa uma pessoa que eu gosto, eu sou cruel. Enfim... Você pode ir pra sala saborear seu vinho. Vou limpar aqui.

— Defina "limpar".

— Observe.

— Tudo bem, mas a vista é melhor daqui. Vi uma foto antiga sua. Matérias de jornais e revistas na internet — explicou Brody quando ela o encarou.

— Por que você estava lendo matérias na internet?

— Sobre você, especificamente? Por curiosidade. Seu cabelo era mais curto.

Reece pegou os pratos e os levou para a pia.

— Sim. Eu costumava ir a um salão chique em Newbury. Era caro, mas valia cada centavo. Ou parecia valer na época. Não consigo ir a um salão desde que... — Ela abriu a torneira e jogou detergente na louça. — Então, deixei crescer.

— Seu cabelo é bonito.

— Eu adorava ir ao salão, ter alguém concentrado em mim, na minha aparência. Ficar sentada lá, bebendo o vinho, o chá ou a água com gás que serviam, ir embora me sentindo linda e renovada. Um daqueles momentos que eu amava ter nascido mulher. — Reece ficou de costas para a pia a fim de poder dividir as sobras entre duas quentinhas que pegara na lanchonete. — Depois que tive alta do hospital, minha avó me levou para um dia de spa no meu salão. Marcou cabelo, unha, limpeza de pele, massagem. Todo mundo foi tão simpático, tão gentil. Entrei em pânico no vestiário. Não consegui nem abrir a camisa para colocar o roupão. Tive de ir embora. — Ela guardou as quentinhas na geladeira. — Meu cabeleireiro de anos, um querido, se ofereceu para me atender em casa. Mas eu não aceitei.

— Por que não?

— O principal motivo foi a vergonha.

— Que bobagem...

— Pode ser, mas era assim que eu me sentia. E era mais fácil sentir vergonha do que medo. No fim das contas, uma fobia de salão de beleza não é tão problemática assim. Mas elas vão se amontoando.

— Talvez você devesse tentar de novo.

Da pia, ela o encarou por cima do ombro.

— Estou tão mal assim?

— Você é bonita. Deu sorte na genética. Mas é bobagem deixar de fazer algo que você tanto gostava.

Sorte na genética, pensou Reece enquanto colocava a louça no escorredor. Não era um elogio muito poético. Mesmo assim, fazia muito tempo desde a última vez que um comentário a deixara satisfeita com sua aparência.

— Vou colocar isso na lista.

Reece se virou, secando as mãos no pano de prato, ao mesmo tempo em que Brody se levantava da banqueta. Ela não deu um passo para trás — apesar de cogitar a ideia. Tentar fugir não daria certo com ele. Além disso, não sabia se queria se afastar ou chegar mais perto.

Brody tirou o pano de prato de suas mãos e o jogou para o lado de um jeito que a fez se encolher. Precisava esticá-lo para secar, senão...

Ele apoiou as mãos na pia, cercando-a, da mesma forma como fizera no carro.

— Qual é a sobremesa?

— *Crumble* de maçã com sorvete de baunilha. Deixei esquentando no forno enquanto a gente...

A boca de Brody capturou a sua, firme e forte. Reece sentiu o gosto de vinho na língua dele, inebriante e tentador, e o roçar de seus dentes, testando-a. Seu sangue parecia borbulhar como se tivesse sido atingida por um raio.

— Nossa... — Conseguiu dizer. — É como se eu tivesse levado um choque. Estou meio tonta.

— Talvez seja melhor você se deitar.

— Boa ideia. Primeiro, quero dizer que isso é uma boa ideia. Até lavei os lençóis, só por precaução.

Os lábios dele se curvaram.

— Você lavou os lençóis.

— Parecia a coisa certa a fazer. Mas... Pode se afastar um pouco? Não consigo respirar direito.

Ele deu um passo para trás.

— Está melhor?

— Sim e não. — Brody era tão atraente, pensou ela. Sua impressão inicial continuava certeira. Ele não era bonito, mas muito atraente. Tão másculo. Mãos grandes, pés grandes, sério, corpo firme. — Quero ir pra cama com você, quero sentir todas aquelas coisas de novo. Mas acho que preciso esperar até ter mais certeza de que estou bem.

— E mais certeza sobre mim.

— Essa é uma das coisas que gosto em você. A forma como entende as coisas. Pra você, seria um ato normal. Bem, quem sabe incrível, mas normal. Pra mim, voltar a ter intimidade com outra pessoa seria, será, algo muito grandioso. Acho que é melhor nós dois termos certeza porque seria muita pressão para você.

— Ok. Você não vai dormir comigo pelo meu próprio bem.

— De certa forma.

— Isso é muito legal da sua parte. — Ele a puxou rápido, tomando sua boca de novo. Dessa vez, as mãos percorriam a lateral do seu corpo, moldando seus seios, sua cintura, seu quadril. E, mais uma vez, ele deu um passo para trás. — O que é um *crumble* de maçã?

— Quem? Ah. Peraí. — Reece fez uma pausa, fechando os olhos, até seus pensamentos se reordenarem. — É um negócio delicioso. Sente-se. Me dê só um segundo, e eu vou te provar. Quer café?

— Você não tem café.

— Na verdade... — Ela se desviou dele para evitar mais contato físico e pegou uma garrafa térmica na bancada. — Peguei um pouco lá da lanchonete.

— Você pegou café?

Reece notou — pela primeira vez — que o surpreendera.

— Fraco, um cubo de açúcar, certo?

— Sim. Obrigado.

Ela serviu a sobremesa e levou os pratos para a sala.

— Não é sexo — comentou —, mas é uma boa forma de terminar o jantar.

Brody provou a primeira colherada.

— Por que eu nunca comi isso?

— Aprendi a receita por causa do meu pai. Era uma das sobremesas favoritas dele.

— Um homem de muito bom gosto.

Reece sorriu, brincando com sua fatia.

— Você não disse mais nada sobre o... Não sei qual nome dar para o que aconteceu.

— Acredito que o termo seja "assassinato".

— Sim, o termo é "assassinato". Uma das teorias do xerife é que eu me enganei sobre o lugar e a mulher não morreu. Talvez eu tenha visto duas pessoas brigando, mas não foi um assassinato. E é por isso que ninguém anunciou o desaparecimento dela.

— E você discorda.

— Em todos os sentidos. Eu sei o que vi e onde vi. Talvez a mulher não tenha sido dada como desaparecida porque não é importante para ninguém. Ou, sei lá, veio da França.

Dessa vez, Brody sorriu.

— Não importa de onde ela veio, é bem provável que alguém a tenha visto. Colocando gasolina no carro, comprando comida, em um acampamento, em um hotel. Você conseguiria descrevê-la?

— Já respondi isso.

— Não, quer dizer, você conseguiria descrevê-la para um desenhista?

— Tipo um retrato falado para a polícia?

— Angel's Fist não tem ninguém que faça isso oficialmente, mas temos alguns artistas. Eu estava pensando no doutor.

— No doutor?

— Ele faz desenhos a carvão. É um passatempo, mas são bons.

— E eu descreveria a vítima de um assassinato sem que ele tentasse me diagnosticar?

Brody deu de ombros.

— Se você não confia no doutor, podemos arrumar outra pessoa.

— Eu confio em você. — Reece concordou com a cabeça quando ele franziu o cenho. — Viu só? Falei que seria muita pressão. Eu confio em você

— repetiu ela —, então estou disposta a tentar fazer isso com o dr. Wallace. Se você for também.

Ele já tinha planejado ir. Seria impossível perder qualquer descoberta relativa àquela situação. Mas Brody continuou franzindo o cenho enquanto pegava mais uma colherada da sobremesa.

— Se você quer que eu vá, o que vai me dar em troca pelo meu tempo? Estou pensando em algo que combine com aquela garrafa de vinho branco na sua geladeira.

— Domingo vou estar de folga. Posso pensar no cardápio.

Ele comeu o último pedaço no prato.

— Eu confio em você. Vou falar com o doutor.

Capítulo doze

⌘ ⌘ ⌘

— E AÍ, COMO foi? — Linda-gail colocou a pilha de pratos sujos na bancada para Pete e deu uma cotovelada em Reece.

— Do que está falando?

— Do seu encontro com Brody ontem.

Reece virou os hambúrgueres que fritava para uma mesa de adolescentes voltando da escola.

— Foi só um jantar. Como uma forma de agradecer por um favor.

— Só um jantar. — Linda-gail revirou os olhos para Pete. — E vai me dizer que não deu em cima daquele pedaço de mau caminho?

— Ela está apaixonada por mim. — Pete colocou os pratos na pia. — Sou irresistível.

— É verdade. É muito difícil me controlar. Todo turno é uma tortura.

— Você comprou velas — argumentou Linda-gail. — E guardanapos de pano. E vinho caro.

— Jesus Cristo! — Reece não sabia se ria ou chorava. — Não existem segredos em Angel's Fist?

— Nada que eu não consiga descobrir. Vamos, me conte. Minha vida amorosa anda tão inexistente quanto o cabelo de Pete.

— Ei! Meu cabelo só está hibernando. — Pete passou uma mão pelos poucos fios que lhe restavam. — E já estou sentindo meu couro cabeludo espetando com a próxima safra.

— Acho que você vai precisar de um pouco de fertilizante. Ele beija bem? — quis saber a garçonete.

— Pete? Mais do que bem. Me derreto toda. O pedido está pronto — disse Reece quando terminou de servir os hambúrgueres, as batatas fritas e as pequenas porções de salada de repolho as quais já sabia que seriam ignoradas pela garotada.

— Vou arrancar a verdade de você mais cedo ou mais tarde.

Depois de pegar os pratos, Linda-gail se afastou, rebolando.

— Eu beijo muito bem — anunciou Pete. — Pra sua informação.

— Nunca duvidei disso.

— Caras como eu, sabe, mais *compactos*, são potentes. A gente... Ah, merda.

— Bem, acho que esse não é o melhor momento para falarmos disso.

Sorrindo, Reece olhou para ele.

De repente, ela ficou tonta e enjoada. O sangue escorria da mão que Pete apertava, pingando no chão aos seus pés.

— Isso vai me ensinar a prestar atenção no que estou fazendo. Droga! Cortou fundo. Ei. Ei. Ei!

Reece ouviu seu grito como se ele estivesse no topo de uma montanha e ela, no vale lá embaixo. Em seguida, os gritos se transformaram em murmúrio e, depois, em silêncio.

Os tapinhas em sua bochecha a despertaram. Quando o rosto de Joanie surgiu diante dos seus olhos, Reece sentiu seu estômago embrulhar.

— Sangue.

— Ela está bem? Meu Deus, Joanie, ela desabou no chão. Não consegui segurá-la. Ela está bem?

— Desgrude de mim, Pete. Reece está ótima. — Mas Joanie passava a mão atrás da cabeça dela, procurando galos. — Vá falar com o doutor. Você precisa levar ponto nessa mão.

— Só quero ter certeza de que Reece está bem. Pode ter sofrido uma concussão ou algo assim.

— Quantos dedos tem aqui? — perguntou Joanie a ela.

— Dois.

— Viu? Ela está bem. Agora vá cuidar da sua mão. Você consegue se sentar, menina?

— Consigo. Pete. — Lutando contra o enjoo e a tremedeira, Reece se sentou no chão da cozinha. — É muito grave? Sua mão.

— Ah, o doutor vai dar um jeito.

Ele enrolara um pano na mão, mas Reece notou que o sangue já o manchava.

— Desculpe.

— A culpa foi minha. Fique tranquila.

Ele deu um tapinha no ombro dela com a mão boa antes de se empertigar.

— Você vai ficar com um galo aqui atrás. Vou pegar gelo.

— Está tudo bem. — Reece apertou os dedos de Joanie. — Só preciso me acalmar. Alguém devia ir com Pete. Foi um corte feio.

— Fique sentada aí. — A chefe se levantou. — Você! Tod! Leve Pete ao médico. Vai ter um hambúrguer te esperando quando você voltar e vai ser por conta da casa. — Ela se virou. — Satisfeita?

— O chão está cheio de sangue.

— Estou vendo. Todo mundo sangra quando corta a mão com uma faca. Foi só isso. Sempre acontece algum acidente em cozinhas.

— Deixe que eu limpo, Joanie. — Linda-gail se aproximou. — Juanita está cobrindo minhas mesas.

Sem dizer nada, a dona da lanchonete tirou um pequeno saco de gelo da geladeira e cobriu-o com um pano.

— Coloque isso em cima da pancada — ordenou a Reece. — Quando se sentir melhor, suba. Eu cuido de tudo por aqui.

— Não, estou bem. Consigo trabalhar. Quero trabalhar.

— Tudo bem. Se levante então. Vamos ver se você vai cair. Branca como um fantasma — decretou Joanie quando Reece agarrou a bancada para pegar impulso. — Faça um intervalo, tome um ar. Beba uma água. — Ela lhe passou uma garrafa. — Quando seu rosto estiver com uma cor melhor, você pode voltar ao trabalho.

— Tomar um ar vai ajudar. Obrigada.

Quando Joanie acenou com a cabeça, Linda-gail assentiu e seguiu Reece até os fundos.

— Você quer se sentar? — perguntou a garçonete.

— Não, só vou ficar um pouco apoiada aqui. Não precisa tomar conta de mim. Só estou me sentindo um pouco enjoada e muito idiota.

E assustada, pensou Linda-gail enquanto tirava a garrafa de água das mãos trêmulas de Reece e a abria.

— Eu também fico assim quando vejo aranhas. E não é só com aquelas enormes, sabe, as que parecem que seriam capazes de matar um gato gordo.

Até as pequenininhas me deixam nervosa. Uma vez, tentando sair do quarto depois de ver uma, dei de cara com uma porta e desmaiei. Coloque o gelo no local da pancada, como Joanie disse. Aposto que você está com uma dor de cabeça do tamanho de uma aranha enorme.

— Sim. Mas Pete...

— Pete ficou tão assustado quando você desmaiou que se esqueceu da dor na mão. Então, isso já ajudou em alguma coisa.

— Uma boa ação.

— E Joanie ficou tão preocupada com vocês dois que ainda não está reclamando sobre ter que encontrar alguém para substituir Pete até ele tirar os pontos. Duas boas ações.

— Eu sou um anjo.

— Quer sair pra tomar uma cerveja mais tarde para comemorar toda essa caridade?

Reece tomou outro gole de água gelada.

— Quer saber? Eu quero.

A COMIDA SERVIDA no Clancy's não era das piores — não com uma cerveja do lado. O que mais importava para Reece, porém, era o fato de que dera outro passo em sua jornada de recuperação.

Ela estava sentada em um bar com uma amiga.

Um bar muito estranho, tendo a Costa Leste como parâmetro.

Havia troféus de caça pendurados na parede. Cabeças de urso, alce, cervo e veado-mula decoravam o revestimento de pinho, assim como dois espécimes daquilo que Linda-gail identificara como truta-salmonada. Todos os animais encaravam o bar com um misto de choque e irritação.

O revestimento, com a parte inferior formada por troncos, parecia ter absorvido uma geração inteira de cerveja e fumaça.

O piso era gasto e arranhado, e, provavelmente, já fora atingido por muitos barris de cerveja derramada. Uma parte diante do palco baixo era reservada para a pista de dança.

O bar em si era grande e preto, comandado por Michael Clancy, que viera diretamente da Irlanda para o Wyoming doze anos antes. Ele se casara com uma mulher que alegava ter ascendência indígena e se apelidara de Chuva. A aparência de Clancy condizia com sua personalidade: um irlandês robusto e muito franco que era dono de um bar. Chuva preparava *nachos*, batatas fritas e o que mais quisesse na cozinha.

O estofado das banquetas do bar era gasto e brilhoso, depois de doze anos abrigando a bunda alheia. Havia chopeiras de Budweiser e Guinness e garrafas de algumas cervejarias locais, inclusive uma chamada Traseiro da Ruiva, que Reece preferiu não provar. As outras opções eram garrafas de Harp ou, para as mulheres — ou os frescos, na opinião de Clancy —, Bud Light. As prateleiras abarrotadas de destilados atrás do bar exibiam muitas opções de uísque.

O vinho que Clancy comprava em engradados, segundo alertas de Linda--gail, era barato e tinha gosto de mijo.

Em um canto, viam-se duas mesas de bilhar, e o som das bolas batendo umas nas outras era mais alto que a música que saía das caixas de som.

— Como está sua cabeça? — perguntou Linda-gail.

— Continua grudada no meu pescoço e, provavelmente, doendo menos que a mão de Pete.

— Sete pontos. Ui. Mas ele adorou ser paparicado por você quando voltou. Sendo obrigado a se sentar, ganhando truta empanada.

— Ele é bonzinho.

— Ele é. E, falando em homens, agora que estou te embebedando, desembuche. Brody manda bem?

Reece decidiu que teria de fazer por onde se quisesse ter uma amiga. Ela se inclinou para a frente.

— Ele é incrível.

— Eu *sabia*! — Linda-gail bateu com o punho fechado na mesa. — Dá pra ver. Aqueles olhos, aquela boca. Quer dizer, tem aquele corpo e todo o resto, mas aquela boca... Dá vontade de morder.

— Dá mesmo, preciso admitir. Dá mesmo.

— E que outras partes dele você mordeu?

— Só essa. Estou cogitando morder o resto.

Boquiaberta, com os olhos arregalados, Linda-gail se recostou na cadeira.

— Seu autocontrole deve ser de outro mundo. Você aprendeu a ser assim ou é genético?

— Digamos que é uma consequência do medo extremo. Você já deve ter ficado sabendo da minha história.

Dando um tempo para as duas se prepararem para aquela conversa, Linda-gail tomou um gole da cerveja.

— Isso te incomoda?

— Não sei. Em alguns momentos, sim. Em outros, fico aliviada.

— Eu não sabia se devia tocar no assunto ou não. Ainda mais depois que Joanie... — Ela se interrompeu, parecendo subitamente muito interessada na sua cerveja.

— O que Joanie fez?

— Eu não devia ter dito nada. Mas, como já falei, mais ou menos, ela deu um esporro na gente quando Juanita começou a falar disso. Juanita não faz por mal, só não consegue ficar com a boca fechada. Nem as pernas. — Linda-gail tomou outro gole de cerveja. — Enfim, Joanie falou à beça. E deixou bem claro que a gente não devia pentelhar você com essas coisas. Mas como tocou no assunto...

— Não tem problema. — E não era... Bem, maravilhoso, ter a inigualável Joanie Parks agindo como sua defensora? — Só não gosto de falar muito sobre o assunto.

— É compreensível. — Linda-gail esticou o braço e apertou a mão de Reece. — Mais do que compreensível. Se eu tivesse passado por algo parecido, ainda estaria chorando, encolhida em um canto, chamando minha mãe.

— Não estaria, não, mas obrigada.

— Então, vamos só falar de homens, sexo, comida e sapatos. O de sempre.

— Por mim, está ótimo. — Reece pegou um *nacho*. — Quanto à comida, o negócio que colocaram aqui não é nem um parente distante do queijo.

— É muito laranja. — Linda-gail atacou o prato, pegando uma fatia carregada de algo que imitava guacamole. — Mas é parecido. Só pra gente ficar no mesmo nível de compartilhamento sobre homens, vou me casar com Don.

— Ah! Ai, meu Deus! — Reece deixou seu *nacho* cheio do suposto queijo se estatelar no prato. — Que legal! Eu nem imaginava.

— Nem ele. — A garçonete engoliu o *nacho.* — Imagino que vou ter de me esforçar por um tempo para transformá-lo em alguém digno de ser meu marido. Mas adoro ter projetos.

— Ah. Hum, então você é apaixonada por ele.

O rosto bonito da amiga amoleceu, e a covinha ficou mais funda.

— Sou apaixonada por Don desde sempre. Bem, desde quando eu tinha dez anos, o que já é bastante tempo. E ele também me ama, mas seu jeito de lidar com isso é sair correndo na direção oposta e comer todas as mulheres que aparecem pela frente para não ter que pensar em mim. Estou esperando ele se cansar dessa vida. Mas seu tempo já está quase acabando.

— Bem, pois é. Esse plano é bastante especial e tolerante, Linda-gail.

— E está ficando menos tolerante ultimamente.

— Eu e ele nunca... Caso esteja se perguntando.

— Eu sei. Mas, se tivessem, eu não ia te julgar. Pelo menos não muito. Ele estava trepando loucamente com Juanita um tempo atrás, e me dou bem com ela. Por outro lado, com quem ele não trepou? — Ela gargalhou. — Mas, provavelmente, eu não viria beber com você se fosse o caso. Eu e Don namoramos quando tínhamos dezesseis anos, mas não estávamos prontos. Nessa idade, quem está?

— Agora você está.

— Sim, estou. Ele só precisa entrar na linha. Brody não se engraçou com ninguém na cidade, caso esteja se perguntando. Dizem que ele teve um casinho com uma advogada em Jackson por um tempo, e há suspeitas de que tenha passado umas noites com turistas aleatórias, mas ninguém daqui.

— Bom saber, eu acho. Não sei o que está acontecendo entre a gente, pra ser sincera. Mas temos química.

— Ter química já é um bom começo. É bom saber que as coisas se encaixam.

— Já faz um tempo... — Distraída, Reece brincou com as pontas do cabelo enquanto analisava o de Linda-gail. — Onde você corta o cabelo?

— Quando estou com pressa ou quando quero ostentar?

— Estou pensando em ostentar.

— Reece, Reece, ostentar é algo que a gente faz sem pensar muito. Você só se joga. Conheço o lugar perfeito para isso. Podemos convencer Joanie a nos dar o mesmo dia de folga na semana que vem e ir lá.

— Tudo bem, mas acho melhor avisar que, na última vez que fui a um salão, eu saí correndo de lá.

— Não tem problema. — A garçonete lambeu a gororoba laranja que caiu no seu dedo e sorriu. — Vou levar uma corda pra te amarrar lá.

Enquanto Reece abria um sorriso, um dos caubóis locais foi gingando até o palquinho. Seu corpo magro de um metro e oitenta estava com uma bota de couro e uma calça jeans desbotada. O círculo branco que marcava seu bolso detrás fora causado, como Reece ficara sabendo, pelo hábito de carregar uma lata de rapé.

— Música ao vivo? — perguntou ela enquanto o homem pegava o microfone.

— Depende do seu conceito de música. Karaokê. — Linda-gail ergueu seu copo na direção do palco. — Tem toda noite aqui. Aquele é Reuben Gates, trabalha no Circle K com Don.

— Café forte, ovos com torrada, bacon e fritas. Sempre toma café da manhã lá aos domingos.

— Isso mesmo. Ele canta bem.

Reuben tinha uma voz de barítono profunda e potente e era nitidamente um favorito da clientela habitual, recebendo uma salva de palmas e assobios enquanto apresentava sua versão de "Ruby".

Enquanto o ouvia cantar sobre uma mulher infiel, ela tentou imaginá-lo parado às margens do rio Snake vestido com uma jaqueta preta e um gorro laranja.

Poderia ser ele. Suas mãos pareciam fortes, e havia certa imobilidade na forma como se portava no palco, em como cantava.

Poderia ser ele, um homem para quem ela fritava ovos e batatas nas manhãs de domingo. Ou poderia ser um dos caras debruçados sobre o bar ou sentados às mesas. Qualquer um poderia ser o assassino. Qualquer um, pensou Reece de novo enquanto o pânico começava a sufocá-la.

A música continuou, acompanhada da voz grave. As conversas seguiam baixas, em respeito à apresentação. Copos tilintavam sobre a madeira, cadeiras se arrastavam pelo chão.

E o pânico a sufocava cada vez mais, bloqueando o ar em sua garganta. Reece viu o rosto de Linda-gail, viu a boca da amiga se mover, mas a ansiedade a deixara surda. Ela se forçou a exalar o ar, inalar.

— O quê? Foi mal, não escutei...

— Está tudo bem? Você ficou tão branca! Sua cabeça está doendo?

— Não. Não, estou bem. — Reece se obrigou a olhar de novo para o palco. — Ainda não me sinto totalmente à vontade em lugares cheios e fechados.

— Quer ir lá pra fora? A gente não precisa ficar aqui.

Toda vez que ela fugia era um passo para trás. Mais um retrocesso.

— Não, não, estou bem. Hum... Você canta?

Linda-gail olhou de soslaio para o palco enquanto Reuben terminava a canção ao som de aplausos empolgados.

— Canto, sim. Você quer cantar?

— Nem que me pagassem. Bem, ninguém pagaria mesmo.

Outro homem subiu ao palco, e, como este parecia carregar cento e vinte quilos em um metro e setenta, Reece concluiu que poderia eliminá-lo de sua lista de suspeitos.

Ele a surpreendeu com uma voz de tenor doce, apesar de um pouco afetada, cantando uma balada.

— Esse eu não conheço — comentou ela.

— T. B. Unger. Ele dá aula para o ensino médio. É um fofo. E aquela sentada ali é a esposa dele, Arlene, a morena de camisa branca. Os dois quase nunca vão à lanchonete, preferem ficar em casa com os dois filhos. Mas vêm ao Clancy's uma vez por semana para ele cantar. Arlene também trabalha na escola, na cantina. Eles são lindos juntos.

Eram mesmo, pensou Reece enquanto observava o homem fofo cantar sobre o amor olhando nos olhos da esposa.

Havia doçura no mundo, lembrou ela a si mesma. E amor, e bondade. Era bom fazer parte daquilo de novo, sentir aquilo de novo.

E rir quando a próxima cantora, uma loira desafinada e que não se levava nem um pouco a sério, destruía um clássico de Dolly Parton.

Reece conseguiu ficar no bar por uma hora inteira e considerou que a noite fora um sucesso absoluto.

Enquanto caminhava de volta para o apartamento pelas ruas vazias, se sentia quase segura, se sentia quase em paz. Era o mais próximo das duas coisas que sentira em muito tempo.

E, quando entrou no apartamento, quase se sentiu em casa.

Depois de trancar a porta, conferir a maçaneta e colocar a cadeira embaixo dela, Reece seguiu para o banheiro.

Mas, ao entrar no cômodo apertado, ficou paralisada. Nenhuma das suas coisas estava na prateleira estreita sobre a pia. Ela fechou os olhos com força, mas, ao reabri-los, a prateleira continuava vazia. Então, abriu o armário em que guardava os remédios, a pasta de dente. E também o encontrou vazio.

Com um gemido aflito, Reece virou-se para analisar a sala. A cama estava arrumada, como a deixara naquela manhã. A chaleira brilhava sobre o fogão. Mas o moletom que ela *sabia* que deixou pendurado no cabideiro tinha sumido.

E, ao pé da cama, em vez de embaixo dela, estava sua mala.

As pernas de Reece tremiam enquanto ela ia até ela, e o gemido se transformou em um grito abafado quando ela abriu o zíper e encontrou suas roupas dobradas lá dentro.

Tudo que trouxera consigo, notou enquanto revirava a mala. Todas as suas coisas, dobradas e guardadas. Prontas para ir embora.

Quem faria algo assim?

Cedendo às pernas bambas, Reece se sentou na lateral da cama. E encarou a verdade: ninguém poderia ter feito aquilo. Ninguém poderia. Não com a fechadura nova.

Ela mesma tinha feito isso. Devia ter feito. Era algum instinto, algum resquício dos piores momentos de seu colapso nervoso dando as caras, dizendo que devia fugir, seguir em frente.

Mas por que não conseguia se lembrar?

Não era a primeira vez, lembrou a si mesma e segurou a cabeça. Não era a primeira vez que tinha lapsos de memória ou que não se lembrava de fazer alguma coisa.

Mas fazia meses que isso não acontecia.

Quase seu lar, pensou Reece, lutando contra o desespero. Ela realmente permitiu-se acreditar que esse era quase seu lar. Quando alguma parte sinistra de si mesma sabia que não chegava nem perto disso.

Talvez fosse melhor aceitar aquela deixa. Pegar a mala e descer, jogá-la no carro e ir embora. Para qualquer lugar.

E, se fizesse isso, *qualquer lugar* seria apenas outro local onde ela deixaria de existir. Aquele espaço era seu, caso se mantivesse forte. Ela tivera um encontro, tomara uma cerveja com uma amiga. Tinha um emprego e um apartamento. Possuía uma identidade ali, se quisesse.

Reece guardou tudo — as roupas, a escova de dente, os frascos, os sapatos. Apesar de estar se sentindo enjoada, abriu o laptop. E, enroscada em uma coberta para se proteger de um frio que parecia vir de dentro, se sentou para escrever.

Eu não fugi. Cozinhei hoje e fiz valer meu salário. Pete cortou a mão enquanto lavava a louça, e o sangue me assustou. Desmaiei, mas não fugi. Depois do trabalho, fui tomar uma cerveja no Clancy's com Linda-gail. Conversamos sobre homens, sobre cabelos, sobre coisas normais que toda mulher conversa. O bar tem karaokê, e as paredes estão cheias de cabeças de animais. Alces e cervos, até ursos. As pessoas cantam, geralmente country, e algumas são mais talentosas que outras. Quase tive um ataque de pânico, mas não fugi e me senti melhor. Tenho uma amiga em Angel's Fist. Mais de uma, na verdade, mas é bom poder conversar com alguém da minha idade.

Em algum momento no dia de hoje, guardei todas as minhas coisas na mala, mas não me lembro de ter feito isso. Talvez tenha acontecido no meu intervalo, depois que Pete se machucou. Talvez. O sangue, ver o sangue me fez voltar ao Maneo's. Por um segundo, era como se ele fosse de Ginny, e não de Pete.

Mas tirei tudo da mala e guardei no lugar. Amanhã vou me encontrar com o dr. Wallace para tentar descrever o homem e a mulher que vi no rio. Porque eu os vi. Eu vi o que aquele homem fez.

Eu não fugi hoje. E não vou fugir amanhã.

Capítulo treze

⌘ ⌘ ⌘

O DR. WALLACE serviu chá e café em belos bules antigos de cerâmica e biscoitos amanteigados em um prato de vidro verde-claro da época da Grande Depressão. Tudo estava posicionado em meio às fotos de família e às almofadas bonitas de sua sala de estar com a elegância de uma tia idosa recebendo a reunião semanal de seu clube do livro.

Se ele se dera ao trabalho de dar aqueles toques para tranquilizar Reece, tinha sido bem-sucedido. Enquanto se sentavam diante do leve brilho do fogo na lareira, com o aroma do *pot-pourri* de gardênia perfumando o ar, ela se viu encantada em vez de ansiosa.

Sua primeira impressão foi de conforto e tranquilidade. A segunda, de que aquele homem fora bem treinado.

Não havia paredes com cabeças de animais na casa nem lustres feitos com rodas de carroça ou mantas grossas no estilo indígena. Apesar de ela saber que ele gostava de pescar, a parede sobre a cornija da lareira não exibia nenhuma truta empalhada, e sim um belo espelho oval com moldura de cerejeira.

Sua avó teria adorado.

Na verdade, a sala parecia ter saído de uma casa de Beacon Hill, em Boston, um comentário que ela chegou a fazer.

— Era o cômodo favorito da minha Susan. — O doutor lhe passou uma xícara de chá que ele mesmo servira. — Ela adorava ler aqui. Era doida por livros. Eu não mexi em nada. — O médico abriu um sorrisinho, passando uma xícara para Brody. — Acho que ela viria me assombrar se eu tivesse me livrado de tudo. E a verdade é que... — Ele fez uma pausa. Por trás das lentes dos óculos, seus olhos eram bondosos e perspicazes. — Gosto de me sentar aqui depois de um dia longo e conversar com ela. Sei que algumas pessoas pensariam que isso é loucura, um homem conversando com a esposa morta. Mas acho que é da natureza humana. Muitas coisas que achamos ser loucura são apenas da natureza humana.

— Ser um pouco louco é da natureza humana — comentou Brody enquanto pegava um biscoito.

— Então eu sou humana. E só quero dizer... — começou Reece. — Que estou muito grata pelo senhor ter feito tudo isso. Muito mesmo, e estou realmente relaxada. Mas sei que sou um aglomerado de neuroses com pedaços de fobia e toques de paranoia.

— Autoconhecimento é uma dádiva. — Brody deu uma mordida no biscoito. — A maioria das pessoas não sabe que é doida, o que é irritante para o restante de nós.

Ela o encarou brevemente; em seguida, se concentrou no dr. Wallace.

— E também sei que aquilo que eu vi no rio aconteceu de verdade. Não foi um sonho, não foi uma alucinação. Não foi o produto de uma mente problemática e excessivamente criativa. Não importa o que o xerife ache, o que *qualquer um* ache, eu sei o que eu vi.

— Não fique irritada com Rick — disse o doutor, calmo. — Ele só está fazendo seu trabalho da melhor maneira possível. E é um bom xerife para a cidade.

— É o que todo mundo fala — murmurou Reece.

— Mesmo assim, talvez a gente possa ajudá-lo.

— O senhor acredita em mim?

— Isso não faz diferença. Mas não tenho motivo para não acreditar na sua palavra. E acho que você tem se esforçado para não chamar atenção.

O médico encheu metade de seu café com o creme que servira em um potinho de vidro. Depois de esticar as pernas, ele cruzou os pés calçados em modernos tênis de corrida na altura dos tornozelos.

— Tenho de admitir que meus esforços nesse sentido foram um tremendo fracasso.

— Bem, a denúncia de um assassinato costuma botar o foco no mensageiro. Não faria sentido você inventar uma história dessas para chamar atenção. — Ele pôs os óculos, analisando-a por trás de suas lentes limpas. — Além disso, Brody parece acreditar em você, e sei que ele é difícil de convencer, então... — O doutor deixou o café de lado, pegou seu caderno de desenho e um lápis. — Confesso que estou empolgado. Parece que estou participando de um episódio de *Lei & Ordem*.

— De qual versão?

O médico sorriu.

— A original é minha favorita. Bem, Brody te contou que gosto de desenhar. Tenho até algumas obras a carvão expostas n'A Galeria.

— Estou querendo ir lá.

— Devia ir mesmo. Eles exibem bons trabalhos de artistas locais. Mesmo assim, nunca fiz nada parecido antes, então pesquisei um pouco sobre a técnica. Vou pedir a você que pense em formatos primeiro, se puder. Vamos começar com o formato do rosto da mulher. Quadrado, redondo, triangular. Consegue fazer isso?

— Sim, acho que consigo.

— Feche os olhos por um instante, deixe a imagem surgir na sua mente.

Reece obedeceu e viu a mulher.

— Oval, eu acho. Mas um oval comprido, estreito. Elíptico?

— Ótimo. Magra, então?

— Sim. O cabelo era comprido, e o gorro, o gorro vermelho, cobria a testa dela. Mas tive a impressão de ser um rosto comprido, fino. Não consegui ver seus olhos no início — continuou Reece. — Ela usava óculos escuros. Daqueles para neve, eu acho.

— E o nariz?

— O nariz? — Ela não sabia o que dizer. — Puxa, acho que não vou ser muito boa nisso.

— Faça o seu melhor.

— Acho... Acho que comprido e fino, como o rosto. Não muito grande. Eu reparei na boca dela, porque estava se mexendo. Ela passou boa parte do tempo falando, gritando, eu acho. Seus lábios estavam sérios. Ela parecia uma mulher enfezada. Não sei explicar.

— Lábios finos?

— Não sei, talvez. Eram... ágeis. Bem, ela parecia ter muito a dizer. E quando não estava falando, pelo menos, quando não parecia estar, estava emburrada, sorria com desdém. Seus lábios não paravam de se mexer. Ela usava brincos, argolas, se não me engano. Vi o reflexo delas. O cabelo passava do ombro, era ondulado, muito escuro. Os óculos escuros caíram quando ele a jogou no chão, mas tudo aconteceu tão rápido... Ela estava com tanta raiva. Tive a impressão de que ela tinha olhos grandes, mas ela estava com tanta raiva e, depois, foi pega de surpresa, e aí...

— Que tal pensarmos em traços marcantes? — continuou o doutor no mesmo tom tranquilo. — Cicatrizes, pintas, sardas?

— Não lembro. Maquiagem — disse Reece de repente. — Acho que ela usava muita maquiagem. Batom vermelho. Sim! Muito vermelho e... Pode ter sido o nervosismo, mas acho que muito blush. Ela era vívida de um jeito exagerado, agora que parei para pensar. Talvez fosse o nervosismo, talvez, ou blush demais. Eu estava tão distante, mesmo com os binóculos.

— Tudo bem. E se você tivesse que adivinhar a idade dela?

— Puxa. Ah, uns quarenta, talvez. Quem sabe dez anos a mais ou a menos — acrescentou Reece, e pressionou os olhos com os dedos. — Droga.

— Vamos seguir sua primeira impressão. Ficou parecido?

Reece se inclinou para a frente quando o médico virou o caderno para ela.

Ele era mais talentoso do que ela imaginara. A mulher no bloco não era a que estivera no rio, mas havia potencial.

— Hum... — murmurou Reece enquanto um dos nós em sua garganta parecia se dissolver. — Acho que o queixo era mais pontudo. Só um pouco. E, hum... Os olhos eram menos redondos, talvez mais amendoados. Talvez. — Ela pegou seu chá de novo, usando-o para acalmá-la enquanto o doutor fazia os ajustes. — Não sei a cor dos olhos, mas talvez fossem escuros. Acho que a boca não era tão grande. E as sobrancelhas... Meu Deus, espero não estar inventando isso tudo. As sobrancelhas eram mais finas, muito arqueadas, como se ela as tivesse atacado com a pinça. Quando o homem a puxou pelo cabelo, o gorro caiu. Eu já falei isso? O gorro caiu. A testa dela era grande.

— Respire — sugeriu Brody.

— O quê?

— Respire.

— Ok. — Quando parou para respirar fundo, ela percebeu que seu coração estava disparado, que as mãos tremiam tanto que começavam a balançar o chá dentro da xícara. -- As unhas estavam pintadas. Acho que de vermelho. Também não sei se já disse isso. Lembro como se fincaram na terra enquanto o homem a estrangulava.

— Ela o arranhou? — perguntou Brody.

— Não. Não podia. Acho que... O homem subiu nela, prendeu seus braços com os joelhos. Não teria como arranhá-lo. Ela não teve chance. Depois que caiu no chão, não teve chance.

— Que tal agora?

Reece analisou o desenho. Havia alguma coisa faltando. Algo que talvez ela não conseguisse transmitir ou que o artista não fosse capaz de reproduzir. A fúria, a emoção, o medo. Mas estava mais parecido.

— Sim. Sim, está bom. Consigo vê-la. Isso já adianta de alguma coisa, não é?

— Acho que sim. Vamos ver se conseguimos lapidar. Coma um biscoito, Reece, antes que Brody acabe com todos. Foi Dick quem fez. Ele faz biscoitos amanteigados deliciosos.

Ela mordiscou um biscoito enquanto o doutor fazia mais perguntas. Tomou outra xícara de chá enquanto o observava mudar ou aprimorar o formato da boca e dos olhos da mulher. Afinar um pouco mais as sobrancelhas.

— Agora, sim. — Reece abaixou a xícara, tremendo sutilmente. — É ela. Ficou ótimo, muito parecido. É assim que eu me lembro dela, de como ela devia ser. Eu...

— Pare de duvidar de si mesma — ordenou Brody. — Se essa foi sua impressão dela, é suficiente.

— Não é ninguém de Angel's Fist. — O doutor olhou para Brody. — Ela não se parece com ninguém que eu conheço, não que eu me lembre.

— Não. Mas, se ela passou por aqui, alguém a viu. Abastecendo o carro, comprando comida. Podemos mostrar o desenho por aí.

— Rick pode enviar cópias por fax para as delegacias de outras cidades. — O doutor franziu os lábios enquanto analisava o próprio desenho. — Até para a guarda florestal. Ela não me parece familiar. Em todos esses anos, acho que todo mundo de Angel's Fist e dos arredores já se consultou comigo. Incluindo turistas e pessoas que estavam de passagem. Puxa, provavelmente fui o cara que deu o primeiro tapa na bunda de qualquer um que tenha nascido por aqui nos últimos vinte anos. Ela não é uma de nós.

— E, se eles não pararam na cidade — disse Reece baixinho —, talvez a gente nunca a identifique.

— É disso que eu gosto em você, magrinha. Sempre pensando positivo. — Brody pegou outro biscoito. — Quer tentar descrever o homem para o doutor?

— Eu não *vi* o homem. Não muito bem. Só de perfil, muito rápido. As costas, as mãos... Ele usava luvas. Parecia ter mãos grandes, mas talvez eu só tenha idealizado isso. Gorro, óculos escuros, casaco.

— Algum cabelo que o gorro não cobria? — perguntou o médico.

— Não. Acho que não. Não vi. Eu diria que a mulher era... a atração principal. A estrela. E, quando ele a jogou no chão, fiquei tão chocada. E, mesmo assim, ainda prestei mais atenção nela. Eu não conseguia parar de assistir ao que estava acontecendo com ela.

— E a mandíbula dele?

— Só consigo pensar que ele era sério. O cara parecia sério. Mas eu também falei isso sobre ela, não foi? — Reece esfregou os olhos, tentando pensar. — Ele passou a maior parte do tempo parado, e tive a impressão de que mantinha o controle. A mulher estava furiosa e não parava de falar, e ele continuou parado, praticamente imóvel. Econômico nos gestos? Ela estava agitada, gesticulando, andando, apontando. Quando ele a empurrou, foi quase como se tentasse espantar uma mosca. Devo estar inventando coisas.

— Talvez sim, talvez não. — O médico desenhou, tranquilo. — E o porte?

— Tudo nele parecia tão grande, mas não dá para ter certeza. Era maior que a mulher, sem dúvida. No fim, quando o vi subir nela, acho que ele devia saber exatamente o que estava fazendo, prendendo os braços dela daquele jeito. Ele poderia tê-la segurado assim até ela cansar, para conseguirem conversar com calma e irem embora. Talvez tenha sido por causa da distância, mas tudo pareceu tão proposital, tão frio.

O doutor virou o caderno de novo e o ergueu. E Reece estremeceu.

Aquela era uma imagem de corpo todo, com o homem virado de costas, mostrando apenas o perfil na diagonal. Como vários homens poderiam ser retratados daquela maneira, Reece sentiu um frio na barriga.

— Anônimo — comentou ela.

— Mesmo assim, podemos eliminar algumas pessoas da cidade — disse o doutor. — Pete, para começo de conversa. Um cara franzino, magro. Ou Pequeno Joe Pierce, que está cinquenta quilos acima do peso e tem hipertensão.

— Ou Carl. Ele parece um barril. Corpo errado. — Outro nó se desfez. — O senhor tem razão. E não acho que ele fosse jovem. Quer dizer, não devia ser um adolescente ou ter vinte e poucos anos. Seu porte e sua, hum... Linguagem corporal indicavam mais maturidade. Obrigada. Consigo pensar melhor agora.

— Não fui eu. — Brody ergueu um ombro. — A menos que eu tenha incorporado o Super-Homem, voado até o outro lado do rio Snake e voltado.

— Não. — Reece abriu o primeiro sorriso desde que chegaram ali. — Não foi você.

— Vou tirar umas cópias e colocar uma no meu consultório. Quase todo mundo passa por lá. — O doutor pegou o desenho da mulher de novo. — Vou deixar as outras na delegacia.

— Obrigada. De verdade.

— Como eu disse, parece que estou brincando de detetive. É bom fazer algo diferente. Brody, pode levar a bandeja para a cozinha, por favor?

O olhar que Brody e o doutor trocaram disse a Reece que agora ele era o médico, e ela, a paciente. Ela se esforçou para não ficar chateada, ainda mais depois do favor que ele fez. Mas suas costas ficaram tensas quando Brody saiu da sala.

— Eu não vim aqui me consultar — começou ela.

— Talvez devesse. Mas o fato é que sou um velho médico do interior, e você está na minha sala. Seus olhos parecem cansados. Tem dormido bem?

— Mais ou menos. Algumas noites são melhores que outras.

— E o apetite?

— Depende. Tenho mais fome do que antes. Sei que minha saúde física está conectada à minha saúde mental. Não estou ignorando nenhuma das duas.

— Dores de cabeça?

— Sim — respondeu Reece com um suspiro. — São menos frequentes que antes, mais fracas. E, sim, ainda tenho ataques de pânico, mas também são menos frequentes e menos intensos. Eu costumava ter terror noturno, mas agora só tenho pesadelos. Ainda tenho *flashbacks* e dores fantasmas às vezes. Mas estou melhor. Fui tomar uma cerveja com Linda-gail no Clancy's. Fazia dois anos que eu não conseguia sentar em um bar e tomar uma cerveja com uma amiga. Estou pensando em dormir com Brody. Faz dois anos que não me envolvo com um homem. Sempre que penso em ir embora da cidade, não vou. Até desfiz a mala ontem, guardei tudo no lugar.

Atrás das lentes, os olhos do dr. Wallace eram penetrantes.

— Você fez sua mala?

— Eu... — Reece hesitou por um instante. — Sim. Não me lembro de ter feito, e sei que é um grande ponto negativo no placar da minha sanidade mental, mas empatei o jogo quando *desfiz* a mala. E ganhei outro ponto vindo até aqui. Estou lidando bem com as coisas. Estou sendo funcional.

— E agindo na defensiva — observou o doutor. — Você não se lembra de fazer a mala?

— Não, não me lembro, e, sim, isso me assustou. Também já guardei minhas coisas no lugar errado uma vez e não me lembrava. Mas lidei com o problema. Um ano atrás, eu teria agido diferente.

— Quais remédios você está tomando?

— Nenhum.

— E algum médico recomendou isso?

— Na verdade, não. Parei de tomar um, depois outro e, seis meses atrás, larguei todos. Eles me ajudaram quando eu mais precisei. Sei que os remédios me ajudaram a encontrar um equilíbrio. Mas não consigo seguir com a minha vida com eles suprimindo e aliviando tudo. Os remédios me ajudaram a superar o pior, e agora quero fazer o restante por conta própria. Quero ser eu mesma.

— Vai me procurar se achar que precisa de ajuda médica?

— Vou.

— E vai deixar que eu a examine?

— Não preciso...

— Um *check-up*, Reece. Quando foi a última vez que você fez um exame de rotina?

Então, ela suspirou.

— Faz mais ou menos um ano.

— Você pode vir ao meu consultório amanhã de manhã?

— De manhã eu trabalho.

— Então à tarde, três horas. Estaria me fazendo um favor.

— Que exagero, doutor... — respondeu ela. — Mas tudo bem. Gostei da sua casa. Gostei de ver que o senhor deixou a sala do jeito que sua esposa gostava. Gosto de pensar que, um dia, vou ter uma sala e alguém que me ame o suficiente para cuidar dela por mim. Estou tentando chegar lá. — Reece se levantou. — Preciso trabalhar.

Ele se levantou também.

— Amanhã, às três — repetiu o médico, estendendo a mão como se quisesse selar um acordo.

— Combinado.

Ele a acompanhou até a porta enquanto Brody saía da cozinha. Quando os dois estavam lá fora, Brody seguiu para o carro.

— Acho que vou andando — disse Reece. — Quero tomar um ar e ainda tenho um tempo antes de o meu expediente começar.

— Tudo bem. Vou andando também, e você pode fazer meu almoço.

— Você acabou de comer dois biscoitos.

— E daí?

Ela apenas balançou a cabeça.

— Vai ter de voltar andando para buscar o carro.

— Aproveito para fazer a digestão. Você sabe fazer frango grelhado?

— Saber eu sei. Mas não está no cardápio.

— Então cobre mais caro. Estou com vontade de comer um sanduíche de frango grelhado no pão francês, com anéis de cebola empanados. Você está se sentindo melhor?

— Acho que sim. O dr. Wallace sabe tranquilizar as pessoas. — Ela enfiou as mãos no bolso do moletom que usava para se proteger do frio teimoso da primavera. — Ele me pressionou, de um jeito muito prestativo, a marcar uma consulta para amanhã. Mas você já devia imaginar que isso ia acontecer.

— Ele tocou no assunto. O doutor é do tipo que se mete em tudo. De um jeito prestativo. Veio me perguntar se eu estava dormindo com você.

— Por que ele perguntaria uma coisa dessas?

— É o jeito dele. Se você mora em Angel's Fist, ele automaticamente vai se sentir responsável por você. Então, pode ter certeza de que, se aquela mulher tivesse passado um tempo na cidade, ele saberia. O cachorro do xerife está no lago de novo. Parece que prefere nadar a andar.

Os dois pararam para observar o cão nadando, todo feliz, fazendo ondinhas que faziam tremular o reflexo das montanhas.

— Se eu ficar aqui, vou arrumar um cachorro e ensiná-lo a buscar a bola no lago igual... Como é mesmo o nome dela? Igual Abby faz com Moisés. Vou comprar uma cabana para ele ficar no quintal enquanto eu trabalho. Minha avó tem um poodle toy chamado Marceau. Ele sempre viaja com ela.

— Uma bolinha chamada Marceau não é um cachorro.

— É, sim, e ele é a coisa mais fofa.

— Isso é um brinquedo com um nome ridículo.

Reece deu uma risada.

— Marceau é muito inteligente e leal.

— Ele usa roupinhas bonitas?

— Não. Ele usa roupinhas elegantes. E, apesar de eu amar Marceau, estou pensando em ter um cachorro grande e babão como Moisés, do tipo que prefere nadar a andar.

— Se você ficar aqui.

— Isso. Se eu ficar aqui. — E, inspirada em Moisés, Reece decidiu se jogar. — Quero ir à sua casa amanhã fazer o jantar e dormir lá.

Brody caminhou mais um pouco, passando por uma casa em que uma mulher plantara amores-perfeitos em um pequeno canteiro redondo no meio do gramado, protegido por gnomos de chapéus pontudos.

Ele se perguntou por que as pessoas enchiam seus quintais de pessoas e animais de gesso.

— Dormir lá é um eufemismo para sexo?

— Espero que sim. Não vou prometer nada, mas espero que sim.

— Tudo bem. — Ele esticou o braço para abrir a porta da lanchonete. — Vou lavar os lençóis.

REECE FOI à consulta médica e considerou isso outro grande passo. Ela odiava, *odiava*, a sensação de estar exposta enquanto usava nada além da clássica camisolinha de algodão.

E, se não conseguia se sentir à vontade nua na frente de um médico, como conseguiria fazer isso com Brody mais tarde?

No escuro, pensou ela enquanto se sentava na mesa de exames e a enfermeira aferia sua pressão. Com todas as luzes apagadas e os olhos fechados. Os dela e, por sorte, os dele também.

Beber também ajudaria. Muito vinho e muita escuridão.

— Está um pouquinho alta, querida.

Willow, a enfermeira, era uma Shoshone. Sua origem se manifestava em seu volumoso cabelo preto, que usava em uma trança grossa, e nos profundos e serenos olhos castanhos.

— Estou nervosa. Sempre fico nervosa quando vou ao médico.

Willow deu um tapinha na mão de Reece.

— Não tenha medo. O doutor é um amor. Preciso colher um pouco de sangue. Feche a mão e pense em um momento feliz.

Ela mal sentiu a agulha e deu nota dez ao trabalho de Willow. Já perdera a conta de quantas vezes fora furada depois do incidente. Algumas enfermeiras tinham mãos de anjo; outras, de lenhador.

— Espere só um minutinho, que o doutor já vem.

Reece assentiu e ficou surpresa com a precisão de Willow.

O dr. Wallace parecia diferente com o jaleco branco por cima da camisa xadrez, o estetoscópio pendurado no pescoço e aqueles tênis de corrida absurdamente brancos nos pés. Ainda assim, lhe deu uma piscadela antes de pegar sua ficha.

— Já vou começar dizendo que você precisa ganhar cinco quilos.

— Eu sei, mas umas semanas atrás eram sete.

— Alguma cirurgia além das necessárias por causa dos tiros?

Reece umedeceu os lábios.

— Não. Sempre fui saudável.

— Nenhuma alergia. A pressão poderia estar mais baixa, sua rotina de sono poderia ser mais tranquila. Seu ciclo menstrual está normal.

— Sim. Deixou de ser depois. A pílula ajudou a regulá-lo de novo. Se não fosse por isso, ela seria inútil.

Isso poderia mudar hoje à noite, pensou ela, e se perguntou se sua pressão tinha aumentado de novo.

— Sem histórico familiar de doenças cardíacas, câncer de mama e diabetes. Você não fuma e seu consumo de álcool é entre leve e moderado. — O doutor continuou a ler e, ao terminar, deixou a ficha de lado, concordando com a cabeça. — Uma boa base.

Ele verificou os pulmões, os reflexos, e pediu a Reece que se levantasse para testar a coordenação e o equilíbrio. Examinou-lhe os olhos e os ouvidos com uma lanterninha, verificou-lhe as glândulas linfáticas, as amígdalas.

O tempo todo, não parava de falar sobre fofocas da cidade com um tom descontraído.

— Ficou sabendo que o filho mais velho de Bebe e dois de seus amigos foram pegos roubando chocolate na mercearia?

— Ele está em prisão domiciliar — respondeu Reece. — Sessenta dias, sem condicional. Escola, casa, lanchonete e duas horas toda tarde fazendo qualquer tarefa que o sr. Drubber arrumar para ele.

— Sorte de Bebe. Ouvi dizer que Maisy Nabb jogou todas as roupas de Bill pela janela de novo. E seu troféu de melhor jogador de quando fazia parte do time de futebol americano da escola.

Aquilo não era tão ruim, percebeu ela, não era tão ruim quando podia se distrair com a conversa. Uma conversa real, sobre pessoas que conhecia.

— Dizem que ele perdeu no pôquer o dinheiro que devia estar economizando para comprar o anel de noivado dela — contou Reece. — Bill diz que só estava jogando para tentar ganhar o suficiente para comprar o anel que ela merecia, mas acho que a história não colou.

— Ela joga as coisas dele pela janela umas três, quatro vezes por ano. Faz cinco anos que Bill diz que vai comprar uma aliança, então suas roupas já devem ter parado na calçada umas quinze, vinte vezes. O neto de Carl, que mora em Laramie, ganhou uma bolsa de estudos para a Universidade do Wyoming.

— Jura? Dessa eu não sabia.

— Eu sou rápido. — Os olhos do doutor brilhavam com a fofoca. — Carl ficou sabendo hoje à tarde. Está todo orgulhoso Vou pedir a Willow que entre para me ajudar com o preventivo e o exame das mamas.

Conformada, Reece colocou os pés nos apoios. Ela encarou o teto e o móbile de borboletas que girava em cima enquanto o médico aproximava um banco entre suas pernas e Willow o auxiliava.

— Parece estar tudo bem — comentou ele.

— Que bom, porque faz um tempo que não exercito essa região.

Quando ouviu o riso abafado de Willow, Reece fechou os olhos. Precisava se lembrar do velho ditado que dizia, mais ou menos, para tomar cuidado com o que você pensava. Pensamentos acabavam se tornando palavras.

O doutor terminou, examinou-lhe o tornozelo, se levantou e se aproximou da lateral da mesa para o exame de mama.

— Você faz o autoexame todo mês?

— Sim. Não. Só quando me lembro.

— No banho, no primeiro dia da menstruação. Se fizer disso um hábito, não vai esquecer. — O dedão dele roçou sua cicatriz. — Você sentiu muita dor.

— Senti. — Reece continuou observando as borboletas, o móbile colorido, vibrante. — Muita dor.

— E mencionou dores fantasmas.

— Eu as sinto às vezes, durante ou depois de um pesadelo. Durante um ataque de pânico. Sei que não é real.

— Mas parece real.

— Muito.

— Com que frequência isso acontece?

— Não sei dizer exatamente. Duas vezes por semana, eu acho. O que já é bem melhor que duas vezes por dia.

— Pode se sentar. — Ele voltou para o banco enquanto Willow saía do consultório. — Não tem interesse em continuar a terapia?

— Não.

— Nem com os remédios?

— Não. Já fiz as duas coisas, e, como disse antes, elas me ajudaram. Mas preciso terminar isso do meu jeito.

— Tudo bem. Minha avaliação é que você está um pouco fatigada, mas acho que isso não é nenhuma surpresa. Também suspeito que seu exame de sangue indique que está no limiar da anemia. Quero que coma mais carne, mais alimentos ricos em ferro. Se não souber quais são, posso pedir a Willow que te dê uma lista.

— Sou chef de cozinha. Entendo de comida.

— Então aproveite para comê-la também. — Ele fez um gesto enfático com o indicador. — Também posso recomendar algumas ervas medicinais para melhorar a qualidade do seu sono. Para você fazer um chá antes de dormir.

Ela ergueu as sobrancelhas.

— Medicina holística?

— Ervas são usadas para auxiliar tratamentos há séculos. Eu costumava jogar xadrez com o avô de Willow. Ele era um pajé Shoshone, jogava bem à beça. E me ensinou um pouco sobre medicina natural. Morreu dormindo no outono passado, aos noventa e oito anos.

— Seus conselhos deviam ser bons mesmo.

— Vou misturar as ervas para você e entrego tudo com instruções na lanchonete amanhã.

— Sem querer ser... chata, mas também vou querer uma lista das ervas.

— Muito sensato da sua parte. Quero que você volte aqui daqui a quatro ou seis semanas.

— Mas...

— Para verificar seu peso, seu sangue e sua condição geral. Se houver melhora, vamos esperar três meses antes da próxima consulta. Caso contrário... — Ele se levantou, segurou os ombros dela e olhou no fundo de seus olhos. — Vou ser menos bonzinho.

— Sim, senhor.

— Boa menina. Fiquei sabendo que você faz uma bela carne assada com tudo que tem direito. Pode ser meu pagamento, já que forcei a barra para convencê-la a vir.

— Isso não está certo.

— Se eu não gostar da carne assada, cobro pela consulta. Pode se vestir.

Mas, depois que o doutor saiu e fechou a porta, Reece passou um bom tempo sentada ali.

Capítulo catorze

⌘ ⌘ ⌘

Brody se lembrou de lavar os lençóis, mas, como o livro não terminado sugava sua atenção em uma maratona de seis horas de escrita, quase se esqueceu de colocá-los para secar.

Quando saiu da chuva forte e do lamaçal de primavera em que jogara seus personagens, sentiu um desejo vago e incômodo de fumar. Ele não dava um trago demorado e profundo em um cigarro havia três anos, cinco meses e... doze dias, calculou enquanto esticava a mão para pegar o maço que não estava ali.

Mas uma boa sessão de escrita, como um bom sexo, costumava fazer aquele desejo voltar.

Então, ele ficou ali sentado, imaginando a sensação — aquele prazer simples, sedutor e mortal de puxar um daqueles finos cilindros brancos de uma caixa vermelha e branca, catando um dos milhares de isqueiros baratos que teria espalhados pela casa. Acendendo a chama, dando aquela primeira tragada demorada.

Conseguia até sentir o gosto — um pouco forte, um pouco doce. Isso era a vantagem e a maldição de ter a imaginação fértil.

Nada o impedia de ir até a cidade agora e comprar um maço. Nada, mesmo. Mas era uma questão de orgulho, não era? Ele parara de fumar, e ponto final. Era a mesma coisa que acontecera com o jornal, lembrou a si mesmo.

Depois que fechara aquela porta, não a abrira mais.

E isso era a vantagem e a maldição de ser um filho da mãe teimoso.

Talvez pudesse descer e buscar prazer em um saco de batatas fritas. Quem sabe faria um sanduíche?

Pensar em comida o fez lembrar que Reece chegaria em algumas horas. E o fez lembrar que os lençóis continuavam dentro da máquina de lavar.

— Merda.

Brody se levantou, descendo até a área de serviço com as minúsculas máquinas de lavar e de secar. Depois de colocar os lençóis na secadora, foi analisar a cozinha.

A louça do café da manhã estava na pia. Certo, e a do jantar de ontem também. O jornal local e sua cópia diária do *Tribune*, do qual tinha assinatura — era difícil se livrar de velhos hábitos —, estavam abertos sobre a mesa, ao lado de seus dois cadernos, canetas, lápis e uma pilha de correspondências.

Ele aceitou o fato de que teria de arrumar a casa, o que era um saco. Por outro lado, como existia a garantia de uma boa refeição quente e a grande possibilidade de sexo, seu tempo não seria desperdiçado.

Além do mais, ele não vivia em um chiqueiro.

Brody arregaçou as mangas de seu suéter esfarrapado — seu favorito — e tirou a pilha de pratos de dentro da pia.

— Por que você os coloca aí dentro? — perguntou a si mesmo enquanto abria a água quente e jogava detergente. — Toda vez precisa tirá-los do maldito lugar.

Ele lavou, enxaguou, desejou que a cabana tivesse uma porcaria de um lava-louça. E pensou em Reece.

Queria saber se ela fora à consulta com o dr. Wallace. Queria saber o que veria naqueles enormes olhos escuros quando ela chegasse mais tarde. Tranquilidade, ansiedade, alegria, tristeza.

Queria saber como seria vê-la em sua cozinha, preparando comida da mesma forma que um artista cria obras de arte, usando formas e cores e texturas e harmonia.

E então haveria os aromas, os sabores — do prato que preparasse e dela. Brody estava ficando estranhamente vidrado no aroma e no gosto dela.

Ele deixou a louça secando e foi arrumar a mesa. Foi quando lhe ocorreu que nunca fizera uma refeição com ninguém na sua cabana. Cerveja e petiscos, talvez, se o doutor, Mac ou Rick aparecessem.

Já tinha aberto sua casa uma ou duas vezes para jogos de pôquer, quando estava com vontade. Mais cerveja, batatas fritas, charutos.

Houvera o vinho e os ovos mexidos às duas horas da madrugada com a divertida Gwen, de Los Angeles, que viera esquiar e terminara na sua cama em uma noite inesquecível de janeiro.

Mas aqueles momentos casuais eram bem diferentes de uma mulher preparar um jantar para dois na sua casa.

Brody levou os jornais para a área, colocando-os na pilha de reciclagem semanal. E, apesar de franzir o cenho para o balde e o esfregão, ele os pegou.

— Viu? Não é um chiqueiro — murmurou ele enquanto limpava o chão da cozinha.

Talvez fosse melhor arrumar o quarto também, para caso a noite tomasse aquele rumo. Se não tomasse, pelo menos não teria de encarar sua bagunça enquanto passasse a noite sozinho, se revirando na cama.

Brody passou a mão pelo rosto, se lembrando que tinha de fazer a barba. Não se deu ao trabalho de fazê-la quando acordou.

Ela, provavelmente, ia querer velas, então precisava encontrá-las. Ele tinha quase certeza de que havia algumas boas por ali e precisava admitir que seria interessante se sentar para jantar com uma mulher bonita à luz de velas.

Contudo, quando se pegou imaginando se aquela era a época de tulipas, parou como uma estátua.

De jeito nenhum. Aquilo já estava beirando a loucura. Quando um cara comprava flores para uma mulher — especialmente suas flores favoritas —, estava dando sinais de que o relacionamento era sério. Sinais perigosos e complicados.

Nada de comprar as porcarias das tulipas.

Além disso, se comprasse flores, teria de colocá-las em algum lugar. Era melhor não ir por esse caminho.

Uma cozinha limpa já era mais do que suficiente, e se Reece não gostasse...

— Vinho. Droga.

Sem precisar olhar, ele sabia que só tinha cerveja e uma garrafa de Jack Daniel's. Resmungando, Brody se preparava para sair de casa e dirigir até a cidade quando teve um pensamento inspirador.

Ele pegou o bloco em que anotava números de telefone e ligou para a loja de bebidas.

— Oi. Você sabe se Reece Gilmore foi comprar vinho hoje? Foi? E o que ela...? Ah, certo. Obrigado. Estou bem, obrigado. E você? Ahã.

Brody apoiou o quadril na bancada, sabendo que o preço pela informação de que ele e Reece jantariam algo que combinava com Chenin Blanc seriam alguns minutos de conversa fiada e fofoca.

Mas sentiu um frio na espinha quando seu informante contou que o xerife passara por lá mais cedo com uma cópia do desenho do doutor.

— Você reconheceu a mulher? Não. Pois é, eu vi. Não, não acho que ela se pareça com Penélope Cruz. Não, Jeff, não acho que a Penélope Cruz esteve na cidade e foi assassinada. Claro, se eu souber de alguma coisa, eu te aviso. Até logo.

Brody desligou, balançando a cabeça. As pessoas podiam ser uma fonte de diversão, mas também eram de irritação. Isso equilibrava as coisas.

— Penélope Cruz — murmurou, jogando a água do balde na pia.

Ele se lembrou dos lençóis depois que sua expedição em busca de velas resultou em duas brancas para os dias em que faltasse luz e uma dentro de um pote de vidro, que ganhara de Natal e nunca usara. O aroma dela se chamava Torta de Maçã da Mamãe.

Não era a coisa mais sexy do mundo, pensou ele, mas era melhor do que nada.

Brody a levou para o quarto junto dos lençóis secos, com a intenção de arrumar tudo. Seu erro foi olhar pela janela por alguns minutos.

Alguns veleiros navegavam pelo lago com as velas brancas impulsionadas pelo vento. Ele reconheceu a canoa de Carl ao norte. Devia estar pescando. As únicas coisas que aquele homem fazia eram pescar e fofocar com Mac.

E lá estava a filha de Rick com Moisés. As aulas do dia já deviam ter terminado. O cachorro voou atrás da bola, espirrando água em uma garça. O pássaro saiu em disparada, seguindo para o pântano.

Uma cena bonita, pensou Brody, distraído. Bonita e tranquila e...

Alguma coisa no jogo de luz e sombra sobre o lago fez seus pensamentos voltarem para o livro. Ele estreitou os olhos enquanto Moisés nadava para a areia, a bola presa nos dentes.

Mas e se não fosse uma bola?

Ele largou o emaranhado de lençóis sobre a cama e seguiu para o escritório. Só precisava terminar uma cena. No máximo meia hora, e então lidaria com o quarto, tomaria banho, faria a barba e vestiria algo que não parecesse um pijama.

DUAS HORAS depois, Reece colocou uma caixa cheia de ingredientes na varanda da cabana de Brody, bateu à porta e voltou para buscar a segunda caixa no carro.

Então, bateu de novo, mais forte dessa vez. A falta de resposta fez com que ela franzisse o cenho e tentasse girar cautelosamente a maçaneta.

Ela sabia que sua preocupação instintiva com a possibilidade de ele ter se afogado na banheira, caído da escada ou sido assassinado durante um assalto à casa era ridícula. Mas isso não a tornava menos real.

E o lugar estava tão silencioso, parecia tão vazio. Não era uma casa que conhecesse bem. Ela não conseguiu se obrigar a passar pela porta, não até a imagem de Brody sangrando, caído no chão, se fixar na sua mente com uma nitidez horrível.

Reece se forçou a entrar e gritou o nome dele.

E, quando ouviu o piso estalar no andar de cima, agarrou a faca que estava em uma das caixas, segurando o cabo com as duas mãos.

Brody apareceu no topo da escada — vivo e inteiro —, emburrado.

— O quê? Que horas são?

O alívio quase a fez cair de joelhos no chão, mas Reece conseguiu se apoiar no batente e permanecer de pé.

— Umas seis e pouco. Eu bati, mas...

— Seis? Droga. Eu... me distraí.

— Está tudo bem, não tem problema. — A dor em seu peito se transformava em outro tipo de pressão. Brody parecia tão incomodado, tão desarrumado, tão grande e másculo. Se suas pernas não estivessem tão moles, teria subido a escada correndo e pulado em cima dele. — Quer remarcar?

— Não. — Sua testa franziu ainda mais. — Como é que eu vou saber quando terei outra chance? Só preciso... arrumar as coisas. — Malditos lençóis. — Quer que eu a ajude antes?

— Não. Não. Não, tudo bem. Vou preparando o jantar, se você não se incomodar. Vai levar umas duas horas para ficar pronto, talvez menos. Então, sabe, não tem pressa.

— Ótimo. — Brody ficou em silêncio enquanto prendia os dedões nos bolsos da frente da calça jeans. — O que você ia fazer com essa faca?

Reece se esquecera de que a segurava e a encarou em um misto de confusão e vergonha.

— Não sei.

— Talvez seja melhor guardá-la para eu não ir tomar banho pensando que Norman Bates vai entrar lá.

— Com certeza.

Reece se virou para guardar a faca na caixa, e quando olhou para a escada de novo, ele havia sumido.

Então levou as duas caixas para dentro. Ela queria trancar a porta — queria muito. Aquela não era sua casa, mas será que Brody não percebia que qualquer um poderia entrar ali? Ela mesma entrou. Como ele conseguia ficar lá em cima, ignorando as portas abertas? Tomando banho?

E, meu Deus, *meu Deus*, como ela queria ter esse tipo de confiança, ou de fé, ou até de pura ignorância.

Como não tinha nada disso, Reece trancou a porta. E, depois de levar suas coisas para a cozinha, trancou a dos fundos também.

Aquela não era sua casa, realmente, mas ela estava lá dentro. Como poderia se concentrar na comida em um lugar todo aberto?

Satisfeita, Reece pegou a travessa que tinha preparado antes, mediu o leite e colocou tudo no forno para esquentar. Em seguida, pegou seu suporte de facas novinho em folha — estava gastando boa parte do salário com equipamentos de cozinha. Era loucura, mas ela não conseguia se controlar. Esperando em uma assadeira que ela tirou da caixa, estava o lombo que deixara marinando em um saco lacrado na noite anterior.

Deixando-o de lado, Reece colocou o vinho na geladeira para mantê-lo gelado e fez uma rápida inspeção do que havia lá dentro.

Era pior do que imaginara. E ainda bem que ela trouxe tudo de que precisaria. Brody tinha dois ovos, um pedaço de manteiga e algumas fatias de queijo.

Picles, leite fora da validade e oito garrafas de cerveja. Duas laranjas murchas ocupavam a última prateleira, como solteironas tristes. Nenhuma verdura.

Patético. Completamente patético.

Mesmo assim, enquanto jogava o leite quente sobre a batata gratinada, Reece sentiu o cheiro de desinfetante. Era bom saber que ele, pelo menos, se dera ao trabalho de limpar as coisas antes de ela chegar.

A travessa com as batatas foi para o forno e o *timer*, ajustado.

Quando Brody entrou na cozinha, meia hora depois, Reece colocava a assadeira com o lombo ao lado das batatas. A mesa estava posta com os pratos dele e as velas que ela trouxera, com guardanapos azul-escuros, taças e uma pequena tigela transparente que continha o que ele achava ser rosas amarelas em miniatura.

Lá estavam os aromas, conforme ele imaginara. Algo suculento sendo assado, algo fresco na pilha de legumes sobre a bancada. E a mistura de suculento e fresco que era Reece.

Quando ela se virou, seus olhos não exibiam ansiedade nem tristeza. Eles eram profundos, escuros, carinhosos.

— Achei que seria melhor... Ah.

Ela deu um passo para trás quando Brody veio em sua direção, e um vislumbre daquela ansiedade passou-lhe pelo rosto quando ele a tomou nos braços, erguendo-a na ponta dos pés.

Mas o que Brody sentiu quando tomou sua boca foi carinho, carinho com uma leve pitada de ansiedade. E, para ele, aquele sabor era irresistível.

Os braços de Reece estavam presos entre os dois, e as mãos dela se fecharam sobre o peito dele, subindo para os ombros. Brody podia jurar que a sentia se derreter.

Então a soltou, deu um passo para trás e disse:

— Oi.

— Hum, oi. É... Onde é que eu estava mesmo?

Ele sorriu.

— Onde você quer estar?

— Acho que aqui mesmo. Eu ia fazer alguma coisa... Ah é, os martínis.

— Não brinca.

— Não estou brincando. — Ela foi até a geladeira pegar gelo para os dois copos que levara. Então parou. — Você não gosta de martíni?

— Por que eu não gostaria? Jeff não disse que você comprou vodca.

— Jeff?

— Jeff, do depósito.

— Jeff, do depósito — repetiu Reece, concordando com a cabeça e suspirando enquanto colocava o gelo nos copos. — Como assim? Eles publicaram em algum lugar uma lista de todas as bebidas alcoólicas que eu comprei? Estou ganhando a competição de maior bêbada da cidade?

— Não, Wes Pritt é imbatível nessa categoria. Eu liguei pra lá, porque imaginei que você ia querer vinho. E, se já tivesse comprado uma garrafa, eu poderia economizar a viagem até a cidade.

— Bem, isso foi muito eficiente da sua parte. Só pensei nos martínis quando já estava arrumando as coisas para vir. Peguei os copos e a coqueteleira emprestados com Linda-gail. Ela comprou um *kit* para fazer *cosmopolitans* um tempo atrás.

Ele ficou onde estava, observando-a medir as doses e misturar tudo, colocar gelo, servir, acrescentar as azeitonas em palitos azuis compridos. Então, analisou o resultado no copo que lhe foi entregue.

— Não tomo um martíni há... Nem sei quanto tempo. Não é o tipo de coisa que se pede no Clancy's.

— Bem, então um brinde a um toque de elegância urbana em Angel's Fist.

Ela bateu com o copo no dele e esperou que bebesse.

— Está ótimo. — Brody tomou outro gole, analisando-a por cima da borda. — Você é incrível.

— Eu sei — concordou Reece. — Prove isso aqui.

Ela ergueu um pratinho com algo que parecia aipo recheado empratado em um padrão geométrico complexo.

— O que tem aí?

— É segredo, mas basicamente queijo *gouda* defumado e tomates secos.

Ele não era muito fã de aipo cru, mas, chegando à conclusão de que a vodca apagaria o gosto, provou. E mudou de opinião.

— Não sei qual é o segredo, mas ele deixa o aipo muito mais gostoso do que a manteiga de amendoim que minha mãe colocava nele.

— Espero que sim. Sente aí e coma. — Reece pegou seu copo e tomou um golinho. — Vou montar a salada.

Brody não se sentou, mas aproveitou a oportunidade para observá-la torrando amêndoas. Mas que coisa, ela estava torrando amêndoas. E, depois, colocou umas folhas na frigideira.

Ele já estava naturalmente desconfiado das folhas, mas a situação só piorou quando elas foram parar no fogo.

— Você vai cozinhar a salada?

— Estou fazendo uma salada de espinafre com repolho roxo, amêndoas e um pouco de gorgonzola. Não acredito que Mac colocou gorgonzola no estoque só porque comentei na semana passada que eu estava procurando.

— Ele tem uma quedinha por você, lembra?

— Que sorte que o homem que tem uma quedinha por mim é meu fornecedor de gorgonzola. Enfim, o dr. Wallace disse que preciso comer ferro. E espinafre tem ferro de sobra. — De canto de olho, ela notou a cara de Brody e engoliu uma risada. — Você já é bem grandinho. Se não gostar, não precisa comer.

— Combinado. Como foi lá com o doutor?

— Ele é detalhista, gentil e muito persuasivo. — Enquanto falava, Reece ajustou o fogo sob a frigideira. — Acha que estou fatigada, talvez anêmica, mas, em geral, saudável. Já fui a muitos médicos, provavelmente o suficiente para uma vida inteira, mas a consulta não foi tão ruim quanto eu esperava. Quando fui ao depósito, Jeff comentou que o xerife passou por lá com o retrato falado.

— É, fiquei sabendo. Ele mencionou Penélope Cruz?

Reece sorriu.

— Mencionou. O xerife mandou uma cópia para Joanie também. Ninguém a reconheceu.

— E você achava que iam reconhecê-la?

— Não sei o que eu achava. Talvez uma parte de mim estivesse torcendo para alguém ver o desenho e dizer: "Nossa, essa moça é igualzinha a Sally Jones, que mora na zona leste da cidade. Ela anda brigando muito com aquele marido imprestável dela." Então, tudo se esclareceria e o xerife prenderia o tal marido. E fim da história.

— Simples e fácil.

— De certa forma. — Ela fez outra pausa para bebericar o martíni. — Enfim, terminei seu livro. Que bom que você não enterrou Jack vivo

— Ele também gostou desse desfecho.

Reece riu.

— Aposto que sim. Também achei legal ele não ter se redimido completamente no final. Continua sendo um personagem cheio de defeitos, engraçado, pronto pra próxima burrada, mas acho que Leah talvez o ajude a se tornar um homem melhor. E você deixou que ela salvasse o dia. — Reece olhou para trás e encarou-o. — Da perspectiva de uma leitora, achei ótimo. E fez sentido.

— Que bom que você gostou.

— Gostei tanto que comprei outro hoje à tarde: *Laços de sangue.* — Ela viu o cenho franzido de Brody apertar-lhe os olhos. — O que foi?

— Esse é... violento. Bem extremo em algumas partes. Acho que você não vai gostar.

— Porque eu já presenciei violência extrema?

— Talvez ele te dê gatilhos não muito legais.

— Se acontecer, eu paro de ler. Do mesmo jeito que você pode parar de comer a salada de espinafre. — Reece verificou o forno e a frigideira e pegou o martíni. — Está quase pronto. Você pode acender as velas e abrir o vinho?

— Claro.

— Então, qual foi sua distração?

— Minha distração?

— Quando cheguei, você disse que tinha se distraído.

— Ah. — Brody acendeu as velas que ela arrumara sobre a pequena mesa. Azuis, para combinar com os guardanapos. — Trabalho.

Reece pensou que, com frequência, ele não era apenas um homem de poucas palavras, mas de nenhuma. Pelo menos verbalmente.

— Pelo contexto, imagino que seu livro esteja indo bem.

— Está. — Brody pegou o vinho na geladeira. Chenin Blanc, como informado. — Foi um dia produtivo.

— Você não vai me contar.

Ele começou a procurar o saca-rolhas nas gavetas, mas ela lhe entregou o que trouxera.

— Contar o quê?

— Sobre o livro.

Brody pensou no assunto enquanto abria a garrafa, enquanto ela acrescentava mais espinafre à frigideira.

— Eu ia matá-la. Talvez você se lembre de que toquei no assunto no dia da trilha.

— Sim, eu me lembro. Você disse que o vilão ia matar a mulher ali, jogá-la no rio.

— Pois é, e ele até que tentou. Ele a machucou, a atormentou, a aterrorizou, mas não conseguiu empurrá-la como planejara.

— Ela escapou.

— Ela pulou.

Reece o fitou enquanto começava a tirar as folhas murchas da panela.

— Ela pulou.

Brody nunca conversava sobre seu trabalho com ninguém. Geralmente, ficava irritado só de alguém lhe perguntar sobre trabalho. Mas percebeu que queria contar a Reece, queria ver a reação dela.

— A chuva está forte, a trilha, lamacenta. Ela está toda machucada, cheia de hematomas, com uma das pernas sangrando. E sozinha com ele. Não há ninguém para ajudá-la. Seria impossível fugir. O cara é mais forte, mais rápido. Completamente louco. Então ela pula. Ela ia morrer do mesmo jeito. Nunca foi minha intenção que ela passasse do capítulo oito. Mas me enganei.

Sem dizer nada, Reece misturou a salada com o molho que preparara em casa.

— Ela é mais forte do que eu pensei quando a conheci. Tem um desejo profundo e inerente de sobreviver. Pular na água era a única escapatória, e ela preferia morrer tentando sobreviver a ficar parada ali e deixar que ele a matasse. E conseguiu sair do rio, mesmo sendo puxada pela correnteza, mesmo não sabendo nadar muito bem. Lutou para escapar.

— Sim — concordou Reece —, ela parece forte.

— Mas ela não encarou as coisas desse jeito. Não pensou, só agiu. E escapou por pura força de vontade. Ela está perdida e machucada, com frio, sozinha. Mas viva.

— E vai continuar viva?

— Isso depende dela.

Reece assentiu. Então, serviu a salada nos pratos, salpicando queijo por cima.

— Ela vai querer desistir. Espero que não faça isso. Espero que vença. Você... se importa com ela?

— Eu não passaria tanto tempo com ela se não me importasse.

Reece levou os pratos para a mesa e, depois, uma pequena cesta com pães de azeitona. E serviu o vinho.

— Você também passa muito tempo com o assassino.

— E me importo com ele também. Mas de um jeito diferente. Sente-se. Descobri que gosto de como seus olhos ficam com a luz das velas.

A surpresa surgiu primeiro naquele olhar, mas, então, foi substituída por um brilho dourado enquanto ela se sentava.

— Prove a salada. Não vou ficar chateada se você não gostar.

Brody obedeceu, franzindo a testa.

— Mas que coisa... Eu não gosto muito de aipo. Nunca gostei de espinafre. Quem gosta? E também não gosto de mudanças.

Ela sorriu.

— Mas você gosta do meu aipo. E do meu espinafre.

— Pelo visto, sim. Talvez eu goste de tudo que você coloque na minha frente.

— E é por isso que cozinhar para você é tão bom. — Ela pegou uma garfada de salada. — Ao ferro no sangue.

— Você pensou em montar aquele livro?

— Na verdade, ontem, depois do expediente, passei um tempo dando uma olhada nas receitas.

— É por isso que parece tão cansada?

— Essa pergunta não faz sentido depois de você dizer que gosta de me ver à luz de velas.

— Gosto dos seus olhos, para ser mais específico. Mas isso não quer dizer que não percebi que você parece cansada.

Reece imaginava que ele sempre seria extremamente sincero. Por mais que aquilo abalasse seu ego, era melhor do que clichês e mentiras bobas.

— Não consegui dormir, então me distraí bolando uma proposta para o livro. Pensei que o título poderia ser "Gourmet simplificado".

— Bom título.

— Você tem uma sugestão melhor?

Brody continuou comendo, achando graça no tom irritado da voz dela.

— Vou pensar. Por que não conseguiu dormir?

— E você acha que eu sei? O doutor vai me dar um chá de ervas para me ajudar.

— Sexo é um bom sedativo.

— Talvez. Ainda mais se o parceiro não for lá essas coisas. Aí dá para tirar uma soneca rápida no meio do sexo.

— Prometo que você não vai dormir no meio do sexo.

Reece apenas sorriu e comeu sua salada.

ELA NÃO confiava nele para cortar o lombo, o que era um pouco ofensivo, e cuidou disso por conta própria enquanto cozinhava os aspargos no vapor. Brody decidiu não reclamar, já que a carne estava com um cheiro maravilhoso e uma porção de batatas gratinadas parecia prestes a agraciá-lo.

Reece jogou molho holandês sobre os caules macios e o líquido do cozimento sobre as fatias de carne.

— Acho que a gente podia fazer um acordo — começou Brody enquanto cortava um pedaço do lombo.

— Um acordo?

— Isso. Peraí. — Ele provou. — Do jeito que eu esperava. Então, um acordo. Vamos fazer uma troca. Sexo por comida.

Reece ergueu as sobrancelhas e franziu os lábios como se pensasse no assunto.

— Interessante. Mas acho que você sairia ganhando independentemente do resultado.

— Você também. Mas se a parte do sexo não der certo, podemos tentar negociar tarefas. Coisas de homem. Tipo, pintar seu apartamento, consertar o encanamento e tal. Como recompensa, você cozinharia.

— Pode ser.

Ele provou as batatas.

— Meu Deus, você devia ser canonizada. "O gourmet caseiro".

— Santa Reece, padroeira do gourmet caseiro?

— Não, esse é o título do livro. "O gourmet caseiro". Simplificado pode ser encarado como normal, o que não é. É espetacular. Mas você não precisa passar o dia inteiro debruçada no fogão para preparar algo gostoso, nem comer em pratos chiques e com a louça da família. Gourmet do jeito que as pessoas vivem, sem querer impressionar ninguém.

Ela se recostou na cadeira.

— O título é melhor e sua descrição é mais interessante que a minha. Droga.

— Sou profissional.

— Coma seus aspargos — ordenou ela.

— Sim, mãe. Aliás... nem pense em levar as sobras.

— Pode deixar.

Brody comeu, bebeu e a observou. Em determinado momento, acabou perdendo o fio da meada.

— Reece?

— Hum?

— São os olhos, principalmente. São os olhos. Eles me deixam vidrado. E o restante? Você inteira fica bonita à luz de velas.

Que inesperado, pensou ela. Ele dizia as coisas mais inesperadas. Então Reece sorriu e deixou aquele brilho aquecê-la enquanto os dois comiam.

Capítulo quinze

⌘ ⌘ ⌘

Ela insistiu em limpar tudo. Brody esperava que ela fosse insistir, já que Reece era uma mulher que gostava de colocar — e manter — as coisas em ordem. E imaginava que essa mania já devia existir antes do ataque em Boston, onde ela, provavelmente, tivera uma casa arrumada e uma cozinha organizada, tanto no âmbito profissional quanto no pessoal. Suas tigelas sempre estariam no mesmo lugar, assim como sua blusa azul favorita, as chaves do carro. Seu talão de cheques estaria sempre contabilizado.

Era provável que a tragédia tivesse intensificado essa mania. Agora manter a vida em ordem não seria apenas um desejo, e sim uma *necessidade.*

Para Brody, era uma vitória quando conseguia encontrar duas meias do mesmo par logo de cara.

Como ele percebeu que Reece não sossegaria, secou a louça e guardou tudo nos armários. Mas saiu de seu caminho enquanto ela guardava as sobras, arrumava as coisas que havia trazido e limpava o fogão.

A ansiedade estava voltando, deixando-a em silêncio. Ele quase conseguia ver a ansiedade saindo de seu corpo por meio de urticárias enquanto ela lavava o pano da pia, torcia-o para tirar o excesso de água e esticava-o no espaço entre a pia dupla.

Agora que o jantar tinha acabado e a limpeza quase chegava ao fim, parecia que o sexo invadira o cômodo como um convidado interessante e sem graça.

Brody cogitou agarrá-la, levá-la para o quarto e jogá-la na cama antes que Reece tivesse tempo para pensar. Essa tática teria suas vantagens, e ele, provavelmente, poderia deixá-la pelada antes que ela mudasse de ideia. Mas ignorou-a, pelo menos por enquanto, preferindo tentar uma abordagem mais sutil.

— Quer dar uma volta? Talvez andar um pouco pelo lago?

E ele viu o misto de surpresa e alívio no rosto dela.

— Pode ser. Ainda não fiz isso, não desse lado.

— O céu está sem nuvens, então está claro lá fora. Mas você vai precisar levar um casaco.

— Ok.

Reece seguiu para a área para pegar o que pendurara em um gancho. Propositadamente se esticando para alcançar o seu, ele se aproximou das costas dela, deixando-a tensa quando seus corpos se encostaram de leve. Reece desviou, abrindo a porta.

Sua ansiedade pulsou, como um batimento cardíaco, mas pareceu evaporar no ar frio.

— Está tão bonito aqui fora. — Ela respirou fundo, absorvendo o cheiro de terra e pinho. — Ainda não consegui me convencer a fazer uma caminhada sozinha à noite. Queria fazer. — E foi vestindo o casaco enquanto andava. — Mas está sempre silencioso demais ou barulhento demais, e arrumo um monte de desculpas para subir direto para o apartamento depois do trabalho.

— Nessa época, a maioria das pessoas que está na cidade é morador daqui. Você não precisa se preocupar.

— É óbvio que você não ouviu falar do psicopata maluco escondido no pântano, no estuprador que está passando pela cidade ou no professor de matemática legal que, na verdade, é o assassino da machadinha.

— Acho que não reparei neles.

Reece o encarou como se refletisse sobre algo, então deu de ombros.

— Na semana passada, em uma noite como essa, eu estava inquieta e queria dar uma volta. Cheguei a ponto de cogitar levar um garfo comigo caso eu precisasse me defender de algum dos meus maníacos assassinos imaginários.

— Um garfo.

— Sim. Uma faca seria exagero. Mas com um garfo decente dá pra se defender. Acabei preferindo ficar em casa e ver um filme antigo que estava passando na televisão. É ridículo. Eu sou ridícula. Por que você perde seu tempo comigo, Brody?

— Talvez mulheres neuróticas sejam meu ponto fraco.

— Não é, não. — Mas ela riu e jogou o cabelo para trás antes de olhar para o céu. — Meu Deus, é tão grande, tão limpo. Consigo ver a Via Láctea, acho que é a Via Láctea. E as duas Ursas, que são as únicas constelações que eu conheço.

— Não adianta olhar pra mim. Eu só vejo um monte de estrelas e uma lua minguante branca.

— E daí? — Como Brody não pegara sua mão, e ela duvidava que ele fosse do tipo que andava de mãos dadas, Reece as enfiou nos bolsos do casaco. — Invente uma. Seu trabalho é inventar coisas.

Com as mãos também nos bolsos, só que da calça, ele analisou as estrelas.

— Aquela é o Ermitão Solitário. Ou o Gordo se Equilibrando em Uma Perna. Do lado oeste, está a Deusa Sally, que protege todos os cozinheiros de lanchonete.

— Sally? Nossa, esse tempo todo, e eu nunca soube que tinha uma padroeira.

— Você não é uma cozinheira de lanchonete.

— Agora eu sou. E quero Sally para mim. Veja só o brilho dela.

As estrelas nadavam no lago, um milhão de luzes resplandecentes na superfície escura. E o luar formava uma divina faixa branca sobre a água. Havia vários odores no ar — dos pinheiros, da água, da terra e da grama.

— Às vezes sinto tanta falta de Boston que chega a doer — disse Reece. — E acho que preciso voltar, que quero voltar e encontrar o que eu tinha. Minha vida agitada, meus amigos agitados. Meu apartamento com paredes vermelhas e a mesa de jantar preta lustrosa.

— Vermelhas?

— Já tive meus tempos de ousadia. — Ela mesma já fora ousada. — E aí, chego a um lugar assim e penso que, mesmo que eu conseguisse esquecer tudo que aconteceu, não sei se existe alguma coisa lá que eu ainda queira ou precise. As paredes vermelhas não fazem mais parte de mim.

— E isso faz diferença? Você pode criar algo seu onde quer que esteja, e, se não der certo, siga para outro canto. Use as cores que bem quiser.

— Foi exatamente isso que eu disse a mim mesma quando fui embora. Vendi todas as minhas coisas. A mesa de jantar preta lustrosa e tudo o mais. E me convenci de que tinha de fazer aquilo. Eu não estava trabalhando e tinha contas para pagar. Muitas e muitas contas. Mas isso foi só um dos motivos. Eu não queria mais nada.

— As coisas eram suas, então você podia vendê-las — argumentou Brody.

Mas pensou em como deve ter sido avassalador para alguém como Reece se livrar de tudo que tinha. Como deve ter sido difícil e triste.

— Sim. Sim, as coisas eram minhas. E as contas foram pagas. Agora, estou aqui. — Ela se aproximou da beira do lago. — A mulher no seu livro, a que você não conseguiu matar... Qual é o nome dela?

— Madeline Bright. Maddy.

— Maddy Bright. — Reece testou o nome. — Gostei. Simpático, mas forte. Espero que ela sobreviva.

— Ela também.

Os dois ficaram ali por um instante, lado a lado, encarando o lago, a noite, a silhueta marcante das montanhas.

— Naquele dia na trilha, quando estava bolando como Maddy morreria, ou como achava que ela morreria, e nos encontramos, você ficou lá só para ter certeza de que eu voltaria bem?

Brody continuou encarando a cordilheira.

— O dia estava bonito. Eu não tinha mais o que fazer.

— Você estava vindo na minha direção antes de me ouvir correr.

— Eu não tinha mais o que fazer — repetiu ele, e Reece se virou para encará-lo.

— Você estava sendo legal.

Ela resolveu se arriscar, um grande passo. Como pular de um precipício para um rio. E ergueu as mãos até o rosto dele, ficando na ponta dos pés. E aproximou seus lábios dos dele.

— Estou com medo de estragar tudo. Você devia saber disso antes de a gente voltar. Mas quero voltar mesmo assim. Quero entrar na sua casa e ir pra cama com você.

— Excelente ideia.

— Elas me ocorrem de vez em quando. Talvez você devesse segurar minha mão para caso eu perca a coragem e tente fugir.

— Pode deixar.

Reece não perdeu a coragem, não tentou fugir, mas, a cada passo que dava em direção à cabana, suas dúvidas aumentavam.

— Talvez a gente devesse tomar outra taça de vinho antes.

— Já bebi muito, obrigado.

Brody continuou segurando a mão dela, continuou andando.

— Talvez fosse melhor conversarmos sobre onde isso tudo vai dar.

— No momento, vai dar no meu quarto.

— Sim, mas... — Não fazia sentido hesitar quando ele já a puxava para dentro. — Hum, você tem de trancar a porta.

Ele virou o trinco.

— Pronto.

— Acho mesmo que deveríamos...

Reece se interrompeu, completamente pasma, quando Brody a tirou do chão e jogou-a por cima de um ombro.

— Ah, bom. — Havia pensamentos conflitantes demais passando por sua cabeça para que decidisse se ser carregada pela casa era romântico ou absurdo. — Não sei se essa é a abordagem certa. Acho que se tirássemos uns minutos para conversar... É só que quero pedir que você não crie muitas expectativas, porque estou realmente enferrujada e...

— Você está falando demais.

— Vai piorar. — Reece fechou os olhos quando ele começou a subir a escada. — Consigo sentir a tagarelice subindo pela minha garganta. Escute, escute, quando estávamos lá fora, eu conseguia respirar, achei que fosse dar conta. Não que eu não queira fazer isso, mas não tenho certeza. Não sei. Meu Deus. Pode trancar a porta do quarto?

Brody a fechou, se virou e a trancou.

— Melhor assim?

— Não sei. Talvez. Sei que estou sendo idiota, mas é só que...

— Reconhecer que você é idiota é o primeiro passo para melhorar. — Ele a largou de pé diante da cama. — Agora fique quieta.

— Só acho que...

Os pensamentos desapareceram, porque Brody foi para cima dela de novo. Puxando-a para perto, grudando a boca em seus lábios, com muita vontade, com muita paixão. Tudo que Reece pôde fazer foi se controlar enquanto os medos, os desejos e o bom senso brigavam dentro dela.

Parte dela estava se desintegrando. E parte dela estava desaparecendo.

— Acho que...

— Fique quieta — disse Brody e a beijou de novo.

— Eu sei. Talvez você devesse falar. Mas pode apagar a luz?

— Não acendi a luz.

— Ah. Ah.

A luz prateada da lua e das estrelas, tão agradável do lado de fora, agora parecia forte demais.

— Finja que ainda estou segurando sua mão para você não fugir.

Mas Reece sentiu as mãos dele percorrendo seu corpo, os dedos acariciando seus seios de um jeito meio bruto. Pequenos choques de excitação.

— Quantas mãos você tem?

— O suficiente para completar o serviço. Você precisa olhar pra mim. Olhe pra mim, Reece. Assim. Lembra da primeira vez que eu te vi?

— Na... na lanchonete. — O luar deixara os olhos dele mais escuros, como se o verde tivesse sido engolido pela noite. — Da Joanie.

— Isso. — Brody desabotoou a camisa dela, baixando a cabeça para beijar sua mandíbula enquanto Reece estremecia. — Na primeira vez em que te vi, parecia que eu conseguia sentir meu sangue correndo pelas minhas veias. Sabe do que estou falando?

— Sim. Sei. Brody, só...

— Às vezes, você segue essa intuição. — Ele desceu por seu pescoço, mordiscando-o. — Às vezes, não, mas não dá pra negar essa sensação.

— Se estivesse escuro... Seria melhor se estivesse escuro.

Ele segurou a mão com que ela cobria a cicatriz no peito, afastando-a.

— Vamos testar essa teoria um dia desses. Sua pele é sexy, magrinha. — Brody passou as mãos pelos ombros de Reece, tirando sua camisa enquanto a descia pelos braços dela. — Tão lisa e macia. Dá vontade de lamber. Não, nada disso. — Ele enroscou uma das mãos no cabelo dela para impedir que ela virasse o rosto. — Continue olhando para mim.

Olhos de gato, pensou Reece. Ela estava tão perto deles agora que a cor reaparecera. Uma mistura de verde com âmbar, tão focados. Encará-los não fazia com que se sentisse segura, nem um pouco. Mas, por algum motivo, o medo também era excitante.

Então, com a outra mão, ele abriu seu sutiã, e Reece arregalou os olhos.

Enquanto a risada nervosa ameaçava escapar da boca dela, Brody voltou para devorá-la, boca com boca, corpo com corpo. Tudo nele era firme e forte, com um toque de brutalidade. E era exatamente o que Reece queria.

As mãos em seu corpo, aprendendo segredos que ela esquecera que tinha. Os dentes roçando em sua pele, criando pequenos rastros deliciosos de calor. Reece sentiu Brody abrir seu cinto antes de aquelas mãos deslizarem por dentro da sua calça e acariciá-la.

A reação veio aos poucos. Tímida e hesitante, ávida e empolgada. Mas qualquer que fosse a montanha-russa em que Reece se encontrava, ela o levava junto pela jornada ofegante até o topo, pela descida tempestuosa, por todas as curvas perigosas no meio do caminho.

Ela era macia e apertada, com aquela pele lisa seduzindo-o com sua fragilidade. Reece se atrapalhou para tirar a blusa dele e prendeu a respiração várias vezes, sempre que era tocada. Em qualquer lugar onde era tocada.

Então, Brody a provou e saboreou e devorou enquanto chegava cada vez mais perto de perder o controle.

Ela o agarrou pelo pescoço quando ele a pegou no colo, praticamente jogando-a na cama. O gemido da excitante surpresa que Reece soltou foi abafado pelos lábios dele. Em um frenesi louco, ela tirou os sapatos com certa dificuldade, erguendo o quadril para que ele tirasse sua calça jeans.

A boca de Brody se afastou para se deliciar em seu pescoço, enquanto os dedos dela se fincavam nos músculos das costas e dos ombros dele. Tudo em seu ser parecia estar direcionado para aquele calor, ameaçador e promissor ao mesmo tempo.

Quando a boca dele se fechou em um de seus seios, faminta, o coração de Reece começou a martelar no peito. Os batimentos dispararam.

O peso de Brody sobre seu corpo, a boca que a dominava. Mesmo naquela atmosfera de êxtase e luxúria, o pânico começou a dar as caras. Ela lutou, ordenando à mente que parasse com aquilo, que o corpo tomasse o controle. Mas os dois a decepcionaram quando, enfim, os pulmões simplesmente pararam de funcionar.

— Não consigo respirar. Não consigo. Espere, pare.

Brody demorou um instante para entender que aquilo era pânico, e não tesão. Ele saiu de cima dela e a puxou pelos ombros para que se sentasse.

— Você está respirando. — E a sacudiu um pouco. — Pare de puxar o ar. Vai hiperventilar.

— Tudo bem. Tudo bem.

Reece sabia o que fazer. Precisava se concentrar em cada respiração, no ato físico de inalar o ar devagar, de forma estável.

Morrendo de vergonha, ela cruzou os braços sobre os seios enquanto se sentava sob um feixe de luar.

— Foi mal. Me desculpe. Droga, não aguento mais ser uma aberração.

— Então pare.

— Você fala como se fosse fácil pra caralho. Ah, vou ser normal agora. Acha que gosto de estar sentada aqui, pelada, passando vergonha?

— Não sei. Gosta?

— Seu filho da puta.

— Pronto, já começou a tentar me seduzir de novo. — Os olhos dela se encheram de raiva, e Brody ficou satisfeito. Mas, logo, um brilho surgiu, um aviso de que chegara ao limite. — Se você começar a chorar, vou ficar pê da vida.

— Não vou chorar. Seu babaca.

Reece afastou uma lágrima com as juntas dos dedos.

— Agora você conseguiu. Estou com tesão de novo. — Ele afastou o cabelo dos ombros dela. — Eu te machuquei?

— O quê?

— Eu estava te machucando?

— Não. Nossa. — Reece manteve um braço sobre os seios e cobriu o rosto com a outra mão. — Não. Eu só... Só não conseguia respirar. Comecei a me sentir, sei lá, presa embaixo de você, eu acho. Um pouco claustrofóbica, ansiosa, pensando em como eu ia me sair, essa merda toda.

— Ah, se for só isso, já sei a solução. — Brody segurou seus ombros de novo, puxando-a enquanto ele se deitava na cama. — Você pode ficar por cima.

— Brody...

— Só olhe pra mim. — Ele segurou a nuca dela, aproximando seus lábios dos dela. — Calma — murmurou com os lábios em cima dos dela. — Ou faça as coisas do jeito que preferir.

— Eu me sinto sem jeito.

— Nada disso. — Brody deixou as mãos vagarem e observou as bochechas de Reece ganharem cor outra vez. — Você é macia, um pouco magra. Mas não sem jeito. Me beije de novo.

Ela levou os lábios aos dele e deixou o pânico de lado. O coração de Brody batia forte e estável colado no seu. Aquela boca exigia que a sua se rendesse. O gosto dele, mais uma vez, despertou todos aqueles apetites quase esquecidos.

Mesmo assim, quando ele ergueu o quadril dela, Reece começou a protestar, a se afastar. Mas Brody a segurou, prendendo-a no lugar com os olhos, até deslizar para dentro de seu corpo.

Um tremor de alívio, prazer e desejo a tomou. Quando ele começou a se remexer debaixo dela, era como se todas as células de seu corpo vibrassem de prazer.

Reece soltou um gemido alto quando esbarrou no primeiro clímax, um choque no seu sistema, uma onda repentina de puro prazer.

Ela gemia enquanto rebolava, enquanto se doava ao momento, a ele. E enquanto sentia e sentia.

Então, alcançou o segundo clímax, perdendo as forças enquanto o orgasmo parecia rasgá-la por dentro. Conseguia sentir Brody acompanhando seu ritmo, com investidas certeiras.

Meu Deus, graças a Deus, pensou Reece, arfando.

Quando Brody se ergueu ao seu encontro, abraçando-a, os dentes em seu ombro, foi ela quem os levou ao último clímax.

REECE ESTAVA deitada na cama, sentindo-se completa, perplexa, grata. E sem fazer ideia do que deveria dizer ou fazer agora. Mas seu corpo parecia relaxado. Caramba, corrigiu-se, seu corpo parecia mole, mesmo com o coração ainda batendo disparado em seu peito, como se fosse um tambor. Se ainda tivesse forças, desmentiria o que dissera antes e se debulharia em lágrimas.

Lágrimas de pura alegria.

Ela tocou e foi tocada, deu e recebeu. Teve um orgasmo — até que enfim — tão intenso que a fez ver estrelas.

E sabia muito bem que não era a única a se sentir assim.

— Quero te agradecer. Estou sendo idiota?

Brody se mexeu o suficiente para acariciar as costas dela com uma das mãos.

— A maioria das mulheres me envia um presente discreto, porém caro, depois. Mas, dessa vez, aceito um simples "obrigada".

Reece soltou uma gargalhada enquanto se erguia para encará-lo. Os olhos dele estavam fechados; o rosto, relaxado. Sua expressão masculina de pura satisfação a fez querer pular para fora da cama e fazer uma dancinha comemorativa.

Ah, sim, ela também fez sua parte.

— Eu fiz a janta — lembrou Reece.

— É verdade. Isso conta. — Brody abriu os olhos, preguiçoso. — Como está se sentindo, magrinha?

— De verdade? Eu tinha parado de acreditar que me sentiria assim outra vez. Era só mais uma das coisas que perdi, e, levando tudo em conta... Porra, levando tudo em conta, seria uma perda enorme. Então, sério, obrigada por se manter firme... Isso soou muito errado — disse ela quando Brody se engasgou de tanto rir. — Vou calar a boca.

— Até parece.

Reece brincou com o cabelo dele, querendo só se aconchegar e dormir.

— Acho melhor eu me arrumar e ir pra casa.

— Por quê?

— Está ficando tarde.

— Você tem hora pra voltar?

— Não, mas... Você quer que eu fique?

— Meu plano era que, passando a noite aqui, você se sentiria obrigada a preparar o café da manhã.

Um calorzinho se espalhou pelo coração dela.

— Talvez eu possa ser convencida a fazer o café.

— Eu sou muito persuasivo de manhã. — Brody afastou o edredom e o lençol; depois, puxou-a para perto. — Além disso, ainda não está tão tarde assim, e não cansei de você.

— Nesse caso, acho que vou ficar.

Mais tarde, quando ele caiu no sono, Reece ficou deitada, sem sono e nervosa. Por mais que tivesse brigado consigo mesma, acabou não aguentando e saiu da cama.

Daria uma olhada — uma vez, só uma vez, disse a si mesma e vestiu a camisa de Brody antes de sair no quarto na ponta dos pés. Enquanto descia a escada, cada tábua que estalava sob seus pés a fazia abrir uma careta.

Reece verificou a porta principal primeiro. Viu? Trancada, pensou. Ela mesma não a trancara? Mesmo assim, que mal fazia ter certeza? A dos fundos também estava trancada. É claro. Mas...

Ela seguiu para a área e verificou o trinco da porta. Por um instante, analisou as cadeiras da cozinha. Queria colocar uma sob a maçaneta e precisou se convencer a mudar de ideia.

Não era como se estivesse sozinha na casa. Havia um homem grande e forte ali. Ninguém tentaria entrar, mas, se tentasse, Brody poderia resolver o problema.

Ela se obrigou a dar as costas para a porta, para as cadeiras, e sair do cômodo.

— Algum problema?

Reece não gritou, mas chegou perto. O que fez foi cambalear para trás e bater o quadril com força no batente da porta. Brody se aproximou.

— Talvez você seja mesmo sem jeito.

— Rá! Talvez. Eu só estava... — Ela preferiu não terminar, dando de ombros.

Ele a escutara sair do quarto e imaginara que ia ao banheiro. A escada, entretanto, rangera. A curiosidade o fizera vestir a calça jeans e descer para ver o que estava acontecendo.

— As portas estão trancadas? — perguntou ele em um tom despreocupado.

— Sim. Eu só queria... Eu só consigo dormir depois que confiro essas coisas. É bobagem.

— Quem disse que é? Essa camisa é minha?

— Bem, é. Eu não ia sair andando pelada pela casa.

— E por que não? Mas, como não me perguntou se podia pegá-la emprestada, o que é uma tremenda falta de educação, acho melhor voltar lá pra cima e me devolver.

— Você tem razão. — Todo seu corpo pareceu relaxar. — Estou muito envergonhada.

— É pra estar mesmo. — Brody pegou a mão de Reece e a guiou pelos degraus. — O que você acharia se eu saísse por aí com as suas roupas sem pedir permissão?

— Acho que não gostaria. Mas seria uma visão estranhamente fascinante.

— Até parece que suas roupas iam caber em mim. Como deixo a porta?

Reece apenas o encarou, se perguntando se ele escutara seu coração inflar.

— Fechada e trancada, se não for incômodo.

— Para mim, não faz diferença. — Brody a fechou e trancou-a. — Agora, devolva a droga da minha camisa.

O PESADELO A acordou; um misto de imagens, a dor rápida. Ela não estava na despensa, não estava sangrando. Mas as sombras e silhuetas daquele quarto eram estranhas, fazendo seu coração disparar antes que se lembrasse de onde estava.

No quarto de Brody. Na cama de Brody. E o cotovelo de Brody cutucando suas costelas como uma picareta era reconfortante de um jeito esquisito.

Ela não estava apenas segura. Estava muito bem, obrigada.

Ele dormia de bruços, notou Reece enquanto virava para observá-lo. E era espaçoso. Durante a noite, a empurrara para um canto da cama, deixando-a com um triângulo minúsculo de colchão. Mas estava tudo bem. Ela conseguira várias horas de sono profundo naquele espacinho.

E, antes disso, usara bastante o restante da cama.

Reece se levantou e ficou um pouco decepcionada quando ele não tentou impedi-la. Tudo bem, disse a si mesma enquanto pegava suas roupas. Havia coisas a serem feitas, entre elas, preparar um café da manhã com os poucos ingredientes da cozinha de Brody.

Ela saiu do quarto e entrou no banheiro, do outro lado do corredor. Quando apertou a tranca na maçaneta, o botão voltou. Depois de várias tentativas, ela continuava lá, segurando suas roupas na frente do peito, encarando a porta.

Por que não estava funcionando? O quarto podia ser trancado, mas o banheiro não? Que ridículo. Aquilo era errado. A porta *precisava* trancar. No entanto, não importava quanto empurrasse ou girasse, o botão não prendia.

— Não preciso trancar a porta. Se ninguém invadiu a casa durante a noite e me assassinou enquanto eu dormia, não vai fazer isso de manhã. Brody está dormindo do outro lado do corredor. Uma ducha de três minutos, só isso. Entrar e sair. Vai dar certo.

O banheiro dele dava dois do dela, com uma clássica banheira branca e um chuveiro. As toalhas azul-escuras não combinavam com o mármore verde da pia. Mesmo assim, não havia nada de mais ali, nada de estranho. Reece encarou a porta enquanto abria as torneiras.

Ela gostou das paredes lisas de madeira e dos azulejos no chão, que pareciam ardósia. Ele devia ter comprado toalhas cinza, pensou, ou pelo menos tentado encontrar um verde parecido com o da pia.

Seu plano era se concentrar naquela ideia, na simplicidade do cômodo, enquanto entrava no chuveiro.

Reece agarrou o sabão e recitou a tabuada, apressada. O sabão escorregou de sua mão quando alguém bateu à porta.

Psicopatas não batem, disse ela a si mesma.

— Brody?

— Quem mais seria? — Ele abriu a porta e, um instante depois, abriu um cantinho da cortina. Estava completamente nu. — Por que você quer saber quanto é oito vezes oito enquanto toma banho?

— Porque cantar no chuveiro é simples demais pra mim. — Ela tentou pensar em como posicionar as mãos sem deixar óbvio que tentava se cobrir. — Já estou terminando.

— Acho que vi tudo que tinha para ver ontem à noite. Ou a água está deixando você tímida?

— Não.

Reece se forçou a baixar um dos braços e, depois, passar uma das mãos pelo cabelo encharcado. Mas manteve a mão livre fechada sobre o peito.

Ignorando a água e o vapor, Brody se esticou para dentro, puxando seu braço para baixo. E ergueu as sobrancelhas, puxando-o com mais força quando ela o ergueu de novo.

Ele estudou a cicatriz que Reece tentava esconder.

— Foi por pouco.

— Pois é.

Reece tentou virar o corpo para o outro lado, mas Brody não deixou, segurando-a no lugar e entrando no chuveiro.

— Está preocupada com a cicatriz porque acha que ela te torna imperfeita?

— Não. Talvez. É só que...

— Porque você tem outros defeitos, sabia? Esse quadril ossudo, para começar.

— Ah, é?

— É, e seu cabelo molhado mostrou outras coisas. Acho que suas orelhas são de abano.

— Não são nada.

Por instinto e ofendida, Reece esticou as mãos para conferir. Brody aproveitou a deixa para cercá-la com os braços.

— Mas, fora isso, até que você não é de se jogar fora. Acho que dá pra gente se divertir.

Ele a pôs contra a parede e provou que estava falando sério.

Capítulo dezesseis

⌘ ⌘ ⌘

Em vez de ser um mês alegre, maio infernizou Angel's Fist com uma série de terríveis tempestades que trovejavam sobre as montanhas e agitavam o lago com a ventania. Os dias, porém, se tornaram mais longos, com a luz demorando cada vez mais a ir embora. Reece, praticamente, enxergava a neve derretendo nos cumes menores enquanto, em seu pequeno vale, os choupos e salgueiros eram tomados pelo verde.

Narcisos desabrochavam com seu amarelo vibrante mesmo quando o vento e a chuva ameaçavam arrancá-los. Era fácil se identificar com aquela sensação. Ela sofrera com os sacolejos e as tempestades da vida. Mas agora também estava florescendo.

E, naquele dia monumental, ia se aventurar fora da cidade.

Para a maioria das mulheres, cortar o cabelo era apenas uma simples parte da vida. Para Reece, oferecia toda a adrenalina de pular de paraquedas. E, como uma novata do paraquedismo, ela se segurava à porta.

— Posso remarcar — disse a Joanie. — Se você precisar de ajuda hoje...

— Eu não disse que precisava de ajuda.

Ela jogou massa de panqueca na chapa.

— Sim, mas como o tempo está melhorando, a lanchonete vai encher no almoço. Não me importo de ficar.

— Eu me virava sozinha nessa cozinha antes de você aparecer.

— Sim, sim, óbvio. Mas se precisar de uma mãozinha hoje...

— Já tenho duas. E não é Beck bem ali?

Beck, enorme feito um carvalho, sem graça como uma panela de arroz empapado, sorriu e continuou picando o repolho para a salada.

— Ela vai me explorar, Reece, se você não estiver aqui para me proteger.

— Se essa salada não estiver pronta às onze em ponto, ela não vai me impedir de te mandar para o olho da rua.

— Puxa vida, Joanie — disse ele como sempre.

— Você quer ajudar? — continuou a chefe. — Encha a xícara de Mac de café antes de sair.

— Tudo bem. Você tem meu número se mudar de ideia. Só vou sair daqui a uma hora.

Reece enrolou um pouco, mas pegou a garrafa de café e foi até a bancada onde Mac esperava pelas panquecas.

— Está brigando com Joanie?

— Hã? Ah, não. Não é nada disso. — Ela serviu a bebida. — Só dei um pulinho até aqui. É meu dia de folga.

— É mesmo? Vai se aventurar por aí?

— Sim. Mais ou menos. Vou a Jackson com Linda-gail.

— Vão fazer compras?

— Um pouco, quem sabe. — Linda-gail fizera ameaças nesse sentido. — Vou cortar o cabelo.

— Você vai a Jackson só pra cortar o cabelo? — A lealdade com a cidade o fez franzir a testa. — O Pente da Curry fica aqui do lado.

O Pente da Curry era um estabelecimento com duas cadeiras que oferecia cortes à máquina e permanentes que deixavam as mulheres parecendo poodles. Mas Reece abriu um sorrisinho enquanto lhe entregava o açucareiro.

— Parece frescura, não é? Linda-gail disse que vamos nos mimar. Mas não preciso dessas coisas.

— Vá embora. — Joanie veio entregar as panquecas com uma linguiça de alce de acompanhamento.

— Estou indo. — Reece pegou a bolsa e a pasta que trouxera. — Pensei em mostrar o desenho do doutor por lá. Ninguém a reconheceu ainda?

— Não. O desenho está pendurado na frente da mercearia.

— Obrigada. Bem, Jackson é uma cidade grande. — Reece colocou o desenho dentro da pasta. — Talvez eu tenha mais sorte por lá.

— Depois não reclame se rasparem sua cabeça naquele lugar — gritou Joanie. Então, soltou uma gargalhada quando a viu empalidecer. — Seria bem feito pra você, gastando seu salário em outra cidade. E seu turno começa às seis em ponto amanhã, não interessa o estado do seu cabelo.

— Qualquer coisa, use um chapéu — sugeriu Mac.

— Obrigada. Muito obrigada. Estou indo.

Reece saiu e se certificou de que estava fora do campo de visão da lanchonete antes de passar uma das mãos pelo cabelo. Deixaria Linda-gail ir primeiro, esperaria, sondaria o terreno. Ela não era *obrigada* a cortá-lo. Aquilo seria uma escolha, uma opção.

Uma possibilidade.

Mas ir a Jackson era uma boa ideia e lhe daria a oportunidade de distribuir cópias do retrato falado. Ninguém reconhecera a mulher em Angel's Fist. Exceto por Jeff, do depósito, que ainda jurava que a mulher era a cara de Penélope Cruz.

Se ela estivesse viajando pela região, era mais provável ter parado em um lugar maior e mais animado, como Jackson Hole, do que se enfiar no fim de mundo de Angel's Fist.

Agora, como tinha um pouco de tempo de sobra e não queria passá-lo se preocupando com o cabelo, Reece foi até a delegacia.

Fazia quase uma semana desde a última vez que perguntara ao xerife Mardson se ele descobrira alguma coisa. É claro, ela passara boa parte daquela semana trabalhando ou na cama de Brody. Graças às distrações, Mardson não poderia acusá-la de estar lhe enchendo o saco.

Quando ela entrou, viu Hank O'Brien diante da mesa das chamadas de emergência. Ele exibia uma espessa barba preta, adorava frango à milanesa e tinha uma avó Shoshone que era famosa na cidade por suas peças de cerâmica.

Hank segurava uma caneca de café com uma das mãos e digitava com a outra. Ele ergueu o olhar.

— Como vão as coisas, Reece?

— Bem, obrigada. Como vai sua avó?

— Arrumou um namorado. Um ancião do povo Shoshone que perdeu a esposa há um ano. O cara tem noventa e três anos e fica dando em cima dela, dando flores e chocolate. Não sei o que pensar.

— Que fofo. — Mas, como ele parecia incomodado, Reece acrescentou: — E sua avó tem você para protegê-la. O xerife está ocupado? Eu só queria...

Enquanto falava, ela ouviu uma gargalhada. Mardson apareceu de mãos dadas com a esposa.

Isso também é fofo, pensou Reece. A maneira como as pessoas pareciam juntas quando *estavam* juntas. Mardson exibia um sorriso descontraído enquanto Debbie ainda ria, balançando as mãos unidas enquanto andavam.

Ela era uma loira bonita, de porte atlético, com cabelo curto repicado e olhos verde-esmeralda. Usava uma calça jeans skinny, botas de caubói marrons e uma camisa vermelha por baixo de uma jaqueta jeans desbotada. Em seu pescoço, via-se um cordão dourado com um pingente brilhante. Um sol, notou Reece. Que bonito.

Debbie gerenciava um estabelecimento chamado Na Trilha, que ficava ao lado do hotel, ajudando a organizar passeios pela floresta para os hóspedes e vendendo licenças para pesca e caça. E era muito amiga de Brenda. Nas tardes de domingo, levava as filhas para tomar sorvete na lanchonete.

Ela abriu um sorriso breve e amigável para Reece.

— Olá! Achei que você fosse para Jackson Hole hoje.

— Hum, bem, é. Mais tarde.

— Encontrei com Linda-gail ontem. Grandes planos. Você vai cortar o cabelo? Está tão bonito assim. Mas aposto que atrapalha, trabalhando na cozinha. Mesmo assim, homens gostam de mulheres de cabelo comprido, não é? Coitado do Rick — disse Debbie com outra gargalhada. — Estou sempre cortando o meu.

— Gosto dele do jeito que está. — Ele se inclinou para dar um beijo na bochecha da mulher, enroscando um dedo no cabelo dela. — Você é meu raio de sol.

— Vejam só. — Sorrindo, Debbie bateu no ombro dele com o seu. — Querendo me bajular. E depois de eu ter vindo convencê-lo a tirar uma hora de intervalo para andar a cavalo comigo. Ele nem pestanejou em me dispensar.

— Nem todo mundo pode fugir do trabalho. Quando essa mulher sobe em um cavalo, meia hora se transforma em metade de um dia. Posso ajudar em alguma coisa, Reece? — perguntou ele.

— Eu quis dar um pulinho aqui antes de ir só pra ver se o senhor ficou sabendo de alguma novidade. — Ela esperou um instante antes de pegar um dos desenhos. — Sobre a mulher.

— Bem que eu queria. Ninguém na região relatou o desaparecimento de uma mulher com essa descrição. E ninguém a reconheceu. Não há muito mais que eu possa fazer.

— Não. Bem, sei que fez tudo que pôde. Talvez eu tenha sorte em Jackson. Vou aproveitar para mostrar o desenho para as pessoas enquanto estiver lá.

— Não quero desanimá-la — disse Rick devagar. — Mas você precisa entender que esse desenho não é dos mais precisos, sem querer desmerecer o trabalho do doutor. Só que, sem muitos detalhes, vai ser fácil encontrar muita gente que acha que a reconhece. Você vai acabar perseguindo moinhos de vento.

— Pode ser. — Reece guardou o desenho, notando o olhar no rosto de Debbie. Se havia uma coisa que ela reconhecia, era pena. — Mas acho que preciso tentar mesmo assim. É melhor eu ir. Obrigada, xerife. Foi bom ver você, Debbie. Até logo, Hank.

Ela sentiu o calor subindo pela nuca enquanto se afastava. Porque, além da pena, sabia que também havia especulações no meio.

Será que Reece Gilmore era louca mesmo?

Dane-se. Dane-se, disse a si mesma enquanto voltava para a lanchonete para pegar o carro. Ela não fingiria que não vira o que vira, não guardaria os desenhos em uma gaveta e se esqueceria do que acontecera.

E não deixaria que aquilo a desanimasse, não hoje.

Hoje ela ia se divertir e cortar o cabelo.

Que Deus a ajude.

Os arbustos estavam começando a florescer. Reece imaginou que quase conseguia ouvi-los inalando o ar devagar, com força, tornando tudo colorido quando o exalassem.

Um trio de pelicanos passava pelo pântano em formação militar, mas foi seu primeiro vislumbre de um coiote caminhando devagar sobre a planície que a fez pedir a Linda-gail que estacionasse o carro.

Apesar de a garçonete declarar que o animal não passava de um rato gigante, obedeceu.

— Ele parece tão predatório.

— São uns sonsos desgraçados. — Essa era a opinião de Linda-gail.

— Pode ser, mas eu queria ouvi-los uivar como nos filmes.

— Quase esqueci que estou falando com uma garota de cidade grande. Quando o clima ficar quente o suficiente e você começar a dormir com a janela aberta, vai conseguir ouvi-los de vez em quando.

— Vou colocar isso na minha lista. Obrigada por parar para a garota de cidade grande.

— De nada.

Então elas seguiram pela estrada em direção a Jackson Hole, com a voz poderosa de Martina McBride dedicando oportunamente aquela canção às meninas.

Se Reece achava que Angel's Fist era uma pequena joia interessante e rústica, como um diamante, Jackson era grande e sofisticada e cheia daquele charme moderno do Oeste e de luzes coloridas. Lojas, restaurantes e galerias se espalhavam por calçadões com piso de madeira e ruas agitadas. E as pessoas eram agitadas também, cheias de afazeres. Talvez tivessem parado na cidade antes de visitar um dos grandes parques, agora que o verão estava quase chegando.

Alguns visitantes estariam ali para fazer compras, almoçar com um amigo, ir a uma reunião de trabalho.

Um lugar próspero, pensou ela, cheio de vida e energia. No entanto, atrás das estruturas e da velocidade da civilização instalada ali, as montanhas cobertas de branco se agigantavam em um esplendor deslumbrante. Elas faziam com que as construções dos homens parecessem minúsculas, brilhando mais do que qualquer joia sob os raios de sol.

Reece levou menos de dois minutos para entender que, apesar de a vista ser de tirar o fôlego, Angel's Fist fora uma opção melhor.

Havia muita gente ali. Muita coisa acontecendo ao mesmo tempo. Hotéis, pousadas, centros de recreação, esportes de inverno, esportes de verão, imobiliárias.

Ela mal tinha chegado à cidade e já queria ir embora.

— A gente vai se divertir! — Linda-gail cortava o trânsito como se estivessem em um carrinho de bate-bate. — Se ficar ansiosa e tal, pode fechar os olhos.

— Para não ver quando você bater?

— Sou uma ótima motorista. — Para provar, ela costurou o caminho entre uma SUV e uma moto, acenando para os motoristas, toda contente, e passando direto pelo sinal amarelo. — Acho que vou ficar ruiva.

— Acho que estou ficando ansiosa. Linda...

— Já estamos chegando. A gente devia ostentar de verdade algum dia desses, ir com tudo e reservar um dia inteiro de spa. Tem uns *maravilhosos* por aqui. Quero que alguém me encha de lama, esfregue um monte de plantas em mim e... Puta merda, uma vaga!

Ela meteu o pé no acelerador; seu Ford Bronco virou um míssil. A ansiedade de Reece quanto ao excesso de gente, ao trânsito e ao cabelo desapareceu, sufocada pela certeza de que a hora de sua morte chegara.

Contudo, antes de conseguir balbuciar uma oração, o carro estava estacionado.

— O salão fica a alguns quarteirões, mas nunca se sabe. Você também pode conhecer um pouco da cidade se formos andando.

— Acho que perdi a capacidade de mexer a parte de baixo do meu corpo.

Rindo, Linda-gail a cutucou.

— Vamos. Chegou a hora de dar um jeito nesse cabelo.

As pernas de Reece podiam estar tremendo, mas a levaram até a calçada.

— Quantas multas você recebe por ano? Não, em quantos carros você bate por ano?

Fazendo um som de desaprovação, a amiga lhe deu o braço.

— Não seja velha. Ai, meu Deus, veja! Olhe só essa jaqueta! — Ela arrastou Reece até uma vitrine para encarar com cobiça uma jaqueta de couro de um belo tom marrom-chocolate. — Parece tão macia. Deve custar um zilhão de dólares. Vamos experimentar. Não, a gente vai se atrasar. Podemos experimentar quando voltarmos do salão.

— Eu não tenho um zilhão de dólares.

— Nem eu, mas experimentar é de graça. Justa desse jeito, vai ficar melhor em você do que em mim, o que é um saco. Mesmo assim, se eu tivesse dinheiro, eu compraria.

— Acho que preciso me deitar.

— Você vai ficar bem. E se começar a se tremer toda, tenho um cantil na minha bolsa.

— Você... — Reece gaguejou um pouco enquanto Linda-gail a puxava. — Um cantil de quê?

— Martíni de maçã, caso você precise relaxar um pouco. Ou se estiver com vontade. Hum, esse aí podia me laçar. Dê uma olhada.

Com a cabeça girando, Reece se virou na direção que Linda-gail indicava e viu o caubói alto e esbelto de botas, calça jeans e chapéu.

— Que delícia — opinou Linda-gail.

— Achei que você estivesse apaixonada por Don.

— Estava, estou, estarei. Mas é igual à jaqueta, querida. Olhar não custa nada. Imagino que você tenha feito mais do que olhar para Brody. O sexo é bom?

— Acho que vou precisar mesmo do martíni se as coisas continuarem nesse ritmo.

— Só me conte uma coisa: a bunda dele é tão espetacular pelada quanto em uma calça jeans?

— Sim, sim, posso confirmar esse detalhe.

— Eu sabia! Chegamos.

Linda-gail segurou o braço dela com firmeza e a puxou para dentro do salão.

Reece não pediu pelo cantil, apesar de se sentir tentada, e, enquanto esperavam pelos cabeleireiros, quase saiu correndo diversas vezes.

Mas aprendeu uma coisa.

Aquilo não estava sendo tão ruim quanto da última vez que tentara. As paredes não pareciam tão próximas, os sons não soavam tão altos a ponto de lhe causar palpitações. E, quando seu cabeleireiro se apresentou como Serge, ela não se debulhou em lágrimas e saiu correndo porta afora.

Ele tinha um leve sotaque eslavo e um sorriso enorme que desapareceu de preocupação quando pegou suas mãos.

— Meu anjo, suas mãos estão um gelo. Vamos providenciar uma xícara de chá pra você. Nan! Um chá de camomila aqui. Venha comigo.

Reece o seguiu como um cachorrinho.

Ele a fez se sentar em sua cadeira, jogou uma capa verde-menta por cima dela — e tocou em seu cabelo antes de seu cérebro entrar em parafuso de novo.

— Não sei se...

— Que textura maravilhosa, e tão volumoso! Muito saudável. Você cuida bem dele.

— Acho que sim.

— Mas cadê o estilo? O charme? Veja só esse rosto, escondido por uma cortina de cabelo. O que vamos fazer hoje?

— Eu... sinceramente, não sei. Não achei que chegaria tão longe.

— Me fale mais sobre você. Sem aliança? Solteira?

— Sim. Sim.

— Livre e desimpedida. E de algum lugar da Costa Leste.

— Boston.

— Ahã. — Ele continuou mexendo em seu cabelo, levantando-o e deixando-o cair, estudando-o. — E o que você faz da vida, meu anjo?

— Eu cozinho. Sou chef de cozinha. — Algo dentro de Reece começou a ronronar enquanto as mãos de Serge massageavam seu couro cabeludo, brincavam com seu cabelo. — Trabalho com Linda-gail. Ela vai ficar aqui por perto?

— Linda-gail está ótima. Ela devia aparecer mais por aqui. — E, com aquele enorme sorriso, ele encontrou os olhos de Reece no espelho. — Você confia em mim?

— Eu... Ai, meu Deus. Confio. Mas será que você pode colocar um Valium no chá?

ELA SE esquecera daquilo, do prazer. Mãos no cabelo, um chá calmante, revistas bonitas, conversas de vozes predominantemente femininas.

Estava fazendo luzes, porque Serge queria. Provavelmente, aquilo estouraria seu orçamento, mas paciência. Em algum momento do processo, Linda-gail se aproximou, o cabelo cheio de produto e coberto por plástico.

— Vermelho-vilã — anunciou a garçonete. — Resolvi me jogar. Vou fazer as unhas. Quer também?

— Não. Não, não aguento fazer mais nada.

Mas ela até tirou uma soneca enquanto folheava sua cópia da *Vogue* antes de ter que lavar o cabelo. E cortar.

— Então, agora me conte sobre o homem na sua vida. — Serge começou a picar e repicar. — Deve ter um.

— Acho que tenho. — Meu Deus, ela tinha um homem na sua vida. — Ele é escritor. Na verdade, ainda estamos no começo.

— Paixão. Empolgação. Descobertas.

Um sorriso surgiu nos lábios dela.

— Isso mesmo. Ele é inteligente, autossuficiente, gosta da minha comida. E... bem, disfarça uma paciência incrível com comentários irritantes. Ele não me trata como se eu fosse de porcelana, que nem muita gente fez por muito tempo. E, por causa disso, parei de pensar em mim mesma dessa forma. Como se eu fosse de porcelana. Ah, quase me esqueci. — Serge afastou a tesoura quando ela se inclinou para pegar a pasta. — Você reconhece essa mulher?

Ele guardou a tesoura para analisar a imagem.

— Não tenho certeza, mas acho que ela nunca se sentou nessa cadeira. Eu a teria convencido a cortar esse cabelo. Deixa o rosto pesado. É alguém que você conhece?

— Mais ou menos. Talvez eu possa mostrar o desenho por aqui, deixar uma cópia. Vai que alguém a reconhece...

— Claro. Nan!

A sempre eficiente Nan veio correndo e pegou o desenho. Reece se concentrou em si mesma por tempo suficiente para se surpreender.

— Uau. Tem muito cabelo saindo da minha cabeça.

— Não se preocupe. Olhe só pra você! Maravilhosa!

Ele parou de novo para se virar e admirar a versão ruiva de Linda-gail.

— Eu *amei*! — Ela girou, mostrando o vermelho chamativo em seu novo corte moderno. — Sou uma nova mulher. O que você achou? O que achou? — Linda-gail quis saber de Reece.

— Ficou lindo. Lindo mesmo. — O vermelho ousado transformara a loirinha bonita em um mulherão. — Linda-gail, você está muito maravilhosa.

— Ataquei as amostras de maquiagem. — Ela olhou ao redor de Reece para se admirar no espelho. — E estou maravilhosa mesmo. Quando voltarmos, vou procurar Don e torturá-lo. — A garçonete se virou, inclinando a cabeça. — Adorei as luzes, sutis, mas bonitas. E acho que entendi a ideia de Serge. Seus olhos parecem maiores, como se isso fosse possível, e seu rosto está mais destacado. A franja está incrível, Serge. Muito sexy.

— Isso aí, para emoldurar esses olhos maravilhosos. Tiramos aquele peso todo dos seus ombros, do seu pescoço. E camadas compridas. E vai ser fácil se arrumar sozinha.

Reece encarou a imagem no espelho. *Quase reconheço essa mulher*, pensou ela. *Quase* me *vejo de novo.*

Quando seus olhos se encheram de lágrimas, Serge abaixou a tesoura e olhou para Linda-gail, nervoso.

— Ela não gostou. Você está chateada. Não gostou.

— Não, não, eu adorei. Sério. Fazia muito tempo que eu não olhava no espelho e via algo que me agradasse.

Linda-gail fungou.

— Você precisa de amostras de maquiagem.

Serge deu um tapinha no ombro de Reece.

— Daqui a pouco, quem vai estar chorando vai ser eu. Pelo menos, deixe eu secar seu cabelo primeiro.

REECE QUERIA se exibir. Seu dia fora maravilhoso, e isso era nítido. É claro, não devia ter deixado Linda-gail convencê-la a comprar aquela blusa, mesmo que fosse de um tom deslumbrante de amarelo. Ainda assim, entregara uma cópia do desenho para a vendedora — da mesma forma como fizera em todas as lojas para as quais a amiga a arrastara.

E ela estava certa, a jaqueta ficara melhor em Reece. Apesar de não custar um zilhão de dólares, isso não fazia diferença. O preço estava fora do seu orçamento do mesmo jeito.

Um corte de cabelo sensacional e uma linda blusa nova eram recompensas suficientes.

Ela pretendia ir direto para casa, se admirar, vestir a blusa nova, se arrumar. Então ligaria para Brody e perguntaria se ele queria ir jantar.

Tinha encontrado umas verduras maravilhosas em um mercado de Jackson e boas vieiras pescadas por mergulhadores. E açafrão, que também estava fora do seu orçamento, mas seria bom preparar um purê com açafrão e manjericão para acompanhar as vieiras. E queijo brie e cogumelos porcini para o arroz selvagem.

Enquanto Linda-gail babava nas lojas, Reece sentia calafrios de prazer nos mercados.

Ela subiu a escada praticamente saltitando enquanto levava as sacolas para o apartamento. Cantarolando, destrancou a porta, tão despreocupada que disse a si mesma que poderia esperar para trancá-la depois de colocar as bolsas sobre a bancada.

— Nossa, Reece, daqui a pouco você vai ser uma garota normal de novo.

Ela voltou dançando até a porta e trancou-a. Depois, decidiu que todo o resto poderia esperar até dar outra olhada em seu rosto feliz.

Reece rodopiou até o banheiro apenas pelo prazer de sentir o cabelo mais curto e mais leve se balançar.

E todo o sangue se esvaiu de seu rosto, todos os músculos de seu corpo perderam a força com o choque quando ela encarou o espelho.

O desenho estava grudado nele de forma que via o rosto de uma mulher morta em vez do seu. Nas paredes, no chão, na pequena pia, escrito várias vezes com caneta vermelha da cor de sangue, havia uma única pergunta.

SERÁ QUE SOU EU?

Tremendo, Reece deslizou pelo batente e se encolheu em um canto.

ELA JÁ devia estar em casa a essa hora, pensou Brody enquanto dirigia em torno do lago. Quanto tempo alguém levava para cortar o cabelo? Reece não atendia ao telefone, e ele se sentia ridículo por ter ligado quatro vezes na última hora.

Droga, ele sentia falta dela. E isso era ainda mais ridículo. Ele nunca sentia falta de ninguém. Além do mais, só fazia algumas horas que não a via. Oito horas e meia. Já passara muitos outros dias sem vê-la por mais tempo.

Mas, naqueles dias, Brody sabia que Reece estava do outro lado do lago, que poderia ir lá e encontrá-la quando quisesse.

Ele ainda não se rebaixara a ponto de tentar o celular dela, como um idiota gamado que não conseguia passar um dia sem falar com uma mulher. Sem ouvir sua voz.

O plano era ir à lanchonete, passar um tempo lá, talvez tomar uma cerveja. E prestar atenção para ver se o carro dela chegava. Mas de um jeito casual.

Ninguém precisava saber o que estava fazendo.

Brody notou o carro dela no lugar de sempre e concluiu que dera sorte. Poderia subir um pouco, dizer que fora à cidade para comprar... O quê? Pão.

Será que ele tinha pão em casa? Não lembrava. O pão seria sua desculpa, e ponto final.

Queria vê-la, sentir seu cheiro. Tocá-la. Mas Reece não precisava saber que ele passara a última hora andando de um lado para o outro na cabana como um cachorrinho perdido.

Enquanto estacionava, Brody percebeu que estava fazendo joguinhos. Bolando desculpas para vir à cidade e falar com ela.

E *isso* fez com que se sentisse um idiota gamado.

A melhor forma de melhorar essa situação era se irritando com ela. Como isso o fazia se sentir melhor, Brody exibia uma carranca no rosto enquanto subia a escada e batia à porta do apartamento, impaciente.

— Sou eu, Brody — gritou ele. — Abra.

Reece demorou tanto tempo para atender que a carranca se transformou em uma testa franzida de preocupação.

— Brody, desculpe, eu estava deitada. Estou com dor de cabeça.

Ele tentou abrir a maçaneta, mas viu que a porta estava trancada.

— Abra.

— É sério, está virando uma enxaqueca. Acho que vou dormir para passar. Te ligo amanhã.

O tom da voz dela não o agradava.

— Abra a porta, Reece.

— Tá, tá. — O trinco girou e ela abriu. — Você tem alguma dificuldade em entender o idioma que falamos aqui? Estou com dor de cabeça, não quero companhia. E, com certeza, não estou com vontade de esquentar os lençóis.

Brody ignorou os comentários porque ela estava branca como um fantasma.

— Você é uma dessas mulheres que ficam esquisitas quando não gostam do novo corte de cabelo?

— Lógico que sou. Mas adorei meu cabelo. Está maravilhoso. Mas tive que passar por um dia longo e muito estresse para conseguir esse resultado. Agora, estou cansada e quero que você vá embora pra que eu possa descansar.

O olhar dele seguiu para dentro do apartamento, passou pelas sacolas sobre a bancada.

— Há quanto tempo você voltou?

— Não sei, nossa. Talvez uma hora.

Dor de cabeça, porra nenhuma. Ele já a conhecia bem o suficiente para ter certeza de que aquela mulher podia ter cortado um braço fora, mas guardaria suas compras assim que pisasse em casa.

— O que aconteceu?

— Meu Deus, quer *parar*? Eu trepei com você, e foi ótimo. Os anjos cantaram no céu. Vamos repetir qualquer dia desses. Mas isso não significa que eu não tenha direito à droga da minha privacidade.

— É verdade — disse Brody em um tom tranquilo que contrastava com a voz irritada dela. — E vou te dar muita privacidade assim que me contar que diabos está acontecendo. Que porra é essa nas suas mãos?

Ele agarrou uma delas, por um instante apavorado com a possibilidade de haver sangue espalhado pelos dedos e as palmas de Reece.

— O que é isso? Tinta?

Ela começou a chorar em silêncio. Brody nunca vira algo tão triste quanto as lágrimas que escorriam por aquele rosto sem que qualquer som fosse emitido.

— Pelo amor de Deus, Reece, o que foi que aconteceu?

— Eu não consigo limpar. Não consigo limpar e não me lembro de ter feito aquilo. Não me lembro e não consigo limpar.

Ela cobriu o rosto com as mãos manchadas. E não resistiu quando Brody a pegou no colo e a levou para a cama, embalando-a nos braços.

Capítulo dezessete

⌘ ⌘ ⌘

As paredes e o chão estavam manchados nos lugares onde Reece tentara limpar com a toalha molhada, agora jogada em um montinho dentro da banheira, notou Brody. Ele imaginou que a toalha iria para o lixo, o que a deixaria chateada quando ela se acalmasse o suficiente para se dar conta disso.

Reece arrancara o desenho do espelho, deixando triângulos de papel rasgado e fita adesiva no lugar, amassando o papel e jogando-o na cesta ao lado da pia.

Ele via como a cena se desdobrara, com ela, freneticamente, puxando-a do porta-toalha, encharcando-a na pia. Esfregando, esfregando, esfregando enquanto a água transbordava e pingava; a respiração ofegante e chorosa.

E, mesmo assim, a mensagem continuava bem legível em vários lugares.

SERÁ QUE SOU EU?

— Não me lembro de ter feito isso.

Brody não se virou para encará-la, mas continuou analisando as paredes.

— Onde está a caneta vermelha?

— Eu... não sei. Devo ter colocado de volta no lugar. — Confusa com a dor de cabeça e as lágrimas, Reece voltou para a cozinha e abriu uma gaveta. — Não está aqui.

Em outro surto de desespero, ela revirou a gaveta, abrindo uma atrás da outra.

— Pare.

— Não está aqui. Devo tê-la levado comigo, jogado fora. Não me lembro. Igual às outras vezes.

Os olhos de Brody se apertaram, mas seu tom de voz permaneceu o mesmo. Calmo e muito firme.

— Que outras vezes?

— Acho que vou vomitar.

— Não, não vai.

Reece bateu a gaveta; os olhos vermelhos de tanto chorar, agora queimando de fúria.

— Não me diga o que fazer ou não fazer.

— Você não vai vomitar — repetiu ele enquanto se aproximava e a segurava pelo braço —, porque ainda não me contou das outras vezes. Vamos nos sentar.

— Não consigo.

— Tudo bem, vamos ficar em pé. Você tem conhaque?

— Não quero conhaque.

— Eu não perguntei o que você queria.

Brody começou a abrir os armários até encontrar uma garrafa pequena. Sob circunstâncias diferentes, ele teria ofendido seu senso de estética ao servir a bebida em um copo de suco.

— Beba tudo, magrinha.

Reece podia estar com raiva, podia estar beirando o desespero, mas sabia que seria inútil discutir. Então pegou o copo, virando os dois dedos de conhaque de uma golada só. E estremeceu.

— O desenho. Podia ser eu.

— Como assim?

— Se fizer um esforço... Já senti a violência na própria pele.

— Você já foi estrangulada?

— São traumas do mesmo jeito. — Ela bateu o copo sobre a bancada. — Alguém tentou me matar, e passei os últimos dois anos esperando tentarem de novo. Existe certa semelhança entre mim e o desenho.

— Só porque são duas mulheres com cabelo escuro e comprido. Ou, pelo menos, seu cabelo era comprido. — Franzindo um pouco a testa, Brody esticou uma das mãos para tocar a ponta dos fios de cabelo dela, que, agora, estavam vários centímetros acima dos ombros. — O rosto é diferente.

— Mas não vi bem o rosto dela.

— Mas você a viu.

— Eu não *sei*.

— Eu sei. — Como já imaginava que não encontraria café ali, ele abriu a geladeira e ficou feliz ao ver que Reece estocara sua cerveja favorita. Então, pegou uma e a abriu. — Você viu duas pessoas na beira do rio.

— Como pode ter certeza? Você não viu ninguém.

— Eu vi você — respondeu Brody. — Mas vamos voltar um pouco. Que outras coisas você esqueceu?

— Não me lembro de riscar meu mapa, de abrir minha porta e deixá-la aberta no meio da madrugada, de guardar a droga das tigelas no guarda-roupa e as botas e a mochila no armário da cozinha. Nem de guardar minhas roupas na mala. E tem outras coisas, coisas pequenas. Preciso voltar.

— Voltar pra onde?

Reece esfregou o rosto, cobrindo-o com as mãos.

— Não estou melhorando. Preciso voltar para o hospital.

— Isso é bobagem. Que história é essa de fazer a mala?

— Cheguei em casa um dia, na noite em que fui ao Clancy's com Linda-gail, e todas as minhas coisas estavam na mala. Tudo que eu trouxe. Devo ter feito isso de manhã ou durante algum dos meus intervalos. Não me lembro. E, uma vez, a lanterna que deixo do lado da cama estava na geladeira.

— Coloquei minha carteira na geladeira uma vez. Foi estranho.

Reece suspirou.

— Não é a mesma coisa. Eu não coloco as coisas no lugar errado. Nunca. Pelo menos... não quando estou lúcida, quando estou saudável. Com certeza, não é algo normal, pra mim, tirar as tigelas da cozinha e colocá-las em uma prateleira com as minhas roupas. Eu não deixo as coisas no lugar errado porque não consigo agir normalmente quando não sei exatamente onde tudo está. A questão é que não estou sendo funcional.

— Mais bobagens. — Distraído, ele espiou dentro das sacolas. — O que é essa grama toda?

— São para uma salada. — Reece massageou as têmporas que eram marteladas pela dor de cabeça que estava sentindo. — Preciso ir. Era isso que eu queria dizer para mim mesma quando fiz as malas. É isso que devo estar querendo deixar claro o tempo todo, desde a trilha, fingindo que as coisas estavam voltando ao normal.

— Você viu uma mulher ser assassinada enquanto fazia trilha. Isso não é tão normal assim. Na época, eu tive as minhas dúvidas, mas agora...

— Você teve?

— Não duvidei que você tinha visto a mulher. E o homem. Mas de que ela estivesse morta. Era possível que tivesse levantado, ido embora. Talvez. Mas ela morreu mesmo.

— Você prestou atenção no que eu falei? Viu o que eu fiz lá dentro?

Reece apontou na direção do banheiro.

— E se não foi você?

— E quem mais faria uma coisa dessas? — explodiu ela. — Pelo amor de Deus, eu sou uma pessoa instável, Brody. Tenho alucinações sobre assassinatos e escrevo em paredes.

— E se não foi você? — repetiu ele no mesmo tom implacável. — Escute, eu ganho a vida pensando em possibilidades. E se você viu exatamente o que viu?

— E daí? Isso não muda o restante.

— Isso muda tudo. Já viu *À meia-luz*?

Reece o encarou.

— Talvez seja por isso que gosto de você. É doido que nem eu. Que diabos *À meia-luz* tem a ver com o fato de que estou voltando a deletar momentos da minha mente e escrevendo nas paredes do meu banheiro?

— E se não foi você que escreveu no banheiro?

A cabeça dela latejava e o estômago doía de tanta ansiedade. Cansada demais para andar até uma cadeira, Reece apenas se sentou no chão e se recostou na geladeira.

— Se você acha que alguém está dando uma de Charles Boyer pra cima de mim, então é *mesmo* doido que nem eu.

— O que é mais assustador, Reece? — Brody se agachou para que os respectivos rostos pudessem ficar na mesma altura. — Acreditar que está tendo outro colapso nervoso ou que alguém quer convencê-la de que você enlouqueceu?

Tudo dentro dela estremeceu.

— Não sei.

— Já que tanto faz, pensa comigo. E se você viu uma mulher sendo assassinada, um ato que ninguém mais testemunhou. O crime foi denunciado à polícia, a história correu pela cidade. E se o assassino ficou sabendo, ou, como pensamos antes, ele viu você. No fim das contas, não cometeu o crime perfeito. Tinha coberto os rastros, lógico, mas não cometeu o crime perfeito.

— Porque havia uma testemunha — sussurrou Reece.

— Pois é. Mas a única testemunha tem um histórico de problemas psicológicos causados por um trauma violento. Ele pode usar isso. Nem todo mundo acredita nela mesmo... Nova na cidade, ansiosa. Mas, como a moça é insistente, talvez fosse bom incentivar essa ansiedade.

— Nossa... Não seria mais fácil me dar logo um tiro na cabeça?

— Outro assassinato. As pessoas começariam a acreditar em você.

— Quando eu estivesse morta.

— Claro. — Ainda havia força ali, pensou Brody. Ela tomara alguns golpes, mas se recuperaria. — Por outro lado, com alguns incentivos discretos, duas coisas podem acontecer: ou nossa testemunha enlouquece de vez e sai correndo pelada pela rua, cantando, ou vai embora e tem seu colapso nervoso em outro lugar. De um jeito ou de outro, suas alegações de ter testemunhado um assassinato vão cair no esquecimento.

— Mas isso é...

— Loucura? Não, não é. É muito inteligente, muito racional.

— Então, em vez de acreditar que eu sou completamente instável emocional e mentalmente, você quer que eu me convença de que um assassino está me perseguindo, entrando no meu apartamento e tentando me convencer de que eu sou louca?

Brody tomou outro gole da cerveja.

— É uma possibilidade.

Em algum momento no último minuto, enquanto absorvia tudo que ele dizia, a garganta de Reece ficou seca.

— A primeira opção é mais crível. Já aconteceu, afinal.

— Aposto que é. Mas você não precisa se contentar com a opção mais crível.

— Não sei se esse comentário faz muito sentido para uma pessoa que passou um ano fugindo de tudo, inclusive de si mesma.

— Se é assim que você encara as coisas, talvez esteja meio doida mesmo.

Brody se levantou e, como se só então se lembrasse de ser gentil, ofereceu uma das mãos para ajudá-la. Depois de um instante de hesitação, ela aceitou. E o fitou.

— Como você encara as coisas?

— Eu vejo uma mulher que sobreviveu. Que teve os amigos, que eram praticamente parte da sua família, assassinados, uma bem na frente dela, enquanto ela mesma sangrava na cozinha, esperando morrer depois de levar um tiro no peito. Presa no escuro. Todas as coisas boas de sua vida foram tiradas dela, sem mais nem menos, fazendo com que perdesse o senso de segurança e corresse o risco de perder aquilo que algumas pessoas chamariam de sanidade. E, dois anos depois, ela está aqui porque continua lutando, dia após dia, no tempo dela, no ritmo dela. Acho que é uma das pessoas mais fortes que já conheci.

A respiração de Reece estava pesada.

— Acho que você não conhece muita gente.

— Conheço você. — Ele abriu um sorrisinho e cutucou a testa dela. — Que está bem aqui. Pegue suas coisas, é melhor dormir lá em casa hoje.

— Não consigo me ver do jeito que você vê.

— Mas vai. — Brody espiou a sacola de compras. — Isso aqui era pra ser o jantar?

— Ah, *merda*! As vieiras! — Ele soube que ela voltara ao normal quando a viu pular em cima da sacola e a revirar. — Ainda bem que as embalei em um saco de gelo. Ainda estão geladas. Uma das vantagens de não aumentar o termostato do aquecedor.

— Eu gosto de vieiras.

— Você gosta de tudo. — Então, Reece apoiou as mãos na bancada e fechou os olhos. — Você não me deixa perder a cabeça. Não deixa.

— Eu já disse que mulheres histéricas me irritam.

— Você já disse que sente tesão por mulheres neuróticas.

— Pois é. Só que existe uma diferença entre histeria e neurose, e cheguei à conclusão de que você não é neurótica o suficiente para mim. Então, só vou te usar até encontrar alguém melhor.

Reece esfregou os olhos ardidos.

— Justo.

— Mas vai poder continuar cozinhando pra mim enquanto isso.

— Obrigada. — Ela baixou as mãos e o encarou. — Você me abraçou enquanto eu chorava. Deve ter ficado irritado.

— Você não estava histérica. Estava chateada. Só não crie o hábito de fazer isso o tempo todo.

— Eu amo você. Estou apaixonada.

Por dez segundos, Reece não ouviu absolutamente nada. E quando Brody falou, o tom da voz esboçava um leve toque de medo misturado com irritação.

— Porra. A gente não pode nem fazer uma boa ação.

Ela riu, soltando uma deliciosa gargalhada demorada. E que aqueceu sua garganta arranhada, seus nervos à flor da pele.

— Por isso mesmo. Eu devo ter enlouquecido. Não se preocupe, Brody. — Reece se virou, notando que ele a fitava com o respeito hesitante com que um homem encara uma bomba-relógio. — Por baixo de toda a neurose, sou uma mulher moderna e sensata. Você não é responsável pelo que sinto e não tem obrigação nenhuma de retribuir. Mas, depois de passar por tudo que passei, aprendi a valorizar as coisas. O tempo, as pessoas, os sentimentos. Foi meu terapeuta que me disse para escrever em um diário — continuou enquanto pegava tudo de que precisaria. — Para colocar meus sentimentos, minhas emoções, as coisas que eu não conseguia dizer em voz alta, no papel. E isso me ajudou muito, fez com que falar fosse mais fácil. Como agora, por exemplo.

— Você está confundindo confiança, uma gratidão desnecessária e o fato de que temos química.

— Minha cabeça pode ser problemática, mas meu coração continua funcionando muito bem. Mas, se isso o assusta, posso ligar pra Linda-gail e ficar na casa dela até eu decidir o que fazer.

— Pegue logo suas coisas — disse Brody, brusco. — Incluindo o que for necessário para cozinhar isso tudo.

ELA NÃO estava apaixonada. Mas o fato de *achar* que estava o deixava preocupado. Ele foi inventar de querer ajudá-la — provavelmente seu primeiro erro —, e agora a mulher teve a ideia de complicar tudo. O mundo feminino vivia querendo ver o mundo de um jeito mais bonito.

E Brody se sentia sufocado.

Pelo menos, Reece tinha parado de falar naquilo. E de se preocupar com o que acontecera no apartamento.

Como ele imaginara, cozinhar a acalmou. Brody conseguia se esquecer de tudo enquanto escrevia, então sabia como essas coisas funcionavam. Você mergulha no trabalho, e todos os problemas desaparecem.

Mas Reece teria que voltar para a realidade em algum momento. Se a teoria dele estivesse certa, ela havia se metido em uma enrascada.

— Quer vinho? — perguntou Brody.

— Não. Não, obrigada. Prefiro beber água. — Ela serviu a salada temperada, misturada com pedaços de cenoura crua, em pratos pequenos. — O restante vai demorar um pouco, então podemos começar com isso.

Ele devia ter comido mais salada em duas semanas do que, normalmente, comeria em seis meses sozinho.

— Joanie vai ter um ataque quando vir aquele banheiro.

— Então pinte.

Reece atacou a salada com um garfo.

— Não posso pintar os azulejos, o piso.

— Mac deve ter solvente ou algo parecido que dê um jeito. Aquele lugar não é uma cobertura chique, magrinha. Já estava precisando de uma obra.

— Isso que é pensar positivo. Brody, eu já tive apagões antes. E lapsos de memória. Faz mais de um ano que não acontece. Pelo menos, não que eu me lembre, haha. Mas já aconteceu.

— Mas isso não significa que esteja acontecendo agora. Passei muito tempo com você nas últimas duas semanas. E não a vi tendo crises de esquecimento ou sonambulismo, nem redecorando as paredes da cabana com mensagens do seu subconsciente. A coisa mais estranha que você fez foi rearrumar as gavetas da minha cozinha.

— Arrumar — corrigiu ela. — Para rearrumar algo, ele tem de estar minimamente organizado primeiro.

— Eu conseguia encontrar minhas coisas... depois de um tempo. — Como a salada estava ali e tinha ficado boa à beça, Brody comeu um pouco mais. — Alguém na lanchonete já comentou sobre você fazer algo estranho?

— Joanie achou estranho quando insisti que precisava de quiabo para fazer minestrone.

— Quiabo é mesmo um fruto estranho. Quando esse tipo de coisa acontecia, em Boston, você estava sempre sozinha?

Reece se levantou para dar os toques finais no restante do jantar.

— Não. Eu me sentia cada vez pior, porque sabia que podia acontecer em qualquer lugar, a qualquer hora. Depois que tive a primeira alta do hospital, fiquei na casa da minha avó. Ela me levou para fazer compras. Depois, encontrei um suéter marrom horroroso na minha cômoda e perguntei de onde ele tinha saído. Deu pra perceber que tinha algo errado pela forma como ela me encarou, e, quando insisti, minha avó me contou que eu tinha comprado. Que conversamos sobre aquilo, porque o suéter não era muito meu estilo. E que eu disse, para ela e o vendedor, que precisava dele por ser à prova de balas. — Reece revirou as vieiras com um gesto habilidoso. — Certa vez, minha avó entrou no meu quarto de madrugada porque ouviu um barulho. Eu estava pregando a janela. Não me lembro de ter buscado o martelo nem os pregos. Acordei com ela me abraçando e chorando.

— Pra mim, os dois incidentes parecem formas de se proteger. Você estava assustada.

— Assustada é pouco. E tive outros acessos. Eu tinha terrores noturnos em que ouvia as coisas caindo no chão, tiros, gritos. Tentava quebrar portas. Durante um deles, saí pela janela, a mesma que tentei pregar. Um vizinho me encontrou na calçada, de camisola. Eu não sabia onde estava nem como cheguei lá. — Reece colocou um prato diante de Brody. — Foi aí que me internei. Posso estar tendo outras crises.

— Que, convenientemente, só acontece quando você está sozinha? Acho difícil. Você passa oito horas por dia na lanchonete, entre cinco e seis dias por semana. Passa tempo comigo, com Linda-gail, passeia pela cidade. Mas só teve seus acessos, como você mesma diz, no apartamento, quando ninguém mais está por perto. *À meia-luz*.

— Você é Joseph Cotten?

— Gosto de mulheres que conhecem os clássicos. — Brody tocou sua mão com um roçar de dedos. — Tenho outra sugestão: *Janela indiscreta*.

— Jimmy Stewart testemunha um assassinato em um apartamento do outro lado da rua enquanto está de repouso com a perna quebrada. — Pensativa agora, Reece se sentou com o próprio prato. — Ninguém mais vê o que aconteceu, ninguém acredita nele. Nem Grace Kelly. Nem seu amigo policial... Droga, droga, eu vou lembrar...

— Wendell Corey.

— Droga. Nem a sempre maravilhosa Thelma Ritter. Ninguém acredita que Raymond Burr matou a esposa.

— Não há provas que sustentem a versão do nosso herói. Não há corpo, não há sinal de luta, não há sangue. E Jimmy anda se comportando de um jeito meio esquisito.

— Então, no seu mundo, estou presa em uma mistura de *À meia-luz* e *Janela indiscreta*.

— Eu tomaria cuidado com caras que parecem com Perry Mason ou têm sotaque francês.

— Você está fazendo eu me sentir melhor. Duas horas atrás... — Reece precisou parar, pressionar os olhos com a ponta dos dedos. — Eu estava encolhida no chão, chorando. Praticamente chupando dedo. Voltei ao fundo do poço.

— Não, você só escorregou um pouquinho. E se levantou de novo. Isso é coragem.

Ela baixou as mãos.

— Não sei o que fazer.

— Agora você devia comer suas vieiras. Estão boas pra cacete.

— Tudo bem. — Reece deu uma mordida, e é claro que Brody tinha razão. Elas estavam boas pra cacete. — Engordei um quilo e meio.

— Um quilo e meio. Onde foi que eu guardei os fogos de artifício mesmo?

— É porque estou cozinhando mais. Não só na lanchonete, mas aqui também.

— Eu só quero ajudar.

— E faço sexo regularmente.

— De novo, só quero ajudar.

— Cortei e pintei o cabelo.

— Eu percebi.

Reece inclinou a cabeça. Pelo visto, teria que ser direta.

— Bem, o que você achou?

— Ficou bom.

— Ah, por favor, pare. — Ela deu um tapinha no ar. — Não precisa me elogiar tanto assim.

— Sou exagerado mesmo.

Ela passou os dedos pelo cabelo.

— Eu gostei. Se você não gostou, pode dizer.

— Se eu não tivesse gostado, teria dito. Ou teria dito que o problema é seu se você quer andar por aí com um cabelo ridículo.

— Teria mesmo — respondeu Reece. — Estar com você me faz bem. Gosto da sua companhia, das nossas conversas. Gosto de fazer seu jantar e dormir na sua cama. Eu me sinto mais... Não posso dizer "como antes", porque é impossível voltar no tempo.

— Talvez você nem devesse tentar.

— Não, pois é. Desde que estou com você, me sinto mais como a pessoa que queria me tornar. Mas nós dois sabemos que seria mais inteligente, mais saudável, para todos se nos afastássemos um pouco.

Do outro lado da mesa, Brody franziu o cenho, cortando a vieira.

— Olhe, se está falando isso porque acha que está apaixonada por mim e as coisas estão ficando complicadas...

— Não é por isso. — Reece comeu outro pedaço da vieira. — Você tem sorte de eu estar apaixonada por você. A maioria das mulheres o acharia bonito, mas elas ficariam intimidadas com esse gênio emburrado.

— Crianças de três anos de idade são emburradas.

— Pois é. Não se trata dos meus sentimentos, e sim da situação. Se eu estiver regredindo, não seria uma boa companhia nem no relacionamento mais desprendido do mundo. Se você estiver certo e o problema for, bem, algo externo, sou uma companhia pior ainda.

Brody pegou a cerveja e tomou um gole, pensativo.

— Se você for só uma maluca e eu me afastar, isso mostra que não consigo lidar com momentos difíceis. Se alguém estiver tentando fazer você parecer maluca, a mesma coisa. E não vou poder resolver o mistério. E não vou abrir mão da comida e do sexo.

— Justo. Mas se mudar de ideia não vou julgá-lo.

Reece esticou o braço para pegar o jarro de água mineral com rodelas finas de limão que colocara na mesa.

Ele segurou sua mão, esperando até que ela o encarasse.

— Não é só a comida e o sexo. Eu... — O quê, ele gostava dela? Brody se perguntou. "Gostar" podia significar uma infinidade de coisas. — Eu me importo com o que acontece com você.

— Eu sei.

— Ótimo. Então não precisamos passar uma hora e meia pensando e analisando tudo. — A mão de Reece era macia sob a dele, delicada. Ele a soltou, mas manteve os dedos sobre os dela. — A gente vai resolver tudo, Reece.

E naquele momento, enquanto a mão quente dele cobria a sua, ela acreditou.

DEPOIS QUE os dois terminaram de comer e arrumar a cozinha, enquanto ela tomava o chá de que gostava, Brody tentou o próximo passo.

— Você se incomoda de passar uma hora sozinha aqui?

— Por quê?

— Pensei em falar com Rick, levá-lo para dar uma olhada no apartamento.

— Não faça isso. — Reece balançou a cabeça, encarando as chamas do fogo que Brody acendera na lareira da sala. — O xerife não acredita em mim. Ele fez seu trabalho e tudo como manda o figurino. Mas não acredita em mim. Fui à delegacia hoje. Encontrei com ele, Debbie e Hank. E, quando peguei o desenho e disse que aproveitaria o passeio a Jackson Hole para mostrá-lo às pessoas, só recebi olhares de pena.

— Se alguém está entrando na sua casa...

— Se é isso que está acontecendo, não temos como provar. E como alguém faria uma coisa dessas? Eu instalei uma fechadura nova e tudo.

— Fechaduras podem ser arrombadas. E chaves podem ser copiadas. Onde você guarda as suas?

— Em um bolsinho dentro da minha bolsa.

— E quando você está trabalhando?

— No bolsinho dentro da minha bolsa, ou, se não estiver com uma, no bolso da jaqueta. No direito, porque sou destra, se você quiser detalhes mais específicos.

— Onde você deixa a bolsa e a jaqueta enquanto está trabalhando?

— Na sala de Joanie. Ela tem uma cópia das chaves do armário lá dentro. Acho que não vamos chegar à conclusão de que confundi Joanie com um homem, que ela matou a amante e está entrando escondido no apartamento para me atormentar.

— Não seria difícil para alguém entrar na sala, tirar um molde da chave e fazer uma cópia.

A xícara tremia na mão de Reece antes de deixá-la sobre a mesa.

— Você acha que é alguém da cidade?

— Talvez. Talvez seja alguém que estava hospedado na região quando tudo aconteceu. E que resolveu ficar por aqui quando a fofoca começou a correr sobre você ter visto alguma coisa, o que aconteceu logo depois.

— Mas ninguém reconheceu a mulher.

— Eu não disse que ela era da cidade ou dos arredores.

Reece se recostou na poltrona.

— Não. Não disse. Acho que cheguei à conclusão de que, se ela veio de outro lugar, ele também viria.

— Talvez sim, talvez não. Pode ser alguém de Angel's Fist ou alguém que visite a cidade com frequência. Ou alguém que estava acampando, caçando ou praticando remo na região. Alguém que sabe cobrir rastros, o que, na minha opinião, tira o pessoal de cidade grande da lista. Quem sabia que você passaria boa parte do dia fora?

— Quem *não* sabia?

— Pois é, é assim que as coisas funcionam por aqui. Seria bom criar uma linha do tempo — refletiu Brody. — Você disse que tem um diário.

— Tenho.

— Quero dar uma olhada.

— De jeito nenhum.

Ele começou a abrir uma carranca, mas então sorriu.

— Você escreveu sobre mim?

— Lógico que não. Já ouviu falar de alguma mulher que escreve no diário sobre um homem que acha bonito ou com quem tem experiências sexuais? Que absurdo.

— Talvez eu possa ler só as partes sobre as experiências sexuais para garantir que você registrou todos os detalhes.

— Confie em mim. Vou dar uma olhada, anotar as datas e a hora em que as coisas aconteceram.

— Ótimo, mas não hoje. Você parece exausta. Vá pra cama.

— Posso deitar aqui um pouquinho.

— Aí vou ter de levá-la para cima quando você apagar. Vou trabalhar um pouco no escritório.

— Ah. — O olhar dela seguiu para a porta. — Tudo bem, talvez...

— Depois que eu conferir todas as portas. Vá dormir, magrinha.

Era bobagem fingir que não estava cansada, então Reece se levantou.

— Tenho o turno do café amanhã. Vou tentar não te acordar.

— Eu agradeço.

— Obrigada pelo ombro, Brody.

— Você não usou meu ombro.

Reece se inclinou, levando os lábios ao dele.

— Usei, sim. Umas vinte vezes só hoje.

Ela sabia que Brody conferiria as portas, porque tinha prometido. E, enquanto se aprontava para dormir, ouviu os passos dele na escada. Quando deu uma espiada no corredor, viu que a luz do escritório estava acesa e ouviu o tec-tec do teclado.

Por saber que ele estava ali, Reece conseguiu ir para a cama com a porta aberta e destrancada.

Por saber que ele estava ali, conseguiu fechar os olhos e dormir

Capítulo dezoito

⌘ ⌘ ⌘

BRODY SE agachou diante da porta do apartamento de Reece com uma lanterna de bolso e uma lupa.

Estava se sentindo ridículo.

Apesar de considerar que a possibilidade de dormir até mais tarde era uma das vantagens de ganhar a vida escrevendo ficção, ele acordara na mesma hora que ela. E ignorara seus argumentos de que poderia ir andando sozinha da cabana até a lanchonete.

Claro, pensou Brody agora, qual era o problema de uma mulher que talvez estivesse sendo perseguida por um maníaco homicida andar alguns quilômetros no escuro como a personagem burra de um filme de terror ruim?

Além disso, ele não só conseguira as duas primeiras xícaras de café fresco da lanchonete quando a deixara lá, como também ganhara um prato de bacon, ovos e batatas fritas antes mesmo de o lugar abrir as portas.

Não tinha sido um mau negócio.

Agora, ele estava agachado ali, brincando de detetive. Como não tinha nenhuma experiência com casos de invasão domiciliar, seria impossível determinar com certeza se a tranca fora arrombada, mas não havia sinais óbvios.

Brody considerou de novo ignorar Reece e falar com o xerife. Mesmo assim, provavelmente, não havia muito o que Rick pudesse fazer àquela altura.

E havia a questão da confiança, refletiu enquanto se sentava sobre os calcanhares. Reece confiava nele, e, se passasse por cima da decisão dela, aquela confiança seria quebrada.

E ela dizia que estava apaixonada — mas sem pressão. Mulheres. Reece só estava confundindo tesão e... companheirismo com aquela palavrinha que começava com "a". E, ainda por cima, aquela situação toda a deixara vulnerável. Uma situação que ainda não parecia ter acabado.

Brody se levantou, pegando a chave que ela lhe dera. Então, encarou-a na palma da mão.

Confiança. O que fazer com uma coisa dessas?

Ele abriu a porta e entrou.

Havia um aroma no ar — leve e sutil. Reece. Agora ele o reconheceria em qualquer lugar. E se viu mais irritado que o normal com a pessoa que invadira o lar dela e sentira aquele mesmo aroma íntimo.

A luz entrava pelas janelas, refletindo no piso, nos móveis gastos de segunda — ou terceira — mão, na colcha azul que ela comprara para o sofá-cama estreito.

A única coisa em que Brody conseguia pensar era que ela merecia mais. Provavelmente poderia ajudá-la, lhe dar algum dinheiro para comprar um tapete e um pouco de tinta.

— Você está entrando em um caminho sem volta, Brody — lembrou a si mesmo. — Primeiro, começa comprando um maldito tapete, e logo ela vai querer uma aliança.

Além do mais, não havia dinheiro no mundo capaz de comprar aquela vista. Que diferença fariam tapetes ou alguns quadros decentes na parede quando você tinha as montanhas pintadas no céu diante de sua janela, e o lago, praticamente formando uma piscina à sua porta?

Brody tirou o laptop dela da tomada, colocando-o na capa junto com o pendrive para levar para casa. Reece precisaria de, pelo menos, outra noite fora daquele lugar. Seria melhor que tivesse suas coisas.

Distraído, ele abriu a gaveta da pequena escrivaninha que Joanie devia ter emprestado a Reece. Lá dentro, encontrou dois lápis apontados partidos no meio, uma caneta hidrográfica preta e um álbum fino com capa de couro que parecia do tipo que as pessoas usavam para carregar fotos dos filhos ou de animais de estimação. Curioso, Brody o abriu.

A imagem de uma mulher mais velha de aparência elegante, sentada no banco de um jardim bem-cuidado, com um "X" preto grosso em seu rosto. Havia outras fotos. A mesma mulher usando uma blusa branca e calça preta, segurando um poodle minúsculo. Um casal com aventais compridos, um grupo erguendo taças de champanhe. Um homem de braços abertos diante de um grande forno embutido na parede.

Todos com um "X" no rosto.

Na última, Reece estava em pé no meio de um grupo grande. Brody concluiu que o restaurante era o Maneo's. O dela era o único rosto do grupo que não fora rabiscado, todo sorridente.

Sob cada pessoa, em uma caligrafia pequena e legível, via-se uma única palavra: MORREU. E, sob Reece, lia-se: ENLOUQUECEU.

Será que ela já encontrara aquilo? Ele esperava que não e colocou o álbum no bolso externo da capa do laptop. Poderia tirá-lo de lá depois, pensar no que fazer quando chegasse em casa.

Apesar de não pretender invadir tanto a privacidade dela, Brody começou a remexer as gavetas daquela cômoda horrorosa.

Tentou ignorar o desconforto de revirar suas calcinhas, lembrando a si mesmo que já as removera algumas vezes. Se podia tocá-las enquanto Reece as usava, não havia por que ficar incomodado quando elas estavam dobradas dentro de uma gaveta.

Tudo bem, aquilo era estranho.

Mas sua análise da cômoda terminou logo: ela não tinha muita coisa. A mulher viajava com pouca bagagem.

Já as gavetas da cozinha foram outra história. Era ali que ela se dedicava. Tudo era organizado com precisão militar. Nada de bagunça. Era óbvio que Reece não conhecia o termo "gaveta da bagunça". Ele encontrou xícaras medidoras, colheres, batedores — por que uma pessoa precisaria de mais de um? — e diversos utensílios de cozinha.

Muitos lhe eram misteriosos, porém, assim como as panelas e os potes no armário de baixo, estavam meticulosamente arrumados.

Brody encontrou uma pilha de tigelas e travessas de tamanhos diferentes.

De novo, por que alguém precisaria de mais de uma de cada?

No outro armário, ele reconheceu o pilão e o almofariz, que estava cheio de comprimidos até a boca.

Brody o separou.

Em seguida, foi ao banheiro. No armário, todos os frascos que já vira antes estavam alinhados em uma prateleira. E vazios.

Pequenas armadilhas, pensou Brody, sentindo a raiva borbulhar de novo. O desgraçado era inteligente.

Como queria fechar as mãos em punhos, ele as enfiou nos bolsos e analisou as paredes.

Letras de forma de novo, observou, tudo legível. Mas, como algumas palavras passavam umas por cima das outras, havia uma impressão de desequilíbrio — de loucura, com certeza. O detalhe de algumas subirem do chão pela parede, ou descerem, era ótimo.

A pessoa que fizera aquilo fora muito premeditada, muito cuidadosa, muito inteligente.

Brody pegou a câmera digital que trouxera consigo. Tirou fotos de todos os ângulos possíveis naquele cômodo apertado, com imagens aproximadas da pergunta inteira, de palavras sozinhas, de letras.

Quando registrou o espaço de todas as formas imagináveis, se apoiou no batente.

Reece não podia voltar ali com o banheiro daquele jeito. Ele teria de ir à mercearia, ver se encontrava algo que removesse a tinta do chão, da banheira, dos azulejos. Ia ser rápido.

Enquanto estivesse lá, podia comprar tinta também. Um cômodo daquele tamanho não gastaria mais do que um quarto de uma lata. O trabalho estaria pronto em, no máximo, duas horas.

Não era como se ele fosse comprar um tapete ou algo do tipo para ela.

Mac fez perguntas, é claro. Brody achava que a única coisa que alguém conseguiria comprar em Angel's Fist sem causar questionamentos era papel higiênico — e olhe lá. Qualquer outra coisa viria acompanhada de: "Vai fazer o que com isso?"

Ele não falou nada sobre pintar o apartamento de Reece. As pessoas sempre chegavam a conclusões precipitadas quando descobriam que um cara estava ajeitando a casa de uma mulher que levara para a cama.

Não demorou muito para Brody — o homem que achava que qualquer tarefa doméstica além de passar café era o inferno na Terra — estar de volta ao banheiro, de quatro, esfregando o chão.

REECE GIROU a maçaneta com cuidado. Ela odiava ver que não estava trancada. Odiava aquele medo quase paralisante de Brody estar caído lá dentro, machucado ou pior.

Por que ele ainda estava ali? Ela esperara receber as chaves de volta bem antes do seu intervalo. Mas ele não aparecera, e seu carro continuava lá fora.

E a porta do apartamento estava aberta.

Reece a empurrou.

— Brody?

— Oi. Aqui.

— Está tudo bem? Vi seu carro e não... — Reece parou pouco depois de entrar na sala e fungou. — Que cheiro é esse? Tinta?

Ele saiu do banheiro empunhando um rolo, as mãos e o cabelo salpicados de tinta.

— Perfume que não é.

— Você está pintando o banheiro?

— Não é nada de mais. Deve ter meio metro de parede no máximo aqui.

— Tem um pouco mais. — A voz de Reece estava emocionada. — Obrigada.

Ela se aproximou para dar uma olhada.

Brody já terminara o teto e o contorno dos azulejos e passara selador nas paredes. A cor era um azul muito, muito claro, como se uma nuvem tivesse mergulhado rapidamente no lago e absorvido uma gota de sua cor.

Não havia nenhum vestígio das letras e manchas vermelhas.

Reece se apoiou nele.

— Gostei da cor.

— Não havia muitas opções prontas na mercearia. Eles tinham um rosa--chiclete que me saltou aos olhos.

Ela sorriu, ainda se apoiando nele.

— Agradeço por ter se contido e fingido ter bom gosto. Vou te recompensar com comida.

— Por mim, tudo bem. Mas se quiser pintar o restante do apartamento, fica por sua conta. Eu tinha esquecido que odeio pintar.

Então, Reece se virou para Brody, se aconchegando em seu pescoço.

— Posso terminar depois do trabalho.

— Eu comecei, eu termino.

Brody se pegou dando um beijo no topo da cabeça dela. Mas era tarde demais para interromper o gesto. Tarde demais para muitas coisas, percebeu ele quando Reece inclinou a cabeça para trás e o fitou com aqueles olhos.

— Prefiro isso a diamantes. Só pra você saber.

— Que bom. Meu estoque de diamantes acabou. — Quando ela apoiou a cabeça em seu peito e suspirou, Brody se perdeu. — Eu não queria que você visse aquilo de novo.

— Eu sei. Mas será que posso dormir na sua casa mesmo assim? — Reece se aninhou um pouco mais. — O cheiro de tinta demora um pouco pra sair, sabe?

— É melhor você não inalar esse cheiro tóxico mesmo.

Ela afastou a cabeça de novo, e dessa vez levou os lábios aos dele. Um beijo devagar e demorado, tão carinhoso, quase insuportavelmente doce. A mão livre de Brody subiu por suas costas, agarrando-lhe a blusa.

Com uma risada, Reece se afastou. Radiante, pensou ele. Todo o estresse e toda a ansiedade que estampavam seu rosto na noite anterior tinham desaparecido.

— Só preciso pegar umas coisas para... Você queria moer alguma coisa?

Brody ainda estava pensando no beijo, na expressão do rosto dela, e só conseguiu pensar em dizer:

— Quê?

— Pegou meu pilão e meu almofariz.

E ele xingou a si mesmo por deixá-los na bancada.

— Reece...

— O que é isso? Parece... — O brilho que irradiava dos olhos dela e o iluminava desapareceu. — Eu não tomo os remédios. — Agora, quando o encararam, aqueles olhos pareciam arrasados. — Só os tenho por precaução, para me lembrar de nunca voltar àquele ponto. Não quero que você ache que...

— Eu não coloquei os remédios aí.

— Então... Ah.

— São armadilhas, Reece. — Brody deixou o rolo de lado e se aproximou. — Ele está deixando armadilhas pela casa, e você não pode cair nelas.

— Que mensagem você acha que isso quer passar? — Reece enfiou os dedos no almofariz, segurando os comprimidos entre eles. — "Que tal triturar todos eles e fazer uma bela pasta, espalhá-la em uma torrada e dormir para sempre?"

— O que ele está dizendo não importa se você não der ouvidos.

— É óbvio que importa. — Reece se virou, e, em vez de tristeza, aqueles olhos de cigana brilhavam de raiva. — Se eu não prestar atenção no que ele quer dizer, não posso responder. Não posso mostrar que não vou deixar ninguém me botar pra baixo, nem os remédios, nem os médicos. Que não vou afundar de novo, porque esse cara é um assassino, um covarde, um filho da puta. — Ela pegou o almofariz e, enquanto Brody se preparava para vê-la jogando-o na parede, o virou de cabeça para baixo na pia, abrindo a torneira. — Eu não preciso nem quero esses comprimidos. E esse cara pode ir se foder.

— Eu devia ter imaginado que você não é do tipo que quebra as coisas. — Brody segurou seus ombros e, ao seu lado, observou os comprimidos derreterem. — Esse cara não sabe com quem está mexendo.

— É bem capaz que eu entre em pânico mais tarde, sabendo que não tenho mais os remédios. Meu escudo.

— O doutor pode passar uma receita se você precisar.

— É, acho que sim. — Reece suspirou. Ralo abaixo, pensou. Ela jogara os remédios ralo abaixo só para provar que não se deixaria abalar. — Vou tentar me lembrar disso e ver como me saio sem o escudo.

Brody pensou no álbum de fotos que guardara, querendo protegê-la. Mas percebeu que Reece não precisava de proteção, e sim de confiança. Ela precisava saber que alguém acreditava na sua sanidade.

— Eu achei outra coisa. É mais pesado.

— O quê?

Enquanto ela olhava ao redor, procurando a armadilha, Brody seguiu para o laptop e pegou o álbum fino.

— Ele fez isso para deixá-la ansiosa. Não dê essa vitória para ele.

Reece abriu o álbum. Dessa vez, não foram suas mãos que tremeram, e sim seu coração.

— Como ele teve coragem de fazer isso? Depois de tudo que essas pessoas passaram, tudo que perderam, serem riscadas como se fossem nada.

— Para esse cara, elas são nada.

— Eu jamais teria feito uma coisa dessas — disse Reece. — Nem no auge da minha loucura eu faria algo assim. Ele cometeu um erro aqui, porque sei que isso não foi obra minha. — Ela passou um dedo pelos rostos rabiscados daqueles que tinham morrido. — Eu os amava e jamais tentaria apagá-los. — Reece abriu todas as páginas, como Brody fizera, e fechou o álbum. — Desgraçado. Esse desgraçado de merda. Não, ele não vai vencer. — Ela voltou para a mesa e guardou o álbum. — Não vai.

Brody se aproximou, e, por isso, Reece se sentiu à vontade para virar. Podia se apoiar nele.

— Eu consigo substituir a maioria das fotos. Minha avó tem cópias de algumas. Mas a foto do grupo inteiro era a única que eu tinha de todos nós.

— As famílias devem ter cópias.

— É mesmo. — Reece se afastou, empurrando o cabelo para trás. — Posso entrar em contato, pedir uma cópia. Posso fazer isso. Preciso descer, terminar meu expediente.

— Vou descer depois que acabar aqui. — Brody acariciou o cabelo dela. — Talvez a gente possa fazer alguma coisa mais tarde. Dar uma volta de carro. Ou pegar um barco emprestado. Qualquer coisa.

— Qualquer coisa parece ótimo. Eu estou bem. Vou ficar bem.

Pete voltara ao trabalho e lhe deu uma piscadela quando Reece voltou à cozinha.

— Aquele seu sanduíche de frango *teriyaki* foi um sucesso no início do almoço. Está saindo bastante, e não tem quase nada voltando nos pratos.

— Que bom.

— Você tirou mais tempo do que devia no intervalo — disse Joanie da chapa.

— Desculpe. Vou compensar.

— Brody está pintando lá em cima?

Reece virou a cabeça enquanto lavava as mãos.

— Como você sabe?

— Carl veio tomar um café e comentou com Linda-gail que Brody comprou tinta e pincéis na mercearia. O carro dele continua aí na frente. Liguei os pontos.

— Sim, ele está me fazendo um favor.

— Espero que não seja uma cor berrante.

— Um azul muito claro. É só o banheiro. Ele... estava precisando de uma tinta.

— Devia estar mesmo. — Joanie colocou um filé em um pão comprido, virou os ovos e começou a montar um sanduíche bem recheado. — Nada como ter um homem cuidando dessas coisas para você.

— Pois é.

Depois de secar as mãos, Reece pegou o próximo pedido da fila.

— Não me lembro de Brody já ter feito isso para outra mulher. Você se lembra, Pete?

— Acho que não.

Pete tinha razão sobre o *teriyaki*. O pedido exigia dois — um acompanhado de cebolas empanadas; o outro, de sopa de feijão. Reece começou a trabalhar.

— Vocês dois sabem que estou dormindo com ele — disse ela, despreocupada. — Homens costumam fazer favores para as mulheres com quem dormem.

— Você não é a primeira mulher daqui com quem ele dorme — comentou Joanie. — Mas nenhuma delas ganhou um banheiro pintado.

— Talvez eu seja melhor de cama.

Joanie soltou uma gargalhada, despejou uma porção de batatas fritas em um prato com o sanduíche e acrescentou uma colherada de salada de repolho.

— O pedido está pronto! Denny, como vão as coisas?

— Indo, Joanie. — Em vez de se sentar, o policial ficou parado diante da bancada. — O xerife me pediu para vir aqui. Ele queria saber se posso acompanhar Reece até a delegacia, se você liberar.

— Caramba, Denny, ela acabou de voltar do intervalo, e essa é a hora mais movimentada do almoço.

— Puxa. — O policial enfiou uma das mãos sob o quepe para coçar a cabeça. — É só que... Posso ir aí atrás rapidinho?

Parecendo irritada, Joanie fez um gesto para que ele se aproximasse.

— O que foi? — sussurrou Linda-gail, se aproximando da bancada.

— Nada que seja mais da sua conta do que anotar os pedidos dos fregueses. — Joanie se virou de novo para a cozinha. — Agora, por que Rick quer que eu perca uma cozinheira ao meio-dia quando já estou me matando de trabalhar?

— O xerife quer falar comigo? — Reece desviou o olhar do frango fumegante.

— Ele queria saber se você pode dar um pulo até a delegacia. É só que... Eu não queria dizer nada lá fora, porque as pessoas estão comendo e tal — disse Denny para Joanie. — Mas encontraram o corpo de uma mulher no pântano perto do lago Moose Ponds. — Ele encarou Reece com um ar triste. — O xerife queria mostrar umas... fotos pra você. Para ver se ela é a pessoa que você disse que... Quer dizer, a pessoa que você viu no rio.

— Pode ir — disse Joanie na mesma hora.

— Sim. — Sua voz soava inexpressiva. — Sim, é melhor eu ir e... Só vou terminar o pedido.

— Eu termino a porcaria do pedido. Pete, corra lá em cima e chame Brody.

— Não. Não. Não precisa incomodar Brody com isso. — Distraída, Reece tirou o avental. — Está tudo bem. Vamos logo.

Pete esperou até ela se afastar.

— Quer que eu avise Brody?

— Ela disse que não. Reece sabe o que faz.

Mas o rosto de Joanie parecia preocupado quando ela se virou de volta para a chapa.

Denny viera com a viatura, então o trajeto foi rápido. Reece não teve tempo para se acostumar com a ideia nem de cismar com os acontecimentos. Tudo acabaria logo. Ela poderia deixar aquilo para trás — ou tentar.

— Vou levar você direto para a sala de Rick. — Denny lhe deu um tapinha hesitante no ombro quando saíram do carro. — Quer um café? Uma água?

— Não, não, estou bem. — E Reece achava que não conseguiria engolir nada. — Sabe como a mulher... Como ela morreu?

— É melhor você conversar com o xerife.

Denny abriu a porta para ela.

Hank ergueu o olhar da mesa de chamadas de emergência e cobriu o fone com uma das mãos.

— Uns turistas malucos perseguiram um búfalo em uma SUV, tentando tirar fotos dele correndo. Resultado: bateram o carro, e o bicho está agitado. Reece. — Ele abriu um sorriso. — Tudo bem?

— Tudo.

— Denny, preciso que você vá com Lynt para trazerem esses caras para cá e rebocarem o carro. Que bando de babacas. Desculpe, Reece.

— Vou para a sala do xerife então.

— Onde eles estão? — perguntou Denny enquanto ela se afastava.

A porta estava aberta, e Mardson já dava a volta na mesa para recebê-la.

— Obrigado por vir.

— Encontraram alguém. Uma mulher. Um corpo.

— Primeiro, sente-se. — Ele segurou o braço dela com gentileza, guiando-a até a cadeira. — Uns garotos a encontraram. Ela se encaixa na sua descrição. Tenho algumas fotos. Já quero deixar claro que são imagens fortes, mas, se puder dar uma olhada e me dizer se acha que é a mulher que viu, ajuda muito.

— Ela foi estrangulada?

— Há sinais de estrangulamento. Acha que consegue ver as fotos?

— Consigo.

Reece apertou as mãos para tentar se acalmar enquanto o xerife pegava uma pasta.

— Não precisa ter pressa.

Ele se sentou na cadeira ao lado dela e estendeu uma foto. Reece não a pegou, não conseguia parar de apertar os dedos. Mas olhou.

Em seguida, desviou o olhar quando começou a ficar ofegante.

— Ela... Ai, meu Deus.

— Sei que é difícil. Ela passou um tempo na água. Talvez um ou dois dias. O legista vai determinar a hora da morte e tudo o mais.

— Um ou dois dias? Mas faz semanas.

— Se ela foi embora com o homem naquele dia, machucada, mas viva, isso pode ter acontecido depois. — Quando Reece começou a balançar a cabeça, Rick ergueu uma das mãos. — Você pode afirmar, sem sombra de dúvida, que não há como ela ter sobrevivido naquele dia?

Reece queria dizer que sim, que tinha certeza absoluta. Mas como poderia?

— Não.

— Por enquanto, isso basta. Essa é a mulher que você viu, Reece?

Ela apertou os próprios dedos até doerem, usando a dor para ajudá-la a olhar de novo.

O rosto estava tão cheio de hematomas, tão inchado, coberto por cortes sem sangue que desciam até o pescoço, que estava muito avermelhado e parecia estar em carne viva. Os animais que viviam no lago ou no pântano ali perto, quaisquer que fossem, também tiraram um gostinho dela. Uma vez, alguém lhe dissera que peixes e pássaros costumavam comer os olhos primeiro. Agora, sabia que era verdade.

O cabelo era escuro, comprido. Os ombros pareciam magros.

Reece tentou comparar a lembrança da mulher que vira com o rosto destruído daquela.

— Acho... Ela parece mais jovem, e o cabelo... O cabelo parece mais curto. Não sei.

— Você estava bem longe naquele dia, eu compreendo.

— O homem não bateu nela. O rosto, esse rosto... Alguém a espancou. Ele só a empurrou no chão antes de... Ele não bateu tanto nela assim.

Rick permaneceu em silêncio por um instante e, quando Reece desviou o olhar de novo, virou a foto para baixo.

— Talvez ela não estivesse morta quando você foi pedir ajuda. Pode ser que o homem a tenha arrastado para longe, coberto seus rastros. Quem sabe ela acordou, os dois fizeram as pazes. Talvez estivessem viajando pela região. Algumas semanas depois, brigaram de novo, e foi então que o restante aconteceu. Se um homem aperta o pescoço de uma mulher uma vez, vai fazer de novo.

— O restante.

— Precisamos esperar pela autópsia e a análise das outras evidências. Mas acho que é bem provável que essa seja a mulher que você viu. Mas, se puder dar outra olhada, um pouco mais calma, isso nos ajudaria. Não encontramos nenhum documento com ela. Já procuraram as impressões digitais no sistema, mas não há registros. Agora, vão tentar a arcada dentária e o registro de pessoas desaparecidas. Mas saber que ela estava no rio com alguém, saber que estava com o homem que você viu, também poderia ajudar.

Reece o encarou nos olhos sem hesitar.

— O senhor não acreditava em mim antes. Não acreditava que eu vi o que vi nem que havia pessoas lá.

— Confesso que tive minhas dúvidas, não vou mentir. Mas isso não significa que não investiguei e que não continuo fazendo isso.

— Tudo bem. — E, dessa vez, Reece estendeu o braço para pegar a foto. O baque tinha diminuído, então analisou o rosto com muito pesar. — Não sei. Sinto muito. Eu queria poder dizer que essa foi a mulher que eu vi, mas não posso. Acho que ela era mais velha, o cabelo era mais comprido, o rosto era mais fino. Só que não tenho certeza. Se, quando ela for identificada, eu puder ver uma foto da sua aparência antes, acho que poderia afirmar com mais certeza.

— Tudo bem. — O xerife pegou a foto e colocou uma das mãos sobre a dela, apertando-a. A de Reece estava tão fria que parecia ter sido enfiada no congelador. — Sei que isso foi difícil. Quer uma água?

— Não. Obrigada.

— Quando conseguirem identificá-la, vamos dar uma olhada. Agradeço por você ter vindo. Vou pedir a Denny que a leve para casa.

— Acho que ele teve de atender a uma ocorrência.

— Então eu mesmo levo.

— Posso ir andando. — No entanto, quando se levantou, suas pernas bambearam. — Ou talvez não.

— Vou te dar uma carona. Quer ficar mais um pouco sentada?

Reece balançou a cabeça.

— Se a sua teoria estiver certa... Digamos que esteja, que a mulher não morreu naquele dia. Por que ela continuaria com o cara? Por que continuaria com ele por livre e espontânea vontade depois de o sujeito tentar matá-la?

— É impossível entender o que as pessoas fazem. Hank, vou levar Reece em casa. E talvez eu tenha me enganado — acrescentou Rick enquanto tirava o chapéu do gancho e abria a porta. — Talvez essa mulher não tenha relação alguma com o casal que você viu no mês passado. Mas, pela sua descrição, acho difícil.

— Ninguém a reportou como desaparecida porque ela estava com o homem, e ele não faria isso. Ou não fez.

— Pode ser.

Reece entrou no carro e apoiou a cabeça no banco.

— Eu queria poder dizer que é a mesma mulher. Talvez fosse mais fácil apenas dizer que sim, é ela. Aí essa história chegaria ao fim para mim, eu ficaria livre.

— Tente esquecer isso, pelo menos por enquanto. Deixe a polícia fazer seu trabalho.

— Bem que eu queria.

Os dois pararam na frente da lanchonete. Reece ergueu o olhar e viu Brody saindo do apartamento.

Quando ele a viu na viatura, desceu a escada correndo.

— O que aconteceu? O que houve?

Ele parecia tão preocupado, e ela não estava acostumada a ver preocupação no rosto dele. Reece sentiu o corpo inteiro a ponto de estremecer.

— Encontraram o corpo de uma mulher, e fui olhar as fotos da... Não sei se era ela. O rosto estava machucado demais. Acho que não era a mesma pessoa, mas...

— Ela foi encontrada no pântano perto do lago Moose Ponds — disse Rick enquanto saía pela porta do motorista.

— Vou me sentar um pouco aqui na escada antes de entrar. Tomar um pouco mais de ar.

Reece foi até os degraus e desabou.

— Vítima do sexo feminino — contou Rick para Brody, baixinho. — Cabelo escuro, comprido. Sinais de estrangulamento. Espancada, estuprada. Possíveis sinais de afogamento. O médico-legista está fazendo a autópsia agora. Uns garotos a encontraram. Nua, sem documento de identificação, sem roupas nas proximidades.

— Ela foi encontrada agora?

— Ontem. Fiquei sabendo hoje, recebi as fotos da cena do crime.

— Meu Deus, Rick, como você espera que Reece consiga identificar uma mulher que passou um mês inteiro de molho no pântano?

— Um ou dois dias — corrigiu o xerife. — Se Reece viu alguém no mês passado, e essa mulher saiu de lá viva, por conta própria ou não, pode ser ela. Eu precisava saber se Reece a identificaria. Ela lidou bem com a situação. É uma mulher forte.

— Devia ter me ligado primeiro, deixado que eu a levasse. — Brody franziu a testa para Reece. — Você sabe muito bem que estamos juntos nessa.

— Se ela quisesse que fosse junto, teria te ligado. O que é isso no seu cabelo?

— Merda. — Brody passou as mãos pelos fios. — Tinta. Eu estava pintando lá em cima.

— É mesmo? — Rick ergueu as sobrancelhas. — Acho que vocês estão mais juntos do que eu imaginava.

— É só tinta, porra.

O xerife abriu um sorriso cheio de dentes.

— Que azul bonito. Na época em que eu e Debbie ficamos *juntos*, ela me fazia consertar coisas na varanda, comprar uma coisa ou outra no mercado. Quando dei por mim, eu estava alugando um terno e dizendo "aceito".

— Vá se foder, Rick. É só tinta.

— É assim que as coisas começam. — Ele foi até Reece e se agachou para ela não ter que esticar o pescoço. — Você vai ficar bem?

— Vou. Está tudo bem. Obrigada pela carona.

— Faz parte do serviço.

— Xerife? — chamou ela enquanto ele seguia para o carro. — Pode me avisar quando identificarem a mulher?

— Claro. Sem dúvida. Se cuida. Não deixe que ela coloque um avental em você — acrescentou Rick para Brody.

— Vá se...

Mas o xerife já entrava no carro e fechava a porta.

Enquanto Reece se levantava da escada, Brody se aproximou.

— Venha, vamos levar o restante das suas coisas pra minha casa. E depois podemos dar aquela volta de carro e tal.

— Não, preciso voltar ao trabalho.

— Pelo amor de Deus, Joanie não vai te demitir por causa disso.

— Eu preciso trabalhar. Preciso do dinheiro. E já estou devendo uma hora. Vou me sentir melhor se estiver ocupada. A gente pode dar a volta de carro outro dia?

— Tudo bem. — Brody tirou a chave dela do bolso e lhe entregou. — Tranquei tudo. Vou estar em casa se... Vou estar em casa.

— Tudo bem. — Como ele não se mexeu, ela resolveu tomar a iniciativa e se inclinou para beijá-lo. — Essa foi a primeira parcela pela pintura do banheiro.

— Achei que fosse me pagar com comida.

— Em parte.

Capítulo dezenove

⌘ ⌘ ⌘

JOANIE NÃO fez perguntas e avisou a todo mundo que não queria ouvir ninguém enchendo o saco de Reece com nada que não fosse relacionado a comida.

Quando o movimento do almoço diminuiu, ela observou a moça picando cebola e aipo. Ela podia manusear aquela faca com a velocidade e a precisão de um peão de rodeio sobre um cavalo, mas sua cabeça estava em outro lugar.

— Já deu sua hora — anunciou Joanie.

— Estou devendo alguns minutos. E a salada de batata está quase acabando.

— Você devia dez minutos, que já compensou.

Reece balançou a cabeça e continuou picando.

— Passei mais de meia hora com o xerife.

Mortalmente ofendida, Joanie colocou as mãos na cintura.

— E eu por acaso falei que você precisava compensar esses minutos? Meu Deus do céu.

— Estou devendo meia hora. — Reece misturou as cebolas e o aipo com as batatas que já cozinhara, picara em cubos e deixara esfriar. — Endro fresco daria um tchã nessa salada.

— Bem, um *ménage* com George Clooney e Harrison Ford daria um tchã em mim, mas nenhuma de nós vai ter os respectivos desejos realizados. Os fregueses não estão reclamando, e já avisei que seu expediente acabou. Eu não pago hora extra.

— Não quero a porcaria da hora extra. Quero endro fresco e um pouco de *curry* e queijo que não pareça feito de plástico. E se os fregueses não reclamam, é porque as papilas gustativas deles estão atrofiadas.

— Sendo assim — disse Joanie em um tom ameno enquanto Pete saía discretamente da pia e se aproximava da porta dos fundos —, eles estão pouco se lixando para endro fresco.

— Bem, não *deveriam*. — Reece bateu com o pote de molho na bancada. — Você não deveria. Por que as pessoas fazem as coisas de qualquer jeito? Estou cansada de fazer tudo de qualquer jeito.

— Então saia da minha cozinha.

— Tudo bem. — Reece arrancou o avental. — Tudo bem. Vou embora. — Cheia de raiva, ela foi direto para a sala de Joanie, pegou a bolsa e seguiu para a porta. E parou ao ver um trio de turistas sentados à mesa, terminando o almoço e fingindo não ouvir a briga. — Cominho. — Ela apontou um dedo para uma tigela de *chili*. — Isso precisa de cominho.

E foi embora.

— Dane-se o cominho — murmurou Joanie e se virou para Pete. — Volte ao trabalho. Não te pago para você ficar parado, fazendo essa cara de coitado.

— Posso ir atrás dela.

— E ser demitido.

Cominho, pensou Joanie, dando uma fungada, e foi terminar a salada de batata.

Reece bateu a porta do carro. Ela devia ir embora, disse a si mesma. Não precisava daquela cidade, daquelas pessoas, daquele emprego ridículo que era uma vergonha para a gastronomia. O certo seria ir para Los Angeles. Ir para Los Angeles e assumir uma cozinha em um restaurante de verdade, onde as pessoas entendiam que comida ia além de algo para entupir a pança.

Ela saltou diante da mercearia e bateu a porta do carro de novo. Estava devendo tempo de trabalho a Joanie, mas aquela vaca não queria que a recompensasse. Estava devendo um jantar a Brody por ter pintado o banheiro, e Deus era testemunha de que ela pagaria essa dívida.

Reece empurrou a porta e olhou de cara feia para o balcão, onde Mac registrava uma compra de Debbie Mardson.

— Preciso de avelãs.

— Ah, acho que não temos.

E como é que ela faria seu frango recheado sem avelãs?

— Por que não?

— Não tem muita saída. Mas posso encomendar para você.

— Isso não me adianta muito. — Ela seguiu para a seção de comida para inspecionar as prateleiras, os cestos, buscando inspiração e ingredientes. Que ridículo, que absurdo tentar encontrar inspiração naquele fim de mundo cheio de caipiras. — Ah, veja só, um milagre — murmurou. — Tomates secos.

Reece os jogou na cesta e foi escolher tomates frescos. Produzidos em estufa, pensou ela, enojada. E embrulhados em plástico, pelo amor de Deus! Sem gosto, sem cor.

Teria de usar o que tinha, só isso. E se esforçar.

Nada de cogumelos — grande surpresa. Nada de berinjela, nada de alcachofras. Nada da merda do endro fresco.

— E aí, Reece?

Jogando alguns pimentões obviamente inferiores na cesta, ela franziu o cenho para Don.

— Se a sua mãe mandou você vir atrás de mim, pode voltar e dizer que, pra mim, chega.

— Minha mãe? Ainda não fui lá hoje. Vi seu carro aqui na frente. Ah, deixe que eu carrego a cesta pra você.

— Não precisa. — Reece puxou a cesta para longe. — Ou talvez você tenha esquecido que eu disse que não vamos transar.

A boca de Don se abriu e, logo depois, se fechou. Ele pigarreou.

— Não, esse é o tipo de coisa difícil de esquecer. Escute, parei aqui quando vi seu carro porque achei que você estaria chateada.

— Por que eu estaria chateada? Batata asterix, outro milagre.

— Fiquei sabendo da mulher que encontraram perto do lago Moose Ponds. Esse tipo de notícia corre rápido — acrescentou Don quando ela o encarou. — Deve estar sendo difícil pra você.

— Foi pior pra ela.

Reece se inclinou para escolher uma das bandejas de peito de frango.

— Imagino que sim. Mas não deve ser fácil pra você... vê-la de novo, mesmo por foto. Ter que voltar para o dia em que a viu na trilha. — Ele alternou o peso para a outra perna quando não recebeu nenhuma resposta. — Mas, pelo menos agora, você sabe que a encontraram.

— Não sei se era a mesma mulher.

— Claro que era. Só pode ser.

— Por quê?

— Porque é a única coisa que faz sentido. — Don a seguiu até o balcão. — É o que todo mundo está dizendo.

— Ninguém sabe de porra nenhuma, e não vou dizer que encontraram a mulher que eu vi só para deixar os outros felizes.

— Nossa, Reece, não foi isso que...

— É engraçado. Basta uns garotos encontrarem um cadáver para as pessoas daqui decidirem que eu não estava inventando coisas. Caramba, talvez Reece não seja completamente louca no fim das contas.

Com mais cuidado do que o normal, Mac empacotou as compras dela.

— Ninguém acha que você é louca, Reece.

— Claro que acham. Malucos não se curam. É assim que as coisas funcionam.

Ela abriu a carteira e notou, resignada, que, depois de pagar o total indicado na caixa registradora, só lhe restariam dez dólares e alguns trocados. De novo.

— Você não devia falar assim. — Mac aceitou o dinheiro e deu trinta e seis centavos de troco. — É ofensivo para você mesma e para nós.

— Talvez. É ofensivo andar pela rua, ou entrar em algum lugar, e ver um monte de gente me rotulando como aquela coitadinha da Costa Leste, ou ficar me observando de rabo de olho como se eu estivesse prestes a fazer alguma merda. Experimente passar por isso — sugeriu Reece enquanto pegava a caixa —, e vamos ver se não é irritante. E diga à sua mãe que ela me deve vinte e oito horas. — Reece seguiu para a porta. — E que vou passar lá amanhã para pegar meu cheque.

O SOM DA porta da frente batendo tirou Brody de uma cena tensa entre a protagonista e o homem em quem ela teria de confiar.

Ele xingou, esticou o braço para pegar sua enorme caneca de café e descobriu que já bebera tudo. Seu primeiro pensamento foi descer para pegar mais, mas ouviu outras coisas batendo — as portas dos armários? — e decidiu ficar fora da zona de guerra, sobrevivendo sem cafeína.

Então, esfregou o pescoço dolorido, provavelmente por tê-lo esticado demais enquanto pintava o teto do banheiro, e fechou os olhos, se forçando a voltar para a cena.

Em algum momento, pensou ter escutado a porta da casa ou dos fundos se abrindo, mas estava concentrado e continuou escrevendo o máximo que conseguia.

Satisfeito, Brody se afastou do teclado. Ele e Maddy tiveram uma aventura e tanto naquele dia, e, enquanto ela ainda tinha muito o que fazer, ele merecia uma cerveja gelada e um banho quente.

Mas a cerveja viria primeiro. Enquanto descia para pegá-la, Brody passou uma das mãos pelo rosto e sentiu a aspereza. Ele precisava fazer a barba, pensou, distraído. Enrolar por dois ou três dias não era problema para um homem solteiro. Mas, quando uma mulher aparecia, encontros regulares com a droga do barbeador se tornavam necessários.

Faria a barba no banho.

Ou melhor, convenceria Reece a tomar banho com ele. Fazer a barba, tomar banho, transar — e então tomar uma cerveja gelada e jantar.

Aquele era um plano excelente.

O fato de não encontrar nada fervilhando no fogão foi um pouco surpreendente. Brody se acostumara a entrar na cozinha e encontrar algo na panela. Foi outro choque perceber que aquilo o irritara.

Nada no fogão, nada colorido em cima da mesa, posta com pratos e velas. E a porta dos fundos aberta. Ele se esqueceu da barba por fazer e seguiu para a porta.

Reece estava sentada na pequena varanda dos fundos com uma garrafa de vinho. Pela quantidade de bebida na garrafa, parecia estar ali havia um tempo.

Brody saiu e se sentou ao lado dela.

— É uma festa?

— Claro. — Ela ergueu a taça. — Uma festa incrível. A gente consegue comprar uma garrafa de vinho decente por aqui, mas tente encontrar um raminho de endro fresco ou umas avelãs de merda.

— Eu reclamei com o prefeito sobre isso na semana passada.

— Você não reconheceria endro fresco nem se eu o enfiasse no seu nariz. — Ela tomou um gole de vinho e gesticulou para Brody com a taça, desajeitada. — E você é de Chicago. Devia ser mais exigente.

— Estou muito envergonhado.

E Reece estava muito bêbada.

— Eu ia fazer frango recheado, mas precisaria de avelãs. Pensei em fazer frango assado com queijo. Mas os tomates são uma bosta, e a ideia de encontrar parmesão que não seja um pozinho seco dentro de uma lata é uma piada.

— Que tragédia.

— Faz *diferença*.

— Pelo visto, faz. Vamos, magrinha, você está bêbada. Vamos subir pra dormir.

— Vou ficar mais bêbada ainda.

— Você que sabe. A ressaca vai ser sua.

Brody considerou que fazia um ato de bondade ao pegar a garrafa e dar um gole, poupando o corpo dela de alguns mililitros.

— Se ela quer que eu faça salada de batata sem endro e com molho pronto, paciência. Eu me demito.

E brigara com Joanie, deduziu Brody.

— Isso vai dar uma lição nela.

— Obedeça, faça de qualquer jeito, não crie caso para não chamar a atenção de ninguém. Não tem nada para ver aqui, por favor, vá embora. — Ela gesticulava com as mãos, agitada, então ele segurou a taça para não ser encharcado de vinho. — Estou cansada. Estou cansada disso tudo. De aceitar um emprego que está tão abaixo da minha capacidade que eu poderia trabalhar de olhos vendados e com uma das mãos nas costas, de morar em um apartamento minúsculo em cima de uma lanchonete. Estou perdendo meu tempo, só isso. Perdendo meu tempo.

Brody refletiu sobre aquilo e tomou outro gole de vinho. Não só bêbada, pensou ele. Mas dramática.

— Pretende ficar reclamando e choramingando por muito mais tempo? Porque se a ideia for passar a noite toda fazendo isso, posso te deixar em paz e subir para trabalhar mais um pouco.

— Clássico. Clássico vindo de um homem. Se a conversa não gira em torno de você, não é interessante. O que é que eu estou fazendo com você, mesmo?

— Agora? Está enchendo a cara na minha varanda, fazendo drama e me tirando do sério.

Os olhos de Reece podiam estar atordoados, mas brilharam de raiva quando ela o encarou.

— Você é egoísta, mal-educado e só pensa em si mesmo. Quando eu for embora, a única coisa de que vai sentir falta é do jantar. Então, vá se foder, Brody. Vá se foder. Vou dar meu show em outro lugar. — Reece se levantou, cambaleando um pouco enquanto o vinho girava em sua cabeça tanto quanto na taça. — Eu devia ter passado direto por essa merda de cidade. Devia ter mandado você para o inferno na primeira vez que deu em cima de mim. Devia ter dito a Mardson que aquela era a mulher que eu vi. Devia ter dito que era ela e me esquecido desse assunto. Então é isso que eu vou fazer. — Reece deu alguns passos instáveis de volta para a cozinha. — Mas não nessa ordem. Você primeiro. Vá para o inferno. — Ela entrou na casa e esticou o braço para pegar a bolsa. Só que Brody foi mais rápido. — Ei! — Reece tentou tirá-la dele. — Isso é meu.

— Já vou devolver. Mas sem isso.

Ele tirou as chaves de dentro do bolso interno, exatamente onde ela dissera que as guardava. Irritada, bêbada ou qualquer outra coisa, a mulher deixava suas coisas organizadas.

Brody tirou a chave do carro do chaveiro antes de jogá-lo em cima da mesa, guardando a chave no bolso.

— Você pode ir aonde bem entender, mas não de carro. Vá andando.

— Tudo bem. Vou andando até a casa do xerife Mardson, que faz seu trabalho tão bem, para dizer o que ele quer escutar e me livrar disso. E de você e desse lugar.

Reece estava quase chegando à porta quando seu estômago embrulhou como um pano molhado sendo torcido. Com a mão na barriga, ela correu para o banheiro.

Brody a seguiu. O fato de Reece estar vomitando as tripas não o surpreendia. Na verdade, achava que era melhor assim, uma forma de o corpo se defender da burrice extrema de sua dona.

Então, ele segurou a cabeça dela, lhe entregando um pano quando o show terminou.

— Está pronta para dormir agora?

Reece continuou onde estava, passando o pano no rosto.

— Será que você não poderia me deixar em paz?

— Eu adoraria. Já vou fazer isso. — Mas ele a ajudou a se levantar. Ela soltou um gemido fraco quando foi pega no colo. — Se for vomitar de novo, me avise.

Reece balançou a cabeça e fechou os olhos, os cílios escuros e úmidos contrastando com sua pele pálida. Brody a carregou até o andar de cima e a colocou na cama. Ele a cobriu e, por precaução, colocou a cesta de lixo do lado dela.

— Durma. — Foi tudo que disse antes de sair dali.

Sozinha, Reece se encolheu em posição fetal e, tremendo, puxou a coberta até o queixo. Esperaria até se aquecer um pouco e se sentir mais firme, prometeu a si mesma. Então, iria embora.

Mas o mundo desapareceu, e ela foi tomada pelo sono.

Sonhou que estava em uma roda gigante. Cores e movimentos, aquela volta rápida, que dava frio na barriga. No começo, ela dava risadas e os gritos eram alegria.

Eba!

Mas a roda girava cada vez mais rápido, o volume da música aumentando, aumentando. A alegria se transformou em desconforto.

Devagar. Por favor, você pode ir mais devagar?

Cada vez mais rápido, mais rápido, até os gritos que ouvia se tornarem de pavor. Enquanto a roda balançava loucamente de um lado para o outro, o pânico a sufocou.

Não é seguro. Quero sair. Pare a roda gigante! Pare e me deixe sair!

Mas a velocidade continuou aumentando, transformando tudo em um borrão, a música berrando no seu ouvido. Então, a roda voou, jogando-a para longe das luzes, na escuridão.

Reece abriu os olhos. Suas mãos apertavam os lençóis e seus gritos ofegantes ecoavam em sua mente.

Ela não estava sendo arremessada no ar, garantiu a si mesma. Não estava girando em direção à morte. Foi só um sonho, só um pesadelo. Acalmando a respiração, ela ficou imóvel e tentou se reorientar.

Um abajur estava aceso ao lado da cama, e a luz do corredor entrava no quarto. Por um instante, Reece não se lembrou de nada. Quando tudo voltou, ela quis cobrir a cabeça com a coberta e sumir.

Até a roda gigante voadora seria melhor.

Com que cara ela olharia para Brody? Com que cara ela olharia para todo mundo? Seu único desejo era encontrar suas chaves e fugir da cidade como uma ladra.

Reece se apoiou em um cotovelo e esperou para ver como seu estômago reagiria antes de se sentar. Havia uma garrafa térmica prateada na mesa de cabeceira. Confusa, ela a pegou, abriu a tampa e inalou.

Seu chá. Brody fizera chá para ela, garantindo que estivesse quente e próximo quando acordasse.

Se ele tivesse recitado Keats enquanto a cobria de rosas, Reece não teria ficado mais emocionada. Ela lhe dissera coisas terríveis, se comportara pessimamente. E ele fizera chá.

Ela tomou um gole, deixando o líquido descer pela garganta e acalentar seu estômago. Como conseguia ouvir o som do teclado agora, fechou os olhos para criar coragem. Um pouco cambaleante, Reece se levantou para encarar a realidade.

Brody ergueu o olhar, apenas levantando uma sobrancelha quando ela surgiu na porta do escritório.

Era engraçado quantos sentimentos um gesto era capaz de transmitir. Interesse, diversão, irritação. E agora? Tédio.

Teria sido melhor levar um tabefe.

— Obrigada pelo chá. — Brody continuou em silêncio, esperando, e ela percebeu que ainda não tinha coragem suficiente para começar. — Posso tomar um banho?

— Você sabe onde fica o banheiro.

Brody voltou a escrever, apesar de saber que teria de deletar as bobagens que colocava na tela. Reece parecia um fantasma de olhos escuros e soava como uma criança arrependida. Ele não gostava nada daquilo.

E sentiu quando ela foi embora, esperando até ouvir o som da água correndo. Então, apagou tudo e desligou o computador. E desceu para fazer sopa.

Não estava tomando conta dela; ele ainda estava irritado demais para pensar nesses termos. Aquilo era apenas o tipo de coisa que se fazia quando alguém estava doente. Uma sopa, quem sabe torradas. O mínimo do mínimo.

Brody se perguntou quanto dos venenos que Reece guardava dentro de si tinham sido expurgados com o vinho.

Se ela começasse a atacá-lo de novo, ele ia...

Ele não ia fazer nada, percebeu. Não era só com Reece que estava irritado. Também estava puto consigo mesmo. Devia ter esperado que, em algum momento, ela explodiria. A mulher estava lidando bem demais com as coisas, levantando depois de cada golpe que levava. Mas engolia o medo, a raiva, a tristeza. Mais cedo ou mais tarde, tudo aquilo teria de sair.

Hoje fora o dia.

A terrível guerra psicológica que travaram contra ela; ter de olhar fotos de um cadáver. Brody não entendia porra nenhuma de endro fresco, mas era óbvio que aquilo fora o fim da picada.

Agora, Reece pediria desculpas, e ele não queria nada disso. Provavelmente, diria que precisava ir embora, que buscaria outro lugar para se abrigar de sua tempestade pessoal, e ele também não queria que ela se fosse. Não queria perdê-la.

E isso era preocupante.

Reece apareceu com o cabelo molhado, cheirando ao sabonete dele. Brody viu que ela se esforçara para disfarçar o fato de que estivera chorando, e saber que ela estivera lá em cima, chorando em sua banheira, foi outra facada em seu coração.

— Brody, estou tão...

— Fiz sopa — interrompeu ele. — Não é seu frango com queijo, nem sei fazer isso, mas é o que tem pra hoje.

— Você fez sopa.

— É a receita da minha mãe. Abra uma lata, sirva o conteúdo em uma tigela e esquente no micro-ondas. É conhecida internacionalmente.

— Parece uma delícia. Brody, desculpe, estou tão envergonhada, tão constrangida...

— Mas está com fome?

Ela pressionou os olhos com os dedos enquanto seus lábios tremiam.

— Pare. — Havia um leve tom de desespero sob a rispidez do tom dele. — Já cheguei ao meu limite com essas coisas. Quer a sopa ou não?

— Quero. — Reece baixou a mão. — Sim, quero a sopa. Você não vai tomar?

— Comi um sanduíche enquanto você estava desmaiada de bêbada lá em cima.

O som que saiu da boca de Reece foi um misto de risada e gemido.

— Eu não quis dizer todas aquelas coisas.

— Cale a boca e coma.

— Por favor, deixe eu falar logo.

Dando de ombros, Brody colocou a tigela de sopa na mesa e a viu piscar, surpresa, quando posicionou um prato de torradas com manteiga ao lado.

— Eu não estava falando sério. Você é mal-educado, mas não me incomodo com isso. Você não é egoísta, ou, pelo menos, seu egoísmo me parece muito saudável. E não quero que vá para o inferno.

— Não é você que vai decidir isso.

— Não me lembro se falei mais alguma coisa pela qual devia me desculpar, já que estava bêbada. Se você quiser, eu vou embora.

— Se eu fosse te expulsar daqui, teria perdido meu tempo fazendo a sopa renomada da minha mãe?

Reece se aproximou, passou os braços ao redor dele e pressionou o rosto em seu peito.

— Eu perdi o controle.

— Não, não perdeu. — Brody não conseguia engolir suas palavras, da mesma forma como não conseguia não baixar a cabeça e beijar o topo da cabeça dela. — Você ficou bêbada e deu um showzinho.

— Um showzão, e só o último foi causado pelo álcool.

— Parece uma conversa interessante para o jantar.

Ele a guiou até uma cadeira e serviu café para si mesmo antes de se sentar de frente para ela.

Reece pegou uma colherada de sopa e confessou tudo.

— Briguei com todo mundo. Ainda bem que a população daqui é pequena e eu cruzei com pouca gente. Mas meu surto provavelmente me deixou sem emprego e sem apartamento. E se ele não fosse tão insensível, eu também estaria sem um amante.

— Você quer essas coisas de volta? O emprego, o apartamento?

— Não sei. — Reece mordeu uma torrada, esfarelando-a sobre o prato. — Posso encarar o dia de hoje como um sinal para ir embora, algo que adoro fazer.

— Para onde?

— É, boa pergunta. Posso me ajoelhar e jurar para Joanie por tudo que é mais sagrado que nunca mais vou falar sobre temperos frescos.

— Ou você pode voltar ao trabalho amanhã e ligar a chapa como sempre, ou seja lá o que você costuma fazer lá.

Reece olhou para cima; seus olhos cansados exibiam confusão.

— Simples assim?

— Não seria a primeira briga que acontece na lanchonete de Joanie. O que você quer, Reece?

— Voltar no tempo, eu acho. Mas, como não posso fazer isso, lidar com as consequências. — Ela comeu outra torrada. — Vou conversar com Joanie amanhã, ver no que dá.

— A questão não é essa. Você quer ir embora ou quer ficar aqui?

Reece se levantou e foi lavar a tigela na pia.

— Gosto do que vejo sempre que ando pela cidade. Gosto de encontrar pessoas que acenam sempre que passam por mim ou param para conversar. Gosto de ouvir Linda-gail rindo quando está anotando pedidos e da forma como Pete canta enquanto lava a louça. — Ela se apoiou na pia. — O ar é gostoso aqui, e as planícies já vão começar a florescer. Mas existem outros lugares com vistas bonitas e pessoas legais. O problema é que não são Angel's Fist. O problema é que você não está lá. Então eu quero ficar.

Brody se levantou, aproximou-se e, em um gesto mais carinhoso do que ela jamais esperara dele, afastou o cabelo do seu rosto.

— É isso que eu quero também. Quero que você fique.

Quando ele a beijou, devagar, tão devagar, os braços dela envolveram seu pescoço.

— Se não for pedir muito... Sei que eu já te dei muito trabalho hoje. Mas, se não for pedir muito, talvez você pudesse me mostrar o que você quer. — Ela esfregou os lábios nos dele. — Se não for pedir muito.

Juntos, eles deram a volta para sair da cozinha, roçando os lábios, sentindo o corpo esquentar.

— Faça minha vontade e... — insistiu Reece.

— É isso que pretendo fazer.

— Não. — Ela riu em seu pescoço. — Faça minha vontade e diga aquilo de novo. Diga que quer que eu fique.

— As mulheres gostam mesmo de homens melosos. — Brody encontrou a boca dela de novo, guiando-a para a sala de estar. — Eu quero que você fique.

Ah, sim, pensou Reece, melhor que Keats. E o segurou firme enquanto ele a deitava no sofá.

O fogo que Brody acendia na lareira quase todas as noites tinha se transformado em brasas vermelhas. Era assim que Reece se sentia por dentro, o que sentia dele, um calor efervescente em vez de chamas agitadas.

Era uma sensação que saboreava, acariciando o cabelo de Brody, deixando sua boca ceder à dele. Hoje, poderia ser acalmada por suas mãos e desfrutar o brilho tranquilo da satisfação. Ele fizera sopa e chá para ela e queria que ela ficasse.

O amor a inundou em ondas lentas, dominantes.

Enquanto Reece o encontrava, enquanto se entregava, Brody queria algo mais além de tomar tudo que podia. Ele queria reconfortá-la, acabar com todos os seus problemas. E, depois, fazê-la esquecer. Aquela ternura era algo que jamais sentira por ninguém, algo que nunca o dominara daquela maneira.

Ele poderia lhe dar isso, essa ternura. E todos os gemidos delicados com que Reece lhe retribuía serviam apenas para aumentar seu prazer.

Enquanto Brody a despia, seus dedos e seus lábios roçavam e acariciavam a pele recém-exposta. O aroma de seu sabonete o fazia se sentir possessivo. Sua. Sua para tocar, para saborear, para abraçar. Os dedos de Reece passaram pelo rosto dele, segurando-lhe o cabelo enquanto o corpo dela se arqueava para se doar. Mais e mais.

A força de Brody, os músculos, as mãos grandes e o corpo firme, que agora se mostrava tão gentil, a emocionavam. O fato de ele tocá-la com tanto cuidado e paciência, de seus lábios se encontrarem, tantas vezes, com tanta doçura, a deixava fora do ar.

Tudo dentro de Reece parecia solto e liquefeito, e, mesmo assim, ele lhe deu mais.

O sangue começou a pulsar sob sua pele; as primeiras pulsações de urgência. Como se as tivesse escutado, Brody investiu, liberando-a de toda a tensão. E, enquanto se soltava, Reece emitiu o som de uma mulher que acabara de provar algo delicioso e açucarado.

Seus olhos profundos se abriram, encarando os dele com muito prazer envolvido.

Brody se perdeu neles, na magia que transmitiam. Seu coração foi junto, se libertando. Era impossível impedir aquilo de acontecer, de parar o tempo, de se segurar.

Ele mantinha o ritmo dentro dela, observando-a começar a chegar ao clímax de novo.

— Não feche os olhos.

Brody cobriu a boca dela com a sua, sem tirar os olhos dela enquanto se moviam juntos.

O ritmo acelerou; a respiração ficou mais ofegante. Seu corpo chegava ao fim da corrida enquanto Reece o acompanhava. Ele segurou as mãos dela e viu aqueles olhos aos quais ele não conseguia resistir ficarem fora de órbita enquanto ela o agarrava. E dizia seu nome.

Ele também ficou fora de órbita enquanto a acompanhava.

Os dois ficaram deitados juntos, enroscados, enquanto a noite seguia em frente e as brasas apagavam. Quando Brody sentiu que ela estava começando a pegar no sono, apenas puxou a manta do encosto do sofá para cobri-los.

Reece se aninhou, murmurando alguma coisa. E caiu no sono.

A seu lado, Brody fechou os olhos e sorriu para a escuridão. Ela não lhe pedira para conferir as portas, mas fora dormir sem medo.

DON TINHA uma das mãos embaixo da blusa de Linda-gail e uma camisinha no bolso. A parte de sua cabeça que permanecia acima do cinto voltou a uma situação extremamente parecida com a de quando tinham dezesseis anos.

Tirando que, agora, estavam na casa dela, e não na velha picape Ford que sua mãe o ajudara a comprar. Havia um quarto ali perto, apesar de o sofá bastar.

Aquele seio lindo — que ele não via desde aquele verão havia tantos anos — era macio e quente sob a palma de sua mão. Sua boca, e ele nunca se esquecera daquela boca, era tão ardente e doce quanto chocolate com pimenta.

E, meu Deus, como o cheiro dela era delicioso.

Linda-gail era tão curvilínea que parecia um milagre. Mais avantajada do que aos dezesseis anos, e nos lugares certos. E, apesar de ele ter ficado atordoado e até um pouco irritado quando ela pintara o cabelo, agora o achava muito sexy. Era quase como estar com uma desconhecida.

Contudo, quando aquela mão desceu para o botão da calça jeans, Linda-gail a segurou. E, da mesma forma como fizera quando tinha dezesseis anos, disse:

— Pode parar.

— Ah, pare com isso, querida. — Don abriu a mão sobre a barriga dela, sentindo-a estremecer enquanto mordiscava-lhe o pescoço. — Eu só quero...

— Nem sempre a gente consegue o que a gente quer, Don. — O tom da voz dela não era de firmeza, mas a mão permaneceu firme sobre a dele. — E você não vai conseguir nada hoje.

— Sabe que eu quero você. Sempre quis. E você me quer também. — Os lábios dele fizeram um caminho preguiçoso de volta aos dela. — Por que fica me provocando desse jeito, meu amor?

— Não me chame de "meu amor" se não estiver falando sério. E não estou te provocando. — Foi necessária muita força de vontade para empurrá-lo, mas foi isso que Linda-gail fez. E viu a surpresa no rosto de Don, pequenos sinais de raiva. — As coisas não vão ser assim entre nós.

— Assim como?

— Você não vai me comer e seguir para a próxima.

— Ah, pelo amor de Deus, Linda-gail. — Uma confusão genuína tomou o rosto dele. — Foi você que me chamou aqui.

— Para conversarmos sobre Reece.

— Mas que mentira! Não gritou por socorro quando te beijei.

— Eu gostei quando você me beijou. Bastante. Sempre gostei, Don.

— Então qual é o problema?

— Nós não somos mais crianças, e não estou atrás de umas noites de safadeza. Se é isso que você quer, fique à vontade para ir atrás de alguém que queira a mesma coisa que você. — Devagar, ela alisou a blusa desabotoada pela metade. — Eu tenho meus princípios.

— Princípios? — Os sinais de raiva ficaram mais nítidos. — Preste atenção no que você fala. Você me chamou aqui para me provocar e, depois, me dispensar. Existem termos para mulheres assim.

Linda-gail ergueu o queixo, muito devagar, até seus olhos se encontrarem. Os dela faiscavam de fúria.

— Se acha mesmo isso, é melhor ir embora. Agora.

— Estou indo. — Ele se levantou. — Que diabos você quer?

— Quando você entender, pode voltar. — Ela se levantou, pegou o chapéu de Don e o atirou na direção dele. — Mas se sair daqui para ir atrás de alguma mulher e eu ficar sabendo, você não passa mais por aquela porta.

— Então eu não posso ter você nem mais ninguém até receber permissão?

— Não, Don, você não pode ter a mim e mais ninguém até entender que existe uma diferença. Você sabe onde fica a porta.

Com seus desejos reprimidos e frustrada, Linda-gail voltou para o quarto e fechou a porta. Com força.

Por um instante, Don apenas a encarou. Que raios tinha acabado de acontecer? Ele ainda sentia o gosto dela, a palma de sua mão continuava quente com o calor de seu seio. E ela se mandara, batendo a porra da porta?

Furioso, ele foi embora. Mulheres desse tipo, mulheres que usavam um homem, que achavam que davam ordens, que faziam joguinhos, deviam pagar por isso.

Don bateu a porta da picape e lançou um olhar maldoso para a casa com janelas amarelas. Ela pensava que o conhecia, que o deixara de quatro.

Mas estava muito enganada.

Capítulo vinte

⌘ ⌘ ⌘

NÃO FOI difícil entrar na lanchonete. O que ela tinha a perder? De toda forma, a terapia lhe ensinara como era importante encarar e resolver problemas, além de assumir responsabilidade por seus erros.

A vergonha era um pequeno preço a pagar pela saúde mental, disse Reece a si mesma. E aceitar essa vergonha poderia ajudá-la a recuperar o emprego.

Implorar também era uma opção.

E, além do mais, seu horóscopo do dia lhe aconselhara a aceitar os fardos da vida. Se o fizesse, descobriria que eles não eram tão ruins quanto pareciam.

Era um bom sinal.

Mesmo assim, Reece entrou pelos fundos, dez minutos antes de a lanchonete ser aberta. Não havia motivo para passar vergonha na frente de fregueses devorando bifes e ovos se aquilo não fosse completamente necessário.

Joanie, com seus sapatos fáceis de calçar, misturava uma massa em uma tigela enorme. O ar cheirava a café e pãezinhos frescos.

— Está atrasada — ralhou ela. — A menos que tenha um atestado do doutor, vou descontar do seu salário.

— Mas...

— Não quero ouvir desculpas, quero pontualidade. E cebolas, pimentas e tomates picados para os *huevos rancheros*. Guarde suas coisas e comece a trabalhar.

— Tudo bem. — Sentindo-se mais repreendida do que se Joanie a tivesse colocado para fora, Reece foi até a sala de Joanie para deixar sua bolsa e sua jaqueta. De volta à cozinha, pegou um avental. — Quero pedir desculpas por ontem.

— Peça desculpas enquanto trabalha. Não te pago para falar.

Reece se posicionou diante da bancada.

— Desculpe por ter enchido seu saco ontem. Eu não tinha o direito de te ofender, apesar de achar que temperos frescos e outros ingredientes básicos melhorariam o cardápio.

De canto de olho, Reece viu Joanie erguer as sobrancelhas e retorcer os lábios.

— Acho que já basta.

— Tudo bem.

— Não foi a porcaria do endro que a deixou irritada.

— Não. Foi só uma desculpa para descontar meus problemas em você.

— Eu já tive que lidar com um cadáver.

— Quê? Como assim?

— Aluguei um dos meus chalés para um cara de Atlanta, na Geórgia. Já tinha alugado para ele nos dois anos anteriores. O sujeito costumava passar duas semanas lá com a família, no verão. Isso já faz, hum... dez anos. Mas daquela vez ele apareceu sozinho. Parece que a esposa tinha pedido o divórcio. Prepare umas linguiças. Lynt vai aparecer por aqui hoje, e ele gosta de linguiças com ovos.

Obediente, Reece pegou as linguiças na geladeira e começou a moldar hambúrgueres.

— Enfim, o cara da Geórgia não apareceu na cidade para devolver as chaves do chalé, então tive de ir até lá. Eu mesma costumava limpar as casas de aluguel naquela época. Levei meus produtos de limpeza. O carro dele ainda estava na frente do chalé, então bati à porta. Irritada, porque o *check-out* era às dez horas da manhã. O próximo hóspede chegaria às três da tarde. Ele não atendeu, então... — Joanie fez uma pausa para pegar sua xícara de café e tomar um gole. — Entrei. Achei que fosse encontrá-lo roncando na cama. O cara que trabalhava no depósito na época, Frank, me disse que nosso amigo da Geórgia tinha comprado uma garrafa de uísque na única vez que se deu ao trabalho de ir à cidade. Em vez disso, encontrei o que restava dele no chão, diante da lareira. Acho que o sujeito trouxe uma espingarda na mala do carro por um motivo: estourar os próprios miolos.

— Nossa Senhora.

— Ele fez um bom trabalho. Havia sangue e pedaços de cérebro por todos os cantos. Ele se explodiu na poltrona.

— Que coisa terrível. Deve ter sido horrível encontrá-lo.

— Não foi a coisa mais legal do mundo. Depois que a polícia fez o trabalho dela, voltei. Alguém tinha de limpar aquela bagunça, não tinha?

— Você?

— Eu mesma. Esfreguei e esfreguei, reclamei e xinguei. Veja só o que esse filho da puta fez com a minha casa. O desgraçado dirigiu por quilômetros para estourar os malditos miolos justamente ali. Enchi baldes e baldes de sangue, sabe-se Deus quantos, e tive de jogar fora um tapete que me custou cinquenta dólares. E briguei com todo mundo que se ofereceu para me ajudar. Comi William no esporro quando ele tentou oferecer ajuda.

— Entendi — respondeu Reece.

E entendia mesmo.

— Eu precisava ficar com raiva, não precisava? Precisava reclamar e gritar e atacar meu filho só por querer me ajudar. Porque se não fizesse aquilo, não aguentaria. — Joanie foi até a pia e jogou fora o café que esfriara. — Não alugo mais aquele chalé pra gente de fora. Só para moradores da região que queiram usá-lo para caçar ou pescar. — Ela se serviu de mais café. — Então, entendo um pouco o que aconteceu ontem. Sei que você não sabia dessa história, mas eu já esperava que me conhecesse melhor a essa altura.

— Joanie...

— Se você precisava de uma folga depois de conversar com Rick, se precisava *extravasar*, é burrice e ofensivo pra caramba achar que eu criaria caso. Ou que criaria caso agora.

— Você tem toda a razão. Eu devia saber disso. — Ela observou Joanie tirando os pãezinhos do forno. — Fui mais grossa com você e com Brody porque são as pessoas mais próximas de mim. As duas pessoas em quem mais confio.

— Isso que é elogio.

— Don veio aqui depois que falei com ele na mercearia?

— Veio. Linda-gail... Abra a porta para ela! Mas, como não recebo ordens de você, seu cheque estará pronto no dia do pagamento, como o de todo mundo.

— Eu, hum... O ataquei também, e o sr. Drubber.

— Homens adultos deviam ser capazes de lidar com uma mulher irritada de vez em quando.

Uma risada irônica de Linda-gail fez Joanie olhar por cima do ombro.

— Alguns homens nunca crescem. Passam a vida inteira sendo garotinhos mimados. O único jeito de magoar os sentimentos de Don, Reece, é dando um chute no saco dele. É a única coisa com que ele se importa.

— Ele pode ser um babaca, Linda-gail — disse Joanie com firmeza —, mas continua sendo meu filho.

Apesar de corar um pouco, a garçonete deu de ombros.

— É isso que eu acho. Mas, se estiver preocupada, Reece, ele me disse que percebeu que você estava muito nervosa. E não ficou magoado. — A porta se abriu, fazendo o sininho soar. — Oi, doutor! Oi, sr. Drubber! — Linda-gail pegou a cafeteira. — Vieram cedo hoje.

Reece encolheu os ombros, mas foi buscar os ovos e o bacon que sabia que teria de preparar dali a pouco.

— Acho que Mac também não deve ter ficado magoado. — Em um gesto que pegou Reece completamente desprevenida, Joanie lhe deu uns tapinhas nas costas. — Se você quiser tirar seu intervalo mais tarde, use minha sala quando for ligar para o meu fornecedor de legumes e verduras. Vou te dar um orçamento de cinquenta dólares, nem um centavo a mais, para encomendar a porcaria dos temperos chiques que você vive pedindo.

— Consigo fazer muita coisa com cinquenta dólares.

Para começo de conversa, pensou Reece, comemorando mentalmente.

— Que bom — murmurou Joanie.

À MESA COM sofás, o doutor cortou sua pilha de panquecas. Aquele não era o dia certo para isso, mas era difícil não se permitir uma graça depois que Mac pedira que se encontrassem no café da manhã. E não seria o fim do mundo se tomasse uma segunda xícara de café de verdade em vez de trocar para o descafeinado.

— Ora, Mac, você sabe que não posso falar sobre as questões médicas de Reece. Isso é confidencial.

— Não estou pedindo que fale. Só quero saber a sua opinião. Estou dizendo, aquela garota está com problemas. Você não a viu ontem. — Mac gesticulou com o garfo antes de atacar seus *huevos rancheros*. — Eu vi.

— Já fiquei sabendo do que aconteceu.

— Achei que não fosse encontrá-la hoje. — Mac inclinou a cabeça para olhar a cozinha. — Na verdade, achei que ela iria embora.

— Acho que ela tem mais motivos para ficar do que para partir.

— Não sei, não, doutor. — A preocupação fez as rugas se aprofundarem na testa de Mac, deixando sua voz tensa. — O jeito como ela andava pela mercearia... Irritada, claro, mas não parecia bem. Eu te contei que fiquei tão preocupado que vim ver como ela estava depois que fechei a loja? E o apartamento estava todo trancado, o carro não estava aqui. Achei que ela tivesse ido embora. — Mac pegou mais ovos. — Eu queria conversar sobre o assunto. Mal acreditei quando a vi na cozinha. Fiquei aliviado, eu acho. Não gostei de pensar em Reece dirigindo por aí naquele estado.

— As pessoas se irritam de vez em quando, Mac. — O doutor deu um tapinha no ar. — Algumas mais do que outras. Deu para ver que a moça teve um dia difícil ontem.

— Isso é outra coisa. — Mac olhou ao redor para se certificar de que Linda-gail não estava voltando com o café deles. Apesar de o jukebox estar desligado, já que Joanie proibira música antes das dez, o burburinho da conversa e o tilintar dos talheres abafavam sua voz. — Pra começar, Rick devia ter mais bom senso e não chamá-la para ir sozinha ver aquelas fotos. Pelo amor de Deus, doutor, a maioria das mulheres seria incapaz de lidar com esse tipo de coisa, que dirá alguém com o passado de Reece. Ele devia ter chamado você.

— Bem, Mac, não sei por que Rick pensaria em ligar para mim. Sou clínico geral, não psiquiatra.

— Você devia estar lá — insistiu Mac, firmando a mandíbula. — E, em segundo lugar, pelo que ela disse na mercearia, parece que não reconheceu a mulher. Agora, doutor, é bem óbvio que é a mesma pessoa, não é? A gente não está em Nova York ou em qualquer outro lugar desses. Não temos assassinatos e cadáveres abandonados por aqui.

— Não sei aonde você quer chegar.

— Estou me perguntando se, levando em conta as circunstâncias, Reece não quer que seja a mesma mulher. Talvez ela esteja usando isso como uma bengala.

O doutor abriu um sorriso contido.

— Quem está bancando o psiquiatra agora?

— Depois de passar vinte anos atrás de um balcão, acho que tenho certa experiência nessa área. Nem todo mundo acreditou naquela garota quando ela disse que viu uma mulher sendo atacada — acrescentou Mac, balançando o garfo. — Eu acreditei. Do mesmo jeito que acredito que a mesma pobre coitada foi parar naquele pântano. Mas acho que Reece não consegue enxergar isso.

— Pode ser.

— Bem, você é o médico. Ajude a moça.

— Mas como os senhores estão sérios, cheios de segredinhos. — Linda-gail serviu o café nas duas xícaras. — Sentados aqui, de cabeça baixa.

— Conversa de homem — disse o doutor, dando uma piscadela.

— Sexo, esportes ou cavalos?

O doutor apenas sorriu e comeu suas panquecas.

— Como está Reece hoje? — perguntou Mac.

— Melhor do que ontem, eu acho. — A garçonete olhou por cima do ombro. — O xerife comentou alguma coisa sobre a identidade da mulher?

— Não fiquei sabendo de nada, mas ainda é cedo. Que coisa horrível — comentou o doutor.

— E assustadora. Só de pensar que alguém pode estar matando mulheres por aqui... Moose Ponds não fica tão perto assim de Angel's Fist, mas mesmo assim.

— Mulheres? — Mac franziu a testa.

— Se ela não for a mesma que Reece viu, então são duas diferentes. E tudo bem, Moose Ponds fica perto do lago Jenny, mas talvez o assassino seja o mesmo. Tipo um assassino em série ou algo do tipo.

— Caramba, Linda-gail. — Mac balançou a cabeça. — Você anda vendo tevê demais.

— Não haveria tantos programas de televisão sobre mortes se as pessoas não matassem umas às outras, teria? E querem saber do que mais? — Ela abaixou a voz. — Se Reece não estivesse naquela trilha na hora certa, ninguém saberia nada sobre aquela mulher. Talvez esse cara já tenha matado antes. Eu não pretendo sair de casa enquanto não pegarem o culpado.

— Esse é outro problema. — Mac coçou a cabeça enquanto Linda-gail se afastava. — Daqui a pouco, as pessoas de Angel's Fist vão começar a desconfiar umas das outras, se perguntando se temos um psicopata assassino entre nós. E algum jornalista sádico vai escrever uma matéria sobre o assunto, os turistas vão desaparecer e teremos uma alta temporada fraca. Algum esquentadinho vai encher a cara no Clancy's e arrumar confusão por causa disso.

O doutor franziu a testa, pensativo.

— Nesse ponto, pelo menos, você tem razão.

Como ainda tinha uma hora livre antes de abrir o consultório, o doutor resolveu passar na delegacia antes de ir para casa. Denny abriu um grande sorriso ao vê-lo.

— Como vão as coisas, doutor?

— Não tenho do que reclamar. Como está o tornozelo da sua mãe?

— Está melhor. Ela já está andando e tudo.

— Diga a ela que nada de dançar por enquanto. Foi uma torção feia. Seu chefe está por aqui?

— Ainda não chegou. Ficou de aparecer às dez, a menos que haja algum imprevisto. O xerife anda fazendo muita hora extra ultimamente. Imagino que já tenha corrido a notícia sobre o cadáver que encontraram.

— Fiquei sabendo. Já identificaram a mulher?

— Ainda não disseram nada hoje. Mas é uma situação horrorosa. O filho da puta deve tê-la mantido viva por algumas semanas. Só Deus sabe o que fez com ela nesse tempo todo.

— Então estamos partindo do princípio de que é a mesma mulher que Reece viu?

— Bem, claro. — Denny parecia perplexo. — Quem mais seria? O xerife acha que é ela.

— Posso dar uma olhada nas fotos?

— Não sei, doutor. O xerife...

— Eu já vi muitos cadáveres, Denny. Posso reconhecê-la. Talvez ela já tenha aparecido no meu consultório. E é o meu desenho que Rick está usando para determinar se é ou não a mesma pessoa.

— Certo, tudo bem. Hank — acrescentou quando ele entrou.

— Tem alguma coisa para beber além de café ruim? E aí, doutor?

— Hank. Como vão os joelhos?

— Ah, indo.

— Ficariam melhores se você emagrecesse aqueles dez quilos. Comer essas rosquinhas aí não vai ajudar.

— Com um emprego como o nosso, a gente precisa de alguma coisa que nos dê energia.

— Açúcar não dá energia de verdade.

O médico ajeitou os óculos enquanto Denny voltava da sala de Rick com o arquivo.

Abrindo a pasta, o doutor franziu os lábios em uma expressão que parecia um misto de interesse e pena.

— Parece que a natureza e o homem maltrataram essa menina.

— Ela apanhou muito. Foi estuprada — acrescentou Denny com um aceno de cabeça triste para a imagem. — O xerife não mostrou a Reece todas as fotos da cena do crime. Não queria deixá-la mais nervosa do que o necessário. Viu aqui, como os pulsos e os tornozelos estão em carne viva e cheios de hematomas? O sujeito a amarrou.

— É, estou vendo.

— Ele a arrastou. Devia estar com uma picape, um trailer, algo assim. E a manteve amarrada, fez tudo que queria antes de decidir se livrar dela. E a jogou no pântano depois. Você a reconhece, doutor?

— Não, acho que não. Sinto muito, Denny, eu queria poder ajudar. É melhor eu ir atender meus pacientes. Hank, maneire nas rosquinhas.

— Pode deixar, doutor.

Ele pensou um pouco enquanto caminhava de volta para casa. Sobre a conversa com Mac, sobre as fotos que analisara. Pensou na cidade e no tempo em que passara ali. Como gostava de pensar que mantinha um dedo no pulso imaginário da cidade enquanto ouvia seus batimentos cardíacos.

Então, entrou pela porta, que não trancava havia vinte anos. E, em vez de ir para o consultório, seguiu para o telefone na sala de estar. Willow podia lidar com os pacientes que chegassem cedo ou sem hora marcada.

O doutor fez sua ligação e pegou uma bala de cereja para tirar o hálito de café da boca antes de atender o primeiro paciente do dia.

Pouco depois do meio-dia, Brody andava de um lado para o outro na sala de estar do doutor. As instruções do médico foram para chegar ao meio-dia e ficar à vontade. Acabando com metade do seu dia, pensou Brody, quando o livro não apenas estava andando, mas correndo.

Se ele quisesse fazer um intervalo naquela hora — o que não era o caso —, teria preferido dar um pulo até a lanchonete da Joanie. Para almoçar, ver Reece.

Pelo menos, presumia que veria Reece. Ela não ligara para dizer que perdera o emprego, e seu carro estava estacionado no mesmo lugar de sempre. Mesmo assim, ele gostaria de ver a situação com os próprios olhos.

Não que estivesse tomando conta da vida dela, garantiu a si mesmo. Só queria dar uma olhada, só isso.

Se o doutor não tivesse sido tão misterioso ao telefone, Brody imaginava que não estaria tão curioso. E ele teria continuado debruçado sobre o teclado.

Sua protagonista o impulsionava ao longo da história. Quase o arrastava, na verdade, forçando-o a acompanhá-la. Era engraçado pensar que a concebera como uma vítima. Duas cenas de destaque, uma morte trágica e pronto.

Bem, ela não aceitara aquilo.

Brody queria voltar para Maddy. Mas, como já estava do outro lado do lago, poderia aproveitar para comer alguma coisa e ver Reece. E talvez sugerir que ela dormisse na sua casa hoje de novo.

Melhor não, corrigiu-se ele. Era melhor deixar que ela voltasse para o próprio apartamento antes de as coisas se complicarem e Reece começar a morar, não oficialmente, na cabana.

Ele tivera o cuidado de evitar esse primeiro passo para um compromisso vitalício com outras mulheres. Não precisava correr agora.

Brody foi até a janela e voltou. Seguiu para a estante, analisou os títulos dos livros. Como sempre, ficou um pouco surpreso ao encontrar os dele, com seu nome adornando a lombada.

Após passar um dedo na lateral do livro, andou mais um pouco.

As fotos espalhadas pelo cômodo chamaram sua atenção. Distraído, ele pegou uma do doutor e da mulher com quem fora casado por milênios. Uma imagem ao ar livre, com coisas de acampamento ao fundo e o médico exibindo um peixe enquanto a esposa sorria.

Os dois pareciam feitos um para o outro, decidiu Brody. Felizes. Apesar de já estarem casados por algumas décadas quando a foto fora tirada, se seus cálculos estavam certos.

Ele pegou outro porta-retratos — uma foto de família. A prole inteira. E então o sr. e a sra. Wallace, jovens, um do lado do outro, segurando um bebê. Várias fotos de formatura, de casamento, dos netos.

A vida e os momentos de um homem e sua família, pensou Brody.

Como seria ter aquilo tudo?

Ele não tinha nada contra casamento, pensou enquanto continuava andando. Era algo que dava certo para algumas pessoas. Obviamente, dera certo para o dr. Wallace. Dera certo, e continuava dando, com seus pais.

Só que era tão... definitivo, decidiu ele. Tudo estaria resolvido pelo resto da sua vida. Apenas aquela única pessoa, a menos que você quisesse passar pelo inferno que era se divorciar.

E se mudasse de ideia ou as coisas dessem errado? Era o que acontecia na metade das vezes.

Mesmo que ninguém achasse que cometera um erro, ainda havia a questão de ter que se ajustar, abrir espaço, ceder. Você parava de poder fazer o que queria, quando queria.

E se ele resolvesse que queria voltar para Chicago, por exemplo? Ou, sei lá, ir para Madagascar? Não que fosse querer uma coisa dessas, mas e se? Em um casamento, não havia como mudar sua vida inteira por impulso.

Você deixava de ser um indivíduo e passava a ser um casal. Depois, viraria pai, e aí — pimba! — se tornava uma família. Não haveria escapatória depois disso. Não haveria como apagar a história e seguir em uma direção diferente.

De toda forma, ele não devia estar apaixonado por ela, do mesmo jeito que ela não estava por ele. Aquilo era só um... lance. Lances são diferentes, e, em certos momentos, eram mais intensos que outros.

Brody se virou quando o doutor entrou.

— Desculpe, demorei um pouco com o último paciente. Obrigado por vir, Brody.

— Por que quer falar comigo?

— Vamos para a cozinha. Vou preparar um almoço rápido para nós enquanto conversamos. Não vai ser tão bom quanto o tipo de coisa que você anda comendo ultimamente — acrescentou o médico enquanto seguiam para os fundos da casa —, mas vai matar a fome.

— Eu como qualquer coisa.

— Fiquei sabendo do que aconteceu com Reece ontem.

— Você conversou com ela?

— Hoje, não. — O doutor pegou um pouco de peito de peru, um dos tomates cultivados em estufa que Reece menosprezara no dia anterior, metade de uma alface e um vidro de picles. — Mas conversei com Mac. Ele está preocupado. — Então, tirou metade de uma baguete integral de sua caixa de pão. — Eu queria saber se você também está.

— Por quê?

— Só quero entender o que está acontecendo. Não posso te contar nada do que Reece me diz nas sessões. Talvez você sinta que não possa me contar nada que ela tenha te contado como... amigo. Mas, se quiser conversar sobre isso, eu queria te perguntar se ela já mencionou alguma coisa que parecesse preocupante.

— Ela contou que chegou em casa um dia e encontrou a mala feita? — Brody concordou com a cabeça enquanto o doutor parou de cortar o tomate para fitá-lo. — E que não se lembrava de ter feito isso? Acho que não foi ela.

— E quem mais teria feito uma coisa dessas?

— A mesma pessoa que rabiscou o banheiro dela todo com uma caneta vermelha, juntou todos os remédios dela em um almofariz e mudou as coisas dela de lugar. Entre outras coisas.

O médico abaixou a faca.

— Brody, se Reece está tendo tantos lapsos de memória e acessos assim, ela precisa de tratamento.

— Não acho que esteja. Acho que alguém está tentando provocá-la.

— E fazer pouco caso dessas alucinações só piora a situação.

— Essas coisas só seriam alucinações se não tivessem acontecido de verdade. Por que ela só tem esses lapsos de memória e acessos quando está sozinha?

— Não sou qualificado para...

— Por que eles começaram *depois* de ela testemunhar a morte de uma mulher?

O doutor bufou pelo nariz e voltou para os sanduíches.

— Não temos certeza de que nada aconteceu antes disso. Mas, se esses acessos começaram nessa época, pode ter alguns motivos. Primeiro, o que ela viu foi um gatilho para os sintomas.

Ele colocou os sanduíches em pratos, acrescentando dois picles e um punhado de batatas fritas em ambos. Então, serviu dois copos de leite.

— Ando passando muito tempo com ela. Não vi nenhum desses sintomas. Nada parecido com isso — disse Brody.

— Mas viu alguma coisa.

— Você está me colocando em uma situação complicada.

— A situação de Reece pode ser complicada — rebateu o doutor.

— Tudo bem, vou contar o que eu vi. Vi uma mulher que está lutando para sair do fundo do poço. Que treme enquanto dorme na maioria das noites, mas que se levanta da cama todos os dias e faz o que precisa ser feito. Vejo uma sobrevivente que leva a vida com coragem, entusiasmo e bom humor, que está tentando reconstruir a vida que tiraram dela.

— Sente-se e coma — sugeriu o médico. — Reece sabe que você está apaixonado por ela?

O estômago de Brody embrulhou quando ele se sentou. E, pegando o sanduíche, ele deu uma mordida.

— Eu não disse que estou apaixonado por ela.

— Entrelinhas, Brody. Você é um escritor, entende dessas coisas.

— Eu me importo com Reece e com o que acontece com ela. — Ele ouviu o tom defensivo e, talvez, um pouco assustado na própria voz. — Simples assim.

— Tudo bem. Se entendi direito, você acha, ou pelo menos cogita a hipótese, que as coisas que estão acontecendo com Reece são obra de alguém que quer prejudicá-la. — Com uma expressão pensativa, o doutor pegou seu leite. — A única pessoa que, até onde sabemos, teria motivos para fazer uma coisa dessas seria o homem que ela diz ter visto estrangular a tal mulher.

— Que ela viu.

— Eu concordo, mas ainda não foi comprovado. — Ainda exibindo preocupação no olhar, o doutor tomou um gole. — Mas se ela viu mesmo aquilo e sua teoria estiver certa... Você conversou com o xerife sobre isso?

— Rick só vai concluir que ela é maluca. E qualquer credibilidade que Reece tiver sobre o que testemunhou irá por água abaixo.

— Rick não pode fazer o trabalho dele sem todos os fatos.

— Por enquanto, posso tomar conta dela. Ele pode se concentrar em descobrir a identidade da mulher encontrada em Moose Ponds e da que foi assassinada na margem do rio Snake. O que te contei aqui, hoje, deve ficar só entre nós.

— Tudo bem. — O doutor ergueu uma das mãos, em sinal de paz. — Não comprometa sua digestão. Dei um pulo na delegacia e pedi a Denny para me mostrar as fotos.

— E?

— Só posso me guiar pela descrição de Reece e pelo desenho que ela aprovou. É impossível ter certeza. Aquela mulher pode ser a mesma que ela viu no rio? Pode.

— E o intervalo de tempo? Faz semanas que Reece viu aquilo.

— Isso me incomodou, como imagino que tenha incomodado as autoridades. Há marcas de ligadura nos pulsos e nos tornozelos dela. A mulher pode ter sido mantida em cativeiro esse tempo todo. Mas, para mim, isso não explica por que não havia sinal da presença de alguém onde Reece os viu, o que acho muito problemático. Por que esse homem estrangularia uma mulher de forma tão violenta que fez Reece acreditar que ela morreu, e então a levaria embora e cobriria seus rastros de um jeito que Rick, um homem que entende dessas coisas, não conseguiria encontrar nenhum vestígio?

— Porque ele a viu.

— Ele a viu?

— Talvez não o suficiente para reconhecê-la, mas viu alguém lá em cima. Ou viu as coisas que Reece deixou lá quando desceu correndo e me encontrou. O cara sabia que havia uma testemunha.

— Será que isso é possível? — perguntou o doutor. — De tão longe?

— Reece tinha binóculos. O homem também podia ter um. Pode ter analisado os arredores depois de matar a mulher. Só um dos passos de cobrir os próprios rastros, certo?

— Pode ser. Mas você está supondo demais, Brody.

— Posso estar mesmo. Não importa se o corpo que encontraram é ou não da mesma mulher, o homem que Reece viu sabia que alguém testemunhou o que aconteceu. Caso contrário, não haveria motivo para apagar as pistas. Levar o corpo, tudo bem. Não daria para deixá-lo ali, para alguém em uma canoa ou fazendo uma trilha encontrá-lo. Faria sentido levar a mulher embora, esperar até escurecer para enterrá-la ou se livrar dela de algum outro jeito. Mas apagar as pegadas? Só se ele soubesse que alguém o viu.

— Sim, verdade — concordou o doutor. — E, se ele soubesse que foi visto, seria apenas uma questão de esperar um pouco e prestar atenção nas conversas para descobrir quem foi a testemunha.

— E desde então alguém anda sacaneando Reece, tentando fazê-la acreditar que está enlouquecendo. Não vou deixar esse cara se safar.

— Quero conversar um pouquinho com ela. Fiz questão de deixar claro para Mac que não sou psiquiatra. Mas tenho um pouco de treinamento, de experiência.

— A decisão é dela.

O médico assentiu.

— Pois é. É um fardo muito grande para alguém com o passado de Reece carregar. Ela confia em você?

— Sim, confia.

— Então você também está carregando esse fardo. Conte a ela que conversamos — decidiu o médico depois de um instante. — Não quebre sua confiança. Mas quero que me mantenha informado sobre a situação. O que achou do sanduíche?

— Está gostoso. Mas você não é um chef da Cordon Bleu.

ELE VOLTOU ao rio. Não havia sinal do que acontecera ali, tinha certeza. Tinha sido cauteloso. Ele era um homem cuidadoso.

Aquilo jamais devia ter acontecido, é claro. Se tivesse escolha. Tudo que fizera desde então fora porque ela não lhe *dera* escolha.

Quando se permitia, ainda conseguia ouvir a voz dela. Gritando, fazendo ameaças.

Fazendo ameaças, como se ela tivesse aquele direito.

Ela mesma causara sua morte. Ele entendia isso e não se sentia culpado. Outras pessoas não entenderiam, então teve de tomar as devidas providências para se proteger.

Nada daquilo precisava ter acontecido, se não fosse pelos caprichos do momento e do lugar.

Como ele poderia ter imaginado que haveria alguém na trilha, olhando naquela direção, naquele instante, com binóculos? Nem mesmo o homem mais cauteloso do mundo conseguia se planejar para todas as reviravoltas do destino.

Reece Gilmore.

Devia ter sido fácil lidar com ela também. Tão fácil de ser descredibilizada, até por si mesma. Mas a mulher não largava o osso, não enlouquecia de vez e ia embora.

Mesmo assim, havia uma forma de consertar tudo. Sempre havia um jeito. Havia coisas demais em jogo para permitir que uma refugiada de um manicômio estragasse sua vida. Se tivesse que aumentar a pressão, aumentaria.

Olhe só para esse lugar, pensou ele, absorvendo o rio, as colinas, as árvores. Tudo tão perfeito, tão imaculado e escondido. Aquele era o seu lugar, era tudo que queria. Tudo que ele tinha estava ligado àquela terra, enraizado em sua alma, alimentado por suas águas, protegido por suas montanhas.

Ele faria de tudo para proteger e preservar o que era seu.

Era Reece Gilmore quem precisava sumir dali.

De um jeito ou de outro.

LAR

Eu estava bem; eu ficaria melhor; eu estou aqui.

— Anônimo

Capítulo vinte e um

⌘ ⌘ ⌘

COMO SÓ precisava ir trabalhar às duas da tarde, Reece pensou em dar um jeito na cabana de Brody, tirar o pó, talvez lavar algumas roupas. E não o incomodaria enquanto ele trabalhava, aproveitando para bolar a sopa do dia para a lanchonete.

Ela já estava vestida e arrumando a cama quando ele saiu do chuveiro.

— Quer alguma coisa especial para o café? Só vou trabalhar à tarde hoje, então seu desejo é uma ordem. No quesito gastronômico.

— Não. Vou comer cereal.

— Ah. Tudo bem. — Reece alisou a coberta e pensou, distraída, que algumas almofadas de cores primárias deixariam o ambiente mais descontraído. — Estou pensando em preparar uma sopa de casamento italiana para a Joanie. Você podia provar no almoço e me dizer se está boa. E posso preparar um assado ou alguma coisa fácil de esquentar para você jantar, já que vou voltar tarde. Ah, e pensei em lavar umas roupas enquanto isso. Tem alguma roupa sua pra lavar?

Sopa de *casamento*? Aquilo era uma mensagem subliminar? E agora ela queria lavar seus shorts, era isso mesmo? Meu Deus do céu.

— Vamos com calma.

Reece abriu um sorriso confuso.

— Tudo bem.

— Não preciso que você planeje o café da manhã, o almoço, o jantar, nem uma porcaria de lanche da madrugada todo dia.

O sorriso desapareceu e ela piscou, surpresa.

— Bem...

— E você não está aqui para lavar minha roupa, arrumar a cama e fazer assados.

— Não — disse ela, devagar —, mas, já que estou aqui, quero ajudar.

— Não quero você mexendo nas minhas coisas. — E lá estava ele de novo, aquele mesmo tom defensivo que ele ouvira sair de sua boca na casa do doutor ontem. Que irritante. — Eu sei cuidar da minha casa. Já faço isso há anos.

— Ok, como preferir. É óbvio que eu estava enganada. Achei que você queria que eu cozinhasse.

— Isso é diferente.

— Diferente de, digamos, misturar nossas roupas na máquina de lavar. Porque isso seria um nível simbólico de um relacionamento que você não quer. Que idiotice.

Talvez fosse mesmo.

— Não preciso que você lave a minha roupa, prepare uma porcaria de um assado, nem faça nada disso. Você não é minha mãe.

— Não sou mesmo. — Reece se aproximou de novo da cama, puxando a coberta e o lençol. — Pronto, melhor assim.

— Quem está sendo idiota agora?

— Ah, confie em mim, esse prêmio ainda é seu. Acha que, só porque eu estou apaixonada, vou tentar prendê-lo em um relacionamento lavando suas meias sujas e fazendo canja de galinha? Você é um idiota, Brody, e se acha demais. Vou te deixar curtindo suas ilusões de grandeza. — Reece seguiu para a porta. — E não sou mesmo sua mãe! Ela nem sabe *cozinhar*!

Brody franziu a testa para a cama e massageou a tensão alojada em sua nuca, irritado.

— Ótima conversa — murmurou ele.

E se retraiu quando a porta do andar de baixo bateu com força suficiente para fazer seus dentes tremerem.

Reece pegou apenas o que conseguiu encontrar e colocou tudo no carro. Pensaria no restante de suas coisas — não que houvesse muito — depois.

Poderia pegar os ingredientes da sopa na Joanie e na sua despensa. Juntaria algumas moedas e lavaria suas roupas — e *apenas* suas roupas — naquelas máquinas horrorosas do porão do hotel. Era o que sempre fazia mesmo.

Ou talvez fosse melhor mandar tudo para o inferno e sair para dar uma volta, ver se as planícies já estavam florescendo.

Ela seguiu com o carro para a cidade, franzindo a testa ao notar que ele estava estranho.

— O que foi agora? O que foi agora? — murmurou ela enquanto o volante puxava.

Com raiva, Reece deu um tapa nele. Então, conformada, deu a volta para ir à oficina.

As portas do local estavam abertas, exibindo um carro compacto erguido no elevador. Lynt saiu de baixo dele, um homem esguio de quarenta anos em uma camisa jeans de botão com as mangas arregaçadas para exibir os músculos fortes. Havia um pano sujo de graxa pendurado em um dos bolsos detrás da calça, um boné igualmente manchado na cabeça e um pedaço de tabaco fazendo volume na bochecha.

Ele franziu os lábios e pôs a aba do boné para trás enquanto Reece saltava.

— Deu ruim?

— Parece que sim. — Quando ela percebeu que seus dentes estavam trincados, se forçou a relaxar. — O volante está esquisito, puxando.

— Normal, já que seus dois pneus traseiros estão praticamente vazios.

— Vazios? — Reece se virou para olhar. — Droga. Eles estavam cheios ontem.

— Você pode ter passado por cima de alguma coisa. — Lynt agachou-se para olhar o pneu traseiro direito. — Deve ter esvaziado aos poucos. Vou ver o que posso fazer.

— Tem um estepe na mala.

Meu Deus, ela teria de trocar dois pneus?

— Só preciso terminar aquele freio antes. Quer carona para algum lugar?

— Não. Não. Vai ser bom andar. — Reece pegou o laptop no banco detrás; depois, tirou as chaves de casa do chaveiro e as guardou no bolso. — Se eu precisar de pneus novos, vai custar quanto?

— Vamos deixar para nos preocupar com isso quando tivermos certeza. — Lynt pegou as chaves do carro. — Te ligo mais tarde.

— Obrigada.

Ela pendurou a bolsa em um ombro e a capa do laptop no outro.

Era um belo dia para uma caminhada, lembrou a si mesma em uma tentativa de se animar. Ela tinha um emprego e um lugar para morar. E, se estava apaixonada por um babaca, só precisava tentar esquecê-lo.

Se precisasse de pneus novos, faria tudo a pé até conseguir bancá-los.

Ela não *precisava* de um carro agora. Não *precisava* de um namorado. Não precisava de nada além de si mesma. Fora por isso que deixara Boston, que deixara tudo. Ela provara que era capaz de ser um membro funcional da sociedade, que era capaz de se curar, que era capaz de construir uma vida nova.

E se Brody achava que seu grande plano era obrigá-lo a participar dessa vida, não só era um babaca, como também um cara muito convencido.

De toda forma, seria bom passar um tempo sozinha para atualizar seu diário. E para encarar a ideia de escrever o tal livro de receitas. Não que fosse pedir ajuda a Brody agora. Filho da puta insensível. Mas Reece queria organizar as receitas, fazer uma tentativa mais concentrada de escrever uma introdução.

Algo como... *Você não precisa ser um chef profissional para preparar refeições gourmet. Não quando tem as orientações de uma especialista.*

— Muito arrogante.

Já cansou de tentar bolar uma nova resposta para "o que temos pra janta?". Não aguenta mais pensar em algo interessante e diferente para aquele brunch *de domingo? Está em pânico porque o organizador daquele evento beneficente encarregou você dos canapés?*

— Meio idiota — disse Reece em voz alta —, mas a gente precisa começar por algum lugar.

— Ei! Ei! — Ela parou de andar e viu Linda-gail ajoelhada no seu quintal minúsculo ao lado de um vaso raso de plástico preto com calêndulas e amores--perfeitos. — Está ocupada demais falando sozinha para conversar comigo?

— Eu estava falando sozinha? Só estava pensando em umas coisas. Às vezes, nem percebo que faço isso. Que bonitas. Suas flores.

— Eu devia ter plantado os amores-perfeitos antes. — Ela endireitou o chapéu de caubói de palha. — Eles não se incomodam com o frio. Mas eu sempre tinha alguma coisa para fazer. O que você está fazendo por aqui?

— Pneus furados. Tive de levar o carro ao Lynt.

— Que droga. Você saiu cedo de casa. Achei que fosse passar o dia com Brody.

— Pelo visto, nem todo mundo gostou dessa ideia. Eu só fiz a cama e me ofereci para lavar as roupas dele com as minhas. Pela reação dele, parecia que eu estava empunhando uma espingarda e um juiz de paz.

— Homens são burros. Botei Don pra correr daqui outro dia. Ficou irritadinho quando não quis dar para ele.

— Homens são burros.

— Bem, eles que se danem. Quer me ajudar a plantar amores-perfeitos e reclamar do cromossomo Y?

— Até queria, mas preciso fazer umas coisas.

— Então podemos ir ao Clancy's depois do trabalho hoje, tomar uma cerveja e cantar todas as músicas que falam mal dos homens na lista do karaokê.

Quem precisava de um babaca quando se tinha uma amiga?

— Gostei da ideia. A gente se vê no trabalho.

Pronto, pensou Reece enquanto seguia para casa, já podia acrescentar algo na lista de coisas que tinha: Linda-gail Case.

Havia o lago também, pensou enquanto se virava para ele. Tão azul e bonito com os salgueiros verdes movendo-se como dançarinos, os botões delicados das folhas dos choupos desabrochando.

Por impulso, ela seguiu para a água em vez de continuar andando para casa. Colocou as bolsas no chão, tirou os sapatos e as meias. Puxou as barras da calça para cima. E, sentada na beirada, balançou os pés dentro da água.

Que frio! Mas Reece não se importava. Ela estava sentada com os pés nas águas azuis do lago Angel, observando a assombrosa subida da cordilheira Teton. Daqui a pouco, estaria fazendo sopa, escrevendo um livro de receitas e dobrando sua roupa limpa. Havia coisa mais normal que isso? Teria de correr para conseguir fazer tudo antes do trabalho. E isso também era normal.

Então, por enquanto, curtiria aquele momento.

Reece deitou-se no chão para observar o céu, tão azul quanto o lago, com inofensivas nuvens brancas pairando no ar. O sol brilhava, mas, em vez de pegar os óculos escuros na bolsa, ela jogou um braço por cima dos olhos. E ouviu.

O movimento da água, o respingar quando movia os pés. O canto dos pássaros parecia tão feliz, tão despreocupado. Ela escutou um latido, o zumbido de um carro passando. Seu corpo inteiro relaxou.

O estouro repentino a fez engasgar com um grito, levantando-se tão rápido que quase caiu no lago. Reece conseguiu se firmar, engatinhar para longe, mas só depois de encharcar uma das pernas até o joelho.

— A caminhonete de Carl. Foi a caminhonete de Carl — lembrou a si mesma enquanto se encolhia sobre a grama.

Dava para vê-la, indo aos trancos e barrancos em direção à mercearia. De quatro, Reece permaneceu onde estava, recuperando o fôlego.

E corou ao ver Debbie Mardson parada diante do Na Trilha, observando-a.

— É, é aquela doida — disse Reece com os dentes trincados enquanto se forçava a sorrir e acenar. — Dando um mergulho no lago frio completamente vestida. Nada de mais.

Agora que o momento fora arruinado, ela pegou as bolsas e os sapatos e foi andando, molhada e descalça, para casa.

Ela não estava nem aí para o que a perfeitinha Debbie Mardson pensava, Reece se reconfortava. Ou para o que qualquer um pensava. Ela tinha o direito de se sentar no lago e enfiar os pés na água. Tinha o direito de levar um susto quando a porcaria do cano de descarga de Carl fazia aquele barulho.

Ela tirou a calça molhada e vestiu uma seca. E também tinha o direito de lavar a própria roupa. Então, juntou tudo com o sabão em pó e as poucas notas que ainda lhe restavam.

Colocaria as roupas na máquina, voltaria e começaria a preparar a sopa. Voltaria e colocaria tudo na secadora. Voltaria e pensaria no livro de receitas. Reece pegou sua pequena cesta de roupas sujas e seguiu para o hotel.

Como precisava passar pelo Na Trilha, ela se forçou a olhar para a frente e rezou para que, só dessa vez, Debbie não a visse passando. Não correu ao passar pela vitrine, mas acelerou o passo, voltando ao ritmo normal apenas ao se aproximar do hotel.

— Oi, Brenda. Dia de lavar roupa. Pode trocar meu dinheiro?

— Claro, sem problema. — Brenda abriu um largo sorriso e ergueu as sobrancelhas. — Quer sapatos também?

— Como é?

— Você está descalça, Reece.

— Ah. Ai, meu *Deus*. — Ela encarou os próprios pés. E corou. Entretanto, quando voltou a olhar para a recepcionista, o sorrisinho no rosto da outra mulher foi suficiente para transformar sua vergonha em irritação. — Acho que esqueci. Você sabe como é minha cabeça, não sabe? Moedas, por favor.

Ela bateu as cédulas no balcão.

Brenda as contou.

— Cuidado onde pisa.

— Pode deixar.

Como o elevador não era uma opção, Reece desceu de escada. Odiava aquela porcaria de porão. Odiava. Se Brody não fosse um imbecil, ela poderia ter usado a máquina dele e evitado toda aquela palhaçada e vergonha.

— Sete vezes um, sete — começou enquanto passava pela sala de manutenção. — Sete vezes dois, catorze.

Reece terminou a tabuada do sete, passou para a do oito e tratou de sair da lavanderia assim que a máquina começou a funcionar.

Quando chegou à recepção, voltou ao ritmo normal, acenando para Brenda de forma descontraída. Mas na volta não teve a mesma sorte que teve na ida.

— Reece. — Debbie saiu do estabelecimento quando a viu passar. — Você está bem?

— Estou, sim. E você?

— Ainda está meio frio para ficar andando descalça.

— É mesmo? Só estou deixando a sola do pé mais grossa. Quero ser a primeira mulher a atravessar o país descalça. Sempre foi meu sonho. Até logo.

Pode espalhar essa fofoca, pensou Reece enquanto voltava para casa.

Ela esqueceu o assunto enquanto preparava o caldo e fazia almôndegas para a sopa. Até cogitou continuar sem sapatos para incentivar ainda mais as fofocas, mas resolveu que estava sendo boba e autodestrutiva. Então, voltou ao hotel e enfrentou Brenda e o porão de novo e passou as roupas para a secadora.

Só mais uma viagem, lembrou a si mesma enquanto corria de volta para casa. E com tempo de sobra para fazer um rascunho da introdução do livro de receitas enquanto as roupas secavam.

Depois de ligar o laptop, Reece aqueceu seus músculos de escrita com uma atualização em seu diário.

Estou irritada com Brody. Ele acha que estou pensando em alianças de casamento só porque fiz a cama. É assim mesmo que a cabeça dos homens funciona? Se for, a espécie inteira precisa de terapia.

Imagino que, no fim das contas, não sou mais bem-vinda lá. E ele me ajudou bem mais do que deveria, na verdade. Então, vou tentar me sentir agradecida, além de irritada, e não encher mais o saco dele.

Babaca.

Enquanto isso, oficializei meu status de maluca da cidade ao ter um momento de distração completamente justificável e me esquecer de calçar os sapatos antes de ir lavar roupa no hotel. Estou tentando não me importar com isso. Estou fazendo sopa e só conferi a porta uma vez.

Droga, duas.

Talvez eu precise comprar dois pneus novos. Meu Deus, que deprimente. Algo que, antes, seria apenas um leve incômodo é um problema enorme na minha atual situação. Não tenho dinheiro. Simples assim. Acho que vou passar as próximas duas semanas a pé.

Talvez um milagre aconteça e eu consiga mesmo escrever e vender o livro de receitas. Seria bom ter uma reserva financeira, só para estar pronta para o próximo problema.

Linda-gail está plantando amores-perfeitos. Vamos ao Clancy's depois do trabalho para falar mal dos homens. Acho que é exatamente disso que eu preciso.

Satisfeita, Reece abriu um novo documento e começou a testar estilos e abordagens diferentes para uma introdução.

Quando o *timer* da cozinha apitou, avisando que as roupas estavam secas, ela se afastou, desligou o computador e saiu de novo.

Simplesmente jogaria tudo no cesto e sairia o mais rápido possível daquele porão assustador. Podia dobrar tudo em casa. E deixaria a sopa em fogo baixo enquanto ia para o trabalho, voltando nos intervalos para dar uma olhada.

Tomara que a lanchonete esteja movimentada hoje. Ela precisava se manter ocupada.

Reece atravessou rapidamente a recepção, poupada de conversar por Brenda não estar lá. Dava para ouvir o murmúrio da voz dela nos fundos.

Que sorte, pensou ela. Mais uma coisa pela qual agradecer.

Reece recitou a tabuada do doze dessa vez — mais difícil — enquanto descia correndo e seguia para a lavanderia.

Então, abriu a porta da secadora e não encontrou nada.

— O quê...?

Ela abriu a outra secadora, pensando que podia ter se confundido. Mas também estava vazia.

— Que absurdo. Ninguém viria aqui roubar minhas roupas.

E por que seu cesto estava em cima da máquina de lavar e não na mesinha, onde ela sabia, *sabia*, que a deixara? Com cuidado, Reece a ergueu e, lentamente, abriu a tampa da máquina.

Suas roupas estavam lá, molhadas e misturadas.

— Eu coloquei tudo na secadora. — Ela enfiou uma das mãos, trêmula, no bolso, encontrando a única moeda que sobrara depois de colocar seus trocados nas máquinas. — Eu coloquei tudo na secadora. Essa é minha terceira viagem. Terceira. Não as deixei na máquina de lavar.

Reece as tirou de lá, furiosa, puxando as roupas molhadas e jogando-as dentro do cesto. Com um leve barulho, uma caneta hidrográfica caiu no chão.

Uma caneta vermelha. Sua caneta vermelha. Tremendo agora, Reece a colocou na cesta, com as roupas que, agora, via estarem pintadas e manchadas de vermelho.

Alguém fizera aquilo, alguém que queria convencê-la de que estava enlouquecendo de vez.

Alguém que poderia estar ali embaixo, observando-a.

Sua respiração ficou ofegante enquanto ela virava a cabeça de um lado para o outro. Reece engoliu um gemido, agarrou a cesta e saiu correndo. O barulho repentino de um cano a fez pular, soltando um gritinho. As batidas e o eco dos seus sapatos no piso de cimento fizeram seu coração quase sair pela garganta.

Dessa vez, ela não parou de correr quando chegou à recepção, mas seguiu diretamente para o balcão. De volta a seu posto, uma Brenda surpresa a encarava boquiaberta.

— Alguém está lá embaixo. Alguém foi lá embaixo.

— O quê? Quem? Você está bem?

— Minhas roupas. Colocaram minhas roupas pra lavar.

— Mas... Reece, foi você que fez isso. — Brenda falava devagar, como se estivesse se comunicando com uma criança burra. — Lembra? Você desceu para lavar roupa.

— Depois! Eu coloquei tudo na secadora. Você me viu voltar para colocar as roupas na secadora.

— Bem... claro, eu vi você voltar, descer. Talvez tenha se esquecido de colocá-las lá. Sabe, do mesmo jeito que esqueceu os sapatos antes. Eu vivo fazendo coisas assim — acrescentou Brenda com aquele sorrisinho. — Sabe, me distraindo e esquecendo...

— Eu não esqueci. Coloquei as roupas na secadora. Veja. — Ela tirou uma única moeda do bolso. — Esse é o único dinheiro que eu tenho, porque usei o restante para lavar *e* secar a porcaria das minhas coisas. Quem esteve no porão?

— Escute, se acalme. A única pessoa que eu vi descer foi você.

— Talvez você tenha descido.

— Minha nossa, Reece. — O rosto de Brenda exibia uma confusão genuína. — Por que eu faria uma coisa dessas? Você precisa se acalmar. Se quiser mais moedas, posso...

— Eu não quero nada.

A raiva e o pânico latejavam dentro dela, tornando a respiração de Reece ofegante enquanto ela saía do hotel e andava rápido pela rua com o cesto de roupas molhadas.

A única coisa em que conseguia pensar era chegar em casa. Entrar. Trancar a porta.

Ao som de uma buzina, Reece tropeçou e virou, erguendo o cesto como um escudo. Então, viu seu carro sendo estacionado na vaga de sempre, perto da escada. Lynt saltou.

— Não quis te assustar.

Reece assentiu. Por que ele a encarava daquele jeito, como se ela fosse uma alienígena? Por que as pessoas a encaravam daquele jeito?

— Ah, os pneus estão inteiros. Só estavam vazios. Muito vazios. Eu os enchi para você.

— Ah. Obrigada. Obrigada.

— E, ah, já que eu estava vendo os pneus, resolvi dar uma olhada no estepe. Mas...

Reece umedeceu os lábios secos.

— Algum problema com o estepe?

— É só que... — Lynt mexeu na aba do chapéu, alternando o peso entre os pés. — Ele está meio enterrado lá dentro.

— Não entendi. — Reece se obrigou a colocar o cesto sobre um degrau e se aproximar. — Só tem o estepe e o macaco hidráulico aí dentro.

Quando ele hesitou, ela pegou a chave da mão dele e abriu a mala.

O cheiro veio primeiro. Lixo podre. A mala estava cheia — cascas de ovo, borras de café, folhas de papel molhadas, manchadas, latas vazias. Como se alguém tivesse despejado uma lata de lixo lá dentro.

— Fiquei na dúvida sobre o que fazer.

— Eu não fiz isso. — Reece deu um passo para trás e, depois, outro. — Eu não fiz isso. Foi você?

O mesmo choque repentino que surgira no rosto de Brenda tomou o de Lynt.

— Lógico que não, Reece. Estava assim quando eu abri.

— Alguém *fez* isso. Não fui eu. Alguém está fazendo isso comigo Alguém...

— Não quero saber de gritaria aqui. — Joanie saiu pelos fundos, se aproximando pela lateral do prédio. — O que está acontecendo? Pelo amor de Deus, o que é isso?

Ela franziu o nariz enquanto olhava para a mala.

— Eu não fiz isso — começou Reece.

— Bem, com certeza não fui eu. Fui pegar o estepe — explicou Lynt. — E encontrei a mala assim. E agora Reece acha que eu joguei esse lixo todo aí dentro.

— Ela só está nervosa. Mas que merda, Lynt, você também não ficaria se uma coisa dessas acontecesse com você? Moleques — disse Joanie, calma. — Deve ter sido um monte de moleques idiotas. Lynt, tenho uns cestos de lixo lá atrás e luvas de borracha nos fundos da lanchonete. Venha me ajudar a limpar isso.

— Eu limpo. — As palavras escaparam da garganta arranhada de Reece. — Desculpe, Lynt. Só não entendo como...

— Vá lá para cima — ordenou Joanie. — Pode ir. Lynt e Pete vão limpar essa nojeira. Já vou falar com você. Não discuta comigo — acrescentou ela quando Reece começou a protestar.

— Desculpe. — Cansada, ela pegou seu cesto. — Desculpe. Vou buscar seu dinheiro.

— Não precisa. — Lynt dispensou a oferta com um aceno de mão. — Foi só ar.

Joanie deu um tapinha no braço dele enquanto Reece subia a escada.

— Vá chamar Pete. Sua próxima refeição é por conta da casa.

— Como é que moleques abririam a mala, Joanie? Sei que ela não foi arrombada.

— Só Deus sabe como essas pestes fazem qualquer coisa. Ou por quê — acrescentou ela antes que Lynt fizesse essa pergunta. — Mas a mala continua fedendo e cheia de lixo. Limpe isso com Pete.

Quando Joanie entrou no apartamento, Reece estava sentada no sofá--cama com o cesto de roupas molhadas aos pés.

— A sopa está com um cheiro bom. — Ela se aproximou, franzindo a testa para o cesto. — Essas roupas vão mofar se você não estendê-las. Por que não usou a secadora?

— Eu achei que tinha usado. Sei que usei. Mas elas estavam na máquina de lavar.

— Que manchas são essas?

— Tinta. Tinta vermelha. Alguém colocou minha caneta vermelha na máquina.

Joanie encheu as bochechas de ar. Em seguida, foi até a cozinha e pegou um pires no armário. Acendeu um cigarro enquanto voltava, sentando-se ao lado de Reece.

— Eu vou fumar um cigarro, e você vai me contar o que está acontecendo.

— Não sei o que está acontecendo. Mas sei que coloquei as roupas na secadora, que coloquei o dinheiro, que apertei o botão. Mas elas estavam na máquina de lavar, molhadas, quando voltei para buscá-las. Sei que não coloquei aquele lixo no carro, mas ele está lá. E não rabisquei o banheiro inteiro.

— Meu banheiro? — Joanie se levantou e foi dar uma olhada. — Não vejo nada rabiscado.

— Brody pintou tudo. Não coloquei minhas botas no armário da cozinha nem minha lanterna na geladeira. Não fiz nada disso, mas elas aconteceram mesmo assim.

— Olhe pra mim. Olhe nos meus olhos. — Quando Reece obedeceu, Joanie analisou seu rosto. — Você está usando drogas? Está tomando remédios controlados?

— Não, nada além do chá que o doutor fez para mim. E Tylenol. Mas todos os meus remédios foram parar dentro do meu almofariz.

— Por que alguém faria uma coisa dessas? Ou todas essas coisas?

— Para me convencer de que estou louca. Para me deixar louca, o que não é muito difícil. Porque eu vi o que vi, mas é fácil ignorar uma mulher maluca.

— Encontraram um corpo...

— Não era ela — interrompeu Reece, e sua voz começou a ficar mais alta e fina. — Não era a mesma mulher. Não era ela e...

— Pare com isso. — A voz de Joanie a atacou como um tabefe. — Só vou conversar com você se ficar calma.

— Tente fazer isso, tente se acalmar quando alguém estiver fazendo coisas assim com você. Tente ser mais racional quando não fizer ideia do que pode acontecer, ou quando pode acontecer. Minhas roupas estão destruídas. Eu mal tinha dinheiro antes do dia do pagamento para lavá-las, e agora estão destruídas.

— Você pode abrir uma conta no Mac, ou posso adiantar seu salário para você comprar algumas coisas.

— A questão não é essa.

— Não. Mas podia ser pior. Há quanto tempo isso está acontecendo?

— Coisas bobas desde... Desde que vi a mulher ser assassinada. Não sei o que fazer.

— Você devia conversar com o xerife.

— Por quê? — Reece passou as mãos pelo cabelo, segurando-os. — Acha que o monte de lixo no meu carro pode ter impressões digitais?

— Mesmo assim, Reece.

— Tudo bem. — Suspirando, ela baixou as mãos e esfregou o rosto. — Tudo bem, vou falar com o xerife.

— Ótimo. Por enquanto, é melhor você dar uma olhada nessas roupas, ver o que pode ser salvo e estendê-las. Se precisar de uma camiseta nova ou de calcinhas, dê um pulo até a mercearia no seu intervalo. Você tem cinco minutos antes do seu turno começar. — Joanie apagou o cigarro. Então, se levantou e tirou uma nota de vinte dólares do bolso. — Pela pintura do banheiro.

— Não fui eu que fiz isso. Foi Brody.

— Então dê o dinheiro a Brody se quiser ser idiota.

O orgulho lutou contra seu lado prático, mas o lado prático foi mais forte.

— Obrigada.

— Brody sabe sobre essas coisas?

— Sim. Tirando o que aconteceu hoje, sim.

— Quer ligar para ele antes de ir trabalhar?

— Não. Acho que estou me metendo demais na vida dele.

Joanie soltou uma risada irônica.

— Os homens são úteis para algumas coisas, mas, a menos que estejam fazendo você gozar, é difícil entender para que servem. Acalme-se e desça. O prato do dia é costela.

Reece se mexeu e cutucou o cesto com um dos pés.

— Costela de quê?

— Búfalo — respondeu Joanie com um sorrisinho. — Talvez você saiba algum jeito de tornar o prato mais chique.

— Na verdade...

— Então ande logo e dê seu jeito. Eu só tenho duas mãos.

BRODY CONSIDEROU jogar uma pizza congelada no forno, mas pensou na canja de galinha.

Reece fizera aquilo de propósito, concluiu ele. Dera essa sugestão para que não conseguisse pensar em nada além dela — além do frango, corrigiu-se.

Ele só queria que Reece fosse com calma. Não fora exatamente isso que dissera? Mas ela criara caso, como as mulheres sempre faziam.

Um homem tinha o direito de ter um descanso na própria casa, não tinha? Um pouco de tempo sozinho, sem uma mulher enchendo o saco.

Se quisesse, ele tinha o direito de comer pizza congelada. Só que, por um acaso, não era isso que queria hoje. Estava com vontade de comer algo decente, saboroso. E sabia onde encontraria isso.

Ele era freguês da Comida de Anjo antes de Reece aparecer, lembrou Brody a si mesmo enquanto entrava no carro. Não estava indo lá só para vê-la. Isso era só uma coincidência. E se ela quisesse continuar de mal, paciência. Tudo que ele queria era uma refeição gostosa por um preço razoável.

Contudo, quando estacionou diante da lanchonete, a própria Joanie saiu.

— Eu estava indo falar com você — disse ela.

— Sobre o quê? Reece está...

— Sim, Reece está. — E, com aquela mostra de preocupação instantânea, ela encontrou o que esperava. Ele estava caidinho. — Vamos dar uma volta. Tenho dez minutos. — Falando rápido, ela contou o que aconteceu, ignorando as interrupções e a raiva dele. — Reece disse que vai ligar para o xerife, mas não fez isso. Ainda. Ela sabe se impor quando está com a cabeça no lugar. Foi uma maldade o que fizeram, colocarem lixo na mala dela. Não gosto de maldade.

— Tudo foi maldade. Preciso falar com ela agora.

— Ela tem dez minutos, se quiser tirar o intervalo agora. Entre pelos fundos. Não quero ver vocês dois brigando no meu salão.

Brody obedeceu a Joanie, passando direto por Pete e segurando o braço de Reece.

— Lá fora.

— Estou ocupada.

— Isso pode esperar.

Ele a puxou para a porta.

— Só um minuto, droga. Estou trabalhando. Ninguém entra no seu escritório e o puxa para fora de lá quando *você* está trabalhando. Se quiser conversar comigo, espere até eu estar livre.

— Por que não me ligou quando essa merda toda aconteceu hoje?

— Como sempre, a fofoca corre — disse ela, amargurada. — E eu não quis ligar. Se veio para me salvar, pode tirar seu cavalinho da chuva. Não preciso de um herói. Preciso fazer meu trabalho.

— Vou esperar até você terminar e te dar uma carona. Podemos falar com Rick amanhã cedo.

— Não quero que ninguém me espere, e, quando eu terminar, já tenho planos.

— Que planos?

— Planos que não são da sua conta. Não preciso que você vá comigo falar com o xerife. Não preciso de uma babá nem de um príncipe em um cavalo branco nem da sua pena, do mesmo jeito que você não precisa que eu faça a sua cama e lave a sua roupa. E ainda não está na hora do meu intervalo.

Quando ela se virou para a porta, Brody segurou seu braço, puxando-a para encará-lo.

— Mas que droga, Reece. — Ele suspirou, desistindo. — Mas que droga — repetiu baixinho. — Venha para casa.

Ela o fitou antes de fechar os olhos.

— Que golpe baixo. — Um que tirou-lhe o fôlego. — Acho que a gente devia dar um tempo para pensar nas coisas. Acho que precisamos ter certeza sobre o que isso significa e se é o que nós dois queremos. A gente se fala amanhã, talvez.

— Posso dormir no escritório ou no sofá.

— Não vou pra sua casa só para você me proteger. Se você acha que somos mais que isso, a gente vê no que dá. Mas é melhor você decidir o que quer antes de a gente se esbarrar de novo.

Ela voltou para a chapa, deixando-o tenso e desnorteado.

Capítulo vinte e dois

⌘ ⌘ ⌘

UMA CERVEJA, pensou Reece. Se uma mulher não conseguia bancar uma cerveja para si mesma, de que adiantava ter um emprego e trabalhar até as costas chorarem de dor no fim do dia?

O bar estava cheio de moradores socializando com turistas, que surgiam aos poucos na região para pescar ou andar de barco, fazer trilhas ou andar a cavalo. O alto Reuben ocupava o microfone, cantando uma versão comovente de "You'll Think of Me", de Keith Urban. Um grupo de caubóis convencera duas garotas da cidade a jogar sinuca, então as bolas colidiam umas nas outras sob um leve clima de paquera. Dois casais da Costa Leste erguiam seus drinques e tiravam fotos em frente às cabeças de alce e de ovelha.

No bar, com a bota apoiada no pé do balcão, Don exibia um semblante triste enquanto tomava seu energético Big Horn.

— Ele parece estar sofrendo.

Diante do comentário de Reece, Linda-gail deu de ombros.

— Não o suficiente. Dessa vez, ele vai ter de vir até mim com o chapéu na mão. Posso esperar. — Ela jogou um dos pretzels do pote de plástico que estava na mesa na boca e mastigou. — Passei boa parte da minha vida sonhando com esse caubói burro e dei tempo e espaço suficiente para ficarem cavalgando com ele.

— Bela metáfora — disse Reece.

Mas Linda-gail não estava disposta a aceitar elogios.

— Achei que Don fosse mais imaturo que a maioria dos homens, e beleza, deixei que fizesse o que queria até cansar dessa vida. Um homem desses basta assobiar que as mulheres vão atrás.

Reece ergueu uma das mãos.

— Eu não fiz isso.

— É, mas você é doida.

— Verdade. Acho que isso explica muita coisa.

— Mas estou pronta para construir o resto da minha vida agora. — Fuzilando as costas de Don com o olhar, Linda-gail comeu outro *pretzel*. — Ou ele dá conta do recado ou não dá.

Reece refletiu sobre o assunto.

— Homens são babacas.

— Ah, com toda a certeza. Mas não sou chegada a mulheres. Então, preciso de um para começar a fazer minhas coisas.

— Que coisas?

Com um cotovelo na mesa, Linda-gail apoiou o queixo na palma da mão.

— Quero comprar a casa que alugo de Joanie. Ela me venderia se eu pedisse. E, quando ela estiver pronta para diminuir o ritmo, quero gerenciar o Comida de Anjo.

Sem ficar surpresa, Reece assentiu.

— Você mandaria muito bem.

— Mandaria mesmo. E quero um par de candelabros de prata para colocar na mesa da sala de jantar. Um bem bonito, que eu possa passar para minha filha. Quero uma filha, mais do que tudo, mas o ideal seria ter um de cada: um menino e uma menina. Quero um homem que me ajude a conquistar essas coisas, que olhe para mim como se eu fosse a razão da vida dele. Quero ouvir o som das botas dele do outro lado da porta quando o jantar estiver cozinhando ao fogão. E, de vez em quando, só de vez em quando, quero que me dê flores quando chegar em casa.

— Que bonito...

— E quero que ele seja uma fera na cama, que me faça subir pelas paredes.

— São grandes planos. Don se encaixa neles?

— Na parte do sexo, com certeza, apesar de eu só ter provado amostras, não o produto completo. — Linda-gail sorriu, impetuosa, enquanto comia outro pretzel. — No restante? Ele tem potencial. Mas, se quer desperdiçar essa chance, não posso impedir. Quer outra cerveja?

— Não, já parei.

Linda-gail gesticulou, pedindo mais uma cerveja, quando as duas mulheres da Costa Leste tomaram conta do palco com uma versão animada de "I Feel Like a Woman".

— E você? Quais são seus planos?

— Eu queria ser a chef principal da melhor cozinha do melhor restaurante de Boston. Aparecer na lista dos dez melhores, ou melhor, cinco melhores chefs do país. Até pensava em casar e ter filhos. Mas achei que teria tempo para isso. Depois. E aí passei por aquilo tudo e só pensava em viver um dia de cada vez. Aguentar a próxima hora, o próximo dia.

— Ninguém entende como é passar por algo assim sem ter essa experiência na prática — disse Linda-gail após um instante. — Mas acho que essa é a atitude mais inteligente. A gente precisa superar para seguir em frente.

— Agora, quero minha casa. Quero conseguir trabalhar e poder beber com uma amiga no fim do dia.

— E Brody?

— Não consigo imaginar parar de querer Brody. Ele apareceu na cozinha hoje, me puxou para os fundos.

— O quê? O quê? — Linda-gail abaixou sua caneca de cerveja tão rápido que a espuma transbordou da borda e escorreu pelas laterais. — Como eu não vi isso? O que aconteceu?

— Ele queria me levar para casa.

— E por que é que você está aqui, enrolando para terminar sua cerveja quente e ouvindo um monte de gente desafinada, pelo menos por enquanto, cantando?

Reece trincou a mandíbula.

— Só vou voltar quando eu tiver certeza de que ele me quer, e não que só quer me proteger. Vou arrumar um cachorro — disse ela, fazendo cara feia.

— Me perdi.

— Se eu quiser só proteção, arrumo uma porcaria de um cachorro. Quero alguém que me ame de igual pra igual. E se eu for passar um tempo naquela cabana, não quero me sentir como uma visita. Ele nunca me ofereceu nem uma gaveta da cômoda.

Fazendo beicinho agora, Linda-gail apoiou o queixo na mão de novo.

— Homens são ridículos.

— São mesmo, sério. Estou tão irritada comigo mesma por ter me apaixonado por ele.

Com um olhar pesaroso, a outra mulher bateu a caneca na sua.

— Sei como é. — Então, ela olhou para o outro lado do bar e viu que Don chorava suas pitangas com uma das garçonetes. Uma das mulheres que Linda-gail *sabia* que ele comia de vez em quando. — Vamos dançar.

Reece piscou.

— Quê?

— Vamos dar uma volta e ver se algum desses machos frescos quer dançar com a gente.

A pista de dança era um espacinho de madeira na frente do palco. E os machos frescos estavam baderneiros e meio bêbados.

— Acho melhor não.

— Bem, eu vou lá escolher um. — Linda-gail se levantou. Primeiro, revirou a bolsa, pegando um batom. E pintou os lábios com um tom ousado e lindo de vermelho, sem nem precisar de um espelho. — Como estou?

— Parecendo um pouco perigosa. Acho melhor...

— Perfeito.

Jogando o cabelo para trás, Linda-gail se afastou, fazendo questão de passar em frente a Don. Então, se apoiou com as duas mãos na mesa ocupada pelos três homens e se inclinou para a frente.

Reece não conseguiu escutar o que eles estavam falando. Nem precisava. Os homens sorriam; Don parecia prestes a matar alguém.

Aquilo era uma péssima ideia, pensou ela. Aqueles joguinhos sempre eram uma péssima ideia. Mas Linda-gail saiu de mãos dadas com um dos homens enquanto os amigos dele assobiavam e davam gritos de incentivo. Ela o guiou para o espacinho de madeira, colocou as mãos em seus ombros e o guiou com o quadril.

À mesa, os outros dois estavam aos berros. Um deles gritou:

— Vai com tudo, Chuck!

E Chuck plantou as mãos na bunda de Linda-gail.

Mesmo de longe, mesmo em meio à névoa azul de fumaça, Reece viu as juntas dos dedos de Don embranquecerem ao redor da sua garrafa de cerveja.

Uma ideia terrível, resolveu ela. Sua conclusão foi confirmada quando Don bateu a garrafa em cima do balcão e seguiu para a pista de dança.

Dava para ouvir partes da conversa.

— A bunda é minha, seu palhaço. — Vindo de Linda-gail.

— Cuide da sua vida, meu camarada. — Vindo de Chuck.

As duas mulheres, que tinham passado de Shania Twain para uma versão arrastada de "Stand by Your Man", pararam de cantar e observaram a cena com um fascínio alcoólico.

Chuck empurrou Don, Don empurrou Chuck. Linda-gail usou toda a força em seus cinquenta e cinco quilos e empurrou os dois.

Qualquer esperança de que a briga acabasse por ali acabou quando Reece viu os amigos de Chuck se levantando.

O pequeno bando de caubóis jogando sinuca se aproximou. Don era um deles, afinal de contas.

Ela ia acabar no meio de uma briga de bar, pensou Reece, maravilhada. Estava prestes a testemunhar em primeira mão uma confusão em um bar com karaokê no meio do Wyoming.

A menos que conseguisse puxar Linda-gail e sair correndo.

Ela olhou rapidamente ao redor para conferir a direção e a distância da saída.

E viu, movendo-se no meio da multidão barulhenta que se levantara, um homem de gorro laranja.

Sua respiração acelerou. Reece se levantou, derrubando no chão a cerveja bebida pela metade, e o som do vidro se espatifando soou como um disparo. Ela cambaleou, empurrando um dos caubóis enquanto tentava sair dali, jogando-o com força em cima de um dos machos frescos.

Socos cortaram o ar. No palco, as mulheres gritaram e se abraçaram. Corpos batiam, às vezes pulavam, nas mesas e no bar. Copos e garrafas se quebravam, estilhaçavam. Madeira rachava. E ela jurou ter escutado um "irrá!" antes de um cotovelo acertar sua bochecha e lançá-la no chão sujo de cerveja.

FEDENDO A cerveja e fumaça, segurando uma bolsa de gelo em cima da bochecha latejante, Reece estava sentada na sala do xerife. Se já se sentira mais humilhada alguma vez na vida, seu cérebro não lhe permitia se lembrar da ocasião.

— A última coisa que eu esperava de você era ter de trazê-la para cá por causa de uma briga de bar.

— Não eram os meus planos para a noite. Aconteceu. E eu não estava brigando.

— Você empurrou Jud Horst em cima de um tal Robert Gavin, incitando a briga. E jogou sua cerveja no chão.

— Não, não joguei! Derrubei minha cerveja quando tentei me levantar da mesa e esbarrei em Jud. Foi sem querer.

— Você estava bebendo — continuou Rick.

— Eu tomei metade de uma cerveja, pelo amor de Deus. Eu estava em um bar, é óbvio que bebi. E todo mundo que estava lá também bebeu. Eu não estava bêbada. Só entrei em pânico. Certo... Entrei em pânico. Vi...

— Viu...?

— Eu vi um homem de gorro laranja no meio da multidão.

A expressão cansada e irritada de Rick ficou em alerta.

— Você viu o homem do rio?

— Não sei. Não dava para ver muito bem. Tudo aconteceu muito rápido. Eu me levantei, queria sair de lá. Queria vê-lo de perto.

— Não dava para querer as duas coisas.

— Mas eu queria — rebateu ela, irritada. — Fiquei assustada. Derrubei a cerveja e escorreguei. Só isso.

O xerife suspirou. Ele fora tirado da cama por um telefonema escandaloso de uma das garçonetes do Clancy's. Mal tinha conseguido pregar os olhos e já precisou se levantar, se arrumar e ir resolver a confusão no bar.

Agora tinha de lidar com acusações de danos materiais, lesões corporais, além de possíveis processos civis e penais.

— Min Hobalt diz que você bateu nela. Tenho outro depoimento aqui que fala que você a empurrou em cima da mesa, fazendo com que uma caneca de cerveja caísse no pé de uma tal de srta. Lee Shanks, de San Diego. Agora preciso lidar com uma turista com um dedão cortado.

— Eu não bati em ninguém. — Ou batera? — Não de propósito. Só queria sair dali. Levei uma cotovelada na cara, estava vendo estrelas. Fiquei assustada. Eu *caí* em cima de uma mesa, o que é bem diferente de empurrar alguém em cima dela. Fui *eu* que levei uma porrada — continuou Reece. — *Eu* estou com o corpo todo roxo.

Ele bufou.

— Quem deu o primeiro soco?

— Não sei. O cara que chamavam de Chuck deu um empurrão de leve em Don e Don o empurrou de volta. Então eu vi... Vi o gorro.

— Você viu o gorro.

— Sei que parece ridículo. E, sim, sim, sei que muitos homens por aqui usam aquela porcaria de gorro. Mas eu estava nervosa, porque senti que ia dar briga. Foi quando vi o gorro e entrei em pânico. Grande surpresa.

— Clancy disse que estava indo separar os dois quando a caneca se espatifou no chão. Que pareceu um gongo soando em um ringue de boxe. E quando aquele caubói esbarrou no turista, a coisa degringolou de vez.

— Então a culpa é minha — disse Reece, tranquila. — Tudo bem. Pode me prender por incitar baderna ou o que quer que seja. Mas me dê uma aspirina antes de trancar a cela.

— Ninguém vai te prender. Pelo amor de Deus. — Rick esfregou o rosto, apertando a ponte do nariz. — É só que você tem o hábito de criar confusão. Fiquei sabendo que teve um desentendimento no hotel hoje.

— Eu... — É óbvio que ele ficara sabendo. Brenda vivia grudada em Debbie, a esposa do xerife. Reece imaginava que ela fora um dos tópicos à mesa de jantar da família Mardson naquela noite. — Isso foi outra coisa. Alguém me pregou uma peça. E eu não achei graça. — Enquanto ele esperava pela explicação com as sobrancelhas erguidas, Reece refletiu se deveria contar tudo. Só que a verdade, naquele momento, pareceria maluquice. — Foi uma bobagem. Não importa. O senhor interroga todo mundo que discute com a recepcionista do hotel, ou só a mim?

O rosto do xerife enrijeceu.

— Preciso fazer meu trabalho, Reece. E, se você não gosta dos meus métodos, paciência. Agora preciso resolver essa bagunça. Talvez a gente tenha que conversar de novo amanhã.

— Então posso ir?

— Pode. Quer que o doutor dê uma olhada no seu rosto?

— Não. — Reece se levantou. — Eu não comecei o que aconteceu hoje nem terminei. Só estava no lugar errado, na hora errada.

Ela se virou para a porta.

— Você tem esse hábito. E, Reece, se você se assustar e sair de si toda vez que vir algo laranja, vamos ter problemas.

Ela continuou andando. Só queria ir para casa, onde poderia remoer sua raiva e humilhação em silêncio.

Mas primeiro, notou ela, precisava passar por Brody.

Como ele estava sentado em uma das cadeiras de visitante na sala de espera da delegacia com as pernas esticadas e os olhos semicerrados, Reece tentou passar direto.

— Calma aí, magrinha. — Devagar, ele se levantou. — Vamos dar uma olhada nesse rosto.

— Não tem nada pra ver.

Ele alcançou a porta primeiro e fechou a mão em torno da maçaneta, sem abri-la.

— Você está cheirando a chão de bar.

— Passei um tempo lá hoje. Pode me dar licença?

Brody abriu a porta, mas segurou o braço dela assim que saíram.

— Acho melhor a gente não passar por aquela lenga-lenga ridícula sobre você ir andando para casa. Está tarde, eu dirijo.

Como boa parte do corpo dela doía, inclusive o joelho, que devia ter batido no chão quando caiu, Reece não se deu ao trabalho de discutir.

— Tudo bem. O que você está fazendo aqui?

— Linda-gail ligou pra mim, caso alguém precisasse pagar a fiança. — Brody abriu a porta do carona. — Você deixa a vida mais interessante.

— Eu não *fiz* nada.

— É melhor não mudar sua história mesmo.

Reece ficou remoendo aquilo até ele dar a volta no capô e se sentar ao volante.

— Está achando engraçado?

— É uma história com vários elementos clássicos de uma comédia-pastelão. Sim, estou achando engraçado. A única mulher que tive de buscar em uma delegacia antes foi uma stripper que eu conhecia em Chicago, que bateu com uma garrafa de cerveja na cabeça de um sujeito que ficou empolgado demais durante um *lap dance* em uma despedida de solteiro. E ela ficou bem mais grata do que você.

— Foi Linda-gail quem ligou para você, não eu. — Reece cruzou os braços, sonhando com gelo e aspirina. — E a culpa foi dela, de qualquer forma. Nada disso teria acontecido se ela não tivesse resolvido fazer ciúmes em Don.

— Por que ela faria uma coisa dessas?

— Porque está apaixonada por ele.

— Linda-gail está apaixonada por Don, então provocou uma briga de bar. Faz todo sentido. — No mundo bizarro em que as mulheres viviam. — Tudo bem, magrinha, sua casa ou a minha?

— A minha. Você pode me deixar lá e concluir sua boa ação do dia.

Brody começou a dirigir, batucando os dedos no volante.

— Sabe por que eu saí da cama e vim te buscar quando Linda-gail me ligou?

Reece fechou os olhos.

— Porque você gosta de bancar o herói com strippers e mulheres doidas.

— Talvez. Talvez eu goste de você.

— Talvez. Quando decidir se é isso mesmo, me avise.

— Droga, é óbvio que eu gosto de você. Por que outro motivo eu estaria me revirando na cama sem conseguir dormir, xingando você, quando sua cúmplice ligou?

— Não faço ideia.

— Eu penso em você. Isso me atrapalha. — Sua voz estava cheia de ressentimento. — Você me atrapalha.

— Como essa é a segunda vez no dia que você aparece na minha frente, acho que é o contrário. — Reece se irritou o suficiente para se virar quando ele estacionou atrás do carro dela. — Você queria que eu fosse embora da sua casa. Eu fui. Você queria ir com calma, que eu me afastasse, eu obedeci. A culpa não é minha, Brody, se você não sabe o que quer.

— Que inflexível — rebateu ele. — Eu me senti sufocado hoje de manhã. Você começou o dia falando de sopa de casamento italiana.

— Qual é o problema da sopa de casamento italiana? Era uma das minhas especialidades quando... Ah, como você é burro. Casamento? Você fica com medo só de ouvir a palavra?

Brody quase estremeceu.

— Ninguém está com medo de nada.

— Eu resolvi fazer uma sopa, e você inventa que estou escolhendo meu enxoval? Que babaca.

Reece fez menção de abrir a porta, mas Brody se inclinou sobre ela e segurou sua mão. Ele preferia estar irritado a assustado.

— E fez a cama, se ofereceu para lavar minha roupa. Perguntou o que eu queria para o café.

Ela colocou a mão livre no peito dele e o empurrou.

— Eu dormi naquela cama, então a arrumei. Você me deixou ficar na sua casa quando eu estava precisando de um lugar seguro, e eu já ia lavar minha roupa. Achei que seria legal te agradecer ajeitando algumas coisas. E eu gosto de cozinhar pra você. Gosto de cozinhar para qualquer um. Foi só isso.

— Você disse que me ama.

— Eu disse. E não pedi que você retribuísse. Não fiz uma assinatura da revista *Noivas*. Nunca pedi nem sequer uma gaveta para guardar minhas coisas. Nunca te pedi nada além de companhia.

Era um inferno estar tão completamente errado.

— Tudo bem. Então eu exagerei.

— Você já disse isso. Estou cansada, Brody. A gente pode conversar depois. Quero dormir.

— Peraí. Droga. — Ele se recostou no banco, passando os dedos pelo cabelo, com uma expressão sofrida e frustrada no rosto. — Eu passei dos limites hoje cedo. Desculpe.

Reece ficou em silêncio por um instante.

— Own. Aposto que isso foi tão doloroso para você quanto a cotovelada que levei na cara.

— Talvez mais. Não me obrigue a repetir.

— Uma vez já é o suficiente.

Reece tocou o braço dele. Em seguida, se virou de novo para a porta.

— Será que dá para esperar? Nossa. Escute.

No silêncio que se seguiu, ela analisou seu rosto.

— Estou escutando.

— Tudo bem. Antes, você disse que não queria que eu a salvasse. Tudo bem. A ideia de querer cuidar de você me assusta. Mas quero que a gente fique junto. Não penso em mais ninguém. As coisas podem voltar a ser como eram antes?

Reece empurrou a porta, mas parou e olhou para ele. A vida era tão curta, e isso era tão assustador. Ela não sabia disso melhor do que ninguém?

— Era só isso que eu queria ouvir. Você quer subir?

— Quero. — Brody esperou até Reece dar a volta em torno do carro, então estendeu a mão para segurar a dela. — Venha aqui um instante. — Inclinando-se para baixo, ele roçou os lábios de leve em sua bochecha machucada. — Ai.

— Pode dizer "ai" quantas vezes você quiser, porque hoje não vou ser a melhor companhia do mundo. Só quero um banho quente, um frasco de aspirina e uma cama macia.

— Você não tem uma cama macia.

— Essa parte eu relevo. — Ela destrancou a porta. — Sinto como se tivesse participado de um jogo de futebol. E eu era a bola. — Quando Reece abriu o apartamento, ele a empurrou para trás, ficando na frente dela. — Que barulho é esse? Está ouvindo? Parece uma torneira aberta.

— Fique aqui.

É óbvio que ela não podia fazer isso, e foi atrás de Brody quando ele entrou e começou a andar pelo cômodo.

— No banheiro — sussurrou Reece. — A porta está fechada. Eu nunca a fecho, porque preciso conferir tudo assim que entro. A torneira está aberta. Ai, meu Deus, alagou tudo. Está saindo por baixo da porta.

Brody empurrou a porta, e mais água saiu. Lá dentro, a banheira transbordava enquanto a água saía da torneira. As poucas peças que ela conseguira salvar depois do incidente na lavanderia flutuavam como destroços de um naufrágio.

— Eu não deixei a torneira aberta. Nem a abri hoje. Só vim aqui para...

Sem dizer nada, Brody foi até a torneira para fechá-la. Então, arregaçando uma das mangas, enfiou a mão na banheira e abriu o ralo.

— Pendurei as roupas na barra da cortina antes de descer para o trabalho. Depois, vim trocar de sapato. Foi só isso que fiz antes de sair com Linda-gail.

— Não estou duvidando de você.

— Vai estragar o chão todo. Preciso pegar alguma coisa para... Ai, meu Deus, a lanchonete! Lá embaixo! A água deve ter vazado pelo piso e molhado a lanchonete.

— Ligue para Joanie. Peça a ela que venha pra cá e traga as chaves da lanchonete.

JOANIE CHEGOU com as chaves e um aspirador de pó e água. Com um olhar irritado, entregou o aspirador para Reece.

— Vá secar a água lá em cima. Quando acabar, traga-o de volta.

— Joanie, me desculpe...

— Fique quieta e obedeça.

Joanie abriu a porta, entrou e acendeu as luzes.

A água pingava e escorria do teto, no canto norte. O gesso tinha cedido sob o peso e rachado como uma fruta podre. Embaixo, duas mesas com sofás estavam encharcadas.

— Filha da puta desgraçada.

— A culpa não foi dela... — começou Brody, mas Joanie apenas levantou o dedo para que ele parasse de falar, sem desviar os olhos do prejuízo.

— Vou precisar de ventiladores para secar isso. E de uma lona de plástico para cobrir essa merda de buraco na merda do teto antes que a merda da fiscalização sanitária feche a lanchonete por causa disso. Se você quer ajudar, pegue aquele ventilador grande no depósito, lá nos fundos. Depois, vá até minha casa. Tenho um rolo de saco plástico na garagem. E um grampeador industrial.

Brody olhou para o teto.

— Uma escada.

— Isso também. Filho da puta desgraçado.

REECE CHORAVA enquanto secava o chão. Agora não era só ela que estava sofrendo as consequências, mas também a mulher cujo único crime fora lhe dar um emprego, lhe alugar um apartamento e defendê-la.

E tudo estava estragado. O piso, o teto, e Deus sabe lá o que mais.

Ela esvaziou o reservatório do aspirador e começou de novo.

E ergueu o olhar, arrasada, quando Joanie entrou no apartamento.

— Chorar só vai criar mais água para você secar.

Reece secou as lágrimas com as juntas dos dedos.

— Está muito ruim lá embaixo?

— Ruim o suficiente. Dá pra consertar.

— Vou pagar...

— Eu tenho seguro, não tenho? Aqueles filhos da puta vão me indenizar depois de arrancarem meu couro com aquelas mensalidades todo santo mês.

Reece mantinha os olhos no chão enquanto o secava.

— Sei o que parece, e sei que você não quer ouvir desculpas. Mas não deixei a água da banheira aberta. Eu nem...

— Eu sei muito bem que não foi você.

Ela ergueu a cabeça.

— Sabe?

— Você nunca se esquece de porcaria nenhuma. Eu não acabei de usar a minha chave para abrir aquela maldita porta? Você disse que alguém está sacaneando você. E agora alguém está me sacaneando também. E estou *puta da vida*. Mas, no momento, vamos consertar o que precisa ser consertado e, depois, pensamos no que fazer. — Joanie colocou as mãos na cintura. — Vou ter de trocar o piso. Você se incomoda de ficar na casa de Brody?

— Não.

— Então termine aqui e faça sua mala. Vou arrumar alguém para cuidar disso assim que amanhecer. — Ela chutou a mesa e, pela primeira vez, prestou atenção no rosto de Reece. — O que aconteceu com a sua bochecha?

— Meio que houve uma briga no Clancy's.

— Ah, meu Jesus amado! Só piora, hein? Pegue um saco de ervilhas congeladas na geladeira antes de ir.

— É só até eu poder voltar para o apartamento.

Já passava das três horas da madrugada quando Reece terminou de colocar suas coisas na mala do carro de Brody.

— Ahã.

— Só alguns dias. — Exausta, arrasada por ver o estrago na lanchonete, Reece entrou no carro. — Não vou me oferecer para lavar sua roupa. Não ando tendo muita sorte com essas coisas mesmo.

— Tudo bem.

— Ela acreditou em mim. Nem tive que me explicar.

— Joanie é uma mulher inteligente. Ela é compreensiva.

— Esse cara, quem quer que seja, não precisava ter feito isso com ela. Não precisava atacá-la também.

Reece olhava pela janela enquanto Brody dirigia, observando a superfície escura do lago. Sua vida lhe parecia assim agora. Escura demais para enxergar o que havia por baixo.

— Se ela achasse que a culpa foi sua, a teria demitido, expulsado de lá. Provavelmente você iria embora da cidade. Tentar tirar seu salário e sua casa foi uma boa jogada.

— Que bom que não estou sendo perseguida por um burro. Seguindo essa lógica, que faz sentido, você seria o próximo da lista. Não estou trazendo sorte pra ninguém, Brody.

— Eu não acredito em sorte.

Ele estacionou em frente à cabana.

Então, tirou a caixa pesada com os utensílios de cozinha da mala do carro e prendeu a alça da capa do laptop no ombro, deixando a segunda caixa e a mala para Reece.

Lá dentro, Brody colocou a caixa no chão.

— Não vou guardar essas coisas. — Ele pegou a segunda caixa das mãos dela e a colocou no chão também. — Suba e tome um banho.

— Acho que preciso é ficar de molho. — Ela conseguiu abrir um sorriso e cheirou as costas da mão. — Por um bom tempo.

— Não se você gostar de cheiro de cerveja e fumaça. — Brody tirou o saco de ervilhas congeladas da caixa mais leve e o jogou na direção dela. — Use isso.

Reece subiu e encheu a banheira de água quente. Afundando nela, pressionou o saco gelado na bochecha latejante. E se sentou quando Brody apareceu.

— Aspirina — disse ele, colocando o frasco e um copo de água na beirada da banheira antes de sair.

Quando ela saiu usando uma enorme camiseta cinza cheia de manchas vermelhas e uma calça de flanela larga, Brody estava parado diante da janela. Ele virou, inclinando a cabeça.

— Look bonito.

— Não sobrou muita coisa.

— Bem. Você pode colocar o que deu pra salvar ali dentro. — Ele apontou para a cômoda com um dedão. — Esvaziei duas gavetas.

— Ah.

— Não é um pedido de casamento.

— Certo. Eu, hum... Guardo minhas coisas amanhã. Estou muito cansada. Foi mal, Brody, mas você...

— Sim. As portas estão trancadas.

— Tudo bem.

Reece se deitou na cama e suspirou de alívio.

Pouco depois, as luzes se apagaram e o colchão afundou. Então, o corpo quente de Brody se aproximou do dela, um braço enroscando-lhe a cintura.

Ela segurou a mão dele. E dormiu, com seus dedos entrelaçados, exausta demais para sonhar.

Capítulo vinte e três

⌘ ⌘ ⌘

BRODY LEVOU Reece para a lanchonete às seis em ponto. As luzes estavam acesas lá dentro; um brilho intenso no meio da escuridão. Uma picape estava estacionada ao lado de uma horrorosa caçamba de entulho verde, aberta, já preenchida pela metade com gesso e lixo.

A cena deixou os ombros de Reece tensos.

— Quanto isso vai custar?

— Não faço ideia. — Brody deu de ombros. — Meu conhecimento masculino não se estende a esses assuntos.

Tudo bem, havia o seguro, pensou Reece. Mas e a franquia? Ela entrou e encontrou Joanie com as mãos na cintura, fazendo cara feia para uma cortina de plástico. A chefe usava as botas que Reece vira na primeira vez em que fizeram tortas juntas, uma calça marrom surrada e uma camisa de botões bege com o bolso estufado por algo que, certamente, seria seu fiel maço de Marlboro Lights.

Atrás do plástico, Reece viu dois homens empoleirados em escadas.

O lugar cheirava a café e umidade. O grande ventilador continuava girando, esfriando o ar.

— Você pega às onze hoje — disse Joanie sem desviar o olhar da cortina.

— Quero trabalhar para compensar o que aconteceu. Reclame — acrescentou Reece —, e eu peço demissão, me mudo para Jackson Hole e arrumo um emprego lá. Você não só vai perder duas mesas e dois sofás, como também vai perder uma cozinheira.

Joanie não se mexeu.

— Já faz uma hora que esses garotos estão aí. Vá lá atrás e prepare um café da manhã de campeões para eles.

— Como vão querer os ovos?

— Fritos. Gema mole.

Brody parou ao lado de Joanie enquanto Reece ia para a cozinha.

— Você dormiu?

— Dormir é para os fracos. E você veio aqui para bancar o chofer e ficar olhando de cara feia para tudo ou para ajudar?

— Posso fazer várias coisas ao mesmo tempo.

— Então vá lá perguntar a Reuben e Joe o que eles precisam que você faça. Os fregueses já vão começar a aparecer. Reece, são três pratos agora.

A PRÓPRIA REECE serviu a comida ao balcão enquanto Joanie mandava Bebe levar mais mesas para o salão a fim de compensar os assentos perdidos. Os madrugadores de sempre já chegavam, e o lavador de pratos da manhã, sempre sonolento, entrou arrastando os pés pela porta dos fundos.

Ninguém reclamou da inconveniência nem da bagunça, mas aquele foi o assunto da manhã. Quando olhares curiosos começaram a vir na sua direção, Reece disse a si mesma que já era de esperar. Mas as pessoas comiam sua comida, faziam tilintar os pratos e talheres, e, às dez em ponto, alguém ligou o jukebox e a música abafou o barulho dos martelos e das serras.

Ela tinha colocado a sopa do dia para ferver e preparava um molho quando Linda-gail apareceu.

— Que bagunça. Você deve estar querendo me matar.

— Eu estava. — Reece continuou picando os ingredientes e pensou em testar uma *bruschetta* com a freguesia do almoço. — Então, pensei na situação como um todo e vi que a culpa não era sua. Bem, não totalmente.

— Sério? Estou me sentindo uma idiota.

— Você foi idiota. — Ela fez uma pausa para pegar uma garrafa de água. — Mas esse foi só um dos elementos que contribuíram para a confusão geral.

— Ah, Reece, querida. Seu rostinho...

— Não me lembre disso. — Mas, como já tinha lembrado, ela pressionou a garrafa gelada no rosto por um instante. — Está muito ruim?

— É claro que não. Você é linda de qualquer jeito.

— Deve estar ruim mesmo então. Com a briga no Clancy's e a bagunça aqui, as pessoas vão ter o que falar por uma semana.

— A culpa não foi sua.

— Não. — Pelo visto, seus dias de se culpar por tudo tinham ficado para trás. Que alegria. — Não foi mesmo.

— Alguém sabe como aconteceu? Quer dizer, quem faria algo tão idiota e tão maldoso? — Linda-gail olhou ao redor, observando Brody e Reuben carregando gesso. — O lado bom é que ouvi Joanie dizendo que, já que precisa pintar o teto, é melhor pintar tudo logo. Estávamos precisando de uma reforma.

— Que péssimo motivo para isso.

Linda-gail esfregou as costas de Reece.

— Sinto muito por tudo.

— Está tudo bem.

— Don não quer falar comigo.

— Ele vai mudar de ideia. Mas talvez fosse bom você falar primeiro. Quando existe algo que queremos, algo de que precisamos, a vida é curta demais para fazer joguinhos.

— Talvez. Reece, quero que você saiba que, se precisar, pode ficar na minha casa pelo tempo que for.

— Obrigada. — Ela olhou por cima do ombro. — Ele me deu duas gavetas.

Os olhos de Linda-gail se arregalaram de felicidade.

— Ah, Reece! — Ela abraçou a cintura da amiga e balançou-a. — Que legal!

— São só gavetas, Linda-gail. Mas, sim, foi um grande passo.

— Linda-gail Case, acho que não estou te pagando para dançar. — Joanie entrou na cozinha e mexeu a sopa. — Rick está lá na frente, Reece, e quer conversar com você assim que possível. Se quiser um pouco de privacidade, use a minha sala.

— Acho melhor mesmo. — Mas então ela girou e viu as pessoas tomando seus cafés ao balcão, às mesas. — Não, acho melhor conversarmos lá na frente. As pessoas vão fofocar mais ainda se fizermos questão de que ninguém escute.

Com um brilho de aprovação no olhar, Joanie assentiu.

— Muito bem.

Reece ficou de avental e levou sua garrafa de água junto. Rick estava parado perto do balcão e se empertigou quando a viu.

— Reece. Que tal conversarmos lá atrás?

— Podemos conversar aqui. A mesa cinco está vazia. Linda-gail — chamou ela sem tirar os olhos dele. — Pode trazer um café para o xerife? Mesa cinco. — Então, seguiu na frente dele e se sentou. — Min prestou queixa?

— Não. — Rick tirou um caderninho do bolso. — Nós conversamos de novo agora de manhã, e ela concordou que talvez você não tenha lhe dado um soco e tenha sido só um esbarrão. E, depois de reverem os acontecimentos, algumas testemunhas concluíram que você não empurrou uma mesa, e sim caiu nela quando as pessoas começaram a correr para ir embora ou participar da briga. Antes de passarmos para o próximo assunto, podemos dizer que o consenso é que a confusão no Clancy's foi resultado de uma série de ações idiotas de várias pessoas.

— Inclusive minhas.

— Bem. — Ele sorriu um pouquinho. — Você parece causar... alvoroço. Bem. — Rick fez uma pausa, olhando na direção do plástico e das marteladas das placas de gesso sendo instaladas. — Que tal me contar o que aconteceu aqui?

— Depois que saí da delegacia, Brody me trouxe pra cá. Nós subimos. Ouvi barulho de água, e, quando entramos, a porta do banheiro estava fechada. Com água vazando por baixo. Alguém tinha deixado a torneira da banheira aberta e tampado o ralo. Alagou tudo.

— Alguém?

Reece tinha se preparado para aquilo, portanto manteve o olhar calmo. E a voz firme e direta.

— Não fui eu. Eu não estava lá. O senhor sabe que não fui eu, porque eu estava no Clancy's e, depois, na delegacia.

— Sei que você passou duas horas no Clancy's e umas duas horas na delegacia. Pelo que me contaram e pelo que estou vendo, a água ficou um bom tempo aberta. É difícil avaliar quanto.

— Não fui eu que abri a torneira. Depois do expediente, subi para trocar de sapato e...

— E?

Conferir as fechaduras, as janelas.

— Nada. Troquei de sapato e voltei para me encontrar com Linda-gail. Não passei mais que três minutos lá em cima.

— Você entrou no banheiro?

— Sim, usei o banheiro e dei uma olhada nas roupas que estavam penduradas na barra da cortina do chuveiro para ver se tinham secado. E só. Não havia motivo para abrir a torneira.

— As roupas que você lavou no hotel mais cedo?

Tudo bem, pensou Reece. Estava tudo certo.

— Sim. E, sim, alguém *tirou* as roupas que lavei da secadora e as colocou de volta na máquina de lavar. Eu as levei para o porão, as coloquei na máquina, fui pra casa, voltei para o hotel, as coloquei na secadora, fui pra casa de novo. E, quando voltei para buscá-las, estavam na máquina.

Rick ergueu o olhar quando Linda-gail trouxe seu café e um ovo poché com torrada para Reece.

— Joanie mandou você comer, Reece. Quer mais alguma coisa, xerife?

— Não, só o café, obrigado.

— Linda-gail pode confirmar que só passei dois minutos lá em cima antes de irmos para o Clancy's.

— Posso. — A confirmação veio após apenas um segundo de hesitação. — Ela foi num pé e voltou no outro.

— Você não subiu junto? — perguntou Rick.

— Bem, não. Fui ao banheiro daqui, retoquei a maquiagem, dei um jeito no cabelo. Reece estava me esperando quando saí. Foram só alguns minutos. Alguém pregou uma peça idiota e maldosa. Foi isso que aconteceu.

— Por que eu abriria a torneira? — questionou Reece. — A gente ia sair.

— Não estou dizendo que você fez isso. E não estou dizendo que, se o fez, tinha a intenção de causar esse estrago todo. Às vezes, quando estamos com a cabeça muito cheia, esquecemos as coisas. Panela no fogo, telefone fora do gancho. É normal.

— Não seria normal encher uma banheira quando não se tem a intenção de tomar banho e, então, sair de casa e deixar a torneira aberta. E eu não fiz isso.

— É claro que não fez.

Linda-gail colocou a mão em seu ombro, acariciando-o. E Reece se perguntou se havia um toque de dúvida no reconfortante gesto.

— Alguém entrou no meu apartamento — disse ela. — E não é a primeira vez.

Rick a encarou.

— É a primeira vez que eu estou sabendo disso. Obrigada, Linda-gail. Vou chamá-la se precisar de mais alguma coisa.

— Tudo bem. Reece, coma. Você não comeu nada o dia todo, e, se esse prato voltar cheio, Joanie vai ficar brava.

— Começou depois que eu testemunhei o assassinato — explicou Reece.

Então, ela contou tudo: o mapa do guia, a porta, o banheiro, o dia em que encontrara a mala feita, as botas e as tigelas. Os remédios, o álbum de fotos. E se forçou a comer um pouco, esperando que o ato, por algum motivo, desse mais credibilidade às suas declarações.

O xerife fez anotações e perguntas. Sua voz era impassível e fria.

— Por que não denunciou esses incidentes antes?

— Porque sabia que o senhor pensaria o que está pensando agora. Que eu fiz todas essas coisas ou imaginei que tinham acontecido.

— Você não pode ler minha mente, Reece. — O tom de voz dele dizia que sua paciência estava quase acabando. — Notou alguém passando tempo demais por aqui?

— Metade da cidade passa tempo demais por aqui.

— Quem tem acesso à sua chave?

— Ela fica comigo. E há uma extra na sala de Joanie.

— Brody tem uma?

— Não, não, Brody, não.

— Você teve algum problema, discutiu com alguém na cidade?

— Não até ter dado um soco em Min ontem.

O xerife abriu aquele discreto sorriso de novo.

— Acho que podemos tirá-la da lista de suspeitos.

— Ele deve ter me visto.

— Quem?

— O homem do rio. O que eu vi estrangular aquela mulher.

Rick respirou fundo, se recostando na cadeira.

— Ele a viu daquela distância? A distância que você declarou no seu depoimento?

— Não eu. Quero dizer que ele deve ter visto alguém na trilha. E não seria difícil descobrir que era eu, não depois que a cidade inteira ficou sabendo. Então, ele está tentando me descredibilizar como testemunha.

Rick fechou o caderninho.

— O que o senhor vai fazer? — perguntou Reece.

— Vou fazer meu trabalho: investigar. Da próxima vez que algo assim acontecer, me conte. Não posso ajudar se eu não souber que precisa de ajuda.

— Tudo bem. Já identificaram a mulher? O corpo?

— Ainda não encontraram registros da arcada dentária. Por enquanto não sabemos quem é ela. Você pensou mais no assunto? Pode confirmar que é a mulher que viu?

— Não posso. Não é ela.

— Então está bem. — Ele se levantou. — Você tem onde ficar durante a reforma?

— Estou na casa de Brody.

— Vou entrar em contato.

Reece se levantou e limpou a mesa. De volta à cozinha, Joanie fez cara feia para o ovo comido pela metade.

— Algum problema com a minha comida?

— Não. Ele não acredita em mim.

— Não faz diferença se ele acredita ou deixa de acreditar. Rick vai fazer o trabalho pelo qual é pago. O prato do dia é churrasco de frango. Você está acumulando trabalho.

— Já vou cuidar disso.

— E faça mais salada de batata. Seu famoso endro fresco está na geladeira. Use-o.

REECE TERMINAVA o primeiro de seus dois turnos do dia quando Rick encontrou o dr. Wallace. Em remadas fortes e ritmadas, o médico guiava seu barco para atracá-lo nas margens do lago. O xerife pegou a corda e o prendeu.

— Você tem licença para pescar?

— Por acaso está vendo algum peixe? Já ouviu aquela história do guarda-florestal que encontra uma mulher em um barco, lendo um livro? Ele pergunta se ela tem licença para pescar. Ela responde que não está pescando, está lendo. — O doutor saiu com agilidade do barco. — O guarda diz: "O equipamento de pesca está aí, então vou ter de multá-la." E a mulher responde: "Se fizer isso, vou ter de prestar queixas contra você por assédio sexual."

Paciente, Rick esperou enquanto o doutor tirava os óculos escuros com grau e os limpava com a barra da camisa.

— Bem, aí o guarda responde, todo irritado: "Minha senhora, eu nunca a assediei." E ela diz: "Mas você tem o equipamento."

A risada de Rick foi breve e divertida.

— Muito bom. Não conseguiu pegar nada?

— Nadica de nada. — O doutor apoiou a vara no ombro. — Mas o dia está bonito demais para não pescar.

— É verdade. Podemos conversar um pouco?

— Mais do que um pouco. Estou de folga hoje. Seria bom dar uma volta depois de passar duas horas sentado naquele barco.

Os dois começaram a caminhar lentamente, seguindo a curva do rio.

— Fiquei sabendo que Reece Gilmore procurou seus serviços.

— Você sabe que não posso falar sobre esse tipo de coisa, Rick.

— Não estou pedindo que fale. Vamos falar sobre situações hipotéticas hoje.

— Vai ficar complicado para o meu lado, Rick.

— Se ficar complicado demais, podemos parar.

— Tudo bem.

— Você ficou sabendo do que aconteceu na Joanie.

— Um vazamento.

— Colhi o depoimento de Reece. Ela disse que não abriu a torneira da banheira. Disse que alguém está entrando no seu apartamento, mexendo nas suas coisas. Que alguém tirou sua roupa da secadora e a colocou de volta na máquina de lavar no porão do hotel quando ela não estava lá. Bem, talvez alguém da cidade esteja de implicância. Mas, na minha opinião, ela não é de criar caso com os outros.

— Tem gente que implica com todo mundo.

— É verdade. Ontem, a mulher praticamente caiu no lago. Depois, ficou zanzando pela cidade descalça. Brigou com Brenda porque alguém mexeu na roupa dela na lavanderia. E, então, se meteu na briga no Clancy's.

— Ah, Rick, eu fiquei sabendo dessa bobagem. Linda-gail se esfregando em um turista na cara de Don só para provocá-lo. E conseguiu o que queria.

— A questão é que Reece estava envolvida. — O sol refletiu nos óculos escuros de Rick enquanto ele virava a cabeça para encarar o doutor. Atrás dos dois, barcos deslizavam pela água, passando por cima do reflexo das montanhas. — A gente nunca teve tantos problemas na cidade, não antes de ela aparecer.

— Você acha que ela está fazendo de propósito. Por que ela faria isso?

O xerife ergueu uma das mãos enquanto caminhavam.

— Estou perguntando, hipoteticamente, se você tivesse um paciente com histórico de problemas psicológicos, se ele conseguiria ser funcional na maior parte do tempo. E ter, bem... Vamos chamar de alucinações, ou uma simples tendência de se esquecer das coisas.

— Puxa, Rick, até mesmo você pode ter uma simples tendência de se esquecer das coisas e, quem sabe, uma alucinação ou outra.

— Isso vai além de esquecer onde você colocou suas chaves. Será que essas coisas poderiam estar acontecendo apenas na cabeça dela, doutor?

— Hipoteticamente, poderiam. Mas, só porque poderiam, não quer dizer que esse seja o caso, Rick. Ser esquecida não é nenhum crime. Crime é o que supostamente estão fazendo com ela.

— Vou ficar de olho nisso. De olho nela.

O doutor assentiu, e os dois continuaram andando em um silêncio confortável.

— Bem, acho que vou ao hotel dar uma olhada na lavanderia — disse o xerife.

Primeiro, ele deu um pulo até o apartamento de Reece. A porta estava escancarada, e o rock gritava junto com o som de marteladas.

Lá dentro, Brody estava de quatro no banheiro — algo que parecia doloroso por si só —, arrancando o velho piso de linóleo.

— Essa não costuma ser sua área — gritou Rick.

— Resolvi mudar um pouco. — Brody se sentou sobre os calcanhares. — Mudar para um negócio péssimo, cansativo e que está deixando minhas mãos todas machucadas. Resolveram me mandar para cá depois que ficou óbvio que não levo jeito pra marcenaria.

O xerife se agachou.

— A madeira por baixo já era.

— Pois é.

— Você devia ter me contado sobre esses incidentes com Reece antes, Brody.

— A decisão não era minha. E é compreensível. Dá pra ver pela sua cara que sua tendência é não acreditar nas coisas que ela conta.

— Não tenho tendência nenhuma. É difícil investigar pistas que desconheço, que não vejo com meus próprios olhos. Você pintou por cima das coisas rabiscadas nas paredes.

— Tirei fotos antes. Posso te mandar.

— Já é um começo. Nenhum desses incidentes aconteceu na sua casa nem quando estavam juntos?

— Por enquanto, não. — Ele voltou a arrancar o piso. — Escute, mesmo tentando ser objetivo, é difícil para mim acreditar que Reece deixaria a torneira aberta. A mulher confere o fogão toda vez que sai da cozinha. Confere as luzes, as trancas. Uma pessoa tão neurótica não esquece que está enchendo a banheira. E não enche a banheira quando sabe que tem alguém esperando por ela lá embaixo.

— Não vi sinais de arrombamento.

— Esse cara tem uma chave. Vou trocar as fechaduras.

— Faça isso. Vou ao hotel dar uma olhada na lavanderia. Quer ir também?

— E largar meu hobby favorito? — Brody largou as ferramentas. — Pode apostar.

BRODY CONSEGUIA imaginar como Reece se sentira enquanto carregava seu cesto de roupa suja pelo porão. A iluminação era fraca, causando sombras nos cantos. A caldeira de calefação zumbia, os aquecedores de água estalavam. Sons ecoantes, assustadores, enquanto você percorria o chão de concreto até o piso vinílico da lavanderia apertada.

Duas máquinas de lavar, duas secadoras, tamanho comercial. Uma máquina que vendia sabão em pó e amaciante em pacotes em miniatura a preços inflacionados.

Havia um basculante estreito bem acima das máquinas, fechado, deixando pouca luz entrar pelo vidro fosco.

— Os elevadores dos hóspedes não vêm até aqui — começou Rick. — Há uma entrada pela rua também, na sala de manutenção. Duas janelas. Seria fácil entrar aqui sem ser notado. Mesmo assim, como alguém saberia que Reece estava lavando roupa?

— Ela estava indo e voltando pela rua. Se alguém a estivesse vigiando, saberia.

Rick estudou o cômodo.

— Vou te perguntar uma coisa, Brody: se alguém quer machucar Reece, por que ainda não fez isso? Ela enfiou na cabeça que o homem que diz ter visto no rio é responsável por essas coisas.

— Fui eu que dei essa ideia.

Como se, de repente, tivesse ficado muito cansado, Rick se apoiou na máquina de lavar.

— Mas por que diabos você faria uma coisa dessas?

— Pra mim, faz sentido. Usar suas fraquezas para assustá-la, fazê-la duvidar de si mesma. Fazer todo mundo duvidar dela também. É inteligente e, de certa forma, escrupuloso. Mas isso não significa que ele não possa machucá-la. — E era por isso, pensou Brody, que Reece não ia mais a lugar nenhum sozinha. — Na minha opinião, parece estar piorando — continuou. — Ela não foi o único alvo dessa vez. Joanie também foi afetada. Porque o plano dessa pessoa não está funcionando. Reece não vai embora.

— Brody, você já esqueceu roupa molhada na máquina de lavar?

— Claro. Mas eu não sou Reece.

Rick balançou a cabeça.

— Vamos lá em cima falar com Brenda.

Brenda estava na recepção, usando sua voz profissional ao telefone.

— Então nos vemos no dia dez de julho. Farei as reservas e, depois, enviarei a confirmação. O prazer é todo meu. Até logo, sr. Franklin. — Ela desligou. — Acabei de reservar nossa última suíte por uma semana em julho. Se continuarmos assim, esse verão vai bombar. Como vão?

— Bem — respondeu Rick. — Você viu Reece entrando e saindo daqui ontem?

— Vi, sim. Contei para Deb...

— Então me conte agora. Ela veio lavar roupa.

— Estava com seu cesto. Sem sapatos. — Brenda revirou os olhos. — Pegou moedas para as máquinas. Desceu correndo. Foi e voltou em, sei lá, dez minutos, no máximo. Meia hora depois, quando apareceu de novo, estava com os sapatos. Foi e voltou, do mesmo jeito que antes. Não a vi da última vez, eu devia estar nos fundos, mas ela subiu toda nervosinha, vou te contar. Possuída. Disse que alguém tinha ido lá.

— Você viu alguém descendo?

— Não. Ela disse que alguém colocou sua roupa de volta na máquina. Quem faria uma coisa dessas?

— Mas você não estava na recepção o tempo todo? — perguntou Brody e, então, olhou para Rick. — Desculpe.

— Não precisa se desculpar. Você disse que estava nos fundos na última vez em que ela apareceu. Quanto tempo ficou lá?

— Bem, não sei exatamente. Dez, quinze minutos, talvez. Mas, na maioria das vezes, consigo escutar a porta de lá.

— Na maioria das vezes — pressionou Brody.

— Se eu estiver presa ao telefone lá atrás, às vezes só escuto quando alguém toca a campainha. — Brenda ficou na defensiva. — É para isso que ela serve.

— Alguém esteve aqui perguntando por Reece?

— Bem, não, Rick, por que alguém faria isso? Escutem, eu gosto dela, é uma boa pessoa. Mas seu comportamento foi muito esquisito ontem. E eu nem contei ainda que ela falou para Debbie que estava treinando para uma maratona, ou algo assim, que era por isso que estava descalça. Que loucura.

— Tudo bem, Brenda. Obrigado por conversar com a gente.

Quando os dois saíram do hotel, Brody se virou para Rick.

— Brenda passou por alguma cirurgia de retirada de senso de humor recentemente?

— Ah, pare com isso, Brody, ela é boazinha. Você sabe. Com toda essa agitação acontecendo, e com Reece no centro de tudo, você não pode esperar que todo mundo compreenda como as coisas são.

— Você compreende?

— Estou me esforçando. Pode me mandar as fotos que tirou do banheiro o mais rápido possível? E, já que é escritor, talvez possa escrever para mim a sua versão dos fatos e incidentes. Anote as datas e os horários com a maior exatidão possível.

O maxilar de Brody relaxou de novo.

— Sim, posso fazer isso. É mais a minha praia do que instalar placas de gesso.

— Seja específico — acrescentou Rick enquanto caminhavam. — Se for algo que Reece apenas te contou que aconteceu, anote. Se for algo que viu com os próprios olhos, anote também.

— Tudo bem.

Do lado de fora do Na Trilha, Rick parou. E viu Debbie lá dentro, mas ela atendia alguns clientes. Como de costume, deu uma batidinha na vitrine e deu um tchauzinho.

— O movimento está começando a aumentar por aqui — comentou enquanto ele e Brody seguiram pela calçada. — Ah... Esse negócio entre vocês é sério?

— É alguma coisa.

— Então é melhor você tomar cuidado para que isso não influencie seu depoimento. Sentimentos, às vezes, nos fazem confundir as coisas.

— Ela não é louca, Rick. Porra, ela não é nem excêntrica em certos quesitos.

— E em outros?

— Claro, Reece faz coisas estranhas. Mas quem não faz? As pessoas daqui costumavam me achar estranho porque escrevo livros sobre assassinato, não pesco, não atiro em outros seres vivos e não sei o nome das dez músicas country mais tocadas no país.

Rick abriu seu sorrisinho.

— Brody, as pessoas ainda te acham estranho.

Capítulo vinte e quatro

⌘ ⌘ ⌘

LINDA-GAIL NÃO sabia bem o que fazer. Não conseguia se lembrar de já ter pisado tão feio na bola com outro cara — e nunca tivera outro cara tão importante quanto Don.

E, provavelmente, fora por isso que estragara tudo.

Ele não atendia aos seus telefonemas. Ela queria ficar brava com isso, mas só conseguia se sentir um pouco assustada, um pouco triste. E muito confusa.

Linda-gail passara horas, dias e noites planejando milimetricamente como deixar Don de quatro. Quando fosse o momento certo para ela, admitiu. Mas, droga, se havia um homem que precisava ser deixado de quatro, era Don.

Ela lhe dera tempo demais, espaço demais. Já chegara a hora de os dois tomarem um rumo na vida. Juntos.

Enquanto dirigia na direção do hotel-fazenda, com as planícies cheias de arbustos florescendo ao redor, Linda-gail estava determinada a dizer exatamente isso para ele. Era agora ou nunca.

E, se Don optasse pelo nunca, ela não fazia a menor ideia do que faria.

Seria bom ter conversado com Reece antes de dar aquele passo. A amiga tinha a experiência da cidade grande. Mas Reece tinha seus problemas e ainda devia estar um pouco irritada por causa da briga no bar.

Linda-gail teve de frear quando um búfalo resolveu parar no meio da estrada como se fosse dono de tudo. Com uma buzinada aguda, ela o convenceu a sair da frente e seguir pela grama até a planície.

Meu Deus, que ideia fora aquela de ficar saracoteando com aquele idiota na frente de Don? Deixá-lo com ciúme, forçá-lo a ver o que estava perdendo. O problema era que seu plano dera certo demais.

Como ela ia imaginar que os dois começariam a se socar?

Homens. Linda-gail fungou diante do pensamento, fazendo cara feia para as flores silvestres e para o bando de antilocapras que as devoravam, e ficou brava de novo.

Pelo amor de Deus, foi só uma dança.

Enquanto Kenny Chesney cantava no rádio, seus dedos batucavam no volante. O que ela devia fazer era dar meia-volta, ir para casa e deixar Don remoendo aquilo por mais alguns dias. Quem sabe para sempre. O que ela devia fazer era seguir em frente, encontrar aquele caubói imbecil e deixar bem claro que ele fizera um escândalo por porcaria nenhuma.

Então, Linda-gail continuou dirigindo, forçando seu carrinho a chegar a cento e trinta quilômetros por hora na estrada reta, deixando o vento entrar pelas janelas abertas enquanto Chesney se perguntava quem você seria hoje.

Ela diminuiu ao chegar ao grande portão aberto com o "K" de ferro fundido no centro de um círculo. Não havia motivo para atropelar nenhum turista que só queria um gostinho da vida no Oeste porque sua vida amorosa estava uma porcaria.

Em seguida, passou por um curral, onde um potro mamava na mãe; o alojamento, com seus troncos gastos e o enorme alpendre na frente, construído para dar a impressão de que estava ali há alguns séculos, congelado no tempo. Por um acaso, ela sabia que, entre outras coisas, a cozinha no interior abrigava um micro-ondas e uma cafeteira elétrica.

A casa principal também era feita de troncos, se expandindo em várias direções. Os hóspedes podiam ficar em um dos quartos no segundo andar, onde também havia uma suíte, ou nos chalés de um ou dois quartos em meio aos belos pinheiros. Podiam andar a cavalo, laçar animais de fazenda, acampar, fazer trilhas com guias, passear de barco, pescar, praticar *rafting*.

Podiam fingir que eram caubóis por alguns dias, levando para casa os hematomas e as bolhas que acompanhavam essa fantasia. Ou podiam apenas se sentar em uma das cadeiras de balanço dos grandes alpendres e contemplar a vista.

À noite, podiam ir ao bar do hotel e conversar sobre suas aventuras antes de se deitarem em suas camas macias, sob um edredom confortável que nenhum caubói jamais encontrara no fim de uma trilha.

Em uma bifurcação na estrada de terra batida, Linda-gail seguiu para os estábulos. Seu contato, Marian, que trabalhava na cozinha do hotel, lhe dissera que Don fora encarregado de cuidar dos cavalos naquela noite.

Ela estacionou, deu uma olhada no espelho de mão e ajeitou o cabelo bagunçado pelo vento. Enquanto saía do carro, o caubói que dava uma aula de montaria tocou a aba do chapéu para cumprimentá-la.

— E aí, Harley?

Linda-gail colocou um sorriso radiante no rosto. Não demais, pensou. Só estava dando um pulo até ali para se distrair.

E dar um esporro no idiota do Don.

Ela entrou nos estábulos, e sentiu o cheiro forte de cavalos e feno, o aroma doce de grãos e couro. E abriu um sorriso para LaDonna, uma das mulheres que acompanhava os hóspedes nas trilhas.

— Linda-gail, como vão as coisas? — LaDonna ergueu uma sobrancelha. A fofoca corria, especialmente quando envolvia socos e raiva. Ela indicou com a cabeça a direção dos fundos. — Don está lá atrás, na selaria. Anda todo irritadinho.

— Que bom. Também estou irritada.

Ela marchou para os fundos, fez uma curva e, ajeitando a postura, entrou na selaria.

Ele ouvia Toby Keith no CD player e tinha empurrado o chapéu para trás enquanto ensaboava o couro de uma sela. Sua calça jeans estava desbotada e justa abaixo do umbigo. A camisa jeans estava com as mangas enroladas até os cotovelos. E sua bota esquerda gasta batia no ritmo da música.

Seu rosto parecia emburrado e absurdamente bonito, apesar do lábio inferior inchado e do hematoma em torno do olho. Ou talvez fosse por causa disso.

O coração de Linda-gail se derreteu ao vê-lo, afogando boa parte de seu ressentimento.

— Don.

Ele ergueu a cabeça. A expressão emburrada se transformou em carrancuda.

— O que você quer? Estou trabalhando.

— Eu percebi. Não vim te interromper. — Ela seria magnânima, decidiu Linda-gail, agiria com maturidade. — Sinto muito pelo seu olho.

Don a encarou por um longo e intenso instante, então voltou a se concentrar na sela, no trabalho.

— De verdade — insistiu ela. — Mesmo assim, não é a primeira vez que você leva um soco. Eu só estava dançando.

Ele esfregou o couro e continuou em silêncio. Linda-gail sentiu uma pontada de ansiedade em seu coração derretido.

— É assim? Não vai nem falar comigo? Foi você que ficou todo esquentadinho só porque resolvi dançar com alguém. Quantas vezes vi você dançar no Clancy's com outra mulher?

— É diferente.

— Que ridículo. Por que é diferente?

— Porque sim.

— Porque sim — repetiu Linda-gail, furiosa. — Se eu danço com alguém, você tem todo o direito de começar uma briga. Mas você pode dançar com quem quiser, e eu não posso ficar chateada.

— Porque é besteira.

— Para você. — Ela apontou para ele. — Acho que eu posso dançar com quem eu bem entender, e você não tem o direito de arrumar confusão por causa disso.

— Ótimo. Pode deixar que não vou mais arrumar confusão nenhuma. Se era só isso...

— Nem tente me mandar embora, William Butler. Por que você arrumou aquela briga?

— Eu não arrumei nada. Foi ele.

— Você gritou na cara dele.

— Ele estava com a mão na sua bunda! — Don jogou o pano no chão e se levantou. — Você deixou aquele cara apertar sua bunda em público.

— Ele não estava apertando a minha bunda! E eu não teria deixado ninguém colocar a mão na minha bunda se você não estivesse sendo um babaca.

— Eu?

— Você mesmo. — Agora, ela cutucou o peito dele. — Você sempre foi um babaca, porque só pensa com a cabeça do pau. Já esperei muito você crescer e começar a agir feito homem.

Os olhos dele tomaram um ar perigoso.

— Eu sou homem. — Don agarrou o braço dela e puxou-o. — E sou o único homem que vai colocar as mãos em você. Entendeu?

— O que te dá esse direito? — As lágrimas surgiram nos olhos de Linda-gail enquanto seu coração acelerava. — O que te dá esse direito?

— Eu estou me dando o direito. Da próxima vez que você deixar outro cara encostar um dedo em você, ele vai levar mais do que um soco no nariz.

— E por que é que você se importa com quem encosta em mim? — gritou ela. — Por que se importa? Se não conseguir dizer, se não conseguir dizer na minha cara, aqui e agora, eu vou embora. Eu vou embora, Don.

— Você não vai a lugar nenhum.

— Então diga. — As lágrimas escorriam pelas bochechas dela. — Olhe pra mim e diga, e vou saber se estiver falando a verdade.

— Estou tão irritado com você, Linda-gail.

— Isso eu sei que é verdade.

— Eu amo você. Era isso que queria ouvir? Amo você. Acho que sempre amei.

— É, era isso que eu queria ouvir. Doeu um pouco, não doeu?

— Sim.

— E também dá medo.

As mãos dele se tornaram mais gentis, acariciando seus braços.

— Talvez eu esteja apavorado.

— É por isso que eu sei que está falando a verdade. É por isso — murmurou ela, tocando sua bochecha machucada. — Passei a vida inteira esperando você me dizer isso.

— Eu nunca consegui te esquecer. — Don a puxou para perto, fazendo o lábio machucado latejar ao pressioná-lo no dela. — Eu queria. E tentei. Muito.

— Bem mais do que o necessário. Aqui. — Linda-gail pegou as mãos dele e puxou-as até posicioná-las sobre a bunda dela. — Nenhum outro cara vai colocar as mãos onde estão as suas, e você não vai colocá-las em nenhuma outra mulher. Combinado?

— Combinado.

— Será que você consegue tirar o resto da noite de folga?

O sorriso de Don foi se alargando devagar.

— Acho que posso dar um jeito.

— E vir pra casa comigo?

— Pode ser.

— E me deixar maluca, arrancar minhas roupas e fazer amor comigo até o sol nascer?

— Só até o sol nascer?

— Dessa vez — disse ela, e o beijou de novo.

Ele era bom. Linda-gail imaginara que seria — e imaginava isso desde que tinha idade para entender o que homens e mulheres faziam juntos no escuro. Mas Don era melhor do que imaginara. Mãos fortes que encontravam todos os lugares certos, uma boca quente insaciável. Um corpo alto, esguio, incansável.

Fora só depois da segunda rodada que seu cérebro febril conseguira esfriar o suficiente para pensar "aleluia".

Pelada, relaxada, com a pele úmida de suor, ela estava jogada na cama.

— Onde foi que aprendeu a fazer essas coisas?

— Passei muito tempo estudando. — Don falava com uma voz preguiçosa, de olhos fechados, com a cabeça apoiada na barriga dela. — Para poder me aperfeiçoar quando chegasse em você.

— Bom trabalho. — Linda-gail esticou uma das mãos para brincar com o cabelo dele. — Agora você vai ter que casar comigo, Don.

— Vou ter que... — Ele ergueu a cabeça. — O quê?

Ela continuou onde estava, com aquele sorriso satisfeito no rosto.

— Eu precisava ter certeza absoluta de que a gente se daria bem na cama. Se o sexo não é bom, o casamento também não vai ser. Pelo menos, na minha opinião. Então, agora que sabemos, vamos nos casar. — Ela se virou para encará-lo. E viu o choque em seu rosto, mas isso já era esperado. — Não sou mais uma das suas conquistas, Don. De agora em diante, eu sou a única. Se tudo que você quiser for o que acabamos de fazer, é melhor deixar isso claro. Não vou guardar rancor. Mas prometo que nunca mais vou me engraçar com você de novo.

Ele se sentou, e Linda-gail o escutou respirar fundo várias vezes.

— Você quer se casar?

— Quero. No fundo, sou uma mulher tradicional, Don. Quero uma casa e uma família, e um homem que me ame. Amo você desde que me entendo por gente. E esperei. Só que cansei de esperar. Se não me quer tanto assim, se não me ama o suficiente para começar uma vida comigo, preciso saber.

Por um instante, Don ficou quieto, apenas encarando a parede acima da cabeça dela. Linda-gail se perguntou se ele estava olhando para a porta e bolando uma fuga.

— Eu tenho vinte e oito anos... — começou ele.

— Se você acha que isso é ser novo demais para se casar...

— Fique quieta e deixe outra pessoa falar, pra variar.

— Tudo bem.

Ela ficaria calma, disse a si mesma enquanto se sentava e puxava os lençóis para se cobrir. Não faria escândalo.

— Eu tenho vinte e oito anos — repetiu Don. — Tenho um bom emprego e sou bom no que faço. Tenho um dinheiro guardado. Não muito, mas não estou completamente duro. Sou confiável e tenho talento para trabalhos manuais. Você poderia arrumar um partido bem pior do que eu. — Ele então a encarou de novo. — Que tal se casar comigo, Linda-gail?

Ela prendeu a respiração, soltando-a novamente.

— Por que não?

Mais tarde, Linda-gail preparou ovos mexidos para comerem na cama.

— Minha mãe vai cair dura.

Ela balançou a cabeça.

— Você subestima sua mãe. Ela te ama tanto.

— Eu sei.

— Ela me ama também. — Linda-gail pegou um pouco dos ovos do prato que dividiam. — Por que não foi ajudar na obra?

— Minha mãe disse que não precisava da minha ajuda, que já tinha gente demais lá. E não queria discussão. Você sabe como ela é.

— Ela ficou mais nervosa do que deixou transparecer. Quem faria uma coisa daquelas, Don?

Ele fez uma pausa.

— Fiquei sabendo que foi um acidente. Reece inundou o banheiro do apartamento.

— Não foi. Alguém entrou lá e abriu a água. Ela nem estava em casa.

— Mas... Caramba, como é que eu não fiquei sabendo disso?

— Talvez porque você estava fazendo birra na selaria. — Os lábios de Linda-gail se curvaram enquanto ela enfiava o garfo entre eles. — Alguém está pregando peças maldosas em Reece.

— Do que é que você está falando?

Ela contou, pelo menos, o que sabia, o que ouvira falar e o que concluíra por conta própria.

— Quando a gente para pra pensar, é meio assustador. Alguém está tentando provocá-la, e Reece não sabe quem é. E se for o cara que matou aquela mulher...

— Como poderia ser? — interrompeu Don. — Faz semanas que isso aconteceu. O cara já está bem longe daqui.

— Não se for alguém da cidade.

— Caramba, Linda-gail. — Ele passou a mão livre pelo cabelo bagunçado e queimado de sol. — Não pode ser alguém de Angel's Fist. A gente conhece todo mundo. Não acha que saberíamos se tivesse um assassino parado do nosso lado na fila da mercearia ou tomando café na lanchonete da minha mãe?

— Nem sempre dá pra saber esse tipo de coisa. O que as pessoas sempre dizem quando descobrem que seu vizinho de porta é um psicopata ou coisa parecida? "Ah, ele era tão tranquilo, tão gente boa. Não falava muito e nunca incomodava os outros."

— Todo mundo fala demais por aqui — argumentou Don.

— A questão não é essa. É impossível saber essas coisas. Eu só queria poder fazer alguma coisa para ajudar Reece.

— Você já fez. Você deu uma amiga a ela.

O sorriso de Linda-gail surgiu de novo, imenso e todo carinhoso.

— Você é mais inteligente do que as pessoas acham.

— É, bem, eu gosto de ser discreto.

DESAFINADO, TIM McGraw cantarolava no jukebox com um dos carpinteiros que Joanie arrastara para a lanchonete, enquanto Reece corria para preparar os pedidos no auge do horário de almoço. Ela conseguia ignorar a música — a melhor forma de manter sua sanidade — e boa parte da barulheira ao fundo: um bebê chorando, dois homens discutindo sobre beisebol.

Aquilo tudo era quase normal, contanto que conseguisse manter o foco no presente. Hambúrguer malpassado de alce, sopa de feijão-branco, sanduíche de bolo de carne, sanduíche de frango. Cortar, picar, servir, cuidar da chapa.

Ela conseguiria fazer o trabalho com o pé nas costas. Talvez estivesse mesmo no automático, e talvez essa fosse uma boa forma de bloquear o fato de que o irmão de Brenda, Dean, estragava a música enquanto martelava por trás da cortina de plástico.

Aquilo tudo era rotina, o calor, os chiados, a fumaça. Rotina fazia bem. Não havia nada de errado em se apegar a ela em momentos de crise.

Reece arrumou o sanduíche de bolo de carne, o hambúrguer e os acompanhamentos nos respectivos pratos e colocou tudo na bancada.

— Os pedidos estão prontos!

E viu Debbie Mardson se sentando em uma banqueta diante do balcão.

A mulher franziu os lábios, tocou a própria bochecha reluzente e disse:

— Coitadinha de você.

— Parece pior do que é.

— Espero que sim. Encontrei com Min Hobalt. Ela disse que você é forte.

— Eu não...

— Ela estava brincando. — Debbie ergueu as duas mãos, mostrando que vinha em paz. — Min está aceitando melhor a situação, agora que se acalmou. Disse que seu filho de quinze anos resolveu que tem uma mãe muito moderna que se mete em brigas de bar.

— Que bom que melhorei a reputação dela em casa.

— A sopa está com um cheiro ótimo. Acho que vou querer uma, com a salada de acompanhamento. — Ela olhou ao redor com um ar conspiratório. — Seu molho — sussurrou.

— Claro. — Aquilo era, imaginava Reece, uma tentativa de ser amigável. Ela podia fazer a cortesia de ser simpática também. — Já trago.

Então, anotou o pedido e colocou-o na fila.

Vinte minutos depois, quando o movimento tinha diminuído, Debbie continuava lá.

— Puxa, e eu achava que preparar o jantar todo dia era um desafio. Como você consegue fazer isso tudo?

— A gente se acostuma.

— Não consigo dar conta da rotina de alimentar três filhas e um marido todo dia. Pode fazer um intervalo? Queria pagar uma xícara de café pra você.

— Não bebo café. — E isso a fez parecer mesquinha e grosseira, pensou Reece. — Mas posso fazer um intervalo.

Ela pegou uma garrafa de água antes de dar a volta e se sentar ao balcão. Pelo menos, era bom descansar. Talvez ela se sentisse desmantelada e suada ao lado da camisa de linho branco e o belo cardigã cor-de-rosa de Debbie, mas estava descansando.

— A sopa estava maravilhosa. Imagino que a receita deve ser guardada a sete chaves.

— Na verdade, estou pensando em divulgar várias delas.

— Jura?

— Talvez escrever um livro de receitas.

— *Jura?* — Debbie se virou na banqueta, balançando um pouco, e seus brincos de quartzo rosa pareceram dançar. — Que interessante. A gente teria dois escritores famosos em Angel's Fist. Não temos nem roupa pra isso. Parece que você e Brody têm muito em comum.

Reece tomou um gole da água.

— Você acha?

— Bem, os dois são da Costa Leste e criativos. Não é nenhuma surpresa que tenham se envolvido tão rápido.

— Foi rápido?

— Tinha muita mulher por aqui de olho nele, mas Brody nunca dava confiança. Até você aparecer. Por essas bandas, temos mais homens que mulheres, então a gente pode escolher. — Debbie abriu um sorriso radiante. — Boa escolha.

— Eu não estava atrás de um homem.

— Não é sempre assim que as coisas funcionam? Quando a gente sai para caçar um cervo, não encontra nenhuma pegada. Mas, quando resolve fazer uma caminhada matinal, eles pulam em cima de você.

— Hum. Você caça?

— Claro. Gosto de passar o máximo de tempo possível ao ar livre. Enfim, você e Brody formam um casal bonito. No começo, parecia que você só estava de passagem. Isso acontece muito por aqui. Mas, pelo andar da carruagem, parece que vai ficar.

— Gosto daqui. Apesar das brigas de bar.

— É uma boa cidade. Talvez não tenha muitas atrações culturais, mas temos uma boa base. Sabe o que eu quero dizer. As pessoas cuidam umas das outras. — Debbie indicou a lona de plástico com a cabeça. — Tipo aquilo. Quando você tem um problema, pode contar com a ajuda do seu vizinho. — Ela abriu um sorriso amargurado. — É claro, a maioria das pessoas sabe tudo que acontece na sua vida, mas uma coisa compensa a outra. Se algo assim acontecesse na cidade grande, Joanie provavelmente teria de fechar a lanchonete por uma semana.

— Que sorte a dela.

— Desculpe. — Ela deu um tapinha no braço de Reece. — Você não deve querer falar sobre isso. Só quis dizer que não devia se sentir culpada. Tudo está sendo consertado. E a lanchonete vai ficar mais bonita ainda quando acabarem.

— Não fui eu que abri a torneira da banheira — disse Reece, séria. — Mesmo assim, me sinto mal pela pessoa que está mexendo comigo ter descontado em Joanie. Ela me ajudou muito desde que cheguei aqui.

— Aquela mulher tem um coração enorme, apesar de não demonstrar. Escute, eu não queria insinuar que você trouxe problemas pra ela. Só estava dizendo que vai dar tudo certo. E, quanto àquele dia, espero que não ache que a julguei por ter ido lavar roupa descalça. Às vezes, tenho tanta coisa pra fazer que só não esqueço a cabeça porque ela está grudada no meu pescoço. Deus é testemunha de que você tem muito com que se preocupar. — Ela deu outro tapinha amigável no braço de Reece. — Você devia experimentar aromaterapia. Quando estou estressada, óleo de lavanda é a melhor coisa para me acalmar.

— Vou colocar isso na lista. Da próxima vez que um assassino invadir meu apartamento e alagar tudo, vou me acalmar com óleo de lavanda. Boa dica.

— Mas...

— Sem querer ofender. — Reece se levantou da banqueta. — Obrigada por se esforçar. Preciso voltar ao trabalho. — Ela hesitou, mas resolveu fazer o serviço completo. — Debbie, você é legal, e suas filhas são ótimas. E, seguindo essa lógica, foi muito gentil da sua parte tirar um tempo para ser simpática comigo. Mas você não sabe, não poderia saber, o tipo de coisa com que eu me preocupo. Você não sabe como é.

Reece passou o restante do expediente remoendo aquela conversa, e ainda estava com a cabeça fumegando quando saiu da lanchonete. Como Brody insistira em lhe dar uma carona naquela manhã — e isso não aconteceria mais —, ela estava sem carro.

Mas isso não fazia diferença. Ela aproveitaria a caminhada para esfriar a cabeça. O clima já estava quente o suficiente para não precisar fechar o casaco, e o vento trazia o cheiro da água, da floresta e da grama que começava a ficar verde.

Reece sentia falta do verde, da sua exuberância nos gramados e nos parques. De velhas árvores imponentes, do trânsito agitado. Do anonimato de uma cidade grande, agitada.

O que ela estava fazendo ali, fritando hambúrgueres de alce, se defendendo para uma dona de casa do Wyoming, se preocupando com a morte de uma desconhecida?

Seu coração já carregava a perda de doze pessoas, pessoas que conhecia e amava. Isso não era o suficiente?

Ela não podia mudar o passado. Não podia fazer nada. Sua única responsabilidade, agora, era viver sua vida. E lidar com isso, às vezes, era mais do que o suficiente.

Reece caminhou com a cabeça baixa, as mãos nos bolsos. E desejou querer saber aonde diabos queria chegar.

Quando o carro desacelerou a seu lado, ela nem percebeu. Um leve toque de buzina a fez dar um pulo.

— Quer uma carona, menina? Eu tenho balas.

Reece abriu uma carranca para Brody atrás da janela aberta.

— O que está fazendo?

— Dirigindo pela cidade em busca de mulheres bonitas. Você dá para o gasto. Entre.

— Não quero que interrompa seu dia para ficar me levando e me buscando do trabalho.

— Que bom, porque não interrompi nada. — Ele tirou o cinto para se inclinar e abrir a porta do carona. — Entre. Você pode reclamar aqui dentro.

— Não estou reclamando. — Mas Reece entrou. — É sério, Brody, você tem seu trabalho, sua rotina.

— Gosto de mudar minha rotina. Na verdade, acordar de madrugada para levá-la ao trabalho me fez começar a escrever mais cedo que o normal. Tive um dia ótimo e, agora, estou com vontade de dar uma volta. Coloque o cinto, magrinha.

— Você teve um dia ótimo? Meus parabéns. O meu foi uma porcaria.

— Não me diga. É mesmo? Eu jamais teria adivinhado com essa nuvem cinza rondando sua cabeça.

— Passei o dia inteiro sendo bombardeada com música country, o xerife acha que, na melhor das hipóteses, sou uma cabeça de vento, mas ele vai investigar minhas alegações esquisitas e absurdas, a esposa dele veio fuxicar minha vida com a desculpa de querer bater papo. Meus pés estão doendo, e vai ser um milagre se eu não pegar um resfriado de Pete. Sou a doida da cidade, que foi aconselhada pela bela e perfeita Debbie Mardson a amenizar meu estresse com óleo de lavanda. Ah, e acabei com as esperanças de todas as suas admiradoras em Angel's Fist porque nós dois viemos de cidades grandes e somos criativos.

— Achei que fosse por causa do meu desempenho sexual.

Em um gesto irritado, Reece tirou os óculos escuros da bolsa e os colocou no rosto.

— A gente não tocou nesse assunto, mas pode ficar pra próxima.

— Bem, quando vocês entrarem nesse mérito, não se esqueça de contar que é o melhor sexo da sua vida. Não, não só o melhor, o mais inovador também.

Reece se remexeu no banco.

— Seu dia deve ter sido bom mesmo.

— Foi excelente pra caralho. E ainda não acabou.

Brody saiu da cidade. Queria ver as planícies, as flores. Encontrar aquele silêncio e aquela vastidão. E concluiu que o fato de não desejar fazer isso sozinho era uma mudança e tanto. Ele queria a companhia dela.

E foi pego de surpresa ao se emocionar quando parou no lugar em que os dois se beijaram pela primeira vez.

Reece olhou pela janela sem dizer nada. Ainda em silêncio, esticou o braço e tocou a mão dele antes de saltar.

Ela parou no ponto em que o mundo se tornava um tapete colorido vigiado pelos cumes prateados e azuis das cordilheiras, iluminado pelo sol que descia a oeste.

Rosas e azuis, vermelhos e roxos vibrantes e amarelos ensolarados surgiam e se espalhavam pelo verde suave dos arbustos. E lá, onde a planície se encontrava com o pântano, havia uma fileira bonita e verde de choupos e salgueiros.

— Nunca vi nada igual.

— Valeu a pena? — perguntou ele.

— Muito. Aquilo são delfínios?

— Sim, e suculentas, campânulas, muitas *castillejas*. Ah... — Brody começou a gesticular. — Ali temos antenárias, rosas silvestres. Aquela comprida vermelha se chama gília escarlate.

— Como você sabe o nome de tantas flores silvestres? — Reece inclinou a cabeça. — Um homem com o seu desempenho sexual não costuma se interessar tanto por flores.

— Pesquisa. Matei um cara naquele pântano hoje.

— Muito prático.

— Está vendo aquele pássaro? É um pipilo-de-rabo-verde.

Reece sentiu uma risada fazendo cócegas em sua garganta.

— Você está inventando essas coisas?

— Não. Tenho quase certeza de que estamos ouvindo uma cotovia cantar. — Ele tirou um cobertor da mala do carro e o jogou para Reece. — Abra isso.

— Posso perguntar por que precisamos de um cobertor?

— Sei que você está pensando besteira. Gostei. Mas a gente vai se sentar no cobertor e tomar o vinho que eu trouxe no isopor. Daqui a uma hora vai anoitecer. Aqui é um bom lugar para ficarmos bebendo e vendo o sol se pôr.

— Brody?

Ele pegou o isopor e olhou para ela.

— O quê?

— A gente precisa listar tudo que aconteceu no seu dia excelente pra caralho, só para você poder repetir a dose.

Ela abriu o cobertor, se sentou e ergueu as sobrancelhas quando viu que ele não só trouxera vinho, como também queijo, pão e uvas roxas gordas.

Cada irritação, cada incômodo e cada preocupação que ocupavam sua mente foram desaparecendo, um por um.

— Bem, só tenho uma coisa para dizer: "Uau." Eu não esperava que fosse terminar o dia com um piquenique.

— E não vai. Vai terminar com você fazendo sexo selvagem comigo. Isso é só o começo.

— Por enquanto, estou gostando. — Reece pegou o vinho, observou o mar de cores, as folhas bonitas, a grandiosidade das montanhas. — Por que achei que sentiria falta do verde?

— Que verde?

Ela só riu, jogando uma uva na boca.

— Eu estava tão irritada. Ela só queria ser legal... na maior parte do tempo. Debbie Mardson. Tentei me jogar na rotina, ignorar as marteladas, o lembrete do que aconteceu. Aí ela me distraiu com um papo de "venha, sente aqui, faça um intervalo, vamos bater um papo". E acha que formamos um casal bonito.

— Isso é óbvio. Você é linda de um jeito não convencional. E eu sou um cafajeste deslumbrante.

Reece o encarou.

— Como assim, linda de um jeito não convencional?

— Você não tem aquele ar de camponesa ingênua, não é sedutora nem exótica, não tem um rosto americano comum. É uma mistura. Acho muito atraente.

Os dois comeram o queijo e o pão, beberam vinho e observaram o sol se esconder atrás das montanhas até as bordas deixarem de ser prateadas e ficarem vermelhas como o fogo.

— Isso é melhor do que óleo de lavanda — disse Reece. Ela se inclinou para a frente até encontrar os lábios de Brody, permitindo-se mergulhar no beijo com a mesma suavidade com que o sol descia por trás das montanhas. — Obrigada.

Ele segurou sua nuca e a puxou um pouco mais para perto, tornando o beijo um pouco mais intenso.

— De nada.

Capítulo vinte e cinco

⌘ ⌘ ⌘

ELA BEBERA três taças de vinho, e talvez fosse por isso que se sentia alegrinha. Alegrinha o suficiente para, assim que saíram do carro diante da cabana de Brody, se jogar nas costas dele e começar a mordiscá-lo na orelha.

Ele só tinha tomado uma, então, provavelmente, foi a surpresa do ataque que o fez deixar as chaves caírem.

Reece riu enquanto Brody se abaixava para pegá-las, ainda enroscada em suas costas.

— Hum. Que homem forte.

— Que mulher magra.

— Já fui mais. — As mãos dela percorriam corpo dele, desabotoando toda sua camisa antes que ele conseguisse abrir a porta. — Me leve pra cama.

Reece passou para o botão da calça jeans.

Brody quase tropeçou nos degraus quando ela fincou os dentes na sua nuca.

— Você vai ter que parar com isso — disse ele, ofegante — daqui a umas duas ou três horas.

Então, seguiu para a cama, jogando-a por cima do ombro. Reece deu um gritinho, aterrissando com uma risada. Logo ele estava em cima dela, arrebentando os botões enquanto se livrava da camisa. Prendendo seus braços enquanto abria sua blusa, que se esticou atrás dela e ele aproveitou para usar como uma corda e imobilizar-lhe os pulsos. Mesmo enquanto Reece arfava, a boca de Brody tomou a dela de um jeito ardente e possessivo que a inundou com uma excitação indefesa.

— Ai, meu Deus, não consigo...

— Foi você que começou.

Ele puxou as alças do sutiã dela para baixo, insistindo até liberar seus seios e se fartar neles.

Perdendo o controle, Reece se remexia, estremecia sob ele. Então, gemeu quando Brody abriu sua calça e enfiou uma das mãos sob o jeans. Ao som de seu primeiro gemido engasgado, ele dominou seu mamilo com os dentes, mordiscando até seu quadril começar a se remexer na mão dele. Até senti-la se tensionar, até senti-la ceder.

— Grite quanto quiser — murmurou ele, segurando as mãos de Reece, aprisionando-a enquanto passava a língua e os dentes por seu corpo. — Ninguém vai ouvir além de mim.

Ela gritou mesmo enquanto Brody a atormentava com aquela língua, aqueles dentes, aquela boca. E se assustou com o som de seu descontrole.

Reece não conseguia pará-lo. Os dedos de suas mãos capturadas se fincaram na cama como se tentassem mantê-los ancorados a algo. Sua respiração ficou pesada, e outro gemido de prazer escapou. Pela primeira vez em mais de dois anos, estar completamente indefesa a deixou com tesão, em vez de medo.

Se aquilo fosse uma roda gigante maluca, dessa vez Reece estava ansiosa pelo que estava por vir. Mais rápido. Girando. Soltando-se para voar.

As sensações a inundavam, suaves e, depois, intensas, sedutoras e, depois, torturantes. Brody a puxou para cima, tirando-lhe a camisa. Em seguida, ela estava girando com ele na cama, louca para tocar, provar, possuir.

Reece gemeu quando ele segurou seus braços acima de sua cabeça, arqueando-se para que seus corpos quentes se encontrassem. E, então, levou as mãos dela até a cabeceira da cama.

— Melhor se segurar — disse Brody.

E mergulhou.

Foi um terremoto, uma agitação perigosa cheia de emoção e intensidade e velocidade. Assolada pela força dele, Reece se segurou, um tanto receosa de partir ao meio enquanto o encontrava a cada estocada firme.

Então, se soltou e o envolveu em seus braços para voarem juntos.

Tudo relaxou; sua mente, seu corpo. Fracos, seus braços deslizaram. Brody apoiava o peso nela, mas parecia leve, como se tivessem se fundido. A única coisa real era o som do coração de ambos batendo no mesmo ritmo.

Reece, então, apagou; as marteladas do coração dele tornando-se o centro de seu mundo.

Quando Brody se mexeu, ela tentou se esticar para impedi-lo. Mas ele girou, deitando-se de barriga para cima no colchão, e entrelaçou seus dedos nos dela. E a cabeça de Reece tombou, aérea, em seu ombro.

DA SOMBRA das árvores, ele observava a casa. Observava a janela do quarto em que a luz da lua crescente era forte o suficiente para lhe revelar silhuetas, sombras, a noção de movimento por trás do vidro.

Estava cedo demais para dormir, ele sabia. Nunca cedo demais para sexo. Poderia esperar os dois. A paciência era uma ferramenta essencial para o sucesso e a sobrevivência.

Ele tinha várias opções, vários planos. Planos e opções eram outras ferramentas importantes. Poderia ajustá-los para se adequar a qualquer oportunidade que aparecesse.

Ela não se assustara tão fácil quanto o esperado. Na verdade, tinha torcido para que fosse simples. Então, se ajustara. Em vez de fugir, Reece parecia criar raízes. E isso também poderia ser usado a seu favor.

Por mais que preferisse que as coisas fossem diferentes, sua vida estava cheia de desejos, mas nem todos foram realizados. Pretendia, porém, manter intactos os que tinham se tornado realidade.

Quando a luz do quarto se acendeu, ele continuou observando.

Viu Reece pela janela. Nua, ela deu uma espreguiçada que transmitia satisfação sexual.

Seu sangue não se aqueceu diante da visão; ele não sentiu nem um frio na barriga. Afinal de contas, ele não era um tarado. Reece não o atraía. Magra demais, complicada demais. Ele mal a via como mulher.

Ela era um obstáculo. Quem sabe até um projeto. Ele gostava de projetos.

Em seguida, a viu rir e observou sua boca se mexer enquanto ela colocava uma camisa. De Brody, obviamente, já que ficou enorme em seu corpo.

Ele a observou seguir na direção da porta, parar, dizer algo por cima do ombro.

E então ajustou seus planos de acordo com a oportunidade.

— PRIMEIRO, ÁGUA — repetiu Reece. — Estou morrendo de sede.

— Tenho impressão de que há água no chuveiro.

— Não vou tomar banho com você. Seria outro caminho para a perdição, e preciso me manter hidratada. Posso preparar alguma coisa rápida enquanto você toma banho.

— Comida?

— Não achei que você fosse passar a noite à base de pão e queijo, ainda mais depois dessa sessão de sexo selvagem. Posso refogar alguma coisa rapidinho.

A expressão satisfeita de Brody se transformou em uma careta na mesma hora.

— Você disse comida, não legumes.

— Você vai gostar.

Relaxada e leve depois do sexo, Reece praticamente flutuava ao sair do quarto. Uma refeição fácil, pensou — fatiaria dois dos peitos de frango que congelara na marinada. Refogaria com alho, cebola, brócolis, cenoura, couve-flor. Serviria com arroz e um pouco do seu molho de gengibre.

Não tinha como dar errado.

Seria ótimo se tivesse castanhas, mas paciência.

Reece esfregou o pescoço, pensando que seria capaz de beber um galão de água. O que era normal, depois de terem se atracado feito dois bichos. Maravilhoso.

Era provável que ficasse roxa em lugares muito interessantes — mas Brody também. A ideia a fez parar e executar uma dancinha da felicidade. Então, arregaçando as mangas da camisa dele, continuou caminhando até a cozinha.

Após acender a luz, ela foi buscar a água. Apoiando uma das mãos na geladeira, Reece tomou a água no gargalo da garrafa mesmo, como um camelo se reabastecendo em um oásis no deserto.

Quando terminou de beber, o som de uma leve batida a fez olhar para a janela sobre a pia.

Ela avistou a silhueta. Os ombros cobertos por um casaco preto, a cabeça com um gorro laranja. Óculos escuros como a noite escondendo boa parte do rosto.

Arfando, Reece cambaleou para trás enquanto a garrafa caía de sua mão. O plástico bateu no chão e a água se espalhou pelo piso, pelos seus pés descalços.

Um grito tentava escapar fincando as garras em sua garganta, abafado por medo, terror e dúvida.

Então a imagem sumiu. Ela ficou paralisada, tentando recuperar o fôlego, os sentidos.

E viu a maçaneta girar para um lado e para o outro.

Reece, então, gritou, pulando para pegar sua faca de açougueiro do suporte em cima da bancada. E continuou gritando, segurando a faca com as duas mãos enquanto andava para trás.

Quando a porta se abriu, ela correu.

Brody estava com a cabeça embaixo do chuveiro quando ouviu a porta abrir com força. Distraído, ele afastou a cortina e encarou Reece. Ela segurava uma faca enorme e escorava a porta com as costas.

— Que porra é essa?

— Ele está na casa. Ele está na casa. Pela porta dos fundos, na cozinha.

Rápido, Brody fechou a água e pegou uma toalha.

— Fique aqui.

— Ele está na casa.

Com um movimento ágil, Brody enrolou a toalha em torno da cintura.

— Reece, me dê a faca.

— Eu o vi.

— Tudo bem, me dê a faca. — E precisou arrancá-la das mãos dela. — Fique atrás de mim — disse Brody, desistindo imediatamente de mandá-la se trancar no banheiro. — Vamos para o quarto primeiro, que tem um telefone lá. Quando eu tiver certeza de que não há ninguém lá dentro, você vai trancar a porta. E vai ligar para a polícia. Está me entendendo?

— Sim. Não vá. — Agarrando o braço dele, Reece olhava para a porta. — Fique aqui comigo. Não desça. Não desça.

— Você vai ficar bem.

— Você. Você.

Brody balançou a cabeça e colocou-a atrás de si. Então, empunhou a faca como se estivesse prestes a atacar alguém, empurrando a porta com rapidez. E não viu nada à direita, nada à esquerda. Não ouviu nada além da respiração pesada de Reece.

— Ele veio atrás de você?

— Não. Não sei. Não. Ele só apareceu. Peguei a faca e saí correndo.

— Fique perto de mim.

Brody seguiu para o quarto, refletindo sobre as probabilidades, então fechou e trancou a porta primeiro.

E olhou embaixo da cama, no closet — os dois únicos lugares em que alguém poderia se esconder. Satisfeito, abaixou a faca para pegar a calça jeans e a vestiu.

— Ligue para a polícia, Reece.

– Por favor, não saia. Ele pode estar armado. Ele pode... Por favor, não me abandone.

Brody se virou rápido para ela, reprimindo sua necessidade de agir.

— Não vou te abandonar. Já volto. — Ele deixou a faca ali e pegou o bastão de beisebol no closet. — Tranque a porta assim que eu sair. E ligue para a polícia.

Ele não queria deixá-la, não com ela apavorada daquele jeito, quando não tinha certeza se Reece conseguiria se manter racional. Mas um homem precisava defender o que era seu.

O cara já devia ter ido embora há muito tempo, pensou Brody enquanto ia ao escritório. Talvez. Mesmo assim, era seu dever se certificar daquilo, conferir todos os cômodos, garantir que tudo estava em segurança.

Que Reece estava em segurança.

Em seguida, ele foi ao banheiro. O intruso poderia ter tentado se esconder lá enquanto estavam no quarto. Com o bastão apoiado no ombro, Brody deu uma olhada rápida. E se achou ridículo ao sentir um frio na barriga.

Com a certeza de que o segundo andar estava seguro, ele desceu a escada.

SOZINHA, REECE encarou a porta. Então, pulou em cima da cama e foi engatinhando até o telefone.

— Emergência. Como podemos ajudar?

— Ajuda. Precisamos de ajuda. Ele está aqui.

— Que tipo de... Reece? É Reece Gilmore que está falando? Aqui é Hank. O que está acontecendo? Você se machucou?

— Estou com Brody. Na cabana dele. Ele a matou. Ele está aqui. Rápido.

— Fique na linha. Quero que você fique na linha. Vou mandar alguém aí. Se acalme.

Um barulho no andar de baixo a fez abafar um grito, deixando cair o telefone. Um tiro? Aquilo foi um tiro? Tinha acontecido de verdade ou só na sua cabeça?

Ofegante, Reece se arrastou pela cama e pegou a faca.

A porta não estava trancada. Porque, se estivesse, Brody ficaria preso de um lado, e ela, do outro. Ele poderia se machucar. Poderia morrer enquanto ela não fazia nada.

Ginny morrera enquanto ela não fazia nada.

Reece se levantou. Parecia que estava mergulhada em alguma coisa, como se estivesse tentando caminhar por uma gosma que bloqueava sua audição, seu olfato, sua visão. E, com a cabeça zumbindo, conforme se aproximava da porta, ouviu passos na escada.

Dessa vez a encontrariam, descobririam que não estava morta. Descobririam e terminariam o trabalho.

— Reece. Está tudo bem. Sou eu, Brody. Abra a porta.

— Brody.

Ela disse o nome dele como se testasse o som. Então, com uma arfada de alívio que quase doeu, escancarou a porta e o encarou. E cambaleou.

— Está tudo bem — repetiu Brody, esticando a mão para pegar a faca. — Ele foi embora.

Pontos de luz dançavam diante de seus olhos, pretos e brancos. Enquanto as bordas de sua visão começavam a ficar avermelhadas, ele a sentou em uma cadeira e baixou a cabeça dela, curvando-a até os joelhos.

— Pare com isso. Pare e respire. Agora.

A voz de Brody passou pela tonteira, pelo enjoo, e interrompeu o peso que pressionava seu peito.

— Achei que... Ouvi...

— Eu escorreguei. O chão da cozinha estava molhado. Derrubei uma cadeira. Continue respirando.

— Você não levou um tiro. Não levou.

— Pareço ter levado um tiro?

Devagar, Reece ergueu a cabeça.

— Eu não sabia o que era real, onde eu estava.

— Você está bem aqui, e eu também. Ele foi embora.

— Você o viu?

— Não. O covarde desgraçado fugiu. É disso que você precisa se lembrar. — Brody segurou o rosto dela com firmeza. — Esse cara é um covarde. — Ele ouviu as sirenes, mas continuou olhando nos olhos dela. — A polícia chegou. Vista alguma coisa.

Depois de colocar uma roupa decente, Reece desceu e encontrou a porta dos fundos aberta, com as luzes externas acesas. Ouviu um burburinho. Procurando se reconfortar arrumando as coisas, ela começou a fazer café antes de secar o chão molhado.

Então, preparou um chá para si mesma e já tinha posto a mesa com xícaras, leite e açúcar quando Brody entrou com Denny.

— Café?

— Uma xícara cairia bem. Quer dar seu depoimento agora, Reece?

— Sim. O café é o de sempre, não é?

— Como é?

— Leite, duas colheres de açúcar.

— Isso. — Denny coçou a orelha. — Você é detalhista. Podemos nos sentar? — Ele se acomodou à mesa e pegou um caderninho. — Pode me contar o que aconteceu?

— Eu desci. Estava com sede e ia fazer a janta. Brody estava tomando banho. — Ela serviu o café e olhou para o rosto de Denny. Pelo rubor suave em suas bochechas, parecia que Brody lhe contara o que estavam fazendo antes, ou o policial, simplesmente, deduzira. — Peguei uma garrafa na geladeira — continuou ela, colocando as xícaras diante de cada um antes de pegar seu chá. — Ouvi um barulho, como se alguém estivesse batendo na janela. Quando olhei para cima, eu o vi.

— O que você viu exatamente?

— Um homem. Casaco preto, gorro laranja, óculos escuros.

Reece se sentou, encarando o chá.

— Consegue descrevê-lo?

— Estava escuro — disse ela com cautela. — E a luz da cozinha fazia um reflexo no vidro. Não o vi direito. E aí ele sumiu. Vi a maçaneta da porta dos fundos se mexer. Eu a ouvi girando. Foi quando peguei uma faca no suporte ao lado do fogão. A porta se abriu, e ele estava parado lá. Só parado. Corri lá pra cima.

— Altura? Peso? Cor da pele?

Reece fechou os olhos. O homem parecera enorme, de uma altura impossível. Como poderia enxergar por meio da névoa do seu próprio medo?

— Branco, sem barba. Não sei direito. Tudo aconteceu muito rápido, estava escuro, e fiquei com muito medo.

— Ele disse alguma coisa?

— Não.

Ela deu um pulo ao ouvir o som de um carro estacionando.

— Deve ser o xerife — disse Denny. — Hank falou com ele depois de falar comigo. Vou lá explicar o que aconteceu.

Reece ficou sentada com as mãos no colo depois que Denny saiu.

— É ridículo, não é? O cara estava parado bem ali, mas não consigo descrever a aparência dele. Não muito bem.

— Estava escuro — disse Brody. — Imagino que ele tenha ficado afastado o suficiente para permanecer nas sombras. O reflexo da luz acabou te atrapalhando. E você estava assustada. O que eu disse que esse cara é, Reece?

— Um covarde. — Ela ergueu a cabeça. — E ele sabe como mexer comigo. Ninguém vai acreditar em mim, Brody. Sou uma mulher histérica que tem alucinações. Você e Denny não encontraram nada lá fora. Nenhuma pista.

— Não. Ele é meticuloso.

— Mas você acredita em mim. — Reece respirou fundo. — Quando eu estava sozinha lá em cima, pensei ter ouvido tiros. Misturei as coisas.

— Porra, Reece, pegue leve consigo mesma. Foi só um gatilho.

— Ele deve ter visto a gente. Parado em algum lugar lá fora, observando a casa, observando a gente. — Ela viu o rosto de Brody ficar tenso. — Achou que eu não fosse pensar nisso?

— Eu esperava que não.

— Não vou ter uma crise histérica porque esse cara me viu pelada ou sabe que a gente transou. Isso é besteira.

— Tudo bem, então.

Brody olhou para trás, gesticulando quando ouviu a batida à porta dos fundos. Rick entrou e tirou o chapéu.

— Boa noite. Fiquei sabendo que vocês tiveram um problema.

— Um pouquinho de invasão de domicílio e intimidação — explicou Brody.

— Eu aceito um café. Pedi a Denny que desse mais uma olhada nos arredores. — O xerife fez uma pausa enquanto Reece servia outra xícara. — Reece, pode me mostrar onde você estava quando viu a pessoa... na janela, não foi?

— De início, sim. Eu estava aqui. — Ela seguiu para a geladeira e tocou a porta. — Escutei um barulho e olhei na direção dele. Ele estava do lado de fora, na janela.

— A luz da cozinha reflete um pouco no vidro, não é? Você se aproximou?

— Eu... Não. Não naquele momento. Vi a maçaneta girar. Ele saiu da janela, depois vi a maçaneta girar. Peguei uma faca. — Ela andou para a frente, reproduzindo os próprios passos. — E... E acho que dei um passo para trás, acho que continuei andando para trás. Fiquei com medo.

— Aposto que sim.

— Então a porta se abriu, e ele ficou parado ali.

— Mais ou menos onde você está agora?

— Eu... não tenho certeza. Mas não era mais perto. Talvez a um ou dois passos de diferença. Eu me virei e saí correndo.

— Ahã. Essa foi mesmo a melhor coisa a fazer. Você estava tomando banho? — perguntou o xerife a Brody.

— Isso.

— E a porta aqui? Trancada? Destrancada?

— Trancada. Eu tranquei tudo quando saí para buscar Reece.

— Certo. — Rick abriu a porta dos fundos de novo e se agachou para analisar a fechadura, o batente. — Ele estava de luvas?

— Ele... — Reece se esforçou para lembrar. — Sim. Acho que sim. Luvas pretas, como quando estrangulou a mulher.

— Mais algum detalhe sobre ele?

— Sinto muito.

Rick se empertigou.

— Bem, vamos falar um pouco do que aconteceu antes. Você ficou em casa até que horas, Brody?

— Saí lá pelas seis e meia, seis e quarenta e cinco, eu acho.

— Buscou Reece na Joanie e voltou pra cá.

— Não, passamos nas planícies antes.

Brody sentiu um desejo súbito e inesperado de fumar um cigarro. E o ignorou.

— Estão florescendo. Era uma noite perfeita para ir lá. Então vocês foram dar um passeio.

— A gente estava a alguns quilômetros fora da cidade — confirmou Brody. — Tomamos um vinho, comemos queijo, vimos o pôr do sol. Voltamos lá pelas oito e meia. Talvez nove. Fomos direto para o quarto. Depois, Reece desceu para beber água, e eu fui tomar banho.

— E que horas eram isso?

— Não estava prestando atenção no relógio. Mas tinha acabado de entrar no chuveiro quando ela entrou correndo. Eu a levei para o quarto, vesti minha calça, peguei o bastão de beisebol e disse a Reece que ligasse para a emergência.

Rick olhou para Denny quando o policial entrou balançando a cabeça.

— Tudo bem. Eu diria que já tivemos muita emoção para uma noite só. Posso dar um pulo aqui amanhã, ver se encontro alguma coisa à luz do dia. Pode voltar para a delegacia, Denny, escreva o relatório. Brody, quer vir aqui fora comigo por um instante?

— Tudo bem. — Ele olhou para Reece. — Já volto.

Os dois saíram da casa. Rick olhou para o céu estrelado e prendeu os dedões nos bolsos.

— Que noite bonita. Do tipo que a gente só encontra em Angel's Fist. Daqui a pouco, o verão estará entre nós. O lugar vai encher de turistas. Esse céu todo não vai ser mais só nosso.

— Você não me chamou aqui fora para a gente olhar as estrelas.

— Não. Vou ser direto com você, Brody. — O xerife se virou para encará-lo. — Primeiro, não há nenhum sinal de que a porta tenha sido arrombada. Você deu certeza de que ela estava trancada.

— O cara abriu a fechadura com um grampo, tinha uma cópia da chave. Não seria a primeira vez.

— Meu Deus. — Obviamente frustrado, Rick esfregou o rosto com uma das mãos. — E ele conseguiu fazer isso no intervalo de tempo mínimo em que ela desceu sozinha e você foi tomar banho. Esse cara também tem superpoderes?

— Ele devia estar observando a casa.

— Para quê? Para bancar o bicho-papão? Se o sujeito fosse fazer alguma coisa, teria feito quando Reece estivesse sozinha. Se é que ele existe.

— Espere um pouco aí.

— Não, você é que tem de esperar. Sou um homem tolerante, Brody. Quando um homem carrega um distintivo e uma arma, tem de ter um belo estoque de tolerância. Mantenho a mente aberta, mas não sou burro. Temos aqui uma mulher com um histórico de problemas psicológicos, que estava bebendo, que sai da cama e diz ter visto o mesmo homem que, supostamente, viu matando uma mulher desconhecida. Um assassinato que *só* ela viu. E isso acontece no momento exato em que não há mais ninguém por perto para confirmar sua história. Não há sinal da presença de ninguém nessa cabana nem nos arredores. Assim como não havia sinal de um assassinato no rio nem de que alguém tivesse invadido o apartamento em cima da lanchonete ou estragado as roupas dela no hotel. Você está dormindo com essa mulher, então quer acreditar nas histórias dela. Nada é tão atraente quanto uma donzela em apuros.

A irritação de Brody explodiu.

— Que babaquice! Nunca ouvi tanta merda de uma vez só. Se você carrega esse distintivo, tem a obrigação de proteger e servir.

— Minha responsabilidade é proteger e servir essa cidade, nossa população. Se quiser ficar bravo comigo, que fique — disse o xerife. — Pode ficar, mas já fiz tudo que eu podia por Reece Gilmore. Os turistas e as pessoas que costumam passar o verão aqui já vão chegar, e não posso desperdiçar meu tempo e meus funcionários perseguindo as alucinações dela quando vou precisar deles para manter a ordem por aqui. Deus é testemunha de que tenho pena de Reece. Ela é uma pessoa boa que deu muito azar na vida. Mas vai ter que superar isso e se adaptar. Faça um favor a si mesmo e convença-a de que ela precisa de ajuda.

— Eu achava que você era melhor do que isso, Rick.

— A essa altura, Brody — rebateu o xerife com uma voz cansada enquanto abria a porta de sua picape —, posso dizer o mesmo sobre você. — Ele entrou no carro, batendo a porta. — Se gosta dessa mulher, procure convencê-la a procurar ajuda. — E ligou o motor. — Ela está precisando.

Quando Brody voltou para casa batendo os pés, Reece estava ao fogão. Arroz em uma panela tampada, frango e alho sendo refogados em uma frigideira.

— Ele que se foda — murmurou Brody, tirando uma cerveja da geladeira.

— Obrigada. Obrigada por ficar do meu lado. — Ela sacudiu a frigideira, virando os pedaços de frango. — Nem precisei ouvir a conversa para entender a opinião do xerife. Ele não acredita em mim, e esse último incidente confirma o que ele acha. Desperdicei o tempo dele, estraguei sua rotina, deixei de ser a maluca da cidade para ser um incômodo. E, no fim das contas, não podemos culpá-lo.

— Por que não?

— Tudo indica que estou inventando coisas ou só sendo doida. — Reece acrescentou na panela os legumes que já picara e fatiara, jogou um pouco de vinho branco e balançou de novo a frigideira. — Da mesma forma que tudo indica que você só está me defendendo porque está dormindo comigo.

— É isso que você acha?

— Eu sei que você acredita em mim, e saber disso me ajuda a aguentar a barra.

Brody tomou um gole longo e demorado da cerveja.

— Quer fazer as malas? Tentar a vida no Novo México, talvez? A parte boa das nossas profissões é que a gente pode trabalhar onde bem entender.

Os olhos de Reece arderam, mas ela continuou mexendo a comida e balançando a panela.

— Sabe de uma coisa? Você podia ter ajoelhado no chão e me entregado um diamante enorme, um filhotinho de cachorro e uma caixa de vinte quilos de chocolate belga, declarando sua devoção e seu amor eternos e, então, recitado uma poesia de Shelley. Não teria sido mais bonito que isso.

— Que bom, porque não sei nenhuma poesia de Shelley de cor.

— E é uma ideia interessante — continuou Reece. — Mas sei melhor do que ninguém que você pode fugir, ou até se afastar, quanto quiser, e isso não vai mudar nada. Gostei de ver as flores nas planícies, gostei de saber que posso fazer isso. Se elas podem criar raízes aqui, eu também posso. — Ela pegou a tigela em que misturara o molho e despejou tudo na frigideira. — A comida já, já ficará pronta. Pode pegar os pratos?

Capítulo vinte e seis

⌘ ⌘ ⌘

Reece estava sentada no consultório do dr. Wallace, feliz por não ter que tirar a roupa para a consulta. Estava se sentindo lenta, como se tivesse bebido demais em uma festa na noite anterior.

Fora o remédio para dormir. Apenas um comprimido vendido sem receita que Brody a convencera a tomar. Não que ele tivesse precisado insistir muito.

Apesar de isso ter evitado que tivesse pesadelos, ela se sentia mole e lerda naquela manhã. Mas valera a pena — daquela única vez. Não queria voltar para os soníferos, os antidepressivos, os ansiolíticos.

Ela não estava deprimida. Estava sendo perseguida.

A porta se abriu. O doutor entrou com uma prancheta, exibindo um sorriso.

— Parabéns. Você engordou três quilos. Ótimo progresso, mocinha. Mais dois quilos, e paro de encher seu saco. — O sorriso desapareceu quando ele deu a volta na mesa e viu seu rosto. — Ou talvez não. Da última vez que você esteve aqui, parecia pálida e cansada. Isso não mudou.

— Tive uma noite ruim. Uma noite horrível. Acabei tomando um remédio para dormir, daqueles vendidos sem receita. Mas até isso me deixou esquisita.

— Crise de ansiedade? — O médico segurou seu queixo, virando-lhe o rosto para analisar o hematoma amarelado na bochecha. — Pesadelo?

— Tomei o remédio para evitar a crise de ansiedade e o pesadelo. Vi o assassino ontem à noite.

O doutor franziu os lábios, e seus olhos analisavam o rosto dela com atenção enquanto ele se sentava no banco.

— Conte mais sobre isso.

Reece relatou a história, todos os detalhes.

— O senhor não precisa acreditar em mim nem dizer que acredita — concluiu ela. — Os últimos dias foram péssimos, por isso estou cansada e com essa cara de morta.

— Está dolorido? — perguntou ele, pressionando o hematoma de leve.

— Um pouco. Não me incomoda.

— Há quanto tempo você está tomando remédio para dormir?

— Ontem à noite foi a primeira vez em quase um ano.

— Voltou a tomar algum medicamento desde sua última consulta?

— Não.

— Algum outro sintoma?

— Além da tendência ao esquecimento e de ver coisas que não existem? Não.

— Vamos só pensar em alternativas por um instante. É possível que o homem que viu represente seu medo? Você não viu o rosto do homem que atirou em você. Não com clareza. Ou o trauma que sofreu apagou esse rosto da sua memória.

— Acho que não o vi — disse Reece baixinho. — Tudo aconteceu em um estalar de dedos. A porta foi escancarada, eu virei. Vi a arma... e... Bem, ele a usou.

— Entendo. — Rápido, com delicadeza, o médico tocou a mão dela. — Pelo que eu soube, você nunca viu os outros homens que assassinaram seus amigos.

— Não. Não vi ninguém.

Apenas ouvi, pensou Reece. Apenas ouvi enquanto riam.

— Já considerou a hipótese de que a figura que viu na janela ontem, talvez o homem que viu no rio, seja uma manifestação do medo e da impotência que sentiu durante e depois do ataque?

Algo fez com que o estômago de Reece embrulhasse. Decepção, pensou ela. Pura decepção por, no fim das contas, o doutor não acreditar nela.

— O senhor andou lendo livros de psicologia.

— Admito que sim. Dar forma e peso ao seu medo não a torna louca, Reece. Pode ser uma forma de trazer a memória à tona para que você consiga vê-la, senti-la, superá-la.

— Eu queria muito que fosse isso. Mas sei que uma mulher morreu por causa dele. Sei que ele está me observando e fazendo de tudo para me abalar e diminuir minha credibilidade. — Reece abriu um sorrisinho. — Não é paranoia se estiver acontecendo de verdade.

O doutor suspirou.

— Sei como é a sensação de estar sendo paranoica. O gosto que isso deixa na boca. Não estou paranoica. Não estou manifestando meu medo. Estou vivendo-o.

— Outra possibilidade, só me escute. A primeira vez que você viu esse homem e o ato violento, tinha acabado de encontrar Brody na trilha. Os outros incidentes pioraram conforme seu relacionamento se desenvolvia. Quanto mais sérias as coisas ficam, mais graves e pessoais se tornam esses acontecimentos. Será que sua sensação de culpa por ter sobrevivido está criando obstáculos para a sua felicidade?

— Então estou enlouquecendo a mim mesma para sabotar meu relacionamento com Brody? Não. Droga, eu já *estive* louca. Sei como é a sensação, e não é isso que está acontecendo agora.

— Tudo bem, então. Tudo bem. — O doutor deu um tapinha na mão dela. — Quando eliminamos as possibilidades, o que resta deve ser a verdade, por mais improvável que pareça. Vamos coletar um pouco de sangue e ver como você está.

REECE VOLTOU para a lanchonete a fim de cumprir a segunda metade do seu turno. Mac Drubber e Carl devoravam sanduíches de churrasco de porco. Mac ergueu uma das mãos para chamá-la enquanto mastigava e engolia.

— Ah, comprei queijo parmesão.

— Comprou?

— Achei que você fosse querer. É meio caro.

— Vou passar lá para comprar mais tarde. Obrigada, sr. Drubber. — Sem pensar, Reece se inclinou e lhe deu um beijo no topo da cabeça. — Obrigada. Eu não mereço uma coisa dessas.

— Ah, imagina. — As bochechas dele ficaram rosadas. — Se quiser alguma coisa que não costumamos comprar, me avise. Não é trabalho nenhum fazer uma encomenda para você.

— Pode deixar. Obrigada.

Na primeira oportunidade que tivesse, ela faria uma refeição especial, uma refeição fora de série, e o convidaria para jantar na cabana de Brody.

Reece seguiu para a cozinha a tempo de ver Linda-gail jogando um pote na pilha de pratos sujos de Pete.

— Ih...

— A coisa está feia — disse Pete pelo canto da boca.

— Não fiquem cochichando pelas minhas costas — ralhou Linda-gail, virando rápido e fazendo o cabelo parecer uma capa vermelha curta. — Não sou surda.

— Mas vai ficar desempregada se continuar jogando as coisas por aí.

Linda-gail partiu para cima de Joanie.

— Eu não estaria jogando as coisas se o seu filho não fosse um mentiroso infiel.

A expressão de Joanie continuou tranquila enquanto ela fritava um filé e cebolas.

— Meu filho pode ser muitas coisas, mas nunca foi acusado disso aí. Preste atenção no que fala, Linda-gail.

— Ele não me disse que precisava ficar no hotel-fazenda ontem à noite para ajudar com uma égua doente? E isso não é uma mentira deslavada, já que Reuben apareceu aqui quinze minutos atrás e me perguntou se eu gostei do filme que assisti com Don ontem?

— Talvez Reuben tenha se enganado. Talvez outra coisa tenha acontecido.

Linda-gail empinou o queixo.

— Você é a mãe, então vai ficar do lado dele. Mas eu não aceito traição nem mentira.

— E está certa. Você pode passar essa história a limpo assim que quiser. Contanto que não seja no horário em que estou te pagando para servir às mesas.

— Ele disse que me amava, Joanie. — Dessa vez, a voz dela falhou um pouco. E fez os lábios da chefe franzirem. — Disse que estava pronto para construir uma vida comigo.

— Então, imagino que seja melhor vocês conversarem logo. Mas, agora, quero que saia da cozinha e vá trabalhar. Nós temos fregueses.

— Você tem razão, e já perdi tempo demais com ele. Homens não servem para porcaria nenhuma.

Ela saiu batendo os pés, e Joanie suspirou.

— Se aquele garoto fez alguma burrada, ele é mais idiota do que eu imaginava.

Enquanto Joanie parecia preocupada, Reece sentiu seu estômago embrulhar. O que Don estava fazendo ontem à noite e por que mentira a respeito?

— E você vai ficar parada aí, sonhando acordada? — questionou a chefe. — Ou vai assumir a chapa? Preciso resolver umas coisas na minha sala e tenho de pagar pela porcaria da tinta.

— Desculpe. — Reece pegou seu avental e foi lavar as mãos na pia. — A tinta nova ficou bonita. Alegre.

— Coisas novas e alegres custam dinheiro.

Uma equipe de três pessoas viera pintar o salão após o expediente, e o amarelo-narciso com rodapé vermelho deixara a lanchonete bem mais animada. Mas o que aqueles homens estariam fazendo às nove horas da noite de ontem?

— Que horas começaram a pintar?

— Às onze da noite. E era de esperar que Reuben estaria cansado demais para vir fofocar aqui depois de trabalhar até as três horas da madrugada.

Aja naturalmente, alertou Reece para si mesma. Bem naturalmente. Só puxe papo.

— Então, eles chegaram às onze da noite?

— Não foi isso que acabei de dizer? Reuben, Joe e Brenda.

— Brenda? A Brenda do hotel? Achei que era o irmão dela que vinha pintar.

— Dean tinha mais o que fazer, pelo que ela contou. A garota tem mais talento para os acabamentos, não ia adiantar muito.

Reece começou a cozinhar e tentou imaginar Reuben ou Don, Dean ou Joe por trás de óculos escuros e um gorro laranja, do lado de fora da janela da cozinha de Brody.

DEPOIS DO trabalho, Reece conseguiu uma carona para casa com Pete.

— Obrigada por me levar até a cabana.

— Não é longe, está tudo certo.

— Pete, o que você acha que Don estava fazendo ontem?

— Pulando a cerca por aí. Aquele lá só pensa com a cabeça de baixo... Desculpe.

— Acho que, já que é assim, deve ter um monte de mulher puta da vida com ele.

— Se não fosse pela lábia de Don, alguém já teria cortado o pau dele fora... Desculpe de novo. Mas com Linda-gail o buraco é mais embaixo. Ela vai ser difícil de contornar.

— É verdade. Agora, veja só Reuben, por exemplo. — Aja naturalmente, lembrou Reece a si mesma. — Ele não vive cercado de mulheres, pelo menos não que eu tenha visto.

— Ele também apronta. Só que é come-quieto. — Pete olhou rápido para ela, abrindo um breve sorriso e exibindo os dentes separados. — Teve um caso no inverno passado com uma mulher que veio esquiar. Uma mulher casada.

— Jura?

— Ele não saiu espalhando por aí, mas é difícil entrar e sair do quarto de hotel de uma mulher sem ninguém perceber. Aquela Brenda sente o cheiro dessas coisas no ar. Eu fiquei sabendo que ele usava a entrada do porão, mas não adiantou de nada.

— O porão do hotel — murmurou Reece.

— E todo mundo ficou sabendo depois que eles tiveram uma briga horrorosa uma noite. Ela gritou, jogou coisas. Parece que tacou um vidro de perfume na cabeça dele. Reuben saiu correndo de lá, com o rosto todo arranhado, sem nem calçar as botas.

— Como ela era?

— O quê?

— A turista que veio esquiar. Estou curiosa.

— Uma morena bonita, pelo que me lembro. Fiquei sabendo que era uns dez anos mais velha que Reuben. Passou semanas ligando para ele no hotel-fazenda, chorando, gritando, falando absurdos. Um dia, enquanto a gente tomava uma cerveja, ele confessou para mim que a experiência o fez desistir de mulheres casadas.

— Faz sentido. — Eles já estavam chegando à cabana. — E imagino que o irmão de Brenda, Dean, tinha um encontro ontem.

— Ou um jogo de pôquer. — Pete estalou a língua. — Vou te falar, se aquele garoto tiver dez pratas no bolso, vai gastar em apostas. É por isso que vive sem um tostão, pedindo empréstimos a Brenda. O vício no jogo é tão ruim quanto a heroína depois que a pessoa perde o controle. — Pete estacionou o carro. — Fiquei sabendo que teve um pouco de ação aqui ontem à noite.

— Imagino que todo mundo já esteja sabendo.

— Não deixe essas coisas te desanimarem, Reece.

Curiosa, ela se virou para encará-lo.

— Por que você não me acha maluca?

— E quem disse que você não é? — Pete sorriu. — Todo mundo é um pouco maluco, de um jeito ou de outro. Mas se você disse que havia um cara rondando a cabana, eu acredito.

— Obrigada. — Ela abriu a porta, sorrindo para ele enquanto saltava. — Obrigada, Pete.

— Não foi nada.

Mas era alguma coisa para Reece. A polícia podia não acreditar na sua história, mas Pete acreditava. Assim como Brody, Linda-gail, Joanie. O dr. Wallace achava que ela estava manifestando o próprio medo, mas só queria se certificar do seu bem-estar. Mac Drubber, provavelmente, achava que ela tinha uns parafusos a menos, mas comprara o parmesão que pedira.

Reece tinha muitas pessoas do seu lado. E teorias novas para pensar.

Ela encontrou Brody na varanda dos fundos, tomando uma Coca-Cola e lendo um livro.

Ele ergueu o olhar, e, como estava obviamente feliz com o que via, um sorriso fez com que seus lábios se curvassem.

— Como foi seu dia?

— Começou mal e foi melhorando. O doutor está feliz por eu ter engordado e propôs a possibilidade de o meu homem de gorro laranja ser uma manifestação dos meus medos e da minha culpa de sobrevivente. Mas está disposto a manter a mente aberta se eu também estiver. O sr. Drubber encomendou parmesão fresco para mim, e Pete me passou um resumo da vida amorosa de alguns caras da cidade.

— Foi um dia cheio.

— Pois é. Don mentiu para Linda-gail sobre onde estava ontem à noite.

— Ele é conhecido por não se apegar muito a ninguém. — Brody deixou o livro de lado. — Você acha que Don seria capaz de matar alguém?

— Don seria meu último suspeito. Droga, eu gosto dele, e minha amiga está apaixonada por ele. Mas, tradicionalmente, não é sempre o cara menos provável? Não é assim que essas coisas funcionam?

— Na ficção, e apenas em boas ficções, se fizer sentido. Don gosta de levar mulheres para a cama, magrinha, não de esganá-las até a morte.

— E se alguma o ameaçasse, o pressionasse até fazê-lo perder a cabeça? — Reece se agachou ao lado de Brody. — Reuben teve um caso com uma mulher casada no inverno passado, que terminou de um jeito violento.

— Do Don Juan para o Caubói da Cantoria?

— Deve ser fácil descobrir onde ele estava ontem à noite. A pintura na Joanie só começou às onze da noite. E o irmão de Brenda nem apareceu.

— Então, você colocou eles na sua lista de suspeitos porque não sabe onde esses três caras estavam ontem à noite no horário em questão.

— Preciso começar por algum lugar. Preciso revidar. Se eu conseguir descobrir onde estavam, posso tirá-los da lista. Se não conseguir, eles ficam nela.

— E, depois, você vai investigar todos os homens da cidade?

— Se for necessário. Posso eliminar alguns. Hank, que tem barba e é enorme. Eu teria percebido isso. Pete, porque é pequeno demais. A gente conversou sobre isso antes, pouco depois do crime, mas nunca paramos para pensar direito.

— Não, acho que não paramos mesmo.

— Então, qualquer um com menos de, sei lá, sessenta e cinco anos e mais de vinte. Não estamos falando de um velho nem de um adolescente. Qualquer um sem barba ou bigode, que tenha peso e altura medianos. Sei que talvez ele não more em Angel's Fist...

— Ah, eu acho que mora.

— Por quê?

— Você não ouviu um carro ontem. Como ele iria embora?

— Andando?

— Talvez ele tenha deixado o carro longe, para ninguém ver. Mas, se fosse alguém de fora, teria de passar tempo suficiente na cidade para conhecer sua rotina, saber a que horas você sai de casa, do trabalho, daqui. Alguém notaria e comentaria, mesmo que sem maldade. A fofoca corre.

— É verdade — concordou Reece. — Corre mesmo.

— E ninguém passou mais de uma semana no hotel desde abril. Nenhum homem solteiro por mais de duas. Alguns chalés foram alugados, mas, de novo, por pouco tempo e apenas para famílias ou grupos. Talvez ele estivesse entre essas pessoas, mas não acho que isso faça sentido.

— Você andou pesquisando.

— É o que costumo fazer. Talvez ele estivesse acampando — continuou Brody —, mas teria de ir à cidade comprar comida. Mesmo se fizesse isso em outro lugar, teria de aparecer aqui para conhecer sua rotina, para fazer as coisas que fez. Se aparecesse mais de uma vez, sua presença seria notada. Então, seguindo essa lógica, o cara é um de nós.

— Brody, não quero chamar a polícia de novo, a menos que... Sejamos radicais: a menos que a gente esteja em uma situação de vida ou morte.

— Isso fica só entre nós dois, magrinha.

— Eu gosto tanto da gente.

— Que engraçado. Eu também.

REECE RESOLVEU equilibrar o jantar repleto de legumes da noite anterior com uma refeição de costeletas de porco, purê de batatas, vagens e pãezinhos. Enquanto as batatas cozinhavam e as costeletas ficavam na marinada, ela se sentou à mesa da cozinha com o laptop.

A lista veio primeiro, todos os homens em Angel's Fist em quem conseguia pensar e que se encaixavam em seus requisitos muito amplos.

Junto com os nomes, acrescentou algumas informações básicas.

William (Don) Butler, quase trinta anos. Passou boa parte da vida morando em Angel's Fist. Conhece bem a região, sabe rastrear pegadas, fazer trilhas, acampar etc. (Será que o casal do rio poderia ter chegado lá a cavalo?) Faz o estilo caubói, mulherengo. Dirige uma picape. Fácil acesso à sala de Joanie — e às chaves. Fica violento quando provocado, como foi possível ver no Clancy's.

Aquilo parecia tão frio, pensou Reece enquanto relia. E talvez fosse injusto não mencionar que ele parecia tão gentil, amava a mãe e era muito charmoso. Ela continuou com Reuben:

Trinta e poucos anos. Funcionário do Hotel-fazenda Circle K. Também tem um bom conhecimento da região. Talento para trabalhos manuais. Picape — com suporte de armas. Vai à cidade, pelo menos, uma vez por semana. Gosta de cantar no Clancy's. Teve um caso com uma mulher casada (possível vítima).

Reece suspirou. Ela sabia que ele gostava de carne malpassada, batatas fritas e torta com sorvete. Mas isso não era muito útil para sua lista.

Ela continuou escrevendo, listando nomes, informações, e parou com uma pontada de culpa ao pensar no dr. Wallace. O homem estava no seu limite de idade. Mas ele era saudável, até forte. Fazia caminhadas, pescava, era bem-vindo em todos os lugares. E alguém que curava as pessoas também saberia matá-las, certo?

E havia Mac Drubber, Dean, Jeff — do depósito —, o xerife confiável, o generoso Lynt. E outros. A ideia de listar todos aqueles homens que conhecia, alguns que até considerava amigos, a deixou um pouco enjoada.

Reece se obrigou a terminar e copiou o arquivo para um pendrive. Quando desligou o laptop, foi descontar sua ansiedade e sensação de culpa na cozinha.

DO OUTRO lado do lago, Don bateu à porta de Linda-gail. Ele vinha com uma rosa na mão e cheio de tesão.

Quando a porta se abriu, Don ofereceu a flor cor-de-rosa e disse:

— Oi, querida.

Linda-gail ignorou a rosa e colocou uma das mãos na cintura.

— O que você quer?

— Você.

Don tentou agarrá-la com a mão livre, mas ela se desviou e empurrou a porta, quase batendo-a na cara dele.

Ele segurou a porta pela lateral e a abriu de novo.

— Qual é o problema? Minha nossa, Linda-gail.

— Não aceito flores de mentirosos. Então, pode dar meia-volta e sair daqui.

— De que diabos você está falando? — Dessa vez, Don chutou a porta quando ela a empurrou. — Pare com isso. Trabalhei catorze horas hoje para conseguir a noite de folga e vir ver você.

— É mesmo? Que injusto, depois de você ter trabalhado tanto ontem. Com a égua doente. — Linda-gail o viu se retrair e estreitou os olhos. — Seu filho da puta mentiroso. Você estava rolando no feno, e não era com uma égua.

— Não foi nada disso. Calma.

— Como você teve a coragem de mentir pra mim assim? — Ela bateu um pé e se virou. — Eu disse que não vou ser só mais uma na sua lista, Don.

— Você não é. Nunca vai ser. Droga, você nunca foi. Vamos nos sentar um pouco.

— Não quero que se sente na minha casa. Eu te dei o que você queria. Agora, acabou.

— Não diga isso. Linda-gail, meu bem. Não é o que você está pensando.

— Então o que é, Don? Você não mentiu para mim?

Ele empurrou o chapéu para trás.

— Bem, sim, menti, mas...

— Saia daqui.

Don jogou a rosa e, depois, o chapéu para o lado.

— Não vou embora brigado assim. Sim, eu menti sobre ontem, mas tive um bom motivo.

— Ah, é? E qual era o nome dela?

A frustração e uma pitada de vergonha enrijeceram o rosto de Don em uma expressão furiosa e gélida.

— Eu não engano as pessoas. Nunca enganei. Nem com mulheres, nem com jogos, nem com nada. Se estou pronto para seguir para a próxima, termino antes. Nunca traí ninguém. Por que eu começaria a fazer isso com a pessoa que é mais importante para mim?

— Não sei. — Os olhos dela se encheram de lágrimas. — Bem que eu queria saber.

— Eu não estava com outra mulher, Linda-gail. Juro.

— E eu devia acreditar no que você diz depois de ter mentido pra mim?

— Esse é um bom argumento. Mas também tenho um. Se você me ama, precisa confiar em mim dessa vez.

— Confiança é algo que a gente conquista, William. — Furiosa por estar chorando, ela limpou as lágrimas. — Diga onde você estava.

— Não posso. Ainda não. Não se vire. Não, querida. Eu precisava fazer uma coisa. Não estava com outra mulher.

— Então por que não quer me contar?

— Você vai saber, é só esperar até sábado à noite.

— O que sábado à noite tem a ver com qualquer coisa?

— Também não posso contar, ou, pelo menos, não posso entrar em detalhes. Mas faz tudo parte de uma coisa só. Espere até sábado à noite. Quero ter um encontro com você.

Finalmente, Linda-gail desistiu e se sentou.

— Você quer ter um encontro comigo depois de mentir e não me explicar por quê?

— Isso mesmo. Confie em mim dessa vez. Juro que vai valer a pena. — Don se agachou e secou uma lágrima do rosto dela. — Juro pela minha vida, Linda-gail: eu não estava com outra mulher.

Ela fungou.

— Você roubou um banco?

Ele sorriu devagar, todo charmoso.

— Não, não exatamente. Você me ama?

— Parece que sim, apesar de isso ser extremamente inconveniente e irritante agora.

— Eu também te amo. E gosto de dizer isso.

Linda-gail segurou o rosto dele para analisá-lo de perto.

— Você tem até sábado à noite, e eu devo ser idiota, Don, mas acredito que não estava com outra mulher. Não consigo imaginar você me magoando desse jeito. Então não me faça de boba.

— Impossível. — Don segurou os pulsos dela, se inclinando para tocar-lhe os lábios. — E, se não fosse impossível, eu nem sonharia com uma coisa dessas.

— Eu ia fazer pizza — anunciou Linda-gail. — É o que gosto de comer quando estou triste e irritada. Bem, acho que é o que gosto de comer com qualquer humor. Vou dividir minha pizza com você, Don, mas não a minha cama. Se eu vou ter de esperar até sábado à noite para descobrir a verdade, você vai ter de esperar até lá para transar.

— Acho que é justo. Doloroso, mas justo. — Ele se levantou e pegou a mão dela. — Tem cerveja para acompanhar a pizza?

ELE VINHA pela escuridão, pelo vento. As botas dela ecoavam no chão de terra batida. Será que ele as escutava? Ela não ouvia nada além do vento e do rio, mas sabia que o homem se aproximava, movendo-se às suas costas como uma sombra, chegando mais e mais perto. Logo, a respiração dele sopraria em sua nuca. Logo, as mãos dele cercariam seu pescoço.

Ela perdera todo o senso de direção. Como chegara ali? A única opção era seguir em frente, subindo, subindo, e suas pernas reclamavam do esforço.

A luz da lua mostrava a curva na trilha, o declive da pedra, o brilho hipnótico e perigoso do rio lá embaixo. Mostrava o caminho, mas o caminho não oferecia nenhuma escapatória. E guiaria o homem até ela.

Quando arriscou dar uma olhada para trás, ela não viu nada além do céu e do cânion. O alívio surgiu com um soluço engasgado. Tinha conseguido escapar, de algum jeito. Se continuasse andando, se continuasse correndo, encontraria uma forma de voltar. Estaria em segurança de novo.

Entretanto, quando se virou, cambaleando para a frente, o homem estava lá. Diante dela. Bloqueando o caminho. Mesmo assim, o rosto permanecia coberto e sua identidade, oculta.

— Quem é você? — gritou ela, sua voz sendo carregada pelo vento. — Quem é você, porra?

Enquanto ele andava em sua direção, os dedos das mãos enluvadas abrindo e fechando, ela tomou uma decisão. E pulou.

O vento a atingiu, levando-a de volta à cozinha do Maneo's. A porta empurrada, outro homem sem rosto, este em um casaco com capuz. O disparo de uma arma. A explosão da dor — o impacto da bala, o impacto da água.

O rio a engoliu, a porta da despensa se fechou.

E não havia luz, não havia ar. Não havia vida.

REECE ACORDOU com Brody segurando seus braços.

— Pare com isso — ordenou ele. — Agora.

— Eu pulei.

— Você caiu da cama, isso, sim.

— Eu morri.

Reece estava molhada de suor, e o coração do próprio Brody continuava disparado.

— Você parece bem viva. Foi um pesadelo, só isso. Você não parava de se debater.

— Eu... O quê?

— Chutando, arranhando. Vamos. Levante-se.

— Espere. Espere um pouco. — Reece precisava se localizar. O sonho fora tão nítido, cada detalhe. Até ela bater na água ou cair na despensa. — Eu estava correndo — disse ela, baixinho. — E ele estava lá. Pulei. No rio. Mas aí tudo se misturou. Ou se fundiu. Eu estava caindo no rio, eu estava caindo na despensa do Maneo's. Mas não afundei. — Ela pressionou uma das mãos no peito de Brody e sentiu o calor em sua pele fria. — Não desisti.

— Não. Eu diria que você estava tentando voltar para a superfície. Estava tentando nadar.

— Tudo bem. Tudo bem. Que bom pra mim. Já estava na hora.

Capítulo vinte e sete

⌘ ⌘ ⌘

ACORDAR CEDO todos os dias mudava a perspectiva de Brody. Ele via mais o sol nascendo, e, algumas vezes, isso até fazia o esforço de abrir os olhos valer a pena. O trabalho fluía melhor, algo que deixaria sua agente e seu editor muito felizes. E lhe dava mais tempo de analisar a cabana e cogitar a possibilidade de mudanças.

A localização era boa, e, apesar de ele já ter pensado em comprar o lugar em vez de apenas alugá-lo, talvez devesse levar a ideia mais a sério.

Pensar no valor do investimento, em ter um patrimônio.

Ter uma hipoteca, o preço da manutenção.

Bem, tudo tinha um lado bom e um lado ruim.

E, se ele fosse dono da casa, poderia ampliar o escritório, talvez construir uma varanda. Daria para ter uma vista melhor para o lago, principalmente no verão, quando as folhas ficavam mais abundantes. Era quase impossível ver a água das janelas do primeiro andar nessa época.

Uma varanda seria um bom lugar para se sentar de manhã, tomar um café, se preparar para o dia.

Brody parou diante da janela do escritório com seu café, imaginando a mudança. Até que poderia ser legal.

Uma cadeira ou duas?, perguntou a si mesmo enquanto visualizava a varanda. Se comprar a cabana era um grande passo, morar com uma mulher seria um salto do penhasco.

Ele sempre gostara de passar tempo com mulheres, tanto pelo cérebro quanto pelo corpo delas. No entanto, se alguém lhe dissesse que, um dia, ia querer uma mulher muito específica do seu lado o tempo todo, Brody teria recitado uma longa lista de motivos pelos quais essa possibilidade não lhe apetecia.

Agora, com Reece, não conseguia se lembrar de nenhum tópico dessa lista.

A presença dela na casa fazia seu dia começar cedo, isso era verdade. E, desde que pedira demissão do jornal, ele passara a ter o hábito de só sair da cama quando estivesse com vontade. Só que sempre havia café pronto, um café muito bom que ele não precisava fazer. E comida. Era difícil ser exigente quando se pensava nas vantagens de acordar e encontrar comida e café prontos todas as manhãs.

E a voz dela. O cheiro dela. A forma como *arrumava* as coisas. Os ingredientes para uma refeição, as roupas, os travesseiros na cama. Brody se via ridiculamente enfeitiçado pela forma como Reece dobrava as toalhas do banheiro.

Aquilo era um pouco doentio. Provavelmente.

Mas que homem seria capaz de resistir à forma como aqueles olhos maravilhosos ficavam meio grogues durante a primeira meia hora do dia?

Ela era um motivo mais convincente para se levantar da cama todas as manhãs do que o nascer do sol mais bonito do mundo.

Reece era cheia de problemas, complicada e talvez nunca conseguisse se livrar completamente de todas as suas fobias e neuroses. Mas isso a tornava a pessoa que ela era, isso a tornava interessante. Era o que o cativara. Não havia nada, absolutamente nada, comum em Reece Gilmore.

— Duas cadeiras — decidiu ele. — A varanda vai ter duas cadeiras.

Dando as costas para a janela, Brody foi até a escrivaninha. Pegou o pendrive que ela lhe dera. Quando o colocou no computador, encontrou dois documentos: um intitulado LR e o outro, LISTA.

— Coisas do livro de receitas — murmurou ele, se perguntando se ela lhe dera aquilo de propósito ou apenas se distraíra.

De toda forma, o arquivo estava em suas mãos agora.

Brody o abriu primeiro e começou a ler o texto que ela chamara de INTRODUÇÃO.

Seus sogros resolveram passar as férias na sua casa de surpresa — e vão chegar amanhã... É o terceiro encontro, e você vai preparar o jantar. E está torcendo para preparar café da manhã na cama também... É a sua vez de receber o clube do livro em casa... Sua irmã perfeita se convidou para o jantar e vai levar o noivo — o médico... Seu filho se ofereceu para fazer cupcakes para a turma da escola...

Não entre em pânico.

Não importa quanto você esteja sobrecarregado(a), sem saber o que fazer primeiro, sem ter qualquer experiência na cozinha: vai ficar tudo bem. Na verdade, vai ficar tudo ótimo. Vou ajudar você, passo a passo.

Do sofisticado ao casual, de reuniões com amigos a jantares elegantes, e tudo o mais em que conseguir pensar, você é o(a) chef.

Tudo bem, eu sou a chef. Mas você está prestes a aprender a arte do gourmet caseiro.

— NADA MAL — decidiu Brody, continuando a ler.

Ela escrevera um pouco sobre tempos de preparo, utensílios, estilos de vida. Usara um tom despreocupado, um pouco alegre. Acessível.

Depois da introdução, havia um resumo básico do tipo de livro que queria escrever e, em seguida, meia dúzia de receitas. As instruções — com palavras de incentivo — eram simples o suficiente para Brody achar que não seria completamente impossível que até ele conseguisse cozinhar.

No topo delas havia estrelas, indo de um a quatro. Graus de dificuldade, observou ele. Inteligente. Entre parêntesis, Reece sugeriu que os asteriscos fossem chapéus de cozinheiro.

— Mas como você é espertinha, magrinha.

Ele pensou no assunto por um instante, então escreveu um e-mail rápido para sua agente. E anexou o arquivo de Reece.

Então fechou-o e abriu a lista.

Pois é, ela era inteligente mesmo. Suas observações rápidas sobre os homens eram perspicazes e certeiras. Talvez fosse surpreendente encontrar nomes como Mac Drubber e o dr. Wallace, mas Reece fora meticulosa. E ele achou divertido ler comentários sobre Mac como *levemente paquerador, gosta de fofocar.*

Teria de perguntar a Reece o que ela escreveria se tivesse colocado o nome dele na lista.

Brody acrescentou os próprios comentários e fez observações. Ela não saberia, por exemplo, que o subxerife Denny tivera o coração partido por uma moça que trabalhava como camareira no hotel, o enrolara por seis meses e, depois, fora embora da cidade com um motoqueiro no último outono.

Ele salvou o arquivo atualizado e copiou os dois para seu computador.

Quando terminou, ainda não eram oito horas da manhã.

A única coisa que restava a fazer era trabalhar.

Brody fez um intervalo às onze, foi à cozinha trocar o café pela Coca e acrescentou um punhado de pretzels. Estava comendo o primeiro quando o telefone tocou. Ele fez uma cara feia, como sempre fazia ao ouvir o toque do aparelho, mas se animou quando a bina avisou que era sua agente.

— Oi, Lyd. Está indo bem — disse, quando ela perguntou sobre o livro. Brody olhou para o cursor na tela. Hoje, o computador era seu amigo. Em outros dias, talvez fosse o inimigo. Então, ele sorriu quando ela perguntou se podia tirar um tempo para conversarem sobre a proposta da sua amiga. — Claro, tenho alguns minutos. O que você achou?

Ao desligar o telefone, Brody revirou sua pilha de anotações para encontrar o papel em que anotara a escala de Reece. Encontrou-o entre uma revista de armas — pesquisa — e um folheto de propaganda da televisão de plasma que cogitava comprar.

Ele olhou para o relógio e a tela do computador. E resolveu que não se sentiria culpado por terminar o expediente mais cedo.

BRODY ENTROU na lanchonete ao mesmo tempo que Reece tirava o avental. Ele se apoiou no balcão. Ela estava com o cabelo preso no alto, e o calor da chapa deixara seu rosto corado. Aquilo lhe dava um ar delicado.

— Você comeu alguma das coisas que cozinhou hoje? — perguntou ele.

— Não exatamente.

— Faça uma quentinha.

— Uma quentinha? Para quê? Outro piquenique?

— Não. Para o almoço. E aí, Bebe, como vão as coisas?

— Estou grávida.

— Ah... Parabéns?

— Para você, é fácil ficar feliz com a ideia. Mas sou eu que sofro com o enjoo matinal. É uma diversão sem fim. — Mas ela sorriu, apoiando-se no outro lado do balcão para descansar. — Jim está torcendo para ser uma menina dessa vez. Eu acharia legal. Por que é que você nunca me pede para fazer uma marmita, Brody?

— Porque Jim ia me matar. Eu devia perguntar quando o bebê vai nascer e tal?

— Você é homem. A única coisa que eu espero é que fique sem graça e faça cara de assustado. E está fazendo um bom trabalho. Em novembro, perto do feriado de Ação de Graças. Até lá, vai parecer que eu comi um peru inteiro, de toda forma. Quando seu próximo livro vai sair?

— Uns dois meses antes e de um jeito bem menos doloroso.

Quando avisaram que havia um pedido pronto, Bebe revirou os olhos.

— Bem, tenho de voltar às emoções do trabalho no ramo alimentício.

— Almoço. — Reece ergueu uma sacola grande enquanto saía da cozinha. — Você vai ter a oportunidade de ser um dos primeiros a provar nossos novos *paninis* experimentais.

— *Paninis*. Na Joanie.

— *Et tu*, Brody? Pelo jeito que vocês falam, parece que estou cozinhando lesmas e cérebro de bezerros. Coisas que eu sei fazer, aliás, de um jeito muito gostoso.

— Prefiro o *panini*.

Ele a guiou para o lado de fora, segurando seu cotovelo e a levando para o outro lado da rua enquanto Reece procurava o carro.

— Aonde vamos?

— Para o lago.

— Ah. Boa ideia. Está um dia bonito para almoçar perto do lago.

— A gente não vai almoçar perto do lago. Vamos almoçar no lago. — Ele indicou uma canoa com a cabeça. — Dentro daquilo.

Reece parou e encarou o barco com um ar desconfiado.

— A gente vai entrar na canoa e comer *paninis*?

— Eu escolhi o lugar; você escolheu a comida. O barco é do doutor. Ele disse que podíamos pegá-lo emprestado por algumas horas hoje. Vamos remar um pouco.

— Hum.

Ela gostava de barcos. Isto é, gostava de barcos com motores ou com velas. Mas não fazia ideia do que achava de barcos com remos.

— Aposto que a água ainda está bem fria.

— Está mesmo, então é melhor ficarmos acima dela, não dentro. Entre, Reece.

— Estou entrando.

Ela embarcou, se equilibrou e sentou-se.

— Vire para o outro lado — disse Brody.

— Ah.

Ele entrou, lhe entregou um remo e se acomodou no outro banco. E, usando seu remo, os empurrou para longe da margem.

— Você só precisa fazer o que eu estiver fazendo, só que do outro lado.

— Você já fez isso antes, certo? Quer dizer, isso não é uma novidade para nós dois, é?

— Já fiz isso antes. Ainda não comprei um barco porque alterno entre querer uma canoa e um caiaque, e parece besteira ter os dois. Além do mais, sempre posso pegar um emprestado e não ter que me preocupar com um lugar onde guardá-lo ou com a manutenção. Basta comprar uma cerveja para o dono.

— Sempre tem um jeito. — Reece precisou empurrar o remo com força. — A água é mais pesada do que parece.

Seus músculos já estavam se aquecendo, e, enquanto observava Brody remar como um falcão observa um coelho, Reece achou que estava encontrando seu ritmo. A sensação até que era gostosa; o barco parecia apenas roçar na água. Mas dava trabalho, e ela já sentia os ombros e os braços doendo.

Hora de voltar para a academia, disse a si mesma.

— Aonde estamos indo? — perguntou Reece.

— A lugar nenhum.

— De novo?

Ela riu, jogando para trás o cabelo que fora despenteado pelo vento.

E as montanhas a pegaram desprevenida.

— Ai, meu Deus. Ai, meu Deus.

Na frente do barco, Brody sorriu. Ele ouviu a admiração, o tom de reverência na voz dela.

— Elas pegam a gente desprevenido, não é?

Ele segurou o remo, se virou para encará-la e, então, pegou o remo dela também.

— É diferente daqui. Por algum motivo, é diferente. Elas parecem...

— Parecem?

— Deusas. Prateadas e brilhantes, com coroas finas brancas e cintos verde-escuros. Maiores, de certa forma, e mais poderosas.

Elas se agigantavam, se agigantavam e se espalhavam; aquele azul-prateado em contraste com o azul mais puro do firmamento. A neve agarrada aos cumes mais altos era tão branca quanto as nuvens que passavam por ela. E a água refletia tudo.

Uma garça levantou voo, passando de raspão pelo lago, e deslizou como um fantasma para o pântano ao norte.

Havia outros barcos. Um pequeno veleiro com uma vela amarela flutuava no centro do lago; um remador treinava suas habilidades em um caiaque. Ela reconheceu Carl pescando em uma canoa e avistou um casal, que supôs ser de turistas, saindo de um dos canais e desembocando na superfície plana do lago.

Reece se sentia leve e pequena, quase bêbada.

— Por que você não faz isso todos os dias? — perguntou ela.

— Costumo vir mais depois de junho, mas ando ocupado. No verão passado, Mac me convenceu a ir em uma viagem de três dias pelo rio. Ele, eu, Carl e Rick. Aceitei porque achei que seria uma boa forma de pesquisar a região. Atravessamos o Snake, acampamos, fritamos os peixes que Carl pescou com as mãos nas costas. Tomamos café feito na fogueira. Contamos muitas mentiras sobre mulheres.

— Você se divertiu.

— Foi ótimo. A gente podia fazer isso também, tirar uns dois dias depois que você souber remar melhor, tentar um dos canais mais fáceis.

— Acho que fácil é a palavra-chave, mas gostei da ideia.

— Que bom. Li sua lista.

— Ah. — Foi como se uma nuvem tivesse coberto o sol. Mesmo assim, precisavam falar sobre aquilo, refletir. Ela abriu a sacola com os sanduíches. — O que achou?

— Bem completa. Acrescentei algumas coisas. Depois de algumas perguntas discretas por aí, acho que vamos conseguir eliminar alguns. Já descobri que Reuben, Joe, Lynt e Dean estavam jogando pôquer nos fundos do Clancy's. Reuben e Joe, das sete às dez, que foi quando foram para a Joanie. Dean, Lynt, Stan Urick, que não está na sua lista porque tem setenta anos e é magro feito um palito, e Harley, que também não entra por causa daquele matagal que chama de barba, ficaram lá até a uma da manhã. Só saíram da mesa para fazer xixi. Dean perdeu oitenta pratas.

— Bem, então são menos três.

— Minha agente gostou da sua proposta para o livro de receitas.

— O quê? *O quê?*

Brody deu uma mordida no *panini*.

— Esse sanduíche está bom pra caralho — disse ele com a boca cheia. Em seguida, engoliu. — Mas ela quer falar diretamente com você.

— Mas a proposta não estava pronta.

— Então por que passou para mim?

— Eu só... só pensei que, se você quisesse, se tivesse tempo, poderia dar uma olhada. Só isso. E me dar sua opinião, sei lá. Dicas.

— Eu gostei, então pedi a opinião da minha agente. Como ela é inteligente, concordou comigo.

— Porque você é um cliente ou porque a ideia é boa?

— Primeiro, ela tem clientes mais importantes do que eu, bem mais. Sou praticamente um zé-ninguém. Mas você mesma pode perguntar a ela. Enfim, Lydia gostou da estrutura, mas disse que precisa de uma proposta formal. Achou a introdução "divertida e descontraída". E falou que vai testar uma das receitas hoje para ver no que dá. Ela sabe cozinhar, mas também vai passar uma das mais simples para sua assistente, que não sabe.

— Como um teste.

— Lydia é uma mulher ocupada e não aceitaria clientes em quem não acredita. Talvez seja bom falar com ela amanhã, depois do teste.

— Estou nervosa.

— Claro. Lydia não vai te enrolar. — Brody pegou o copo de Coca que Reece levara com os sanduíches. — Mas ela sabe quem você é.

— Como assim?

— Ela é inteligente, esperta e gosta de se manter atualizada. — Brody cogitou pegar um canudo, mas preferiu tirar a tampa de plástico do copo e beber. — Sua memória é igual à de um elefante. Ela me perguntou se você era a Reece Gilmore de Boston, que sobreviveu ao Massacre do Maneo's alguns anos atrás. Não menti.

Reece sentiu o apetite desaparecer.

— Não, você não mentiria. Que diferença isso faz para ela?

— Talvez faça para você. Se o livro for vendido, se for publicado, ela não vai ser a única a fazer essa conexão. Você conseguiu passar despercebida por um tempo, magrinha. E sua história vai voltar ao foco se você resolver seguir em frente. Jornalistas, perguntas. Precisa decidir se está disposta a enfrentar essas coisas.

— "Sobrevivente de assassinato em massa e ex-paciente de manicômio escreve livro de receitas." Entendi. Merda.

— É mais uma coisa no que pensar.

— Pois é. — Reece olhou ao redor, para a água, para as montanhas, para o pântano. Os salgueiros mergulhavam suas emplumadas folhas verdes no lago. Do outro lado, um peixe prateado se debatia loucamente na ponta da vara de pesca de Carl. Era tudo tão bonito, tão pacífico. E não havia onde se esconder. — Talvez ela não me aceite como cliente. E, mesmo que me aceite — refletiu Reece —, talvez não consiga vender o livro. — Ela olhou de novo para Brody. — São vários passos grandes demais.

— Os menores levam você ao mesmo lugar, só que demoram muito mais. Então, pense aonde quer ir e quanto tempo deseja levar para chegar lá. — Ele deu outra mordida no sanduíche. — Por que colocou *paninis* no cardápio do dia da lanchonete?

— Porque são gostosos, simples e rápidos. Acrescenta um pouco de variedade.

— Outro motivo — Brody gesticulou com o sanduíche — é porque você é criativa. Não consegue evitar. Gosta de alimentar pessoas, mas quer fazer isso do seu jeito, ou, pelo menos, dar seu toque ao processo. Se continuar trabalhando lá, vai acabar injetando sua personalidade na comida aos poucos.

Reece se remexeu no banco, desconfortável por saber que aquilo era verdade. Por saber que já estava fazendo isso.

— Não estou tentando controlar nada.

— Não. Mas você parou de tentar só se encaixar. Angel's Fist nunca vai ser Jackson Hole.

Confusa agora, Reece balançou a cabeça.

— Certo.

— Mas vai crescer. Olhe de novo — sugeriu Brody, gesticulando para as montanhas. — As pessoas querem aquilo. A vista, o clima, o lago, as árvores. Algumas só pelo fim de semana, por quinze dias de férias. Outras querem para sempre, ou para um segundo lar onde possam passear de barco, esquiar, passear a cavalo. Quanto mais lotadas ficam as cidades grandes e médias, mais gente deseja ir a um lugar diferente para espairecer. E as pessoas sempre precisam comer.

Ela abriu a garrafa de água que trouxera para si mesma.

— Isso é um jeito esquisito de sugerir que eu abra um restaurante aqui?

— Não. Em primeiro lugar, você deixaria Joanie brava. Em segundo, você não quer gerenciar um restaurante. Você quer gerenciar uma cozinha. Sabe quem é a maior empresária de Angel's Fist?

— De cabeça, não.

— Joanie Parks.

— Ah, para. Sei que ela tem algumas propriedades.

— A Comida dos Anjos, metade do hotel, minha cabana, três chalés, quatro casas, só em Angel's Fist, um terreno enorme nos limites da cidade. E é dona do edifício onde fica a Galeria Teton e a lojinha de lembranças.

— Você está de brincadeira! A mulher tem crises histéricas quando digo que quero gastar uns centavos a mais com rúcula.

— E é por isso que ela é dona de boa parte da cidade: economia.

— Amo e admiro Joanie, mas fala sério. O nome disso é pão-durismo.

Brody riu enquanto erguia seu copo de novo.

— É assim que você fala da sua sócia?

— Desde quando ela deixou de ser minha chefe e passou a ser minha sócia?

— Isso vai acontecer quando você propuser a ela a abrir um Gourmet Caseiro do lado oposto da cidade, longe da lanchonete. Um restaurante pequeno, íntimo, com um cardápio sofisticado, porém acessível.

— Ela nunca... Ela poderia topar. Um lugar pequeno e íntimo para uma noite especial ou um almoço chique com as amigas. Hum... Hum... Aberto apenas para almoço e jantar. Cardápio rotativo. Hum...

O terceiro "hum" fez Brody lutar contra um sorriso. O cérebro de Reece já estava tomado pela ideia. E logo ela tomaria coragem.

— É claro que isso depende de aonde você quer chegar.

— E quanto tempo desejo levar para chegar lá. Você é bem safadinho, Brody, plantando essa sementinha na minha mente. Agora isso não vai sair da minha cabeça.

— É bastante coisa pra pensar. Você vai comer a outra metade desse sanduíche?

Sorrindo, ela lhe entregou o *panini*, e o celular em seu bolso tocou.

— Ninguém me liga — começou Reece enquanto o pegava. — Nem sei por que carrego esse negócio para tudo quanto é canto. Alô?

— Reece Gilmore?

— Sim.

— Aqui é Serge. Fui eu que te deixei mais bonita em Jackson.

— Ah, sim. Serge. Hum, como você está?

— Ótimo, e estou esperando você e Linda-gail para uma visita.

Por instinto, Reece ergueu uma das mãos para o cabelo bagunçado pelo vento. Já estava na hora de aparar as pontas, sem dúvida. Mas também precisava pagar o seguro do carro.

— Vou falar com ela.

— Mas estou ligando por causa daquele desenho que você deixou comigo. O panfleto.

— O retrato falado? Você a reconheceu?

— Eu, não. Mas acabei de contratar uma assistente que acha que a conhece. Quer o número dela?

— Peraí. — Reece encarou Brody com os olhos arregalados. — Ela está aí agora? A garota nova?

— Agora, não. Só vai começar na segunda. Mas tenho os dados dela. Quer que eu te passe?

— Sim. Espere! — Reece revirou a bolsa em busca de um papel e uma caneta. — Pode falar.

— Marlie Matthews — começou Serge.

Ela anotou tudo — nome, endereço, telefone — enquanto a canoa flutuava pelo lago, preguiçosa.

— Obrigada, Serge, muito obrigada. Eu e Linda-gail vamos passar aí assim que pudermos.

— Estou esperando.

Reece desligou.

— Alguém reconheceu o desenho.

— Eu entendi essa parte. É melhor pegarmos os remos. Vamos ter de amarrar o barco na margem antes de irmos a Jackson Hole.

Capítulo vinte e oito

⌘ ⌘ ⌘

MARLIE MATTHEWS morava no térreo de um prédio quadrado de dois andares na Highway 89, onde os inquilinos alugavam apartamentos mobiliados. Houvera um nítido esforço para tornar o lugar mais bonito, com paredes de gesso estucadas formando um pequeno pátio de cimento com cercas de ferro forjado. Lá dentro, viam-se algumas cadeiras de escritório desbotadas e duas mesas de metal que ainda tinham o brilho branco de tinta fresca. Tudo parecia limpo, e a pequena garagem, apesar de ainda exibir buracos causados pelo inverno, era bem cuidada.

No pátio, um garotinho loiro com cerca de quatro anos dava voltas e mais voltas em um triciclo vermelho. Por meio de uma janela aberta no segundo andar, veio o choro demorado e estridente de um bebê.

Assim que os dois começaram a atravessar o pátio, uma mulher saiu pelas portas de vidro de um apartamento no térreo.

— Posso ajudar?

Ela era pequena, magérrima, com um cabelo lindo, escuro, curto e com mechas acobreadas. E segurava um esfregão com firmeza, como se estivesse pronta para bater nos dois caso não gostasse da resposta.

— Acho que sim. — Por saber como era sentir medo de estranhos, Reece tentou abrir um sorriso amigável e descontraído. — Estamos procurando por Marlie Matthews.

A mulher chamou o garotinho. Bastou mover um dedo para ele mirar o triciclo em sua direção.

— Para quê?

— Talvez ela conheça uma mulher que estamos procurando. Serge, do Curral do Cabelo, me ligou. Eu me chamo Reece, Reece Gilmore. Esse aqui é Brody.

Pelo visto, o nome de seu novo chefe era a senha necessária.

— Ah, bem, eu sou Marlie. — Lá em cima, o bebê parou de chorar, e alguém começou a cantarolar em espanhol. — Minha vizinha acabou de ter um filho — acrescentou ela quando Reece olhou automaticamente na direção da cantoria. — Vocês podem entrar um pouco, se quiserem. Rory, não saia da minha vista.

— Mamãe, posso tomar suco? Posso?

— Claro, pegue uma caixinha na geladeira. Mas, se voltar aqui pra fora, fique em um lugar que eu consiga te ver.

O menino entrou correndo, seguido pelos adultos. Ele foi direto para a geladeira na cozinha, separada da sala por uma bancada.

— Vocês querem alguma coisa? — perguntou Marlie. — Uma água gelada, talvez?

— Obrigada. Estamos bem.

A casa estava um brinco de tão limpa e cheirava ao desinfetante cítrico no balde do esfregão da anfitriã. Apesar de o espaço ser apertado — com o sofá de dois lugares e uma poltrona —, houvera tentativas para deixá-lo mais aconchegante com um jarro de vidro vermelho com margaridas de pano sobre a bancada e um vaso com lírios-da-paz em uma mesa que recebia um pouco da luz que entrava pelas portas de vidro.

Um canto da sala de estar exibia uma mesinha branca e uma cadeira vermelha para o menino brincar. Na parede, um quadro de cortiça estava coberto por desenhos infantis. No chão, uma bacia de plástico transparente abrigava vários brinquedos.

Obviamente mais interessado nos desconhecidos do que no seu triciclo, Rory se aproximou de Brody com a caixa de suco.

— Eu tenho um carro de corrida e um caminhão de bombeiro — anunciou ele.

— É mesmo? Qual é o mais rápido?

Com um sorriso, Rory foi buscá-los.

— Sentem-se — disse Marlie.

— Posso ficar aqui? — Brody seguiu para a caixa de brinquedos e se sentou no chão com o menino.

Juntos, em seu clubinho masculino, eles investigaram aqueles tesouros.

— Deixei um desenho no salão algumas semanas atrás — começou Reece enquanto Marlie ficava de olho no filho. — Serge disse que você achou ter reconhecido a mulher.

— Talvez. Não posso dar certeza. É só que, quando vi o desenho no balcão, pensei... Acho que disse: "Por que vocês têm um retrato de Deena?"

— Deena?

— Deena Black.

— Ela é sua amiga? — perguntou Brody com ar despretensioso enquanto empurrava o caminhão de bombeiro no chão ao lado do carro de corrida de Rory.

— Não exatamente. Ela morava lá em cima, no apartamento que é de Lupe agora.

— Morava? — repetiu Brody.

— Sim, ela foi embora. Faz mais ou menos um mês.

— Ela se mudou? — perguntou Reece.

— Mais ou menos. — Como se já tivesse se convencido de que Brody não agarraria Rory e sairia correndo, Marlie se acomodou na beira do sofá. — Ela deixou algumas coisas, levou as roupas e tal, mas deixou coisas de cozinha, revistas, bobeiras desse tipo. Disse que não queria nada, que era tudo lixo.

— Deena te disse isso?

— Pra mim? Não. — Marlie franziu os lábios. — Não estávamos mais nos falando naquela época. Mas ela deixou um bilhete para o zelador. Ele mora no apartamento aqui do lado. Disse que arrumaria coisa melhor. Ela sempre dizia isso. Então pegou as roupas, subiu na moto e foi embora.

— Moto? — repetiu Brody.

— Deena tinha uma Harley. Combinava com ela, acho, porque vivia levando um monte de motoqueiros para casa quando morava aqui. — Marlie olhou para se certificar de que Rory não estava prestando atenção. — Trabalhava numa dessas boates de striptease — disse ela baixinho. — Um lugar chamado Rendezvous. Na época em que a gente ainda se falava, Deena me dizia que eu ganharia mais dinheiro lá do que trabalhando no

Grill do Jack Sorridente. Sou garçonete lá. Mas eu não queria trabalhar assim e não posso ficar na rua até altas horas, servindo cerveja quase nua, porque tenho Rory.

— Ela morava sozinha? — perguntou Reece.

— Sim, mas sempre trazia gente pra casa. Desculpe se Deena é amiga sua, mas era assim que a coisa funcionava. Até uns seis, oito meses atrás, ela voltava pra cá com um *amigo* diferente toda noite.

— O que mudou?

— Tenho certeza de que foi um homem. Um homem específico. Eu escutava os dois lá em cima, mais ou menos, uma vez por semana. Então, ela sumia por um dia, às vezes, dois. E me disse que havia fisgado um peixão, é assim que Deena fala. O cara dava presentes pra ela. Jaqueta de couro nova, colar, lingerie. E aí, não sei, acho que brigaram.

— Por quê?

— Bem, um dia, de manhã, ela veio aqui e fez um escândalo. Eu estava colocando Rory no carro para levá-lo à pré-escola. Deena estava furiosa, xingando. Pedi que ela maneirasse, porque meu filho estava no carro. Ela disse que ele ia crescer e se tornar um babaca que nem todos os outros. Dá pra acreditar numa coisa dessas? — perguntou Marlie, obviamente ainda ofendida. — Falar assim daquele anjinho na minha cara?

— É complicado mesmo. Ela devia estar irritada com alguma coisa.

— Estou pouco me lixando pra isso. Ela não tinha direito de falar do meu Rory daquele jeito. Saí de mim. Nós duas batemos boca na garagem, mas achei melhor não partir pra cima dela. Eu estava com meu filho e já tinha ouvido falar que Deena, uma vez, deu na cara de um sujeito com uma garrafa de cerveja. É melhor não arrumar confusão com gente assim.

— Faz sentido.

Reece pensou em como Deena batera no assassino, em como pulara em cima dele.

— Mas *ela* queria confusão — continuou Marlie. — Ficou gritando na minha cara. Disse que não ia ser feita de boba por ninguém, que não ia ser enganada. E que ele ia pagar. Imagino que estivesse falando do cara com quem estava saindo. Ela falou que, quando acabasse com ele, arrumaria coisa melhor. — Marlie deu de ombros. — Foi, basicamente, isso. Ela foi embora, e eu entrei no carro, puta.

— Essa foi a última vez que você a viu? — perguntou Brody.

— Não, acho que a vi mais umas duas vezes. Pra ser sincera, não quis nem conversa. Ouvi a moto dela algumas vezes.

— Você se lembra da última vez em que a ouviu? — perguntou Reece.

— Com certeza, porque foi de madrugada. Acordei e tudo. No dia seguinte, o zelador me disse que Deena tinha se mudado. Colocou as chaves em um envelope e foi embora. E avisou que guardaria as coisas dela por um tempo. — Marlie deu de ombros de novo. — Talvez ele tenha feito isso mesmo, talvez não. Não é da minha conta. Acho ótimo que ela tenha ido embora. Lupe e o marido são vizinhos muito melhores. Eu e Serge combinamos que vou trabalhar no salão enquanto Rory estiver na pré-escola, mas Lupe cuida dele pra mim nas noites em que estou no restaurante. Eu jamais teria confiado em Deena para cuidar dele. — De repente, Marlie franziu a testa. — Vocês são da polícia, ou coisa assim? Ela se meteu em alguma encrenca?

— Não somos da polícia — respondeu Reece e olhou para Brody. — Mas acho que alguma coisa pode ter acontecido com Deena. Sabe se o zelador está em casa?

— Ele costuma estar.

E estava mesmo. Jacob Mecklanburg era um homem alto e magro, com setenta anos e um elegante bigode branco. Seu apartamento, com uma planta baixa que espelhava a de Marlie, estava entulhado de livros.

— Deena Black. Uma pessoa complicada — disse ele, balançando a cabeça. — Vivia reclamando. Sempre pagava o aluguel em dia. Ou quase sempre. Uma mulher infeliz, do tipo que gosta de culpar tudo e todos pelo fato de a vida não ser do jeito que ela queria.

— Essa é Deena?

Reece tirou uma cópia do desenho da sua bolsa.

Mecklanburg trocou seus óculos por um par que estava no bolso e franziu os lábios enquanto analisava a imagem.

— Parece bastante. Eu diria que é ela ou alguma parente próxima. Por que estão procurando por Deena?

— Ela desapareceu — disse Brody antes de Reece responder. — O senhor ainda tem o bilhete que ela deixou?

O zelador pensou naquilo por um instante, observando o rosto de Brody e, depois, o de Reece.

— Gosto de guardar tudo. Não queria que ela aparecesse aqui e me acusasse de alugar seu apartamento sem permissão. Acho que não faria mal deixar vocês dois lerem.

Ele foi até uma das estantes, pegou um banco com rodas e se sentou para analisar um armário de arquivos.

— Bela coleção — disse Brody casualmente. — Os livros.

— Consigo me imaginar vivendo sem comer. Mas não me imagino sem livros. Passei trinta e cinco anos dando aula de literatura para o ensino médio. Quando me aposentei, queria um emprego em que tivesse muito tempo para ler, mas não o suficiente para me tornar um ermitão. Ser zelador é um bom meio-termo. Sou bom em fazer consertos pequenos, e, depois de passar algumas décadas lidando com adolescentes, lidar com inquilinos é moleza. Deena era uma das mais complicadas. Ela não queria estar aqui.

— Aqui?

— Em um apartamento pequeno e barato, longe de tudo. E ela pagava o aluguel, mas a muito contragosto. Mais de uma vez, me ofereceu um cardápio muito variado de favores sexuais em troca do aluguel. — Ele abriu um sorrisinho enquanto pegava uma pasta. — Digamos apenas que ela não fazia meu tipo.

O zelador tirou uma folha de papel da pasta e a entregou a Brody.

Quero mais é que você e essa merda de lugar se danem. Vou arrumar coisa melhor. Pode ficar com aquelas porcarias no apartamento ou tacar fogo em tudo. Não estou nem aí. DB

— Bem sucinta — comentou Brody. — Isso parece ter sido escrito em um computador. Deena tinha um?

Mecklanburg franziu a testa.

— Agora que você tocou no assunto, acho que não. Mas há várias lan houses pela cidade.

— Que estranho — comentou Reece. — Por que ela se daria o trabalho de mandar o senhor ir se danar? Não seria mais fácil apenas ir embora?

— Bem, ela gostava de reclamar e encher o saco.

— Deena arrumou um namorado nos últimos meses.

— Acho que sim. Mas ela parou de... receber visitas ano passado, hum, em algum momento antes das festas de fim de ano.

— O senhor chegou a ver o homem com quem ela estava saindo?

— Talvez. Uma vez. A maioria dos "amigos" dela não fazia questão de ser discreta. Nós temos uma lavanderia lá embaixo. Um dos inquilinos tinha avisado que a máquina de lavar estava quebrada. Fui dar uma olhada, ver se conseguia dar um jeito no problema ou se precisaria chamar alguém para consertar. Quando voltei aqui para cima, o amigo dela estava indo embora. Era uma tarde de segunda-feira. Eu sei disso porque, na época, todos os inquilinos trabalhavam às segundas.

— Uma segunda-feira — repetiu Reece. — Perto das festas de fim de ano.

— Sim, pouco depois do Ano-Novo, eu acho. Lembro que havia nevado bastante durante a madrugada, e precisei limpar tudo assim que acordei. Geralmente, faço os serviços de manutenção de manhã, ou entre as quatro e as seis da tarde, se não for uma emergência. Gosto de ler na hora do almoço e tirar uma soneca depois. Mas eu tinha me esquecido da máquina de lavar naquela manhã e precisava resolver aquilo. — Passando um dedo pelo bigode, Mecklanburg fez uma pausa, franzindo os lábios enquanto pensava. — Acho que ele pareceu surpreso ao me ver. Ou ao ser visto. E foi para o lado, virou a cara e acelerou o passo. Seu carro não estava na garagem. Fiquei tão curioso que olhei pela janela quando cheguei ao meu apartamento. Ele foi embora andando.

— Talvez morasse na cidade — sugeriu Reece.

— Ou tenha estacionado em outro lugar. Mas sei que, depois disso, Deena sempre saía para se encontrar com ele. Se estivesse se encontrando com esse mesmo cara. E, pelo que sei, ele nunca mais apareceu por aqui.

— O CARA não queria ser visto. Você percebeu?

— Percebi — concordou Brody. — O que indica que ele era casado ou tinha uma reputação delicada.

— Tipo um político? Um pastor?

— São duas boas opções.

No carro, Reece se virou para analisar o prédio de novo.

— Não é uma merda de lugar. É simples, mas limpo e bem cuidado. Só que não era o suficiente para Deena Black. Ela queria mais. Algo maior, melhor, mais elegante.

— E achou que tivesse fisgado alguém que daria essas coisas para ela. Fisgou um peixão — repetiu Brody quando Reece franziu a testa.

— Então, ou o cara não estava dando o que ela queria, ou ele terminou o namoro. Acho que ele terminou, já que talvez fosse casado ou uma figura pública. Mas, Brody, se o sujeito estava com medo de ser reconhecido aqui, o que acontece com nossa teoria de ele ser de Angel's Fist? De alguém da cidade estar me perseguindo?

— Isso não muda nada. — Ele abriu a porta dela e seguiu para o lado do motorista. — Alguém que faz negócios em Jackson Hole, por exemplo. Ou poderia ser reconhecido por alguém que faz negócios em Angel's Fist. Ou talvez tenha sido apenas um reflexo da culpa. — Assim como Reece, Brody se apoiou na porta aberta por um instante. — Mas ele não a matou porque ela reclamou de levar um pé na bunda. Quando isso acontece, é irritante, talvez inconveniente, mas continua sendo: "Sinto muito, meu bem. A gente já era. Aceite."

— Homens são muito babacas.

— Mulheres também terminam namoros.

— Sim, só que com a gente, geralmente, é: "Desculpe. Não é você, sou eu."

Brody emitiu um grunhido desdenhoso enquanto entravam no carro.

— Prefiro levar uma garfada no olho a escutar essa. Mas a questão é que Deena sabia de alguma coisa. Ela o ameaçou com alguma coisa. Ele vai pagar, foi o que disse a Marlie. E imagino que o sujeito não quisesse pagar nada.

— Então ele a matou, se livrou do corpo, cobriu os rastros. Voltou aqui de madrugada, na moto dela. Já tinha escrito o bilhete.

— Então, deve ter um computador ou acesso a um — concordou Brody. — O que não limita nem um pouco as opções.

Mesmo assim, Reece conseguia visualizar o quebra-cabeça sendo montado. Agora, já tinham um nome, um padrão de comportamento e, a menos que estivessem forçando a barra, uma motivação.

— Ele levou as roupas dela — acrescentou Reece. — Uma mulher não deixaria as roupas e os objetos pessoais para trás. Então, ele os levou. Seria fácil se livrar dessas coisas. Deixou a louça e tal, tudo que daria mais trabalho. E escreveu o bilhete para se livrar, só para não deixar pontas soltas. Ninguém procuraria por Deena porque todo mundo acharia que ela foi embora.

— Esse cara só não contava com você. Não só que veria o que aconteceu, mas que se importaria o suficiente para insistir no caso até ela ser encontrada.

— Deena Black. — Reece fechou os olhos por um instante. — Acho que descobrimos seu nome. E agora?

— Agora? Vamos para uma boate de striptease.

Reece não sabia o que estava esperando. Muito couro e correntes, olhares ríspidos, música alta.

Na realidade, havia tanto jeans quanto couro, e os olhares eram desinteressados. Mesmo assim, a música era alta, um rock berrado que saía de cima do palco, onde uma mulher com uma explosão de cabelo roxo usava apenas uma calcinha fio-dental vermelha e saltos altíssimos com uma plataforma na frente.

A fumaça azul pairava sobre uma mesa ao lado do palco em que dois caras enormes com braços tatuados assistiam ao espetáculo e tomavam cerveja.

Havia muitas mesas — pequenas, com um ou dois lugares —, a maioria de frente para o palco. Poucas estavam ocupadas.

Como parecia a melhor coisa a fazer, Reece se sentou diante do bar e ficou quieta enquanto Brody pedia dois chopes Coors.

O barman tinha um bigode avermelhado, que se alongava até os dois lados do queixo. E a cabeça era tão careca quanto um melão descascado.

Brody se virou de volta para o bar para pegar as cervejas.

— Você tem visto Deena por aqui? — perguntou ele ao barman.

O homem secou a espuma derrubada com um pano.

— Não.

— Ela pediu demissão?

— Deve ter pedido. Nunca mais apareceu.

— Quando?

— Faz um tempo. Por que é que você quer saber?

— Ela é minha irmã. — Reece abriu um enorme sorriso. — Bem, meio-irmã. Mesma mãe, pais diferentes. Estávamos indo para Las Vegas, e achei que podíamos passar uns dias com Deena. — Ela olhou rápido para Brody e notou que ele apenas levantara aquela única sobrancelha em uma expressão que, agora, reconhecia como sendo de uma diversão inesperada. — Nós passamos no apartamento — continuou Reece —, e disseram que ela se mudou no mês passado, mas é aqui que ela trabalha. Faz um tempo que não nos falamos. Eu só queria dar um oi, sabe?

— Não posso ajudar.

— Ah, paciência. — Reece pegou a cerveja, franzindo o cenho para o copo. — Não somos próximas nem nada. Só achei que, como estávamos passando por aqui, seria bom nos vermos. Talvez alguém aqui saiba aonde Deena foi.

— Ela não me contou. E me deixou com uma dançarina a menos.

— A cara dela. — Reece deu de ombros e abaixou a cerveja sem beber. Não estava convencida de que aquele era o tipo de lugar que se preocupava com a inspeção sanitária. — Acho que perdemos nosso tempo — disse ela para Brody. — Talvez Deena tenha ido morar com o namorado.

Uma garçonete riu enquanto limpava uma bandeja cheia de copos, garrafas e cinzeiros.

— Duvido muito.

— Como assim?

— Os dois brigaram. Feio. Ela ficou puta da vida. Lembra, Coon?

O barman apenas deu de ombros.

— Eu tinha a impressão de que Deena vivia puta da vida.

— Isso também é a cara dela. — Reece revirou os olhos para dar mais ênfase. — Mas, do jeito que ela falava, parecia estar levando esse cara a sério. Como era mesmo o nome dele?

— Eu nunca soube — respondeu a garçonete. — Deena só o chamava de Truta. Porque tinha fisgado um peixão, entendeu?

— É, entendi.

— Duas cervejas com *shots*, Coon. Budweiser e uísque da casa.

Reece esperou enquanto a garçonete pegava o pedido e ia até a mesa mais perto do palco. Quando a mulher voltou com mais copos vazios, Reece tentou sorrir.

— Não devia ser sério, então.

— Quê?

— Deena e esse cara, o tal de Truta. Acho que devia ser só um casinho.

— Acho que era bem sério. Pelo menos da parte dela.

— Jura? — Reece deu de ombros e tomou um golinho da cerveja. — Mas é diferente. Deena gosta de traçar os caras, não de se casar com eles.

Com um sorriso, a garçonete se inclinou por cima do bar e pegou um maço de Virginia Slims.

— Boa. Coon, vou fazer um intervalo.

— Meu nome é Reece. — Ela abriu um sorriso de novo. — Talvez Deena tenha falado de mim.

— Não, não que eu me lembre. Nem sabia que tinha uma irmã. Sou Jade.

— É um prazer. Então ela estava de quatro por um cara, hein?

— Bem, ela parou de escolher otários para levar pra casa. — A mulher tirou uma cartela de fósforos do bolso do short curto e riscou um. — Desculpe, ela é sua irmã, mas era isso que fazia.

— Não é nenhuma novidade pra mim. Acho que foi por isso que achei estranho ela tratar esse cara de um jeito diferente.

— Dizia que ele era classudo. — Jade jogou a cabeça para trás enquanto soltava a fumaça. — Não sei como isso é possível, já que os dois se conheceram aqui.

— Ah. — Reece teve de se esforçar para manter o tom casual. — Então você o conheceu.

— Talvez. Não sei direito. Não era alguém que vinha sempre aqui, porque ela teria comentado. Mas comprava presentes. Deena me mostrou um colar que ganhou. Disse que era ouro, dezoito quilates. Duvido, mas era bonito.

Tinha uma lua. Parecia de louça branca. Ela disse que era de madrepérola, que os brilhos na corrente eram diamantes de verdade.

— Diamantes? Até parece.

— Provavelmente era mentira, mas foi isso que ela disse. E não tirava aquela porcaria do pescoço, nem quando se apresentava. Dizia que ia ganhar mais ainda. E que Truta a chamava de seu lado escuro da lua. Seja lá o que isso signifique.

— Talvez esse tal de Truta saiba onde ela está.

Reece olhou para Brody como se buscasse a opinião dele.

Ele decidiu continuar tomando sua cerveja e agindo como um homem que estava pouco se lixando.

— Será que alguém daqui o conhecia? Talvez uma das dançarinas?

— Deena não gostava de dividir, se é que você me entende. Adorava se gabar, mas não estava se exibindo com esse cara por aí. Ele não era motoqueiro.

— Ah, não?

— Ela disse que já estava mesmo na hora de encontrar alguém com um emprego decente e que fazia mais da vida do que só andar de moto por aí. Enfim, os dois terminaram, como eu disse. Depois, ela sumiu. Imagino que tenha arrumado coisa melhor.

— Você deve ter razão.

Brody continuou quieto até voltarem para o carro.

— Descobri um novo lado seu, magrinha. Você é capaz de se sentar em um bar numa boate de striptease e mentir descaradamente.

— Achei que seria a forma mais rápida de descobrir alguma coisa. Se eu dissesse que vi Deena Black ser assassinada algumas semanas atrás, mas que quase ninguém acreditou em mim, provavelmente não causaria o mesmo impacto. Mas não sei se adiantou de muita coisa.

— Lógico que adiantou. Todas as informações indicam que ela desapareceu, o que bate com o que você viu no rio. Deena estava envolvida com um cara que, claramente, não queria que soubessem seu nome nem que os vissem juntos. Mesmo assim, estava caidinho o suficiente para gastar dinheiro com ela. Joias fazem sucesso com as mulheres, não fazem?

— Com certeza.

— Então, ele gastou dinheiro com alguma quinquilharia, o que indica que ela era mais do que uma foda, pelo menos por um tempo. Os dois terminaram, Deena não quis deixar por isso mesmo. Ela forçou a barra, ele forçou mais. Forçou demais.

— Talvez ela até levasse esse relacionamento a sério, mas não o amava.

— Você achava mesmo que era amor?

— Não sei — disse Reece —, mas agora tenho certeza que não era. Uma mulher não fala sobre um homem daquela maneira, não o chama de Truta, se sente alguma coisa de verdade. Deena tinha seus objetivos.

Brody esperou um pouco.

— Isso muda sua vontade de descobrir quem é o culpado?

— Não. Ela podia até ser uma vaca, mas não merecia morrer daquela maneira. Acho... — De repente, Reece parou e agarrou o braço dele. — Aquele lá é Don? Aquela é a picape de Don, Brody?

Ele olhou ao redor enquanto ela gesticulava, bem a tempo de ver a parte traseira de uma picape preta fazer uma curva.

— Não sei. Não vi direito.

— Acho que era Don. — Será que ele os vira? Se sim, por que não buzinara, acenara? Parara. — Por que ele estaria em Jackson?

— Muita gente vem a Jackson por muitos motivos. Isso não significa que ele nos seguiu, magrinha. Seria bem difícil passar despercebido na estradinha que sai de Angel's Fist.

— Talvez.

— Tem certeza de que era ele?

— Não. Não tenho. — E também não havia nada que pudesse fazer sobre aquilo. — Então, e agora?

— Quando voltarmos para casa, posso usar minhas habilidades de jornalista para descobrir mais sobre Deena Black. Primeiro, vamos dar uma olhada nas joalherias da cidade. Talvez a gente consiga descobrir onde o cara comprou o colar.

— Ah, boa ideia. Um colar de ouro com pingente de lua em madrepérola, talvez até com diamantes. Quantas joalherias existem em Jackson?

— Vamos descobrir agora.

Muitas, era a opinião de Brody depois da primeira hora, especialmente quando se acrescentavam lojas de artesanato que vendiam joias. Ele jamais entenderia a necessidade que as pessoas tinham de pendurar metais e pedras nos corpos, mas, como isso era algo que acontecia desde o começo da civilização, era querer demais esperar que o hábito saísse de moda.

No entanto, estava aliviado por seu medo de Reece ceder à tentação de *dar uma olhada* não ter se tornado realidade. A praga feminina do *só vou experimentar* não parecia afligi-la. Uma mulher que conseguia se manter focada em uma tarefa sem se permitir ser distraída por brilhos e reflexos era, na opinião dele, incrível.

De vez em quando, Brody via os olhos dela se fixando em certas ofertas, mas Reece seguiu em frente. Ele admirava isso. Especialmente quando notava outros homens sofrendo em silêncio enquanto suas mulheres exclamavam, babavam e choramingavam por enfeites bonitos.

Na verdade, ele ficou tão feliz e satisfeito que, no meio do caminho, parou, puxou-a para si e lhe deu um beijo com vontade.

— Que delícia. Por que isso?

— Porque você é uma mulher sensata e prática.

— Ok. Por quê?

— Nossa busca levaria o dobro de tempo, no mínimo, se você fosse do tipo que para e dá gritinhos de alegria em cada vitrine. Já estamos demorando muito, mas, pelo menos, estamos seguindo em frente.

— É verdade. — Ela segurou a mão dele enquanto seguiam para a próxima loja. — E também tento ser uma mulher honesta, então acho melhor esclarecer que o único motivo para eu não estar parando para olhar as coisas e dando "gritinhos de alegria" é porque não tenho dinheiro para comprar nada. E me desacostumei. Mas isso não significa que eu não o faria se pudesse nem que eu não tenha notado certas coisas interessantes. Como as botas pretas, com saltos de seis centímetros, que batiam no tornozelo e que pareciam ser de couro de crocodilo, duas lojas atrás, e as argolas de ouro branco e turmalina na última loja. Ou...

— Você *estava* olhando.

— De um jeito contido.

— Minhas ilusões foram por água abaixo.

— É melhor saber a verdade agora. — Reece apertou a mão dele. — Além do mais, a essa altura, eu prefiro ter um jogo da Sitram a turmalina.

— Sitram?

— Panelas.

— Você tem panelas.

— Sim, mas aquelas são vagabundas. Não tenho nada com um belo aço inoxidável com base térmica e centro de cobre. Se eu conseguir vender o livro de receitas, a primeira coisa na minha lista é um jogo da Sitram. Você comprou alguma coisa legal quando vendeu seu primeiro livro?

— Um laptop novo, bom.

— Viu só? Todo mundo tem suas ferramentas de trabalho. Esse lugar parece promissor. Chique — continuou Reece, analisando a vitrine. — Essas pedras são de verdade. Se Deena estava falando sério sobre os dezoito quilates e os diamantes, essa pode ter sido a loja.

O lugar era mesmo um pouco mais sofisticado do que a maioria das lojas que visitaram, notou Brody ao entrar. Uma mulher com um belo cabelo ruivo e uma jaqueta de couro elegante se sentava a uma mesa, analisando pedras brilhantes sobre um veludo preto enquanto bebia algo de uma minúscula xícara. O homem sentado diante dela falava baixo, em um tom quase reverente.

Outra mulher elegante, vestida de vermelho, saiu de trás de um balcão com um sorriso simpático.

— Boa tarde, sejam bem-vindos à Delvechio's. Posso ajudar?

— Na verdade, estamos procurando por uma joia específica — começou Reece. — Um colar. Com um pingente de lua em madrepérola. Diamantes ao longo da corrente.

— Tínhamos algo parecido alguns meses atrás. Uma peça muito bonita. Apesar de não termos mais nada assim no momento, talvez possamos produzir algo parecido para você.

— O colar foi vendido?

— Não fui eu que fiz essa venda, mas creio que sim.

— Você tem um registro da compra?

O sorriso simpático diminuiu.

— Talvez seja melhor vocês falarem com o sr. Delvechio. Ele está atendendo uma cliente agora. — Ela gesticulou para a ruiva. — Se quiserem esperar e conversar com ele sobre um novo projeto, fiquem à vontade. Aceitam um café ou um chá?

Antes de eles conseguirem responder, a ruiva se levantou. Com uma risada feliz, ela se inclinou e deu um beijo nas duas bochechas de Delvechio — um sujeito com ar distinto, cabelo grisalho quase prateado e óculos redondos.

— Eles são perfeitos, como sempre, Marco. Você sabia que eu seria incapaz de resistir.

— Eu me lembrei da senhora assim que os vi. Quer que eu mande alguém entregá-los?

— De jeito nenhum. Preciso levá-los comigo.

— Melony vai embrulhá-los. Excelente compra.

— Sem dúvida!

A vendedora de vermelho se apressou para acomodar os brincos em uma caixa de veludo preto. Delvechio se virou para Reece e Brody.

— Um colar com pingente de lua em madrepérola e detalhes em diamantes?

— Sim — respondeu Reece, impressionada pelo homem ter acompanhado sua conversa enquanto fazia uma venda. — Exatamente.

— Muito específico.

— Uma mulher chamada Deena Black tinha um. Ela está desaparecida. Como dizia que fora um presente, queremos encontrar a pessoa que o comprou. Talvez ele saiba alguma coisa sobre o paradeiro dela.

— Compreendo — disse ele no mesmo tom educado. — E os senhores trabalham para a polícia?

— Não, apenas queremos descobrir onde ela está. Só queremos saber o nome da pessoa que comprou o colar.

— Ano passado, tivemos várias peças com luas, estrelas, sóis, planetas. Nossa linha Universo de Pedras. Foi um sucesso de vendas no Natal. Infelizmente, não posso passar os dados do cliente, a menos que a polícia me procure com um mandado. Mesmo se esse fosse o caso, seria demorado, porque todas essas peças estão registradas no inventário do ano passado. E algumas devem ter sido pagas em dinheiro, e não haveria registros sobre o cliente nesse caso.

— E quando ele foi vendido, qual foi o valor?

Delvechio ergueu as sobrancelhas diante da pergunta de Brody.

— Não sei avaliar quando, não com certeza absoluta.

— Pode chutar? Não precisamos de um mandado para uma estimativa de tempo e preço.

— Não. Essa coleção, com essas peças, foi vendida entre outubro do ano passado até janeiro. O colar que descreveram deve ter saído por volta de três mil.

— A pessoa que comprou essa joia sabe o que aconteceu com ela — insistiu Reece.

— Se for mesmo o caso, os senhores deviam entrar em contato com a polícia. Dito isso, não posso dar mais informações. Com licença.

Ele seguiu para os fundos da loja e fechou a porta com firmeza. Depois de hesitar por um instante, foi até o computador e abriu os dados de vendas. Assentiu com a cabeça ao ver o nome e a transação.

Sua memória era excelente, assim como sua lealdade aos seus clientes.

Ele pegou o telefone e fez uma ligação.

Capítulo vinte e nove

⌘ ⌘ ⌘

— Três mil não é pouco dinheiro — comentou Brody no caminho de volta para casa.

Reece continuou olhando pela janela com o cenho franzido. As sombras se alongavam enquanto o sol descia pelo extremo oeste, com as montanhas se agarrando a qualquer resquício de luz que restava no horizonte.

— Um homem só entra em uma loja daquelas quando resolve comprar um presente importante. E, como você disse, ninguém dá presentes importantes para alguém com quem está só transando.

— Então era um relacionamento sério.

Reece se virou para encará-lo.

— Ele não queria ser visto com ela, se escondia. Como isso é sério? Acho que "obcecado" ou "enfeitiçado" seriam definições melhores. Deena estava usando esse cara, e era mútuo.

— Certo.

— Até onde a gente sabe, ela trabalhava como stripper em uma boate, vivia insatisfeita, reclamava de tudo. Levava um monte de homens pra casa, tinha uma moto e não se incomodaria em pagar o aluguel com favores sexuais. E talvez por dinheiro.

— Você acha que ela devia cobrar alguns dos caras.

— Parece provável. Mas esse sujeito era diferente. Ele pede exclusividade, e ela cede. Talvez também quisesse, talvez visse essa oportunidade como um investimento. Se Delvechio estava falando a verdade, pelo pouco que disse, deve ter sido um presente de Natal. Um homem não compra uma joia cara como presente de Natal para uma mulher que ele só está comendo. Especialmente uma que se impressionaria com brincos de cinquenta pratas.

— Vocês, mulheres, julgam demais umas às outras — comentou Brody depois de um minuto.

— Ela não era inocente nem muito legal, pelo que todo mundo disse. Não merecia ser estrangulada, mas também não caiu de paraquedas ali. Só estou dizendo que esse homem estava deslumbrado. Obcecado. Com certeza, estava saindo com ela às escondidas, na surdina, mas Deena era importante. Ou, pelo menos, foi por um tempo. — Ela se virou de novo. — Então, quem na lista gastaria três mil dólares com uma amante sem que ninguém percebesse?

— Eu diria que qualquer um. Alguns moram sozinhos, e a conta bancária só diz respeito a eles. Os que moram com alguém costumam guardar um dinheiro em outro lugar, do mesmo jeito que as mulheres fazem.

— Mas, depois de um tempo, esse dinheiro acaba. Talvez isso tenha sido parte do problema.

— Deena queria mais.

— Não faria sentido? "Por que você não me leva a algum lugar legal? Estou cansada de morar nesse buraco. Quando podemos viajar?" E coisas assim. Os dois estariam juntos havia meses. Ela ia querer algo mais.

— E o deslumbramento acaba uma hora — decidiu Brody —, assim como o dinheiro.

— O lado escuro da lua — murmurou Reece. — Isso chamou minha atenção por algum motivo. Será que eu vi o colar quando ele a estrangulou? Não consigo me lembrar direito. Mas tem alguma coisa aí.

— Nos livros, contaríamos tudo que descobrimos para a polícia, que arrumaria um mandado, conseguiria um nome. Infelizmente, no mundo real, temos um problema chato chamado causa provável.

— Há causa provável — insistiu Reece. — Deena morreu, e a pessoa que comprou aquele colar a matou.

— Não temos provas de que ela esteja morta. Nem de que tenha desaparecido. A mulher, simplesmente, foi embora e teve a bondade de entregar as chaves do apartamento. Mesmo se a gente desse sorte e descobrisse o nome do cara, continuaríamos sem provas. Sem provas definitivas de que ele deu o colar para ela. Nem de que a matou.

Logicamente ele tinha razão, mas Reece estava ficando cansada da lógica.

— Então que diabos estamos fazendo, Brody?

— Recolhendo informações. E conseguimos mais hoje do que ontem.

— Não é suficiente. Por semanas, meses, depois dos assassinatos em Boston, os detetives me diziam que estavam investigando, reunindo informações. Mas nunca houve nenhuma prisão, nunca houve nenhum julgamento, nunca houve nenhum culpado. Eu tive de desistir. Fui obrigada. Mas quantas vezes uma pessoa é capaz de desistir?

— Ninguém está desistindo, Reece. Vamos encontrar uma forma de arrancar o nome do cara do joalheiro. Ou vamos encontrar outra pessoa que saiba de mais alguma coisa. Mas ninguém está desistindo.

Ela passou o próximo quilômetro em silêncio.

— Seria útil ter alguém como você em Boston. Essa teimosia toda teria me ajudado.

— O nome disso é tenacidade.

— É a mesma coisa. — Ela colocou a mão sobre a dele. — Escute, se o seu deslumbramento passar, seja legal quando me der um pé na bunda, está bem?

— Claro. Sem problema.

Isso a fez sorrir enquanto passavam em alta velocidade pelas planícies cheias de flores, em direção a Angel's Fist.

A MÃO DELE tremia ao desligar o celular. Como podiam ter chegado tão perto? Os dois estavam na sua cola. Como ele poderia ter coberto seus rastros com tanto cuidado e, mesmo assim, terem chegado até Deena?

Os dois sabiam o nome dela.

Ele fizera tudo — *tudo* — que podia para se proteger, para esconder aquela parte de si mesmo.

Uma loucura temporária, Deena fora apenas isso. E, quando ele recuperara a razão, se esforçara ao máximo para agir de maneira honrosa.

E, quando a honra não bastara, tivera de tomar as medidas necessárias.

Havia coisas que um homem precisava fazer.

E faria o mesmo agora. Para o bem de todos. Para preservar o que merecia ser preservado.

Os dois não faziam parte de Angel's Fist. Eram desconhecidos, na verdade, mudando aquilo que devia permanecer constante. E teriam de ser removidos, assim como Deena.

Ele precisava virar o jogo.

O MOVIMENTO DO sábado manteve Reece ocupada enquanto ela tentava ignorar o que sabia, o que não sabia e o que queria saber.

Mas não conseguia parar de pensar em Brody revirando a internet em busca de informações sobre Deena Black. Só que saber onde e quando a mulher nascera, onde estudara ou se tinha passagem pela polícia não os ajudaria a encontrar seu assassino. Não na opinião de Reece.

Era bem provável que os dois tivessem se conhecido na boate. O cara dera em cima dela, ou vice-versa. De toda forma, tiveram um caso. Ou um acordo financeiro.

Um homem que não queria que seus amigos e vizinhos soubessem que estava pagando a uma mulher para transar com ele — isso seria vergonhoso.

Primeiro, ele saíra de seu hábitat para frequentar boates de striptease e se relacionar com prostitutas. Uma forma básica de preservar sua reputação.

Mas, então, se envolvera, talvez até acreditasse que estivesse apaixonado por um tempo. O suficiente para comprar presentes caros para ela. Será que fizera promessas? Reece se perguntou.

Homens mais velhos costumavam ficar caidinhos por mulheres mais jovens e saidinhas. Ela tentou imaginar o dr. Wallace ou Mac Drubber com uma mulher como Deena Black. A facilidade com que essas imagens lhe vieram à mente fez com que Reece se perguntasse o que isso dizia sobre ela, sobre eles.

Mas também era possível que ela tivesse conquistado um rapaz que se impressionava fácil, como Denny — ou alguém acostumado a conseguir o que queria com as mulheres, como Don.

Talvez pudessem passar por cima do xerife Mardson — que, até onde ela sabia, poderia ser um assassino frio e sanguinário — e contar tudo que sabiam ou suspeitavam para a polícia de Jackson.

Isso seria mais produtivo do que não fazer nada. E Reece não conseguiria continuar vivendo com aquelas pessoas, cozinhando para elas e se perguntando quem poderia ser um assassino.

— Você está falando sozinha de novo.

Ela deu um pulo e, então, olhou para Linda-gail.

— Talvez.

— Bem, quando terminar sua conversa e estiver na hora do seu intervalo, pode dar uma olhadinha em uma coisa?

— Claro. O quê?

— Um vestido que comprei pela internet. Acabou de chegar. Fui correndo buscar no correio durante o meu intervalo. Meu Deus, espero que caiba. Só queria sua opinião.

— Tudo bem, só preciso...

— Se vocês duas vão ficar paradas na minha cozinha falando de moda, é melhor tirar o intervalo agora. — Joanie se aproximou, tomando conta da chapa. — Sejam rápidas.

— Obrigada, Joanie.

Linda-gail agarrou o braço de Reece e a puxou para fora da cozinha, entrando na sala da chefe.

— Paguei mais do que deveria — disse ela enquanto arrastava Reece para dentro. — Mas fiquei apaixonada. — Ela o tirou de onde o pendurara atrás da porta e o segurou diante do corpo. — O que acha?

O vestido era curto, tomara que caia, verde como uma folha de primavera, em um tom suave. Reece pensou que Linda-gail ficaria um arraso com ele.

— É maravilhoso. Sexy, mas discreto. E vai ficar lindo com seu cabelo.

— Jura? Graças a Deus. Agora, se ele não entrar em mim, vou me matar.

— Ou talvez você devesse tentar algo mais radical, tipo trocá-lo pelo tamanho certo.

— Não dá tempo. Preciso dele para hoje à noite. Tenho um encontro especial com Don, nas palavras dele. Ele pediu que eu usasse alguma coisa bonita. — Ela se virou e ajeitou o vestido diante do espelho. — Esse aqui é bem bonito.

Reece sentiu um frio na barriga.

— Aonde vocês vão?

— Ele não quer me contar. Está cheio de segredos. Eu queria ter ido a Jackson retocar meu cabelo, mas tive de pintar sozinha. Não está muito ruim, né?

— Não, está bom, está ótimo. Linda-gail...

— Hoje é a noite do ultimato. — Ela afofou o cabelo com uma das mãos enquanto virava na diagonal na frente do espelho. — Ele precisa me explicar, e muito bem explicado, por que mentiu para mim no outro dia. Ele sabe o que está em jogo.

— Linda-gail, não vá.

— O quê? Por que não?

— Só espere um pouco. Não saia com ele por aí enquanto você não souber o que está acontecendo.

— Eu vou sair com ele por aí para saber o que está acontecendo. — Tomando cuidado, ela pendurou o vestido na porta de novo e alisou a saia. — Don jurou que não estava com outra mulher, e acreditei. Se a gente vai dar certo, preciso dar a ele uma chance de se explicar.

— E se... E se ele estava envolvido com alguém? Antes. Envolvido de verdade.

— Don? Envolvido de verdade? — Linda-gail soltou uma gargalhada. — Sem chance.

— Mas como você pode saber de uma coisa dessas? Como pode ter certeza?

— Porque presto atenção em Don desde os meus quinze anos. Ele nunca se envolveu de verdade com ninguém. — O rosto bonito da garçonete se encheu de determinação. — Não do jeito que está comigo, e é assim que as coisas vão continuar. O que deu em você? Achei que gostasse dele.

— Eu gosto. Mas Don não foi sincero com você.

— Pois é. E isso vai mudar a partir de agora. Posso gostar do que ele me contar hoje à noite, ou não. E aí resolvo se vamos continuar juntos. Mas, de qualquer forma, quero estar deslumbrante.

— Só... me ligue. Para o meu celular. Ligue pra mim quando chegarem aonde vão e depois que ele se explicar.

— Minha nossa, Reece.

— Só me faça esse favor. Vou ficar preocupada se você não fizer isso. Só me faça esse favor, Linda-gail. Por favor.

— Tudo bem, faço. Mas vou me sentir bem idiota.

Era melhor ser idiota, pensou Reece, do que estar morta.

NO COMPUTADOR, Brody fazia progresso. Ele sabia que Deena Black nascera em Oklahoma, em agosto de 1974, terminara o ensino médio e fora fichada algumas vezes por prostituição, uma vez por baderna e duas por agressão — a segunda agressão a fizera passar três meses na cadeia.

O relatório de crédito dela era péssimo. Não que ela fosse se preocupar muito com isso agora, ou até quando estava viva.

Ele conseguira rastreá-la até seus dois últimos empregos e residências. Ela não recebera referências muito boas dos estabelecimentos em que trabalhara — uma boate de striptease em Albuquerque e um bar de motoqueiros em Oklahoma City —, e seu último senhorio ainda estava amargurado quanto aos dois meses de aluguel que ela não pagara.

Havia um casamento e um divórcio — ambos envolvendo um tal de Paul J. Titus, cumprindo pena em Folsom atualmente por assalto à mão armada. Uma busca rápida mostrara que aquela não era a primeira visita de Titus à prisão estadual.

— Você não era uma cidadã de bem, era, Deena?

Mesmo assim, do seu jeito, a mulher era linda. Brody olhava para uma foto 3x4 dela agora, aberta em sua tela, e admitia que havia algo extremamente sexy nela.

— A garota rebelde — disse ele em voz alta —, que sabe que é má e quer continuar assim. E que deixa bem claro que você também vai gostar disso.

De acordo com as informações que encontrara, ela ainda tinha parentes em Oklahoma. A mãe, com apenas dezessete anos a mais que a filha. Sempre havia a possibilidade de Deena manter contato e ter dito à mãe o que parecia não ter contado a mais ninguém: o nome do cara com quem estava envolvida.

Então, como agir? Um velho amigo de Deena tentando encontrá-la? Falante, simpático. Um policial do Wyoming tentando descobrir informações sobre conhecidos dela? Ríspido, durão.

Era bem provável que ele não descobrisse nada, de toda forma.

Brody decidiu fazer um intervalo e descansar a mente antes de tentar entrar em contato com a mãe de Deena.

Antes que pudesse se levantar, o telefone tocou.

A voz familiar o fez relaxar de novo. O pedido estranho, mas interessante, o fez refletir.

Dez minutos depois, Brody saía de casa e dirigia para fora da cidade.

Ele olhou para a Comida dos Anjos enquanto passava. Se aquilo desse certo, esperava ter uma solução para Reece em duas horas.

TUDO COMEÇAVA agora. E não havia mais como voltar atrás — nada de arrependimentos, nada de erros. Seria arriscado, e ele precisaria agir com precisão, no tempo perfeito. Mas precisava fazer aquilo. Precisava.

A cabana era o lugar certo para o primeiro passo. Tranquila e isolada, sob o abrigo da floresta, do pântano. Ninguém os procuraria ali. Assim como ninguém procurara Deena.

Quando tivesse terminado, teria horas para se certificar de que tudo seria resolvido da maneira correta. Ele cobriria os rastros, como sempre. E tudo voltaria ao que era antes. Ao que era antes. Da forma como deveria ser.

— CERTO, DON, quero saber aonde estamos indo.

— Quem tem que saber sou eu.

Linda-gail cruzou os braços e tentou um olhar ríspido, mas ele não caiu nessa.

Aquele não era o caminho para Jackson Hole. Por dentro, ela estava torcendo para irem a um jantar chique em um restaurante especial. Um lugar onde poderia exibir o vestido novo.

Mas ele não seguia para lá. Na verdade...

— Se está achando que vou me sentar diante de uma fogueira com esse vestido, é mais doido do que eu achava.

— A gente não vai acampar. E esse vestido é de matar mesmo. — Ele a encarou com um olhar rápido e ávido. — Espero que o que esteja por baixo seja tão letal quanto.

— Pelo andar da carruagem, você não vai ver o que está por baixo.

— Quer apostar?

Don abriu um sorriso convencido e fez uma curva.

Agora, ela viu para onde estavam indo e começou a fumegar de raiva.

— Acho melhor você dar meia-volta e me levar pra casa.

— Se você ainda estiver pensando assim daqui a dez minutos, eu te levo.

Don estacionou diante do chalé pensando em todos os planos e preparativos. A ansiedade ameaçava surgir, mas foi ignorada.

Ele chegara longe demais para desistir agora.

Como Linda-gail não se mexeu, Don saltou, deu a volta e abriu a porta do carona. Provavelmente, era melhor assim mesmo, já que ela estava com aquele vestido sexy e ele usava seu melhor terno.

— Só entre comigo, querida. Não seja teimosa. — Ele a domou e persuadiu como se ela fosse uma égua rebelde. — Senão vou ter de levá-la no colo.

— Tudo bem. Vou ligar para Reece e pedir que ela venha me buscar assim que puder.

— Acho que você não vai ligar para ninguém — murmurou Don e a puxou para o chalé. — A gente não devia ter vindo tão cedo, mas você queria tanto sair logo. Eu queria ter chegado junto com o pôr do sol.

— Pois é, chegamos antes.

Linda-gail entrou batendo os pés, determinada a pegar o celular e ligar para Reece. Mas ficou surpresa demais para fazer qualquer coisa além de encarar a cena à sua frente.

PELA TERCEIRA vez em dez minutos, Reece olhou para o relógio. Por que Linda-gail não tinha ligado? Por que ela não conseguira convencê-la a não sair com Don naquela noite?

Mais cinco minutos, jurou a si mesma, e então ela mesma ligaria. Não importava se aquilo parecesse loucura, Reece ia descobrir onde a amiga estava. E se certificaria de deixar bem claro para Don que ela sabia.

— Ficar encarando o relógio não vai fazer o tempo passar mais rápido. Você só vai sair às dez. — Joanie serviu o cozido de uma panela com uma concha. — E nem pense em pedir para sair mais cedo. Já estou sem uma garçonete.

— Não vou sair mais cedo. É só que Linda-gail disse que me ligaria para avisar que estava tudo bem e não ligou.

— Imagino que ela esteja ocupada demais para pensar em ligar para você. Não é que a danada me convenceu a tirar folga hoje? Num sábado, ainda por cima. Ela e meu filho estão se juntando contra mim. Dois idiotas, isso, sim. Só querem saber de raios de sol, rosas e luz do luar. Bem, aqui a gente se preocupa com hambúrgueres, cozidos e filés, então termine logo esse pedido.

— O quê? O que você disse?

— Eu mandei você terminar o pedido.

— Raios de sol e luz do luar. Lembrei. Ai, ai, meu Deus! Lembrei. Já volto.

Com as mãos na cintura e o queixo erguido, Joanie firmou os pés.

— Garota, você não vai sair dessa chapa até eu mandar.

— Dois minutos.

— Em dois minutos, esse hambúrguer vai estar queimado.

— Droga.

Mas Reece correu para terminar o pedido.

HAVIA UMA mesa diante da lareira do chalé. Nela, uma toalha branca e um vaso azul cheio de rosas constituíam parte da decoração. Havia também velas e pratos bonitos. Mais surpreendente ainda, ao lado da mesa, um suporte abrigava um balde prateado com uma garrafa de champanhe dentro.

E, quando Don encontrou o controle remoto e ligou o som, Wynonna Judd começou a cantar suavemente uma balada romântica.

— Isso tudo é pra quê? — perguntou Linda-gail, confusa.

— Para o nosso encontro de sábado à noite. — Animado para fazer sua parte agora, Don tirou o xale dos ombros dela. Deixando-o de lado, ele caminhou pelo cômodo, acendendo as velas. — Achei que estaria um pouco mais escuro, mas está tudo bem.

— Tudo bem — repetiu ela, embasbacada. — Don, que coisa linda.

A cabeça empalhada de um carneiro-selvagem não destoava da decoração. A luminária com um urso escalando a árvore que formava sua base apenas tornava tudo mais bonito por algum motivo misterioso.

E, apesar de estarem quase em junho e a temperatura começar a esquentar, Don se agachou diante da lareira para acender o fogo; a lenha já posicionada.

— Sua mãe sabe disso?

— Claro. Ela não aluga muito esse chalé desde que... Sabe, aquele cara se matou aqui. — Ele parou e fez uma careta. — Isso não acabou com o clima, acabou?

— O quê? Não. Não.

— Ótimo. Mesmo assim, tive que perguntar a ela se eu podia vir para cá... e pedir que ela preparasse alguma coisa fácil de esquentar para a gente jantar. Ela não gostou muito da ideia. Na verdade, está meio irritada com a gente. Mas acho que isso vai mudar quando contarmos o motivo por trás de tudo.

— O motivo por trás de quê?

Don se levantou, se afastando da lareira, se virou e sorriu.

— Já vou chegar lá. Agora, que tal eu abrir o champanhe?

E, nossa, como ele estava lindo hoje, pensou Linda-gail. Com aquele cabelo bonito queimado pelo sol, o corpo esbelto e delicioso todo elegante em um terno cinza.

— Boa ideia. — Ela seguiu para a mesa e roçou os dedos pelas pétalas aveludadas de um botão de rosa. — Você me deu rosas uma vez.

— No seu aniversário de dezesseis anos. Acho que o intervalo entre as entregas foi grande demais.

— Pois é. Mas acho que a gente precisava disso. Foi você que arrumou tudo?

— Não foi tanta coisa assim. O segredo foi resolver tudo na surdina.

Don deu uma piscadela enquanto começava a servir o champanhe. — Eu queria que fosse especial, mas, se você tenta fazer algo especial por aqui e alguém descobre, todo mundo fica sabendo. Precisei ir a Jackson para comprar essas rosas. Imaginei que, se eu pedisse a Mac que as encomendasse, ele ia querer saber o porquê e ficaria criando teorias com todo mundo que entrasse na mercearia. A única pessoa que conheço em Angel's Fist que consegue guardar segredo é minha mãe. Então, só ela sabe que estamos aqui. Quase acabei contando o restante para ela, mas...

— O restante?

Quando a rolha estourou, ele comemorou com um grito de felicidade.

— É um bom som, não acha? Chique.

— Que restante?

— Ela, ah... Há algumas coisas suas no quarto. Para caso você queira dormir aqui.

— Você entrou na minha casa, mexeu nas *minhas* coisas?

— Não. Minha mãe fez isso. Não fique irritada. Aqui. — Ele lhe passou uma taça. — Era só para garantir. Quer fazer um brinde? Que tal a surpresas, a muitas surpresas?

Os olhos de Linda-gail se estreitaram, mas ela bateu a taça na dele. Não ia perder a oportunidade de tomar uma taça de champanhe.

— O chalé está lindo, Don, de verdade, e isso tudo é muito fofo. Mas nós dois temos de conversar, e não vou deixar flores e champanhe me distraírem.

— Achei que não deixaria mesmo, mas talvez a gente pudesse relaxar, jantar e...

— Don, eu preciso saber por que você mentiu para mim. Concordei em esperar até hoje e vou ser sincera e dizer que quero muito me sentar àquela mesa bonita para tomar um champanhe e jantar com você. Quero aproveitar a noite e pensar em como é bom ter alguém se dando a tanto trabalho por mim. Mas não vou conseguir. Não enquanto não souber.

— Eu tinha planejado as coisas de um jeito diferente, mas tudo bem. — Na verdade, ele achava que a ansiedade não o deixaria guardar segredo até o fim do jantar. — Vamos para o quarto.

— Não vou para o quarto com você.

— A ideia não é tirar a roupa. Pelo amor de Deus, Linda-gail, será que dá pra me ouvir uma vez na vida? Só venha comigo.

— É melhor que isso seja bom — resmungou ela, deixando o champanhe na mesa antes de seguir com ele para a porta do quarto.

Havia mais velas que ele ainda não acendera, mais flores sobre a cômoda. Uma única rosa estava depositada sobre o travesseiro. Nunca na vida Linda-gail presenciara algo tão romântico. Seu coração ansiava tanto por aquilo que ela precisou se segurar para não beijá-lo por inteiro.

— É tudo muito bonito e romântico. E não vai funcionar, Don.

— Aquela ali é sua rosa especial. Você precisa pegá-la. A que está na cama. Por favor — disse ele quando ela não se mexeu. — Só faça isso.

Suspirando, Linda-gail atravessou o quarto e pegou a rosa.

— Pronto, você está... — Enquanto ela se virava, a fita de seda presa ao caule balançou e algo preso nela roçou de leve em seu antebraço, brilhando e refletindo a luz.

— Ai, meu Deus.

— Agora, talvez você pare de reclamar. — Cheio de si, Don tirou a aliança da fita. — Fui comprar o anel na noite em que disse que estava trabalhando. Eu queria guardar segredo, só isso. Se contasse aos caras que ia comprar um anel de noivado, eles me encheriam o saco até eu meter a porrada em alguém. Então menti pra você, porque não queria que soubesse dos meus planos. Queria te dar isso e fazer o pedido em um momento especial. Como esse.

O coração de Linda-gail estava em êxtase. Então era essa a sensação de ser pedida em casamento pelo amor da sua vida.

— Você mentiu para ir comprar a aliança?

— Isso mesmo.

— E não quis me contar quando eu descobri que você tinha mentido.

— Eu não queria que a gente estivesse brigando na hora em que eu te desse a aliança. Antes ou depois não teria problema, mas não durante.

— Você fez isso, tudo isso, por mim.

— Já estava na hora de eu começar. Gostou? Do anel?

Ela nem tinha olhado direito. A *ideia* daquilo, de tudo, era tão grandiosa. Mas Linda-gail olhou para o brilho do diamante no anel de ouro. Tão simples e tradicional quanto um pedaço quente de torta de maçã. E absolutamente perfeito.

— Adorei. Amei, de verdade. Mas tem um problema.

— O quê? O que foi agora?

Ela ergueu o olhar e sorriu.

— Você ainda não me pediu. Não oficialmente.

— Você vai ter que se casar comigo, Linda-gail, e me salvar de desperdiçar minha vida com mulheres fáceis. Se fizer isso — continuou Don quando ela deu uma risada engasgada —, vou te fazer a mulher mais feliz do mundo.

— Vou fazer isso. — Ela ofereceu a mão para a aliança — E te fazer o homem mais feliz do mundo também. — Assim que o anel encaixou em seu dedo, Linda-gail pulou nos braços dele. — Esse é o melhor encontro de sábado à noite de todos os tempos.

Quando suas bocas se encontraram, ela pensou ter escutado um carro passar na estrada lá fora. Mas estava ocupada demais para se importar.

Na cidade, Reece voava pela rua. Ela ainda estava de avental, que batia em suas pernas enquanto corria. As pessoas paravam para encará-la ou se afastavam antes de serem atropeladas. Ela escancarou a porta do Na Trilha.

— O colar.

Mostrando uma série de mochilas para dois clientes, Debbie se virou.

— Reece. — Seu olhar exibia surpresa, seguido por uma irritação levemente bem-humorada. — Já falo com você.

— Você tem um colar.

— Com licença — disse a mulher para os clientes —, só um minuto. — Com seu sorriso de vendedora posicionado, Debbie se aproximou e segurou o braço de Reece com firmeza. — Estou ocupada.

— Um pingente de sol em um colar de ouro.

— De que raios está falando? — quis saber Debbie, sussurrando.

— Eu sou maluca, lembra? Responda, senão vou fazer um escândalo. Eu vi você usando aquele colar.

— E daí?

— Um sol — repetiu Reece. — Veio da Delvechio's, em Jackson.

— Muito bem, ponto pra você. Agora, vá embora.

Em vez disso, Reece a encarou; seus narizes praticamente se encostando.

— Quem te deu aquele colar?

— Rick, é claro. No último Natal. Qual é o seu *problema*?

— Você é o raio de sol dele — murmurou Reece. — Eu o ouvi falando isso. O oposto do lado escuro da lua.

Debbie deu um passo para trás.

— Você é realmente maluca. Quero que saia daqui.

— Onde ele está? Onde está o xerife?

— Solte meu braço.

— Onde?

— Em Moose. Ele tem uma reunião hoje. Mas, em dois segundos, vou ligar pra delegacia e pedir a Denny que venha tirar você daqui.

— Pode ligar pra quem você quiser. Onde ele estava na noite em que invadiram a cabana de Brody?

— Que invasão? — perguntou Debbie com escárnio. — Ou está falando da noite em que você imaginou, de novo, que tinha alguém lá?

— Onde ele estava, Debbie?

— Em casa.

— Acho que não.

— Já perdi minha paciência com você. Estou dizendo que meu marido estava em casa, na oficina que tem na garagem. E ele teria mais tempo livre para fazer coisas de que gosta se não fosse por pessoas como você, que o obrigam a sair de casa por causa de alarmes falsos e burrice. Eu mesma tive de ir até lá chamá-lo quando Hank ligou.

— Ué, a oficina não tem telefone?

— Ele estava ouvindo música, e a serra... — Debbie se empertigou. — Já chega dessa palhaçada. Tenho clientes para atender, quero terminar meu trabalho, voltar pra casa, ver um filme com minhas filhas e comer pipoca. Algumas pessoas têm uma vida normal.

E outras apenas acreditavam que tinham, pensou Reece. Ela sentiu pena. Essa crença de Debbie estava prestes a ser destruída.

— Sinto muito. Sinto muito mesmo.

— E vai sentir mais ainda — respondeu a mulher enquanto Reece se virava para a porta.

Ela tirou o celular do bolso enquanto corria de volta para a lanchonete. Então, soltou um palavrão quando a secretária eletrônica de Brody atendeu ao quarto toque.

— Droga. Me ligue assim que puder. Vou tentar seu celular.

Mas ele também foi direto para a caixa postal.

Frustrada, já que sabia que bastava ele sair da cabana e andar três metros em qualquer direção para perder o sinal, ela enfiou o aparelho de volta no bolso.

Estava tudo bem, disse a si mesma. Rick estava em Moose, e, mesmo que Debbie ligasse para ele a fim de reclamar da maluca de Reece Gilmore quando chegasse em casa, o xerife levaria mais ou menos duas horas para voltar. Talvez mais.

Isso lhe daria tempo para pensar no que fazer. Então, quando jogasse aquela bomba em cima de Brody, seus pensamentos estariam organizados.

Seria melhor assim. Já seria complicado o suficiente contar a ele que seu amigo era um assassino.

BRODY AVISTOU a picape de Don quando passou pelo chalé de Joanie. Será que foi ele mesmo que Reece vira em Jackson naquele dia? Ele odiava o fato de seu primeiro pensamento ser que sabia a localização de um dos suspeitos. Sua maior esperança era que, na próxima hora, descobrisse a identidade do homem que Reece vira às margens do rio. E que ela conseguisse se livrar de tudo aquilo.

Brody queria que ela se livrasse de tudo aquilo.

Ele cogitou comprar tulipas. Talvez devesse mesmo. Quem sabe pudessem passar alguns dias fora da cidade para esperar a poeira baixar? Reece precisaria dar depoimentos, responder a perguntas. E se tornar o centro das atenções, pelo menos por um tempo.

Seria difícil, mas ela aguentaria o tranco.

E, depois, os dois também teriam de tratar de coisas muito sérias. Ele ia comprar a cabana de Joanie e construir o escritório novo, a tal varanda. E Reece Gilmore ficaria ali. A seu lado.

Ele poderia suborná-la com um jogo de panelas chiques. Da Sitram. Elas vão ficar na minha cozinha, magrinha, e você também. A imagem o fez sorrir. Reece gostaria de ouvir isso. E entenderia.

Brody pegou uma saída silenciosa e isolada, que serpenteava entre os pinheiros, e estacionou diante do chalé.

Rick saiu para a varanda, o rosto inexpressivo, os olhos sérios. Ele desceu os degraus enquanto Brody saía do carro.

— Obrigado por vir. Vamos conversar lá dentro.

Capítulo trinta

⌘ ⌘ ⌘

MAIS OU menos na hora em que Reece tentava ligar para seu celular, Brody entrava na cozinha do chalé da família Mardson.

— Acabei de passar um café — disse Rick, e serviu uma xícara para Brody.

— Obrigado. A Polícia Estadual ainda não chegou?

— Estão a caminho. Acho melhor nos sentarmos para esperar.

— Você disse que não queria dar detalhes pelo telefone

— É uma questão muito complicada. Muito delicada. — Rick misturou açúcar e leite no café do amigo. Depois, esfregou a nuca. — Nem sei por onde começar, o que pensar. — Ele seguiu na frente para a sala e se sentou em uma poltrona enquanto Brody ocupava o sofá xadrez vermelho-ferrugem e cinza. — Obrigado por ter vindo até aqui para que não causássemos muito alarde

— Sem problema. Mas acho melhor avisar que temos quase certeza de que identificamos a vítima. Deena Black, de Jackson.

Inclinando-se para a frente na poltrona, Rick estreitou os olhos.

— Como vocês ficaram sabendo disso?

— Então — murmurou Brody enquanto tomava o café —, acertamos de primeira. Seguimos uma pista que recebemos sobre o desenho e descobrimos o nome dela em Jackson.

— É humilhante ter de admitir que dois civis resolveram o caso praticamente ao mesmo tempo que eu. — Rick balançou a cabeça, apoiando as mãos nos joelhos. — Primeiro, preciso dizer que devo um grande pedido de desculpas a Reece. Nunca acreditei nela, não o suficiente. Não no fundo. Talvez eu não tenha investigado tanto quanto deveria por causa disso. Preciso assumir essa culpa.

— Mas você acredita nela agora.

Rick se recostou na poltrona.

— Sim. Eu achava que talvez ela tivesse visto alguma coisa quando recebemos o aviso de que encontraram aquela mulher. Mas Reece não a identificou...

— Ela era Deena Black?

— Não, acabou que era uma moça de Tucson, que fugiu de casa. Pegaram os dois caras que fizeram aquilo. Pelo amor de Deus, ela estava pegando carona na estrada. Mas, pelo menos, já descobriram o que aconteceu.

— Então Reece também estava certa sobre isso.

— Eu diria que ela estava certa sobre muitas coisas. Fiquei bobo quando o pessoal da Polícia Estadual entrou em contato. Avisei a eles sobre o que Reece disse ter visto, Brody. Fiz isso. Conferi o registro de pessoas desaparecidas. Mas... Bem, não insisti como deveria.

— E agora?

— Bem... — Rick desviou o olhar. — Há muitas coisas que eu devia e podia ter feito. Pedi que você viesse até aqui pra gente conversar, Brody, porque queria te contar primeiro. Você ficou ao lado de Reece o tempo todo. Muitos de nós não fizemos o mesmo.

— Ela sabia que tinha visto alguma coisa.

A visão de Brody ficou brevemente turva.

— Pois é, sabia mesmo. — Rick se levantou e foi até a janela. — Não consegui convencê-la do contrário. É uma pena.

— Ela também devia estar aqui.

Brody tomou outro gole de café para acordar. O cansaço estava tomando conta dele como uma névoa.

— E vai estar.

— Quero saber os detalhes antes... — Por que sua voz estava se arrastando como se estivesse bêbado? Quando a sala girou, ele tentou se levantar. Um lapso de compreensão o fez cambalear para cima de Rick. — Seu filho da puta.

— Não posso fazer nada. — Quando Brody caiu, Rick o encarou com um pesar sincero. — Não posso fazer porra nenhuma além disso.

REECE LIGOU mais umas seis vezes para o telefone da casa de Brody e para o celular. Já estava escurecendo. Ela queria ouvir a voz dele, contar o que sabia.

Ela sabia.

E, por saber, se sentia incapaz de cortar mais um pedaço de frango assado ou montar outra montanha de purê de batata.

— Preciso ir, Joanie.

— Chamamos essa hora do dia de correria do jantar. E chamamos você de cozinheira.

— Não consigo falar com Brody. É importante.

— Já cansei desse romance todo atrapalhando a minha vida.

— Isso não tem nada a ver com romance. — Dessa vez, ela tirou o avental. — Sinto muito. De verdade. Preciso encontrá-lo.

— Essa lanchonete não tem uma porta giratória. Se for embora, não precisa voltar.

— Preciso ir.

Reece saiu correndo com os palavrões de Joanie ecoando às costas. O sol já tinha se escondido atrás dos cumes; o lago estava cinza com o crepúsculo.

Ela xingou a si mesma. A insistência de Brody em que não fosse sozinha para o trabalho, agora, significava que teria de voltar andando para a cabana. Mas conseguiu correr pelo primeiro quilômetro e meio, procurando na penumbra a luz que ele acenderia ao cair da noite.

Brody tinha saído para tomar uma cerveja, disse a si mesma. Ou fora dar uma volta para espairecer. Ou estava tomando banho, ou fora fazer uma caminhada.

Onde quer que estivesse, ele estava bem. Muito bem.

Não havia nenhum motivo para entrar em pânico.

Mas para quem pedir ajuda quando o principal policial da cidade era um assassino?

Poderia ligar para a Polícia Estadual, isso, sim. Assim que conversasse com Brody.

O raio de sol e o lado escuro da lua. Rick Mardson comprara aqueles colares — um para a esposa, outro para a amante. Era ele quem tinha um caso com Deena Black, guardando segredo, tomando precauções para que ninguém os visse juntos.

E a matara. Não havia outra possibilidade.

Entrar e sair do apartamento em cima da lanchonete seria mais fácil para ele do que para qualquer outra pessoa. Quem não estava acostumado a ver o xerife andando pela cidade? Rick saberia como conseguir as chaves, bem como fazer cópias. Ou como esconder o fato de que arrombara a porta.

Para cobrir seus rastros.

Reece diminuiu o ritmo, recuperando o fôlego, lutando contra outro ataque de pânico. Algo caiu nas águas do lago e fez balançar a grama comprida às margens. E ela saiu correndo de novo, com o coração martelando no peito.

Precisava entrar, trancar as portas.

Encontrar Brody.

Sua respiração engasgou quando viu sombras perto do lago, mas engoliu o grito ao ver o trio de alces se hidratando para a noite.

Reece desviou-se dos animais, correu para mais perto dos salgueiros, dos cnoupos, e finalmente chegou à terra batida da entrada da cabana.

O carro de Brody não estava estacionado ao lado do seu. E a cabana estava escura.

Ela se atrapalhou com as chaves que ele lhe dera, precisou apoiar a cabeça na porta. Era difícil, muito mais difícil, entrar no escuro do que deixar a escuridão para trás.

— Seis vezes um, seis — começou ela, lutando para enfiar a chave na fechadura. — Seis vezes dois, doze. — Reece entrou, batendo na parede em busca do interruptor. — Seis vezes três, dezoito. — Puxe o ar, solte o ar. — Seis vezes quatro, vinte e quatro.

Ela trancou a porta, se apoiando na madeira até o pior da crise de ansiedade passar.

— Ele não está aqui. Mas já vai voltar. Talvez tenha deixado um bilhete. Só que Brody nunca deixa bilhetes. Não é do seu feitio. Mas, quem sabe, dessa vez.

A cozinha primeiro, decidiu Reece. Verificaria a cozinha primeiro. Enquanto andava, ela foi acendendo as luzes, afastando a escuridão. Havia restos de café na cafeteira, um saco de pretzels aberto sobre a bancada.

Ela verificou a cafeteira — estava fria. Então, olhou a geladeira — havia um estoque de cerveja e de Coca.

— Então ele saiu para comprar outra coisa, só isso. E deve parar na lanchonete para me buscar na volta. Estou sendo burra. Só burra.

Reece pegou o telefone da cozinha com a intenção de tentar ligar para o celular dele de novo.

Mas ouviu um carro estacionando.

— Ai, meu Deus, graças a Deus! — Depois de bater o telefone no gancho, ela saiu correndo da cozinha, indo até a porta da casa. — Brody. — Reece abriu a porta e encontrou a enorme SUV preta dele. — Brody? — chamou de novo, quase gemendo de frustração. — Por que você sumiu? A gente precisa conversar.

Ao ouvir um som às suas costas, Reece virou, aliviada. Então, teve o vislumbre de um punho borrado, sentiu a explosão da dor e voltou à escuridão.

Quando recuperou a consciência, sua mandíbula doía como se estivesse com um dente cariado. Com um gemido, ela tentou levar uma das mãos ao rosto, mas descobriu que seus braços estavam presos atrás das costas.

— Foi só um peteleco — disse Rick. — Não senti prazer nenhum em bater em você. Mas era a maneira mais rápida.

Reece se debateu, tendo um momento enlouquecido de pânico extremo e negação.

— Você está algemada — disse ele em um tom calmo, olhando para a frente enquanto dirigia. — Está com uma folga nos pulsos. Não deve estar doendo, e sua pele, provavelmente, vai ficar sem marcas. É melhor assim. Seu queixo vai ficar roxo, mas, bem, haverá uma luta, então não tem problema.

— Onde está Brody? Aonde está me levando?

— Você não queria falar com ele? Então, nós vamos até lá.

— Ele...

— Brody está bem. Guardei um pouco dos seus soníferos. Dei a ele o suficiente para apagá-lo por duas horas. Talvez três. Tempo suficiente. Ele é meu amigo, Reece. Não precisava ser desse jeito.

— As pessoas acham que sou louca. — Mesmo sabendo que era inútil, ela tentou se soltar. — Mas é *você* que deve ser, se acha que pode me algemar me sequestrar e desaparecer comigo assim.

— No carro de Brody. No escuro. Se alguém nos visse passar, veria duas pessoas no carro dele: você e Brody. É isso que veriam, porque é isso que esperariam ver. E é assim que vai funcionar. Quero resolver as coisas do jeito mais simples possível, o mais rápido possível. É o melhor que posso fazer.

— Você matou Deena Black.

— Eu fiz o que precisava ser feito, não o que eu queria. Que nem agora. — Ele a encarou, e seus olhares se encontraram. — Tentei outros métodos. Tentei tudo em que consegui pensar. Deena não desistia. Que nem você. — Rick voltou a olhar para a frente e fez a curva para o chalé. — Quero que você fique quieta e me obedeça. Se quiser gritar, berrar, se debater, fique à vontade. Não vai fazer diferença. Só que, quanto mais estardalhaço fizer, mais Brody irá se machucar. É isso que você quer?

— Não.

— Então me obedeça, e vai ser mais fácil para todo mundo. — Rick parou o carro, saltou e deu a volta para buscá-la. — Posso machucá-la também, se eu precisar — alertou ele. — A escolha é sua.

— Quero ver Brody.

— Tudo bem.

Rick pegou o braço dela e puxou-a até o chalé.

Então, deu-lhe um empurrãozinho antes de trancar a porta e acender a luz.

Brody estava amarrado a uma cadeira da cozinha; o queixo apoiado no peito. Com um grito abafado, Reece cambaleou na direção dele, caindo de joelhos a seu lado.

— Brody! Ai, meu Deus, Brody!

— Ele não está morto. Só um pouco dopado. — Rick olhou para o relógio. — O efeito já deve estar passando. Quando ele acordar, vamos fazer um passeio e acabar com isso.

— Acabar com isso? — Reece se virou, odiando o fato de que estava ajoelhada diante dele. — Você acha que só porque se safou de matar alguém uma vez vai assassinar nós dois sem que ninguém descubra? Não vai dar certo. Não agora.

— Vai ser um assassinato seguido de suicídio. É isso que vai parecer. Você o convenceu a vir até aqui e foram andando até onde a suposta mulher morreu. Então o dopou. A garrafa térmica de Brody está ali. — Rick sinalizou com a cabeça a mesinha ao lado do sofá. — O café dentro dela está batizado com seus soníferos. Quando encontrarmos os corpos o frasco vai estar no seu bolso.

— Por que eu machucaria Brody? Por que qualquer um acreditaria que eu machucaria Brody?

— Você teve um surto psicótico, foi isso. Teve um surto e dopou Brody para ele não entender o que estava acontecendo. Deu um tiro nele e, depois, atirou em si mesma. Pegou a arma que Joanie deixa na gaveta da mesa dela. Suas impressões digitais vão estar na arma, sua mão terá resíduo de pólvora. São evidências físicas, e seu comportamento dá credibilidade.

— Que mentira! Isso é mentira. Já liguei para a Polícia Estadual e contei sobre Deena Black.

— Não ligou nada. Vou abrir suas algemas agora. Se tentar fugir, vou te machucar. E posso dar um tiro em Brody aqui mesmo. É isso que você quer?

— Não. Não vou fugir. Acha que eu o largaria aqui?

Rick se levantou. Um homem paciente, cauteloso. Pegando a chave, abriu as algemas de Reece.

— Sente aqui. — Ele tocou na arma dentro do coldre como aviso. — Não quero problemas. E não quero hematomas nem marcas nos seus pulsos que indiquem ao médico-legista que tenha sido amarrada. Esfregue-os para acelerar a circulação. Agora.

Os braços de Reece doíam muito, e ela tremia enquanto esfregava os pulsos.

— Eu já disse que liguei para a Polícia Estadual e contei tudo.

— Se tivesse feito isso, Brody teria me contado quando chegou. Eu disse a ele que a Polícia Estadual tinha resolvido o caso. Pedi que viesse aqui para conversar comigo e com eles, para saber mais detalhes antes de prendermos o culpado. — Aproximando-se da mesa, Rick pegou um copo de plástico cheio de água e um comprimido que tinha separado. — Quero que tome isso.

Não.

— É seu, pra ansiedade. Talvez ajude um pouco, e quero que encontrem sinais de drogas no seu corpo. Você vai tomar o remédio, Reece, ou vou enfiá-lo pela sua garganta.

Ela pegou o copo e o comprimido

Satisfeito, ele se sentou, apoiando as mãos nos joelhos.

— Vamos esperar alguns minutos para fazer efeito. Depois, a gente começa. Sinto muito por termos chegado a esse ponto, de verdade. Brody é meu amigo, e não tenho nada contra você. Mas preciso proteger minha família.

— Você estava protegendo sua família enquanto trepava com Deena Black?

O rosto de Rick ficou tenso, mas ele assentiu.

— Cometi um erro. Errar é humano. Amo minha esposa, minhas filhas. Nada é mais importante. Mas tenho necessidades, só isso. Duas, três vezes por ano, eu resolvia esse problema. Isso nunca afetou minha vida em casa. Eu diria que era um marido melhor, um pai melhor, um homem melhor, por saber lidar com essas necessidades.

Ele acreditava mesmo naquilo, percebeu Reece. Quantas pessoas se iludiam, se convencendo a acreditar que uma traição podia ser, de certa forma, um gesto nobre?

— Você resolvia esse problema com Deena.

— Uma noite. Era pra ser só uma noite. Que diferença faria para qualquer outra pessoa além de mim? Era sexo, só isso. Coisas de que um homem precisa, mas não quer que a esposa faça. Uma noite entre tantas coisas. Mas não consegui parar. Alguma coisa nela me dominou. Como uma doença. Eu não conseguia largar Deena e, por um tempo, achei que fosse amor. Que eu poderia ficar com as duas.

— A luz e a escuridão — disse Reece.

— Isso mesmo. — Ele sorriu com uma terrível tristeza. — Dei tudo que podia a Deena. Ela continuava querendo mais. O tipo de coisa que seria impossível dar. Achava que eu devia largar Debbie, minhas filhas. Eu jamais faria uma coisa dessas, jamais perderia minha esposa e as meninas. Nós tivemos uma briga feia, e eu acordei. Acho que posso dizer que acordei de um sonho demorado e sombrio. Então, terminei tudo.

— Mas Deena não quis deixar por isso mesmo.

Acorde, Brody, pensou Reece, desesperada. Acorde e me diga o que fazer.

— Ela não parava de me ligar. Queria dinheiro, dez mil, ou contaria à minha esposa. Expliquei que não tinha tanto dinheiro. Deena me disse que era melhor eu dar um jeito se quisesse continuar com minha vidinha perfeita. Como está se sentindo? Mais calma?

— Eu vi vocês conversando no rio. Vi quando a matou.

— Meu plano era só conversar. Eu a convidei para o chalé. A gente costumava vir para cá durante aquele sonho demorado e sombrio. Mas, quando Deena chegou, não consegui ficar com ela aqui, não aqui, não de novo. Talvez você devesse ter tomado dois comprimidos.

— Você a levou para o rio.

-- Eu queria conversar, só isso. Nunca planejei o que aconteceu. A gente foi andando até lá. Falei que talvez conseguisse arrumar dois mil pra começar, se ela fosse embora do Wyoming. Mas, quando as palavras saíram da minha boca, eu já sabia que não ia dar certo. Quando você paga uma vez, nunca mais para. Deena disse que não ia aceitar migalhas. Queria tudo. Eu poderia pegar o dinheiro que guardamos para minhas filhas. Não sei por que contei a ela que temos uma poupança para a faculdade das meninas. Deena queria esse dinheiro. Disse que eu podia esquecer os dez, que agora eram vinte e cinco. Vinte e cinco mil ou eu perderia tudo. Minha esposa, minhas filhas, minha reputação. Eu disse que ela era uma piranha, porque era mesmo, sempre foi. E Deena veio pra cima de mim. Quando a empurrei e disse que estava tudo acabado, ela me atacou de novo, gritando. Você viu como aquela mulher era.

— Sim, eu vi.

— Deena jurou que ia acabar com a minha vida. Não importava quanto eu pagasse agora, ela queria tudo. Ia contar a Debbie todas as sacanagens que já tínhamos feito. Eu não conseguia mais escutar a voz dela. Era como se minha cabeça estivesse cheia de abelhas zumbindo. Mas Deena estava no chão, embaixo de mim, e minhas mãos estavam no pescoço dela. Eu apertei, apertei, até os zumbidos pararem.

— Você não teve escolha. — A voz de Reece soava completamente calma. — Deena te forçou a fazer aquilo. Ela te atacou, te ameaçou. Você precisava se proteger, proteger sua família.

— Sim. Eu precisava. Ela nem era real. Era apenas um sonho.

— Eu entendo. Meu Deus, a mulher estava praticamente apontando uma arma para a sua cabeça. Você não fez nada de errado, Rick. Não machucou ninguém que não tivesse merecido, não fez nada que não fosse absolutamente necessário. Se eu soubesse disso antes, teria desistido.

— Mas você não desistiu. Não importava o que eu fizesse. Meu único objetivo era convencê-la a ir embora da cidade. Apenas ir embora e seguir com a sua vida para eu seguir com a minha.

— Agora eu entendo. Estou do seu lado. Se você deixar Brody e eu irmos embora, tudo isso vai desaparecer.

— Bem que eu queria, Reece. Juro por Deus. Mas você não pode mudar os fatos. Só pode lidar com eles e proteger o que é seu. Acho que um comprimido foi suficiente, no fim das contas. Agora, quero que se afaste de Brody. Já está na hora de ele acordar.

— Se você fizer isso, não merece a esposa e as filhas que tem.

— Quando eu terminar, elas nunca vão descobrir o que aconteceu.

Rick se aproximou de Reece, agarrou sua camiseta e puxou-a para longe.

Enquanto ele se virava para voltar, Brody impulsionou as pernas, se levantando com cadeira e tudo. E arremessou o corpo com força para cima de Rick, jogando os dois no chão.

— Corra! — gritou Brody. — Corra agora!

Reece correu, apavorada e cega de medo, seguindo a ordem como se um interruptor tivesse sido ligado em seu corpo. Cuspindo o comprimido que escondera na bochecha, ela abriu a porta. Enquanto seguia para o lado de fora, ouviu o estrondo, os palavrões, a madeira se quebrando.

E continuou correndo; um grito estridente ecoou em sua mente quando ela ouviu o tiro.

— Ouviu esse barulho? — Linda-gail se apoiou com um cotovelo na cama. — Pareceu um tiro.

— Eu escutei os anjos cantando.

Ela riu e cutucou a lateral do corpo de Don.

— Isso também. Mas ouvi um tiro depois.

— Que estranho... Tiro no Wyoming?

Ele a puxou de volta, fazendo cócegas nas costelas de Linda-gail até ela começar a rir.

— Pare com isso, ou vou... Ouviu *agora*? É alguém gritando?

— Não ouvi nada além do meu coração implorando por mais um beijinho. Vamos, querida, a gente... — Dessa vez foi Don quem parou de falar ao ouvir um estrondo do lado de fora do chalé. — Fique aqui.

Ele pulou da cama, totalmente nu, e saiu do quarto.

Quando Reece entrou de repente, a única coisa que conseguiu fazer foi cobrir suas partes íntimas com uma das mãos enquanto exclamava:

— Meu Deus do céu!

— Ele está com Brody. Ele está com Brody. Vai matá-lo.

— O quê, o quê? O quê?

— Me ajude! Você precisa me ajudar!

— Reece? — Linda-gail se enrolava em um lençol enquanto saía do quarto. — O que é que está acontecendo?

Não havia tempo, pensou ela. Brody podia estar sangrando, morrendo. Como acontecera com ela. Então, viu o rifle exposto em uma caixa de vidro.

— Está carregado?

— É o rifle do meu avô Henry. Peraí — começou Don, mas Reece foi correndo até a caixa. Ela puxou a tampa e viu que estava trancada. Em seguida, se virou, agarrou a luminária de urso e quebrou o vidro. — Pelo amor de Deus, pelo amor de Deus, minha mãe vai matar nós dois!

Enquanto Don tentava agarrá-la, Reece puxou o rifle e girou.

Ele ficou imóvel.

— Querida? Cuidado pra onde aponta esse negócio.

— Peça ajuda. Ligue para a Polícia Estadual!

Deixando os dois boquiabertos, Reece saiu correndo porta afora.

Ela rezou para a reação de Don ser um sinal de que a arma estava carregada. Se estivesse, descobriria como usá-la. E rezou ainda mais para não precisar fazer isso.

Mas aquele sentimento familiar que queimava em sua garganta não era medo; não era o pânico fazendo seu estômago embrulhar. Era raiva, que borbulhava dentro dela, bombeando-lhe o sangue.

Ela não seria inútil dessa vez, não dessa vez, enquanto perdia alguém que amava. Não dessa vez, e nunca mais.

Reece ouviu Rick gritando seu nome e engoliu as lágrimas que ameaçavam cair. Brody não o detivera.

Então, ela parou, fechou os olhos e se obrigou a pensar. Não podia voltar para o chalé. Ele a ouviria, a veria. E acabaria com tudo. Talvez terminasse matando Don e Linda-gail também.

Seria melhor dar a volta. Poderia fazer isso. Rick pensaria que ela continuava fugindo, talvez se escondendo. Não imaginaria que voltaria para lutar.

— Você não tem para onde ir, Reece! — gritou ele. — Eu vou encontrá-la! Aqui é a minha terra, o meu mundo. É tão fácil, pra mim, rastrear você quanto andar pela rua principal da cidade. Quer que eu dê um tiro na cabeça dele enquanto você se esconde, como fez em Boston? Acha que vai conseguir superar uma coisa dessas de novo?

Na frente do chalé, Rick arrastou Brody, que sangrava, e o colocou de joelhos. Pressionou o cano da arma na têmpora dele.

— Chame Reece.

— Não. — Brody sentia um aperto no peito enquanto o cano pressionava com força sua cabeça. — Pense um pouco, Rick. É isso que você faria se a vida da sua mulher estivesse em risco? Você matou para proteger as pessoas que ama. Não morreria por elas?

— Faz só dois meses que você a conhece, e quer que eu acredite que morreria aqui por ela?

— Essas coisas não precisam de tempo. Você sabe quando tem certeza. Ela é a mulher da minha vida. Então puxe o gatilho, se é isso que você precisa fazer. Mas seu plano irá por água abaixo. Esse revólver é sua arma de trabalho, não a pistola de Joanie. Como vai conseguir explicar que Reece me deu um tiro com a sua arma?

— Ajustando o plano. Vou ajustar o plano. Vai dar certo. Chame-a! Agora!

— Está me ouvindo, Reece? — gritou Brody. — Se estiver me ouvindo, continue correndo.

Quando Rick o chutou, ele aterrissou sobre o braço que levara o tiro. A dor foi alucinante.

— Não tenho escolha — disse o xerife, mas agora seu rosto estava pálido, suado. — Sinto muito.

E ergueu a arma.

Tentando não tremer, Reece apoiou o rifle no ombro. Puxou o ar, prendeu-o. E apertou o gatilho.

Parecia uma bomba explodindo. Parecia que algo havia estourado em suas mãos enquanto o recuo a jogava para trás. Reece caiu, chocando-se contra o chão. E, por conta disso, o tiro da arma de Mardson passou voando por cima de sua cabeça.

Mesmo assim, ela se levantou. E viu Brody e Rick lutando no chão com a arma entre os dois.

— Parem! — Reece saiu correndo. — Parem! Parem! — E pressionou o cano do rifle na cabeça de Rick. — Pare.

— Calma, magrinha — arfou Brody.

Ele se mexeu, tentando segurar melhor a arma. Rick girou para cima de Reece, derrubando-a e puxando a pistola ao mesmo tempo. E, quando a apontou para a própria cabeça, Brody lhe deu um soco na cara.

— Não vai ser tão fácil assim — avisou ele, e se arrastou para pegar a arma que caíra das mãos de Rick. — Aponte isso aí para outro lado — disse para Reece.

Ela ficou imóvel por um momento, ainda agarrada ao rifle.

— Eu corri.

— Sim, correu. Decisão inteligente.

— Mas não fugi.

Por estar cansado, machucado e enjoado, Brody apenas se sentou ao lado dela.

— Não, não fugiu.

Don e Linda-gail — ele apenas de calça jeans, ela enrolada no lençol — chegaram esbaforidos.

— Pelo amor de Deus, o que é que está acontecendo? — Don quis saber. — Jesus Cristo, Brody. Jesus Cristo! Você levou um tiro?

— Levei. — Ele pressionou o braço, analisando a palma da mão que voltou úmida e vermelha antes de encarar Reece. — Temos outra coisa em comum agora.

Entre os dois, Rick permaneceu deitado no chão, cobriu o rosto com as mãos e chorou.

Ao NASCER do sol, Reece ajudou Brody a sair do carro.

— Você podia ter passado um dia no hospital. Dois dias.

— Eu podia ter passado duas horas batendo com um penico na minha cabeça. Nenhuma das duas experiências seria agradável. Além do mais, não viu a enfermeira que colocaram pra me atender? A mulher parecia um buldogue. Assustadora.

— Então vai me obedecer. Pode ficar na cama ou no sofá.

— Onde você vai ficar?

— Na cozinha. Você não vai tomar café.

— Magrinha, acho que nunca mais vou querer tomar café na vida.

Seus lábios tremeram, mas Reece os firmou para não chorar.

— Vou fazer chá e ovos mexidos pra você. Cama ou sofá?

— Quero me sentar na cozinha e ver você cozinhar para mim. Isso vai me distrair da dor.

— Você não sentiria dor se tivesse tomado os remédios.

— Acho que também parei com remédios. Parecia que eu estava nadando em um mar de cola no chalé de Rick. Dava pra ouvir a conversa, mas era impossível entender as palavras, pelo menos não no início. Eu só podia me fingir de morto e torcer para ter uma chance de derrubá-lo.

— Enquanto você estava amarrado a uma cadeira e dopado, ele podia tê-lo matado.

— Ele podia ter matado nós dois. E teria feito isso — corrigiu-se Brody —, mas você não fugiu feito um coelho assustado quando teve a chance. — Ele respirou fundo quando ela o ajudou a se sentar em uma cadeira da cozinha. — Que noite. Reece? — chamou Brody quando ela continuou de costas e não respondeu.

— No começo, quando saí correndo, eu nem estava pensando. Foi uma reação instintiva, e como eu queria sair dali. Correr e me esconder. Mas... isso mudou. Nem sei quando. E se transformou em correr e encontrar alguma coisa que pudesse ser usada para lutar. Acho que quase matei Don e Linda-gail de susto.

— Uma história para eles contarem aos netos.

— Pois é.

Reece colocou a chaleira no fogo e pegou uma frigideira.

— Você descobriu tudo antes de mim. Eu sou o escritor de livros de mistério, mas a cozinheira descobriu tudo antes. Eu me entreguei de bandeja. — Ele nunca, jamais se esqueceria de como fora nadar em meio ao entorpecimento e ouvir a voz dela. Nunca se esqueceria daquele medo paralisante. — E, por causa disso, você quase morreu.

— Não. Por causa *dele*, eu quase morri. Você só foi até lá, Brody, porque ele era seu amigo.

— Era mesmo.

Reece pegou a manteiga, colocando uma lasca na frigideira.

— Não sei o que vai acontecer com Debbie e aquelas meninas. Como elas vão superar isso? A vida nunca mais será a mesma.

— A vida já não era como elas achavam. É melhor saber, não é?

— Talvez. Não dá para pensar nisso agora. — Reece quebrou os ovos e começou a mexê-los com um pouco de endro fresco e pimenta. — Ele acreditava mesmo em tudo que dizia. Que estava protegendo a família, fazendo o que precisava ser feito. Que Deena não lhe dera escolha. Ele acha que é um bom homem.

— Uma parte dele é. E outra parte se separou, se meteu onde não devia. E isso teve um preço, magrinha. Teve um preço para Deena Black também.

— Ele a matou. Enterrou o corpo, cobriu os rastros, escondeu a moto até poder usá-la para ir ao apartamento e pegar as coisas dela. E cobrir esses rastros também. Ele fez tudo isso e permaneceu completamente calmo, mesmo depois de ligarmos e contarmos o que vi.

— Se Rick tivesse conseguido te assustar, ou fazê-la duvidar de si mesma, teria se safado.

— E se você não tivesse acreditado em mim, provavelmente isso teria acontecido. Acho que enfrentar isso tudo me afastou de um precipício que sempre esteve por perto. — Ela serviu os ovos em um prato, que colocou diante dele. Então, tocou seu rosto. — Eu teria caído no precipício sem você, Brody. Teria caído se ele tivesse te matado. Então — Reece se inclinou e levou os lábios aos dele —, obrigada por continuar vivo. Coma seus ovos.

Ela se virou para terminar o chá.

— Também havia um precipício diante de mim. Você entende isso?

— Entendo.

— Uma pergunta: por que você não fica pressionando?

— Pressionando quem?

— A mim. Você está apaixonada por mim... Quer dizer, ainda está, né?

— Estou.

— Nós quase morremos juntos, você deve ter ouvido quando eu disse que morreria no seu lugar. Mas não insiste.

— Não quero insistir para você dizer nada, então está tudo bem. — Reece colocou a xícara na mesa. Depois, franziu o cenho ao ouvir a batida à porta. — Que rápido — comentou. — Imagino que vamos receber muitas visitas, muitas perguntas e muita gente querendo saber exatamente o que aconteceu.

— Não, sou eu que preciso atender — disse Brody, agarrando a mão dela antes que ela pudesse se afastar da mesa. — Estou esperando uma coisa.

— Você devia estar descansando.

— Eu consigo andar até a porcaria da porta. E você pode tomar essa droga de chá. Vou beber uma Coca com esses ovos.

Reece balançou a cabeça enquanto ele se afastava, mas resolveu fazer a vontade dele. Pegando um copo, ela o encheu de gelo e tirou uma lata de Coca da geladeira. Depois de servir a bebida, pegou o chá que Brody não queria. E parou com a xícara a caminho dos lábios quando ele voltou para a cozinha. Carregava um buquê enorme de tulipas no braço que não estava machucado.

— Você nunca disse uma cor específica, então comprei todas que tinham.

— Uau.

— É sua flor favorita, não é?

— Sim. De onde elas saíram?

— Liguei para Joanie. Se precisa mesmo de alguma coisa, ela é a mulher a quem pedir. Quer as flores ou não?

— É óbvio que eu quero. — O sorriso de Reece era radiante enquanto ela pegava o buquê e enfiava o rosto nele. — Elas são tão bonitas e simples e delicadas. Como um arco-íris depois da tempestade.

— E que tempestade, magrinha. Acho que você merece um arco-íris.

— Nós dois merecemos. — Ela ergueu a cabeça e sorriu. — Então, a gente está namorando sério?

Quando Brody continuou em silêncio, completamente mudo, o coração dela disparou.

— Vou comprar a cabana — disse ele.

— Vai mesmo?

— Assim que eu conseguir convencer Joanie. Mas sou muito persuasivo. Vou reformar algumas coisas. Um escritório maior, uma varanda. Vejo duas cadeiras na varanda. Vejo tulipas lá fora. Na primavera, certo?

— É a melhor estação.

— Você pode fazer o jantar, abrir o restaurante, gerenciar a própria cozinha. Pode escrever livros de gastronomia. O que quiser. Só que vai ter que ficar aqui, e, mais cedo ou mais tarde, teremos de legalizar as coisas.

— Teremos?

— Você me ama ou não?

— Sim. Sim, eu amo.

— E eu também te amo. Quem diria?

Com dois sopros rápidos, o ar entrou e saiu do peito dela.

— Quem diria?

Brody segurou sua nuca, aproximando-a, beijando-a enquanto pressionava as tulipas entre os dois.

— Eu estou onde quero estar. E você?

— Também. — Tudo dentro de Reece pareceu se acalmar enquanto ela afastava a cabeça e olhava nos olhos dele. — Exatamente onde quero estar.

— Então... Você quer se sentar na varanda comigo um dia desses — perguntou ele —, para observar o lago, ver as montanhas nadando na água?

— Quero muito, Brody. — Reece pressionou a bochecha na dele. — Quero muito.

— Então vamos tornar esse plano realidade, nós dois. — Então ele se afastou. — Por enquanto, que tal dar um jeito nessas flores? E pegue outro garfo. Vamos dividir os ovos.

A manhã se iluminou com os sinais do verão que acabaria se transformando no outono. E os dois se acomodaram à mesa da cozinha, o vaso com o arco-íris de tulipas sobre a bancada, comendo os ovos mexidos que já tinham esfriado.

Este livro foi composto na tipografia Minion Pro, em corpo 11/16, e impresso em papel off-white no Sistema Cameron da Divisão Gráfica da Distribuidora Record.